S0-BLL-904

Gerd Mesenhol

Oftmals auch auf rauhen Pfaden

Gerd Mesenhol

OFTMALS AUCH AUF RAUHEN PFADEN

Das Leben des
Theodor Fontane

Eugen Salzer-Verlag Heilbronn

Zur Erinnerung an meinen Vater
HEINRICH MESENHOL
31. Januar 1911 – 9. Juni 1990

Umschlaggestaltung: Klaus Pohl, unter Verwendung eines Gemäldes
von Walter Leistikow (1865–1908)
»Märkischer See«. Öl auf Leinwand, Zürich, Feilchenfeldt.
Archiv für Kunst und Geschichte, Berlin
Gesamtherstellung: Wilhelm Röck, Weinsberg
Printed in Germany · ISBN 3 7936 0325 3

I. BUCH

Nur wem die Götter gnädig sind,
der wird wie du geboren.

(Th. Fontane: Lied der Lady Wentworth)

1. KAPITEL – BERLIN, MAI 1876

Es ging schon gegen Abend. Noch einmal hatte sich der Verkehr über den Potsdamer Platz ergossen, in einer bunten Woge. Vom nahen Tiergarten wehte es schüchtern heran. Ein Geruch von frischem Grün lag in der Luft, der sich mit den herben Ausdünstungen der gefetteten Wagenachsen mischte.
»Guten Abend, Herr Fontane!«
Seit er Theaterkritiken für die Vossische Zeitung schrieb und jenen exponierten Parkettplatz im Königlichen Schauspielhaus inne hatte, war sein Bekanntheitsgrad in der Öffentlichkeit gewachsen. Es hätte ihn freuen sollen. Aber er grüßte nur knurrend zurück und verfolgte mit zielstrebigen, schnellen Schritten weiter die Richtung, die ihn zur Potsdamer Straße brachte. Dort lag seine Wohnung.
Er hatte sich alles zurechtgelegt: Die Argumente gegeneinander abgewogen, sie ausgetauscht. Das Entlassungsgesuch sollte wenigstens halten, was er sich von seiner Tätigkeit in der Akademie versprochen hatte. Der Text, auf dem Weg vom Marstall, wo die Akademie der Künste untergebracht war, zum Potsdamer Platz komponiert, war inzwischen ein Ganzes geworden. So ausgewogen und balanciert, daß er bei allem Zorn, der in ihm tobte, Gefallen daran fand.
Als ihn die dunklen, ernsten Fassaden der alten Häuser in der Potsdamer Straße einfingen, verharrte er im Schritt. Der Sturm seines verletzten Stolzes war abgeflaut. Er hatte ihn durch die Straßen getrieben, sein Inneres aufgewirbelt und die Gedanken von unten nach oben gekehrt.
Längst hatte er gelernt, sich damit zu arrangieren. Viel schwerer war das andere: Die Freunde, die Familie zu beruhigen. Emilie, seine Frau, sie sich an der Schwelle eines neuen Lebensabschnitts wähnte, seit er den Posten des Akademie-Sekretärs übernommen hatte. Einen Posten mit Avancen.
Und was würden die Freunde sagen, die, die ihm zugeraten, ja, sich sogar für ihn verwandt hatten, um ihm diese Pfründe eines Amtes zu verschaffen, wie sie meinten. Eines Amtes, das ihm immerhin auf Dauer ein festes Einkommen garantiert hätte. Würden sie ihm jetzt in seinem Entschluß folgen können, Sekretär Sekretär sein zu lassen, wieder zurückzuschlüpfen in die alte Unsicherheit seines Lebens, diesen halsbrecherischen Hochseilakt, der nun beinahe dreißig Jahre währte.

Er war nicht mehr der Jüngste: Im 57. Lebensjahr, leidlich gesund, Vater von vier Kindern, von denen drei noch in der Ausbildung standen. Leidlich war auch, was er bisher unternommen hatte: Reise-, Kriegsbücher, Artikel und ein begonnener Roman. Investitionen an Hoffnung und Lebenskraft, die als Verluste zu verbuchen waren und seiner Dünnhäutigkeit jenen Stachel aufgepflanzt hatten, dessen Berührung er nur mit widerborstigem Stolz zu beantworten vermochte. Die Auseinandersetzung, vor wenigen Stunden im Senat abgelaufen, stand ihm noch bildhaft vor Augen. Hitzig, Geheimer Baurat, Leiter des Sekretariats der Akademie, hatte ihn rufen und dann ungebührlich lange warten lassen. Etwas war dazwischen gekommen, eine unaufschiebbare Besprechung, so jedenfalls hieß die offizielle Begründung. Nach einer halben Stunde des Antichambrierens erhob Hitzig seine Stimme, näselnd, betont nachlässig und herablassend. Das Dossier, das er aufnahm, entlarvte sich auf der Stelle als Vorwand für im Augenblick noch undurchschaubare Absichten.
»Seit Sie die Geschäfte führen, lieber Fontane, befindet sich das Sekretariat ... na, ich will mal sagen ... in einem etwas derangierten Zustand.«
Das Näselnde des Tonfalls hatte seinen Widerspruch sofort herausgefordert.
»Entschuldigen Sie, Herr Geheimrat, aber seitdem die Stelle des Inspektors und Akademie-Schreibers gestrichen wurde, tue ich die Arbeit für drei.«
»Na, übertreiben Sie nicht ... mein lieber Fontane!«
»*Herr* Fontane, bitte!«
»Sehen Sie, da kommen wir sofort auf den Punkt.«
Das Dossier war klatschend auf dem Schreibtisch gelandet. Es hatte seine Rolle ausgespielt. Hitzig war aufatmend in seinen Sessel zurückgefallen, hatte sich unter dem Kolossalgemälde Seiner Majestät des Kaisers zurechtgerückt und den Zwicker auf seine knochige Nase gedrückt.
»Es ist Ihre Art, Herr Fontane«, deckte er seine Karten auf, nicht ohne die Anredeformel in einer ironischen Weise zu unterstreichen, »die zu den angedeuteten Komplikationen geführt hat. Diese Art der verhohlenen Aufmüpfigkeit und stillen Arroganz, mit der sie aufzutreten pflegen. Vielleicht ist es Ihnen möglich, an anderem Orte diesen Stil komplikationslos zu praktizieren. Hier nicht. Bei uns müssen sich alle jener Umgangsform unterordnen, die für dieses Haus gilt, Herr

Fontane – auf den anzüglichen Ton in der Anrede hatte er auch dieses Mal nicht verzichtet – nehmen Sie das bitte zur Kenntnis.«
Das Lippenflattern mußte an dieser Stelle begonnen haben, wenn er sich recht erinnerte. Ein Reflex, der sich immer in Situationen einstellte, in denen die Unverschämtheit den Ton angab. Hitzig hatte seine Stimme unangenehm angehoben. Sie war drohend geworden, wenngleich er seinem Gesicht einen freundlichen Anstrich erhalten konnte, als er klar zu machen versuchte, wieviel Dankbarkeit am Platze sei.
»Ein Mann in Ihrer Lage, denken Sie nach. Himmeldonnerwetter! Fühlen Sie sich denn niemandem verpflichtet? Sie sitzen immerhin auf einem Posten, den Ihnen Tausende neiden.«
Der hymnische Aufschwung der Stimme, mehr noch als die hervorbrechende Leutseligkeit mußte es dann gewesen sein, der das Lippenflattern verjagt und den Zorn an seine Stelle gesetzt hatte, dessen Augenblicksentschluß er jetzt mehr noch als vor Stunden begrüßte: Keine Minute länger als nötig an diesem Platz zu bleiben.
Die Belehrung war damit zu Ende gegangen, daß Hitzig ihn durch die Gläser seines Zwickers beäugt hatte wie ein Insekt unter dem Mikroskop, das Gesicht verschlossen in stillem Triumph.

Der Lärm vom Potsdamer Platz hatte Fontane wieder zur Besinnung gebracht. Ein kreischender, schräger Ton war es gewesen, als würde blankes Eisen über das Pflaster gezogen. Immerhin sorgte er dafür, daß die blamable Szene in der Akademie aus seinem Kopf verschwand und dem Bild der Straße Platz machte. Die noch halbwüchsigen Linden entlang des Trottoirs auf beiden Straßenseiten hatten frisches Laub getrieben. Wie Jungvögel mit noch unvollkommenem Gefieder harrten sie einer Aufmerksamkeit, die ihnen heute keiner weniger hätte entgegenbringen können als jener Mann, der nun mit entschlossenem Schritt auf die Hausnummer Potsdamer Straße 134c zusteuerte. Noch einmal blieb er stehen, scheinbar in Anspruch genommen von der sich nicht ganz geräuschlos abwickelnden Ladetätigkeit vor dem Nachbarhaus, einer Weinhandlung, dann warf er nur einen kurzen Blick hinauf in den dritten Stock und legte, wenngleich beklommen, die Hand auf die Klinke der Haustür.

Der Makart-Strauß war ihm sofort ins Auge gefallen. Emilie hätte sich den Hinweis ersparen können, sie seien zu einer längst fälligen Anschaffung gekommen.
»Und dazu noch recht günstig«, rief sie von der Küchentür her, während Anna, ihr Hausmädchen, ihm gerade den Hut abnahm.
Es war schon zu Abend gedeckt. Martha, Fontanes 16jährige Tochter, die er liebevoll Mete zu nennen pflegte, hatte auf die Geräusche im Entree hin ihr daneben gelegenes Zimmer verlassen und war auf ihren Vater zugestürmt.
»Mein Springhase, wie war der Tag?«
Er tätschelte ihr freundlich die Wange und nahm einen dankbaren Blick aus ihren blitzenden Augen entgegen. Augen, wie sie seit neuestem auch Emilie zu zeigen pflegte. Leider wußte er nur zu genau, welcher Tatsache er diesen Stimmungswandel zu verdanken hatte.

Sie hatten in dem Raum, der sich zwischen Küche und Arbeitszimmer spannte und von der Familie das Berliner Zimmer genannt wurde, ihre Plätze eingenommen, bis auf Anna, die eine Schüssel dampfender Kartoffeln hereintrug und damit Emilie in die Quere kam, als sie ihrem Mann eine Flasche Wein herüberreichte mit der Bitte, er möge sie öffnen.
»Wein zum Essen?« Sein Blick war eine Mischung aus ungläubigem Staunen und vorsichtiger Skepsis. »Sind wir seit neuestem bei Borsig eingestiegen oder hat dir Bleichröder eine Erbschaft hinterlassen?«
Ungeachtet seines sarkastischen Einwands hatte er sich daran gemacht, die Flasche zu entkorken und die Gläser vollzugießen. Mete war schon dabei, sich den Teller aufzufüllen.
»Weiß Gott, Theo, ich wünschte es mir.« Emilie hatte die Belehrung in einem so heiteren Ton vorgebracht, daß sich davon niemand düpiert fühlen konnte.
»Und außerdem – sie hatte sich gesetzt und die Kartoffelschüssel reichen lassen – haben wir es jetzt bestimmt nicht mehr nötig, den Bescheidenheitsstandpunkt tout à prix zu vertreten.«
Er war sich nicht ganz sicher. Aber er glaubte, einen erleichterten Seufzer bei ihr vernommen zu haben, während sie Gemüse zu den Kartoffeln gab und mit Appetit zu essen begann. Er trank einen Schluck aus dem Glas, um sich Mut zu machen.
»Hast du schon daran gedacht, daß dadurch auch vieles für die Jungens leichter wird«, bemühte sie sich, ihm klar zu machen, »ganz we-

sentlich sogar, wenn es in Kürze darum geht, die richtige Frau zu finden. Es ist halt allemal besser, einen Vater ins Feld führen zu können, der sich« – sie zögerte – »Rat nennt, als ...«
Jetzt begehrte er auf. Eigentlich war er ihr dankbar dafür, daß sie es soweit hatte kommen lassen. Seine Verschlossenheit erschien ihm plötzlich wie falsche Rücksichtnahme. Vor dem wiedererweckten Zorn wich die Beklommenheit der vergangenen Minuten wie schwacher Bodennebel nach einem Windstoß. Er hatte das Glas neben seinen Teller gesetzt und den Kopf gehoben. Aus seinen Augen funkelte die erlittene Kränkung.
»Ich habe Hitzig die Brocken vor die Füße geworfen«, sagte er mit fester Stimme, »ich werde das Amt quittieren.«
Emilie hatte aufgehört zu kauen. Ihr Gesicht war puppenhaft erstarrt. Langsam entglitten ihr Messer und Gabel aus den Händen. Er hätte es nicht für möglich gehalten, wie es nun bei Emilie geschah, daß sich ein Mensch innerhalb weniger Sekunden so völlig verändern konnte. Langsam nur kehrte das Leben in sie zurück, bis sie schluckte und tonlos meinte:
»Anna, gehen Sie bitte aus dem Zimmer!«
Das Hausmädchen, froh darüber, sich der aufheizenden Situation entziehen zu können, verschwand augenblicklich in die Küche. Mete starrte ihren Vater an, aus runden, erregt glitzernden Augen. Die Blässe, die Emilie befallen hatte, war in ein krebsiges Rot übergegangen. Sie rang sichtlich um Fassung. Um so bemerkenswerter war die Ruhe, mit der sie ihren Mann um Richtigstellung bat.
»Du hast dich nicht verhört«, bestätigte er ungerührt seine Aussage, »ich werde ein Abschiedsgesuch an den Minister und den Kaiser richten und wieder das sein, was ich auch vorher war: Nur Fontane.«
Sie brachte nicht mehr als ein Wort hervor:
»Bitte ...?«
Ein in jeglicher Beziehung hilfloses: »Bitte«, das alles in sich zu bergen schien, was sie an Gefühlen und Taten hätte freisetzen können, wenn es ihr nur möglich gewesen wäre.
Durch eine 26jährige Ehe hinlänglich mit ihrem Charakter vertraut, wußte er, daß dieser Unfähigkeit keine Dauer beschieden war.
Und dann brach das aus ihr hervor, was er Mete gegenüber einmal »Mamas Irrereden« genannt hatte: Jene wild verzweifelte Anhäufung von Klagen, die ihrem Leben, solange er sie kannte, Maß und Richtung zu geben schien. Ihr Gesicht war zu einer Maske versteinert.

Nur der Mund bewegte sich, gequält, während sie von seiner unmenschlichen Rücksichtslosigkeit sprach.
»Du vergißt allemal, daß du nicht für deinen Kopf allein stehst«, preßte sie hervor, »von mir ganz abgesehen, müssen noch drei von deinen vier Kindern unterhalten werden. Willst du das wie bisher den Menschen überlassen, die ohnehin schon soviel für uns getan haben? Denkst du dabei in gar keiner Weise an deinen Freund Karl Zöllner und die anderen, deren Referenzen dir die Tür zur Akademie geöffnet haben?«
Mete war aufgesprungen. Alles deutete darauf hin, daß sie das Zimmer verlassen wollte. Aber Emilie hielt sie zurück, als sehe sie in ihrer Tochter das gewichtigste Argument, das sie gegen ihren Mann ausspielen konnte.
»Emilie, so können wir nicht miteinander ...«
»Doch, so können wir miteinander reden«, wandte sie schwer atmend ein, »so hätten wir schon vor sechs Jahren miteinander reden sollen, als du Knall auf Fall bei der Kreuzzeitung gekündigt hast. Aber damals war ich zu deinem Glück nicht zu Hause. Heute bin ich es. Und heute wird geredet.«
Äußerlich zumindest war er ganz ruhig geblieben, hatte die Attacke gefaßt hingenommen. Aber er war doch unmerklich einige Male zusammengezuckt. Emilie vermochte es immer wieder, an jene Punkte zu rühren, die seine Schuldgefühle verbargen.
»Es ist ungerecht, mir Egoismus oder Lieblosigkeit vorzuwerfen«, setzte er zur Verteidigung an, »genau das Gegenteil ist der Fall. Lieblos wäre ich, bliebe ich in einem Amt, das mich krank macht, meinen Körper und meine Seele zerrüttet. Was hättet ihr von einem Vater, der am Ende zu keiner Verrichtung mehr taugt?«
Emilie spitzte den Mund. Die Geste entbehrte nicht eines hysterischen Anstrichs. Es klang etwas prätentiös, als sie ausrief:
»Oh, genau das hätte dein Vater sagen können, deine Mutter hat mich davor gewarnt, als wir heirateten. Theo ist ganz der Vater. Ich hätte es wissen müssen.«
Gegen solche Schläge kam er nicht an. Ihre Manier, unter die Gürtellinie zu zielen, hatte ihn in den Jahren ihrer Ehe zu dem Mittel Zuflucht nehmen lassen, zunächst zu schweigen, um dann in einem günstigen Augenblick die Panzerungen ihrer Spitzfindigkeit aufzusprengen. Mete jetzt als heimliche Verbündete bei sich zu wissen, tat ihm gut. Zumal Emilie ihre Vorwürfe fortsetzte.

»Bekommst du nicht genug davon, uns im Elend zu sehen«, schluchzte sie, »vom ersten Tag an habe ich an deiner Seite nichts anderes erfahren. Immer nur Hoffnungsschimmer, die bald schon verblaßten. Und die Kinder klein. Mit ansehen zu müssen, wie die anderen weiterkamen, wie deine Freunde Kommerzienräte wurden, Gerichtsräte und Unternehmer, während ich dir deine Manuskripte ins reine schrieb für den Preis einer glücklich ausfallenden Rezension und manchmal nicht mal das. Theo, das tut weh.«
Inzwischen hatte er sich hinreichend mit Gleichmut gewappnet, um nicht mit Übelkeit reagieren zu müssen, als Emilie stärker auf ihn loszugehen begann.
»Schämst du dich eigentlich nicht, Theo? Nicht vor unseren Freunden, nicht vor deinen Geschwistern? Ich denke nur an Jenny und meine Schwester, deren hämisches Lachen mir das Herz abdrücken könnte. Nicht vor den Wittes, denen wir soviel verdanken? Nicht vor unseren Nachbarn hier, die sich wenigstens darum bemühen, den Pfennig aufzuheben, wenn er ihnen durch einen glücklichen Umstand vor die Füße fällt?«
Sie hatte sich so in die Rolle der Anklägerin eingelebt, daß ihr die theatralische Pose leicht fiel, mit der sie jetzt auf Mete wies.
»Und letztendlich, schämst du dich nicht vor dem Kind hier?« rief sie.
Da war es mit seinem Gleichmut vorbei.
Mete hatte nur: »Mama ...!« geschrien, und für einen Moment war Anna im Türrahmen erschienen, um sogleich wieder zu verschwinden.
Seine Nasenflügel hatten sich leicht angehoben. Dann sprach er ruhig und gesetzt.
»Du willst dich partout auf das arme Opfer herausreden, nun gut.«
Er spürte, daß seine Lippen trocken geworden waren. Emilie schaute ihn lang und fragend an.
»Insofern hast du recht«, gestand er ihr zu, »als Makart-Sträuße, Römer und Tafelsilber nie zu unserem Habitus gehörten. Da mußten wir uns nach der Decke strecken. Auch die Titulartafeln kennen wir nur vom Hörensagen. Aber was das andere angeht! Du warst in London, in Italien, in der Schweiz und Österreich. Du hast die interessantesten Leute kennengelernt.«
Ihr Blick war taxierend geworden. Er barg ein unsicheres Flunkern, das ihm die Wirksamkeit seiner Worte signalisierte.
»Und nun zu den Kindern«, beharrte er weiter auf seiner Richtigstel-

lung, »George ist Offizier in Lichterfelde, Theo hat sein Abitur gemacht und wird es bei seinem Ehrgeiz weit bringen, da habe ich keine Sorgen. Und über unseren kleinen Friedel zerbreche ich mir schon gar nicht den Kopf. Seine Anpassungsfähigkeit garantiert ihm den Lebenserfolg. Von Mete ganz zu schweigen – für einen Moment streiften seine Augen das glühende Gesicht seiner Tochter – sie war eine vorzügliche Schülerin und wird eine vorzügliche Seminaristin und vorzügliche Frau sein. Von nichts bin ich mehr überzeugt.«
Sein energischer Gegenangriff war erfolgreich gewesen. Emilie starrte ihn an, entgeistert, als habe sie Zweifel bekommen an den Verstandeskräften ihres Mannes, fand jedoch nicht den Mut zu einer ihrer unverblümten Entgegnungen. Nur auf Metes Gesicht glänzte die Bewunderung für den Vater. So saßen sie sich gegenüber, eine ganze Zeit lang, mit ausweichenden Blicken, ohne das Essen anzurühren. Der verschlossen finsteren Miene der Eltern wußte Mete nicht mehr entgegenzusetzen, als hilflos zum Weinglas zu greifen und ihnen zuzuprosten. Es war ein hoffnungsloses Unterfangen, den Abend damit retten zu wollen. Sie brachte ihren Vater nur dazu, sich mit dem Tischtuch den Mund abzuwischen, überstürzt aufzustehen und sich grußlos in sein Arbeitszimmer zurückzuziehen.

Es lag zur Straßenseite hin. Zwei Fenster vermittelten ihm genügend Helligkeit, um dort bis zum Einbruch der Dunkelheit ohne Hilfe einer Lampe schreiben oder lesen zu können. Das ergab sich schon daraus, daß der Schreibtisch unmittelbar vor einem der Fenster stand. Ohne ein Licht zu entzünden, hatte sich Fontane zum Stuhl vorgetastet, in dem er bei der Arbeit zu sitzen pflegte. Ein Stuhl, dessen Korbbespannung sich in all den Jahren den Proportionen seines Körpers angeglichen hatte. Aschfahl ließ sich der Dämmer im Raum nieder. Kaum daß die Papierbögen noch zu sehen waren, die vor ihm lagen, fein säuberlich aus Kontorbüchern geschnittene Blätter, die er als Manuskriptpapier benutzte.
Er wollte nach der Feder greifen, aber irgendetwas hielt ihn zurück, die Gedanken zu fixieren, die auf dem Weg nach Hause herangereift waren.
Vielleicht hatte Emilie recht. Alles nur Egoismus, Lieblosigkeit. Die Eitelkeit eines ältlich gewordenen Herrn, der nicht zugeben wollte, daß er gescheitert war.
Die Dunkelheit tat ihm gut. Sie verbarg ihn vor sich selber. Aus dem

Wohnzimmer hörte er Emilie schluchzen, in kurzen Abständen zuerst, dann wurden sie länger, während Metes Stimme das Feld beherrschte, sanft, aber eindringlich.
Für einen Augenblick wandelte ihn das Gefühl an, alles von sich zu werfen: Die Freunde, die Familie. Angesichts seiner Vergangenheit befiel ihn der Überdruß. Aber um so unbarmherziger riß ihn die Gegenwart wieder zu sich heran.
Seine Worte von eben, jetzt kamen sie ihm anmaßend vor. Was kannst du schon versprechen, dachte er. Allenfalls soviel, daß es dich erröten macht. Es wäre wirklich besser aufzugeben, anzuerkennen, was andere auch anerkennen müssen. Es ist so, wie es ist. Aus, vorbei. Und was könntest du schon dagegen halten? Eine gescheiterte Vergangenheit und einen neuen Anfang mit 57? Du bist kein Heyse, kein Dahn, kein Scheffel oder Scherenberg. Nicht einmal ein Schreiberling, wie es dein Freund Hesekiel gewesen war. Der Anspruch, das sein zu wollen, was du glaubst zu sein, begründet sich auf einer Option. Auf nicht mehr.
So niederschmetternd die Einsicht hätte sein müssen, sie machte ihm Mut.
»Das ist in der Tat wenig«, sagte er sich, »aber es hat immer mit wenig gehen müssen. Du wirst also vom Amt Abschied nehmen, und du wirst den Roman zu Ende schreiben. Er ist das, was deinem Leben von nun an die Rechtfertigung gibt. Mit ihm soll alles beginnen oder enden. Du fängst noch einmal an. Ganz von vorn.«
Die Standuhr in der Ecke hatte begonnen, die volle Stunde einzuläuten. Als er aufschreckte, war er für einen Moment verwirrt. Er brauchte Zeit, um zu begreifen, daß er eingeschlummert war. Dann stand er auf, machte Licht, ging zur Buchvitrine und zog die untere Schublade auf, wo er seine Manuskripte verwahrte. Die Schriftzeichen, die er vor mehr als zehn Jahren aufs Papier gesetzt hatte, kamen ihm jetzt fremd und überholt vor, als stammten sie aus einer anderen Feder. Die Betrachtungen, die er dabei war anzustellen, lösten seine Spannung. Ihm war, als kehre er zurück an den Ausgangspunkt seines Lebens, während er die Blätter umlegte und die Seiten überflog.
»Vor dem Sturm« hatte er damals das Manuskript betitelt. Und er dachte daran, daß er angesichts seiner heutigen Situation den Titel nicht hätte beziehungsreicher wählen können.

2. KAPITEL – SWINEMÜNDE, 1827

Wo er seinen Anfang genommen hatte, blieb im dunkeln. Aber er kam vor der Zeit, der Äquinoktialsturm. Wütend berannte er den lang geschwungenen Küstensaum, stemmte sich hinein in die Swine und riß an Bollwerk und Stegen. Vor dem Brüllen seiner entfesselten Gewalt duckten sich Mensch und Tier in den strohgedeckten Fischerkaten und stolzen Kaufmannshäusern, über deren gravitätischer Fassade der Sand schleierte.

Mamsell Schröder, seit kurzem erst im Fontaneschen Hause als Wirtschafterin tätig, war aufgewacht. Aus dem Parterre, wo neben der Apotheke auch die Schlafstellen der Kinder lagen, schien ein Wimmern zu kommen. Ungeachtet des Windes, der im Hof Purzelbäume zwischen den Stallungen vollführte und wie wundgeschlagen anklagende Töne von sich gab, hatte sie sich ein Umschlagtuch übergeworfen und war mit einem Licht versehen aus ihrer Giebelstube hinuntergestiegen in den Flur. Unten angekommen, blieb sie noch einmal stehen, um sich zu vergewissern. Obwohl die Tür zum Hof rappelte, war sie sicher, richtig gehört zu haben. Das verhaltene Weinen war noch da. Es kam aus dem Zimmer hinter der Küche. Dort schlief Theodor, das älteste Kind des Apothekers Louis Henri Fontane, der vor nicht ganz sechs Wochen von Neuruppin nach Swinemünde übergesiedelt war.
Das Talglicht vor sich haltend, marschierte die Frau den Flur zum Hof hinunter und stand bald im Zimmer des siebenjährigen Jungen.
»Was ist denn, Bengelchen?«
Soweit sie im matten Schein der Kerze erkennen konnte, war nichts Besonderes vorgefallen. Das Fenster zum Hof war ordnungsgemäß geschlossen. Das Kind saß aufrecht im Bett, das Gesicht tränenfeucht und wie mit Silber überzogen.
»Brauchst doch keine Bange zu haben«, versuchte sie es zu beruhigen, während sie sich auf das Bett setzte und das Halbdunkel ausleuchtete, »ist ja nur der dumme Wind. Macht alles verrückt in der Jahreszeit und bringt doch nichts zustande.«
Sie lächelte den Jungen vielsagend an, als habe sie soeben sein Einverständnis erhalten, ihm zu erklären, daß er sich schon gar nicht vor dem Meer zu fürchten brauche.

»Da muß ein ganz anderer Wind her, wenn er uns ersäufen will«, belehrte sie ihn mit sanfter Stimme, »und außerdem haben wir doch unsere Bollwerke. Da muß er erst gegen an und zu mehr als zu Wasser im Keller hat's bisher noch nie gereicht. Also schlafe ruhig, Bengelchen.«
Mit dem Handrücken hatte sich Theo die Tränen abgewischt, zweimal geschluckt, und sich dann wieder zurückgelehnt. Im Zwielicht erschien das Gesicht der Mamsell Schröder noch zerfurchter und totenkopfähnlicher, als er es bei seiner ersten Begegnung mit ihr empfunden hatte.
»Blattern ...«, war ihm von seinem Vater erklärt worden. Bei allem Schrecken, den das Erscheinungsbild verbreiten konnte, war in ihm nicht die geringste Furcht. Er sah sie an aus seinen etwas verträumten blauen Augen, als säße nicht sie hier, sondern seine Mutter, die in Neuruppin zurückgeblieben war, um sich in Berlin einer Kur zu unterziehen. Und als habe die Schröder im Blick des Jungen gelesen, meinte sie:
»Wird schon kommen, die Mama. Bist aber doch ein großer Junge, der nicht weinen muß.« Damit streichelte sie dem Jungen über den Kopf, raffte ihr Umschlagtuch zusammen und tapste mit einem letzten fürsorglichen Blick aus dem Zimmer.

Als wolle der nächste Morgen die Unbotmäßigkeit der vergangenen Nacht korrigieren, ließ er den Tag in einem strahlenden Blau aufgehen. Die Stadt erwachte aus einem totenähnlichen Schlaf. Der Kirchplatz, umsäumt von Häusern, präsentierte entgegen der gewohnten Rührigkeit ein trostloses Bild. So unbelebt wie der Platz war alles: Das Meer, schmutzig wie ein ungeputzter Spiegel. Das Gras vor den Häusern. Die Blätter an den Kastanien. Kraftlos wie der Nachtwind schienen die Menschen. Nur das Krächzen der Möwen, die über den Schiffsmasten turnten, verhieß einen neuen Anfang.
Mit einem aufmunternden Klaps war Theo verabschiedet worden. In der Küche hatte ihn die Schröder mit einem Frühstück versorgt, zusammen mit den Geschwistern: Dem zwei Jahre jüngeren Rudolf und der erst vierjährigen Jenny.
»Mach deine Sache gut!« hatte ihm der Vater nachgerufen, als der Junge aus dem Schatten der Kastanien auf die Sandwiese des Kirchplatzes gestürmt war, eher lustlos, denn er hätte gut und gerne auf die Schule verzichten können. Aber vom Vater war entschieden worden:

»Es muß sein.« Und weil gerade nichts Besseres zur Hand gewesen war, hatte die Stadtschule herhalten müssen. Eine Entscheidung, die dem Naturell des Vaters entsprach, Situationen schnell und unkompliziert zu bereinigen.
Sie lag auf einer Sanddüne. Ein Haus mit langgezogenem Flachdach aus Stroh, umgeben von fast mannshohen Binsen, durch die der Seewind seine Furchen zog. Im Sommer wurden die vier Fenster des einzigen Klassenzimmers geöffnet. Möwengelächter und knatternde Segel waren die einzigen Unterbrechungen in der Öde eines sich in Wiederholungen, Sprechchören und Strafexerzitien dahinschleppenden Unterrichts. Zuweilen erschien auf dem Fensterbrett ein Vogel, schüttelte sein Gefieder, spreizte den Schwanz und stob davon, als sei ihm die Gesellschaft der Jungen zuwider, in ihren aus Segeltüchern umgearbeiteten Jacken und Hemden, die nach Tran stanken und Fisch und mit den Holzpantinen an den Füßen, die über den Boden scharrten wie Reibpapier. In solchen Momenten wünschte sich Theo zurück nach Neuruppin. Auch wenn dort alles langweiliger war und steifer und seine öde Ordnung hatte. Trotzdem, dort hätte er nicht in diese Schule gehen müssen.

Braun angehaucht war das Gras, und von den Bäumen rieselten die Blätter, als die Feriengäste Swinemünde verließen. Es waren ohnehin die letzten einer Armee von Strandhungrigen, die mit Beginn des Mai Jahr für Jahr ins Land einfielen. Im Herbst gehörten die Dünen und Küsten wieder den Fischern und Überseeschiffen, die vom Atlantik kamen oder den russischen Häfen. Ein großes Aufatmen ging durch die Stadt, wenn die letzten Kutschen, vollgepfropft mit Reisekoffern und überladen mit schnatternden Gästen, nach Süden rollten, um sich über das Haff setzen zu lassen.
Die Swinemünder waren wieder unter sich. Der Winter stand vor der Tür, und es galt, Vorsorge zu treffen. Es war die Zeit der Geselligkeiten, Ressourcen und Bälle.
Nicht besser hätte es Emilie Fontane abpassen können, als sie sich entschloß, zu ihrer Familie zurückzukehren. Sie war den Sommer über in Berlin gewesen, eines Nervenleidens wegen. So wußte sie die Gunst der Stunde kaum zu schätzen, während sie im Einspänner durch die breiten und sandig tiefen Straßen des Stadtrandes rumpelte, vorbei an den kleinen, häßlichen Häusern mit ihren Strohdächern, und das auffallende Gebäude mit dem frischen Namenszug Adler-

Apotheke ebenso plötzlich vor ihr auftauchte wie ihre Beklommenheit zunahm.

»Emilie!«

Er hatte es laut genug gerufen, um alle zu alarmieren. Louis Fontane war seiner Frau entgegengestürmt, half ihr aus dem Wagen, noch ehe Ehm, der Kutscher, der sich eigens für diesen Tag rasiert und eine weiße Hemdbrust umgebunden hatte, beispringen konnte.

Flink entschlüpfte die kleine, schlanke Frau der Kutsche und war fast schon an der Haustür, als das Personal und die Kinder eintrafen.

»Mama!«

Ein stiller Ernst zeichnete ihr Gesicht, während sie die Kinder in einer nicht unbeabsichtigten Reihenfolge auf die Stirn küßte und mit Theo den Anfang machte. Louis hatte zwischenzeitlich Ehm angewiesen abzupacken und gesellte sich in aufgeräumter Stimmung dem Empfangskomitee zu.

»Frau Schröder ... unsere Wirtschaftsmamsell«, begann er vorzustellen, aber Emilie wies ihn zurecht mit der Bemerkung, daß dafür später genug Zeit sei. Die Fahrt habe sie schrecklich ermüdet.

In der Tat machte sie den Eindruck, nur noch von ihrem eng geschnittenen Reisekostüm zusammengehalten zu werden. Selbst das bescheidene Maß an Freundlichkeit, das sie ausstrahlte, schien mit der Goldwaage gewogen. Trotzdem bewahrte sie Haltung, während sie wachen Auges die Schwelle zum Flur überschritt. Als sie fast die Tür zum Hof erreicht hatte, blieb sie stehen und meinte gereizt zu ihrem Mann, der immer noch dabei war, an seinen Begrüßungsworten zu drechseln:

»Zeig mir lieber, wo ich unterkommen kann!«

Augenblicklich sorgte sie damit für Verlegenheit. Dann aber waren schon die Schröder und ihre beiden Mädchen zur Hand und führten sie in den Salon.

3. KAPITEL

Theo hatte sich nicht getäuscht. Das Eintreffen seiner Mutter machte dem leidigen Schulbesuch ein Ende. Nach einer kurzen, aber an Vorwürfen reichen Auseinandersetzung mit ihrem Mann, dem sie fehlendes Fingerspitzengefühl und eine ans Unmenschliche grenzende Grobheit vorgeworfen hatte, war Theo vom weiteren Besuch des Unterrichts suspendiert worden. Allerdings mit der Auflage, er müsse seine Kenntnisse nun zu Hause erwerben, bis eine geeignete Lehrkraft gefunden sei.

»Bei mir kannst du Lesen und Schreiben lernen«, hatte Emilie ihrem Sohn die neue Situation erklärt, »und den Rest wird dir Papa beibringen.«

Damit hatte für Theo ein neuer Lebensabschnitt begonnen. Allerdings waren seine Unterrichtsstunden abhängig von der Zeiteinteilung seiner Eltern geworden: Von Emilies Strick- und Häkelstunden im Salon oder ihren Nachmittagsrunden mit den Honoratiorenfrauen der Stadt. Bei Geographie und Geschichte spielten sogar Zufälligkeiten hinein, die abhängig waren vom Kasinobesuch des Vaters und den Mußestunden im Anschluß an solche Vergnügungen. Wenn auf die Nachfrage, ob Papa für eine Lektion bereitstünde, die Schröder, nicht ohne eine gewisse Abschätzigkeit zum Ausdruck zu bringen, meinte: »Der Gnädige Herr schläft noch«, überschwemmte eine Woge der Erleichterung Theos Seele. Aber er kam nicht umhin, am Abend das Versäumte nachzuholen.

»Na, komm schon rein, mein Sohn!«

Mit einem Seufzer hatte sich Louis Fontane von seinem Sofa gerollt.

»Du glühst ja wie ein Ofenrohr.«

»Ich war mit Rudolf auch den ganzen Tag draußen«, erklärte Theo, etwas piepsig in der Stimme vom rauhen Seewind.

Er stand dort, mit hängenden Schultern, schmal und hohlwangig, und musterte mit erwartungsvollen Augen den großen, wohlbeleibten Mann.

»Das trifft sich gut«, gähnte er, ohne sich einen Zwang aufzuerlegen, »dann bist du genauso müde wie ich.«

Er knipste dem Jungen ein Auge zu und stellte damit wieder jenes Einverständnis zwischen ihnen her, das Theo den Unterricht

bei seinem Vater um so vieles angenehmer machte als bei seiner Mutter.
»Stell dich dahin!« kommandierte der Vater, und Theo, der nur zu genau wußte, was folgen würde, tat ihm den Gefallen.
»Gleicher Tritt ... Marsch!«
Und dann kurvten sie durch das Zimmer, vorbei am Sekretär, vorbei am Fenster, hinter dessen Scheiben die Blätter wirbelten und zuweilen auch die Federn der geschlachteten Gänse.
»Das ganze Glied ... Halt!«
Gemeinsam knieten sie nieder, hoben die Arme für die imaginären Musketen, die sie seit Minuten mit sich herumschleppten, und gaben mit einem lauten: »Peng ...!« Feuer. Darauf erhob sich Louis Fontane, löste mit einer Armbewegung die Situation auf und kommentierte mit dozierender Tonlage:
»Ja, weißt du, wenn der Kaiser damals bei Waterloo uns gehabt hätte und nicht diesen Haufen alter Männer und angstbibbernder Kinder, dann regierte er heute noch und die Welt sähe anders aus.«
»Ja, Papa«, bestätigte Theo mit glühenden Wangen, weil er wußte, wie sehr sein Vater Napoleon verehrte.
»Er war ein findiger Mann, mein Sohn, und ich lasse entgegen heute gängiger Meinung nichts auf ihn kommen. Er hatte die Dinge noch in der Hand, mein Sohn, und nicht die Dinge ihn, wie es leider üblich geworden ist.«
Aus solchen Sätzen sprach für Theo soviel Klugheit, daß er sich den väterlichen Exerzitien auch weiterhin willig unterordnete.
»Und was sie mit ihm auf St. Helena gemacht haben ... pfui ...«, pflegte er seine Kommentare zu Napoleon abzuschließen, »zeigt doch nur, wie sehr sie ihn gefürchtet und respektiert haben.«
Neben Napoleon war dessen Marschall Ney sein Abgott. Und es verging kaum eine Lektion, in der nicht seine Erschießung ins Bild gesetzt wurde, so anschaulich, daß sich das Zimmer mit einer Schwermut füllte, als habe das Ereignis soeben stattgefunden.
»Mit diesen Männern, mein Sohn, ist das Noble aus der Welt geschieden«, seufzte er dabei, »und zurückgekommen sind die Mausoleumsfiguren.«
Ein verquälter Ernst nistete dann in seinem Gesicht, den er vergeblich mit der Hand wegzuwischen versuchte. Dabei schielte er nach der Ecke beim Sekretär, wo seine Büchse stand, die er als Freiwilliger Jäger anno 1813 getragen und im Gefecht bei Groß-Görschen gegen

Napoleon zum Einsatz hatte bringen müssen. Er schaute dorthin, als täte es ihm noch heute leid.
Solche Unterweisungen fanden ein abruptes Ende, wenn Emilie Fontane ins Zimmer trat. Das kam glücklicherweise selten vor. Aber wenn es geschah, dann verlöschte der Zauber, den Vater und Sohn umfing, wie Spuk unter einfallendem Tageslicht.
»Soll das Unterricht sein?«
Die Entschiedenheit, mit der Emilie aufzutreten pflegte, ließ keinen Einwand zu. Während Louis erblaßte, schickte sie Theo kurzerhand aus dem Zimmer, um mit ihrem Mann ein, wie sie glaubte, längst fällig gewordenes ernstes Wort zu reden.

Zu dieser Jahreszeit wurden die Tage launisch. Und darum hatte Ehm entschieden:
»Wir warten noch. Ja, Jüngelchen«, war ihm auf Theos Drängeln hin eingefallen, »nur nicht biegen und brechen. Das Beste kommt mal immer von selbst.«
Da die Kutsche jetzt im November in der Remise blieb und Louis Fontane weder Lust noch Laune zeigte, einen Ausritt zu unternehmen, mußte Maxe, der Schimmel, um ihn bei Kräften zu halten »... bewegt werden«, wie Ehm es bezeichnete. Er hatte Theo versprochen, ihn bei einem dieser Freiluftunternehmen mitzunehmen.

Endlich war der Tag da. Der Wind, immer darauf erpicht, das Land mit Sandstürmen zu traktieren, hielt sich heute zurück. Die Sonne war sogar noch einmal hervorgebrochen. Theo hatte gefrühstückt, auf die Schnelle, ohne damit die Schröder täuschen zu können. Sie ahnte, worum es ging. Aber sie schwieg, weil sie wußte, daß die Gnädige Frau diese Art der Vertraulichkeit mit Ehm ungern sah. Still hatte sich Theo davongestohlen, ungeachtet aller Konsequenzen.
Am Flachufer, eine Viertelstunde Wegs vom Haus der Fontanes, dort, wo die Landestege ins Wasser schnitten und jetzt vor dem Winter die Kähne der Schiffer für die Ruhemonate vertäut lagen, nahm Ehm Theo auf. Mit einer Kraft, die man dem kleinen, verwachsenen Mann nicht zutraute, hatte er Theo hinaufgehievt auf den Pferderükken und vor sich plaziert.
»Brauchst keine Angst zu haben, passiert nix«, versprach er dem zitternden Jungen, um dann den Schimmel mit dem Preßdruck seiner

Schenkel in Bewegung zu setzen. Und in der Tat, mit Ehms Körper hinter sich und den Armen, die die Zügel führten, zur Seite, war ein Herunterfallen unmöglich.
Im Trab, wie er es gewohnt war, lief der Schimmel die Swine herauf. Ehm beobachtete den Jungen, der sich durchrütteln ließ, still, aber überglänzt von einer Verzücktheit, die den alten Mann zu der Bemerkung veranlaßte, es gefiele ihm wohl so hoch zu Roß. Theo nickte stumm, ohne den Doppelsinn von Ehms Worten begriffen zu haben.
Bald schon waren sie in den Dünen. Die Lanzetten der Gräser pickten in die Fesseln des Pferdes. Seine Sprünge wurden länger und höher. Und Theo drückte sich gegen Ehm, dessen Schenkel den Pferdeleib fester umklammerten. Fischerhäuser tauchten auf, schilfgedeckt und weiß gestrichen. Auf dem Strand davor: Aufgebockt schon die Boote, mit Planen abgedeckt, die Schiffsrümpfe angefressen vom Wasser, rostig braun und schlierig.
»Von da kommt alles« meinte auf einmal Ehm, der das Pferd in den Stand gezwungen hatte, »Wind und Wetter und die Schiffe.« Er wies nach Nordwesten, in die Pommersche Bucht, wo die See unter einem türkisfarbenen Himmel wie ein feuchter Fischleib schimmerte. Zuweilen liefen Schaumwellen um die Wette, wenn die Brise auffrischte und daran erinnerte, daß es November war. »Und manchmal kann sie einen ganz bangig machen die See, nicht Jüngelchen?« ergänzte Ehm seine Feststellung, »aber heute ist sie mal ganz anders, ganz friedlich. Und darüber sollte man sich freuen.«
Er hatte den Jungen angeblickt, der steif und aufgerichtet vor ihm saß, ganz verloren an die Weite und Unbegrenztheit von Wasser und Himmel. Angesichts dessen überfiel Ehm ein leichtes Erschrecken, und er schwieg, obwohl er sich auf eine Unterhaltung mit Theo gefreut hatte.
Sie galoppierten die Uferstraße hinauf, eingehüllt in einen Schleier von Sand, als sei der Teufel hinter ihnen her, bis vor ihnen ein größeres, hallenartiges Gebäude auftauchte.
»Der Olthoffsche Saal«, erklärte Ehm, als er Theos Interesse bemerkte. Neben dem Gebäude befand sich ein Pavillon, vor dem etliche Kutschen warteten.
»Guck da hin, Jüngelchen«, rief er enthusiastisch und lenkte Theos Blick auf den Pavillon, aus dem einige Herren traten, sich ihre Zylinder überstülpten und, letzte Worte wechselnd, nervös mit ihren Handschuhen spielten. »Die sind was los geworden«, schmunzelte

der alte Mann. Und dann erklärte er Theo, daß sich in dem Pavillon eine Spielbank befände, die ein ehemaliger Major unterhalte und gut davon lebe. »Ja, ja, die Herren in Zylinder und Gehrock«, sinnierte Ehm nicht ohne schadenfrohes Grinsen, »jeder von ihnen ist Gott weiß was. Und dabei sitzt ihnen nur der Engländer im Nacken und schnappt ihnen die Geschäfte weg.«
Theo hörte Ehm sich auf den Oberschenkel schlagen, als beherrsche ihn eine obszöne Lust, anderen übel zu wollen.
»Träumen alle davon, die Herren«, ergänzte er seine Erklärung, »ein Napoleon zu werden, wenn auch nur ein kleiner.« Er lachte mekkernd, schämte sich aber sofort, weil er daran dachte, daß Theos Vater zu den eifrigsten Besuchern der Spielbank gehörte. Aber Theo wandte nur den Kopf, mit seltsam geweiteten Augen.
»Ich will nach Hause, Ehm«, murmelte er.
»Gut, gut, Jüngelchen«, entsprach ihm der alte Mann, »du kommst sofort nach Hause.«
Mit einem Schenkeldruck brachte er das Pferd in Gang und ließ es eine Weile traben, bis sie in die Nähe der Apotheke kamen.

»Wenn du so gut wärest, mir ein paar Minuten deiner kostbaren Zeit zu schenken, Louis?«
Vor ihrem Fenster im Salon sitzend, hatte Emilie die Rückkehr ihres Mannes abgewartet, war dann auf den Flur hinausgetreten und hatte ihn dort abgefangen, bevor er in seinem Zimmer verschwinden konnte.
»Es sind wirklich nur Minuten, Louis«, versprach sie, wobei sie ihrer Stimme einen anzüglichen Klang zu geben verstand, »unaufschiebbare Minuten, wie du gleich sehen wirst.«
Auf seinem Gesicht lag ein fiebriges Glänzen wegen der beißenden Luft draußen, jetzt Anfang Dezember, aber auch, weil er getrunken hatte. Drei Gläser Rum hatten seine Widerstandskraft soweit herabgesetzt, daß er nur mit falscher Fröhlichkeit sagen konnte:
»Gut, wenn es wirklich nicht länger ist. Ich bin nämlich schrecklich müde.«
Sie wich seinem Blick mit einer abschätzigen Geste aus und drückte die Klinke zur Salontür. Mit etwas tapsigen Schritten folgte er ihr in den Raum, in dem es noch nach frischer Farbe roch. Kurz hinter der Tür war er stehengeblieben, während Emilie mit den leichten Bewe-

gungen einer Tänzerin von ihm wegstrebte ans hintere Ende des Salons. Ihr Auftritt wirkte gekünstelt, wie von einem inneren Zeremonienmeister gesteuert, als sie herumwirbelte und ihm ihr Gesicht darbot.
»Louis, was denkst du dir eigentlich dabei? Wir haben fast Nachmittag, und du warst noch nicht eine Stunde in der Apotheke.« Er verzog keine Miene.

Gegen vier Uhr am Nachmittag erschien Theo zur Lektion. Die Uhrzeit was ausgehandelt worden, weil man sicher gehen konnte, daß Louis Fontane vom Spieltisch zurück war und seine Schlummerstunde auf dem Sofa beendet hatte. Inzwischen liebte Theo die Art, in der sein Vater den Unterricht gestaltete, auch wenn seine Mutter nicht damit einverstanden war. Immerhin aber sorgte ihr unnachsichtiges Wesen dafür, daß er keine der Lektionen versäumte.
Theo hatte zweimal geklopft, und als nicht geantwortet worden war, die Tür leicht aufgeschoben. Stille herrschte im Wohnzimmer seines Vaters, bis auf das Ticken der Standuhr. Aber er hörte es atmen, lang und regelmäßig, wie jemand im Tiefschlaf atmet. Mit der linken Schulter voran schob sich Theo durch den Türspalt, obgleich er lieber davongeschlichen wäre.
»Papa!«
Er hatte leise gerufen, um den Vater nicht zu erschrecken. Als keine Reaktion erfolgte, war er einige Schritte näher an das Sofa herangetreten. Sein Vater lag dort, eingewickelt in eine Mohairdecke, mit rhythmisch sich aufstülpenden Lippen. Sein Gesicht war leicht gedunsen, besonders unter den Augen. Widerstrebend zupfte Theo an der Decke. Ein verärgertes Grunzen folgte, das bald überging in das verwirrte Blinzeln des Vaters.
»Was ist denn?«
»Papa, Zeit für die Lektion«, belehrte Theo den noch mit dem Schlaf kämpfenden Vater.
Louis Fontane rieb sich die verquollenen Augen, warf die Decke von sich und fischte mit den Füßen nach den Pantoffeln.
»Ich bin heute später zurückgekommen«, entschuldigte er sich, »darum habe ich solange geschlafen. Geschäfte ...«
»Ja, Papa«, sagte Theo begütigend und begann, verlegen an den Rändern seiner Hosentaschen zu zupfen. Er wußte, daß sein Vater log, um nicht zugeben zu müssen, wie sehr er gedemütigt worden war.

4. KAPITEL

Hannah Hahr, mittelgroß und propper, mit flachsblonden Haaren, die sie, zum Zopf gewunden, um den Kopf trug, hatte den Auftrag erhalten, den Kachelofen im Salon zu beheizen. Hannah war eines der beiden Mädchen, die der Schröder beim Bewirtschaften des Hauses zur Hand gingen. Am Nachmittag, Punkt vier Uhr, würden Frau Konsul Thompson und die Ehefrau des Fontaneschen Hausarztes, Hofrat Dr. Kind, zum Kaffee erscheinen.

Auf der Swine oder dem »Strom«, wie ihn die Einwohner nannten, spannte sich schon, wenngleich noch papierdünn, eine Eisschicht. Aber es war empfindlich kalt geworden und ein Aufenthalt in ungeheizten Räumen sicher nicht nur wenig empfehlenswert, sondern fast schon unmöglich. Vor zwei Tagen hatte leichtes Schneetreiben eingesetzt und die Schiffer, die ansonsten am Bollwerk flanierten, in die Kajüten getrieben, aus deren Schornsteinen jetzt die Qualmwolken stiegen, grau und dicht wie Watte.

Theo hatte den Damen die Capes abnehmen dürfen. Minuten vor der festgesetzten Zeit waren sie eingetroffen, beide mit Kutschen, wie es sich für Damen ihres Standes gehörte. Des Schneefalls wegen hatte man Schirme aufgespannt. In der Haustür waren die Damen von Emilie mit ausgestreckten Händen erwartet worden.

»Und jetzt schnell etwas Heißes, einen Kaffee am besten«, hatte Frau Konsul Thompson gerufen, während sie ihr Cape übergab, um sich in den Salon führen zu lassen. Vor dem Kachelofen war ein Tischchen aufgestellt worden, drumherum drei Stühle. Die Tassen standen schon an ihren Plätzen.

»Sie können eingießen«, instruierte Emilie die noch abwartend dastehende Schröder, während Theo in die Küche gelaufen war, um die Kuchenkörbe herbeizuschaffen.

»Oskar läßt dich übrigens grüßen«, empfing ihn Frau Thompson, als er wieder den Salon betrat und die Damen bereits die ersten Schlucke Kaffee zu sich genommen hatten, »du sollst mal wieder vorbeischauen, wenn deine Mutter uns besucht.«

Das Letzte war zu gleichen Teilen an Emilie gerichtet gewesen, die zustimmend mit dem Kopf genickt hatte, bevor alle in den Kuchenkorb griffen, um sich ihren Anteil zu sichern. Währenddessen zog sich Theo in die Tiefe des Raums zurück, um sich in Emilies Moaquinsessel

zu verkriechen. Die Damen waren schon mittem im Gespräch. Wie auf ein Stichwort hin war Hannah ins Zimmer getreten, um nach dem Ofen zu sehen. Flink trippelte sie an der Längsseite des großen Tisches entlang, etwas verschüchtert, als bitte sie der Störung wegen um Entschuldigung. Dann machte sie sich, so unauffällig wie möglich, an der Ofenklappe zu schaffen.
Die Damen hatten ihr Gespräch unterbrochen, nippten an den Kaffeetassen und blinzelten über deren Rand hinweg zu der Stelle, wo Hannah mit sicherem Griff Holzscheite in die offene Ofenluke schob. Das machte sie mit soviel Anmut, daß keiner ihr die Bewunderung versagen konnte.
»Ein apartes Mädchen«, meinte Frau Hofrat Dr. Kind, nachdem Hannah mit derselben Unauffälligkeit, wie sie hereingekommen, wieder verschwunden war.
Theo aber hatte angefangen, die Runde mit Mißtrauen zu belauern. Vor allem die etwas vierschrötig wirkende Frau Hofrat. Wenn sie sprach, dann knarrte es wie in einem schlecht geölten Räderwerk. Anders als bei Frau Konsul Thompson, die das gerade Gegenteil war: Groß und kräftig, ein Dragoner, der versehentlich in einem Kleid gelandet war. Sie redete mit einer solchen Leichtigkeit, als gebe es für sie das Wort Zweifel nicht. Genauso wie Mama, dachte Theo. Grazil, wie eine gespannt Feder, hockte sie auf der Kante ihres Stuhls, ganz Gegenwart, ein sirrendes Uhrwerk nervöser Impulse.
In solchen Momenten verbreitete sie etwas von dem Zauber, für den er empfänglich war, vor dem er aber auch Angst hatte. Als wohltuend empfand er da die Häßlichkeit der Mamsell Schröder, mit ihrer plumpen Direktheit und tatkräftigen Ruhe. Wie im rechten Augenblick gerufen, hörte er auf dem Flur ihre Schritte, es klopfte an der Tür, und sie steckte ihren Kopf herein.
»Gnädige Frau, darf ich stören?«
Wie es sich herausstellte, war etwas in der Küche vorgefallen. Emilie entschuldigte sich bei den Damen und verließ das Zimmer.
»Eigentümlich, daß Frau von Flemming heute nicht anwesend ist«, beeilte sich die Konsulin Thompson zu bemerken, nachdem die Tür ins Schloß gefallen war, »es soll einen Eklat gegeben haben, wissen Sie nicht? Dieser Cercle intime der Fontanes, von Flemmings und von Borckes ist sofort nach dem ersten Mal in die Brüche gegangen. Kein Wunder bei der ungleichen Zusammensetzung. Ein Apotheker gehört nun mal nicht zwischen solche Leute.«

Die Zustimmung der Hofrätin einzuholen, stand keine Zeit mehr zur Verfügung, denn Emilie betrat wieder den Salon. Etwas außer Atem stammelte sie eine Entschuldigung und huschte zu ihren Gästen, die bei ihrem Erscheinen zum Kuchen gegriffen hatten.
»Wie geht es Ihrer Tochter Jenny, Liebste?« versuchte die Konsulin das Gespräch unverfänglicher zu gestalten.
»Danke gut«, beglich Emilie freundlich die Anfrage, obwohl sie spürte, daß sie nur eine Verlegenheit aus dem Wege räumen sollte, »Jenny bekommt Klavierstunden, sobald wir im Besitz des Instruments sind.«
Die Hofrätin zeigte sich hingerissen, pries den Entschluß und nannte ihn eine: »Wahrhaft durchdachte Entscheidung.«
Obwohl sich die Konsulin voller Begeisterung anschloß, wurde unübersehbar, daß es sie nach Hause drängte.
Leichter Dämmer war eingefallen. Das Schneetreiben hatte aufgehört. Ein schmutzigweißer Teppich bedeckte den Kirchplatz, über den kurz nacheinander zwei Kutschen heranglitten.
»Nun, dann«, meinte die Konsulin Thompson mit einem Seufzer, »es ist mal wieder soweit. In dieser Jahreszeit soll man es nicht darauf ankommen lassen. Trotzdem, es war ein schöner Nachmittag.«
Emilie, die das Kompliment dankend entgegengenommen hatte, begleitete ihre Gäste zur Tür, flankiert von Hannah und der Schröder, die den Damen helfen sollten.
»Wann sehen wir uns wieder?«
Schon im Anfahren hatte sich die Konsulin noch einmal aus dem geöffneten Wagenschlag gelehnt, um zu winken.
»Ich denke zu Sylvester auf dem Ressourcenball im Olthoffschen Saal«, rief sie, während die Kälte ihren Atem in Rauchwolken aufgehen ließ.

Der ganze Tag hatte im Zeichen der Vorbereitung gestanden. Fast wäre der 30. Dezember, Theos Geburtstag, den mit Nachdruck betriebenen Hantierungen für den Ball zum Opfer gefallen, wenn nicht Louis Fontane im letzten Moment Einspruch erhoben hätte. So war sichergestellt worden, daß Theo trotz der soeben erst erfolgten Weihnachtsbescherung zu seinem Geschenk kam: Den sehnlichst gewünschten Stelzen – und ganz nebenbei Louis Fontane zu einer als ungerecht empfundenen Standpauke. Am Ende wußte er immerhin um die besondere Bedeutung des ausstehenden Festes.

»Und hast du überhaupt darüber nachgedacht«, klopfte Emilie ihrem Mann abschließend noch einmal auf den Busch, »daß wir damit eine besondere Wertschätzung durch die alteingesessenen Familien der Stadt erfahren?«
Solche Überlegungen waren Louis Fontane natürlich nicht fremd. Immerhin kam man überein, Theo zum Ressourcenball mitzunehmen, um ihn für die ausgefallene Geburtstagsfeier zu entschädigen.

»Du wirst nicht allein sein«, hatte ihm die Mutter in Aussicht gestellt. So war er in einem Zustand erwartungsvoller Erregtheit in die Kutsche gestiegen, hatte sich in seinem eng sitzenden Anzug zwischen die Eltern geklemmt, während Ehm dem Pferd die Zügel freigab.

Der Olthoffsche Saal, der flußabwärts am Ende der Stadt lag, war bald erreicht. Ein Kutschenpark hatte sich vor dem Eingang angesammelt. Hoch oben, auf dem Giebel des Gebäudes, schauerte eine einsame Flagge unter den Stößen des Windes.
Es versprach eine sternenklare Nacht zu werden, schneedurchglänzt und eiskalt. Auf der Ostsee schaukelten Eisschollen wie Schaumkronen. Wenn die Kutscher ihre Fracht ausgeladen hatten, zeigten sie Eile heimzufahren. Nicht anders als diejenigen, die ihren Fuß auf den schneeverharschten Boden gesetzt hatten, um möglichst bald in das erleuchtete Viereck des Eingangs zu tauchen.

Der Olthoffsche Saal, sommertags Versammlungsstätte und Kurzentrum für Feriengäste, bestand aus einem großen Raum, an dessen einem Ende sich der doppeltürige Eingang und am anderen ein bühnenähnliches Podest befand. Rundum mit doppelglasigen Fenstern versehen, brachte er es auf ein beachtliches Fassungsvermögen, das noch durch eine umlaufende Galerie erhöht wurde.
Für den Sylvesterball hatte man das Podest mit einer Kulisse ausgestattet. Dort sollten die Vorträge stattfinden. Tischreihen füllten einen Teil des Saals aus. Der andere diente als Tanzfläche.
Als Theo den Fuß über die Schwelle setzte, war er weniger erstaunt über die Größe des Raums, die von draußen nicht zu vermuten war, als über die besondere Form der Illumination. An armdicken Seemannstauen schaukelten riesige Karrenräder unter der Decke. Kerzen auf den Speichen warfen ein melancholisches Flackerlicht in den Saal.

Die bereits Anwesenden hatten an den Tischen Platz genommen, in einer festgelegten Sitzordnung. Die Fontanes waren eben von ihren Mänteln befreit worden, als auch schon vom Tisch der Scherenbergs gewunken wurde. Emilie, in allen organisatorischen Dingen ihrem Mann unbestreitbar überlegen, hatte es sofort bemerkt und sich rücksichtsvoll durch die gefüllten Tischreihen geschlängelt. Den Scherenbergs gegenüber saßen die Krauses: Der Geheime Kommerzienrat, schlohweiß, mit vollem zurückgekämmtem Haar, hochstehendem Hemdkragen und Adlerblick. Der stolz gereckte Nacken legte Zeugnis davon ab, daß er sich zeitlebens nicht hatte beugen müssen. Seine Frau schien von dieser Würde zu profitieren. Als Theo ihrem Sohn Wilhelm die Hand reichte, zeigte sie ein konziliantes Lächeln.
»Nun, Herr Fontane«, hielt der Kommerzienrat das Gespräch in Fluß, »auf diese Weise bekommen Sie Gelegenheit, die Creme der Stadt zu begutachten.« Seinen Worten hatte er einen leicht ironischen Klang gegeben. Er ließ darauf schließen, daß er sich im Grunde allein dafür hielt und nur keinen düpieren wollte. »Wir sind hier ein bunt gemischtes Völkchen: Dänen, Schweden, Engländer. Das zwingt uns zur Selbstbesinnung, hält uns aber auch den Dünkel vom Leib. Glauben Sie mir, Herr Fontane, wir können unseren Wert sehr gut einschätzen und brauchen uns von anderen weder belehren noch Anweisungen geben zu lassen.« Er hatte dabei seinen Kopf zur Seite gewendet. Sein Adlerblick war scharf und beinahe vernichtend geworden, als er zwei Tische weiter den noch recht jungen Mann in Augenschein nahm, der sich um die Frau des verstorbenen Bürgermeisters Beda bemühte. Herr Scherenberg, der der Blickrichtung gefolgt war, raunte Louis Fontane zu:
»Bauer, der neue Schiffahrtdirektor. Man mag ihn hier nicht.«
»Nun, Herr Fontane was wünschen Sie sich für das neue Jahr?« wechselte der Kommerzienrat das Thema, »und natürlich auch Sie, Gnädige Frau?«
Die Gelegenheit zu einer Bemerkung ließ sich Emilie sowenig entgehen, wie sie darauf gedrungen hatte, am Fest teilzunehmen.
»Ich habe nur einen Wunsch«, antwortete sie, als sei sie darauf vorbereitet gewesen, »unseren Kindern endlich eine gediegene Ausbildung zukommen zu lassen.«
Der Kommerzienrat kräuselte vielsagend das Kinn und wagte einen Seitenblick. Als seine Frau nicht reagierte, meinte er leichthin:
»Im nächsten Frühjahr werde ich einen Hauslehrer verpflichten, ei-

nen tüchtigen Mann. Zunächst einmal für Wilhelm, aber auch für meine anderen Jungen. Ich halte viel davon, daß sie mit anderen Kindern zusammenkommen.«
Eine leichte Röte war Emilie ins Gesicht geschossen und hatte in ihren Augen einen Funkenschlag des Stolzes entfacht. Überschäumende Lebendigkeit überfiel sie.
»Ja«, stieß sie erregt hervor, »das ist ein mehr als großzügiges Angebot. Louis, sag auch was dazu!«
Der Angesprochene, der bei der Ankündigung eher blaß geworden war, bemühte sich, ein: »Großartig« zustande zu bringen. Aber die Begeisterung klang in dem Maße unecht, wie er sie zu wiederholen versuchte. Und es war eigentlich eher der brachiale Ton der sich schließenden Flügeltüren als Emilies Schützenhilfe, der die Verlegenheit vermied. Der offizielle Teil des Abends begann.

Daß keiner vergessen hatte, den rechten Hunger mitzubringen, zeigte sich gleich beim Auftischen. Den Auftakt bestritt eine Überraschungstafel, die dieses Mal aus gespicktem Rehrücken mit Preiselbeeren in der Birne und Pilzen bestand. Von Helfern, deren Freiwilligkeit niemand in Abrede zu stellen wagte, weil sie sich aus dem Gesinde der verschiedenen Häuser rekrutierten, wurden auf abgedeckten Platten die Gänge serviert. Die Gespräche verstummten für eine gute Stunde, um sich dem Klappern von Messern und Gabeln zu überlassen. Als man Theo eine Creme vorzusetzen versuchte, streikte er.
»Ich bin satt, Mama!«
»Wie du willst«, quittierte Emilie die Ablehnung und sah zur Bühne hinüber, wo zwei Helfer dabei waren, einen Flügel vor die Kulisse zu schieben. Zehn Minuten später war das Geschirr abgeräumt. Mit derselben Engelsgeduld, wie sie es aufgetragen hatten, ließen die Helfer die Überreste verschwinden. Wie auf ein verabredetes Zeichen, drehten sich alle Köpfe zur Bühne, als Kaufmann Schultze, Salonlöwe und stadtbekannter Tenor, vor das Instrument trat, an dem sich eine junge Dame für die Begleitung vorbereitete.
»Bitte, Mama!«
Ohne nachfragen zu müssen, war Emilie klar, daß Theo nur Oskar Thompson gemeint haben konnte, der mit leichten Sprüngen die Treppe zur Galerie hinaufhüpfte, um sich vor der Langeweile des anstehenden Liedervortrags in Sicherheit zu bringen.

»Sei nicht so interessenlos«, versuchte Emilie zwar Theos Eigenwillen unter Kontrolle zu bringen, bekam aber sofort Zweifel an der Wirksamkeit ihrer Maßnahme, als sie die Unterstützung sah, die ihrem Sohn von Wilhelm Krause entgegengebracht wurde. »Nun gut, aber leise ...« meinte Emilie.
Der Kommerzienrat hatte nur mit den Augen gezwinkert zum Zeichen seines Einverständnisses. Dann huschten zwei kleine Gestalten davon, auf leisen Sohlen und mit dem beglückenden Gefühl, die ihnen fremde Welt verlassen zu können.
Vor der Freigabe des ersten Tons hatte sich Kaufmann Schultze noch einmal gestreckt, als sei die Demonstration seiner Kunst von dieser Geste abhängig. Dann rollten wie pures Gold die melodischen Sequenzen von Schuberts Vertonung des Goethe- Gedichts »*Gretchen am Spinnrad*« aus seiner Kehle.
Die Jungen auf der Galerie wagten nicht zu atmen. Wie Ungeladene starrten sie durch die Strebungen der Brüstung. Eine große, schweigende Unehrlichkeit schien von unten aufzusteigen, von dort, wo die Männer unter dem Druck prall gefüllter Mägen ihre Westen aufgeknöpft hatten und die Anstrengungen des Tenors Schultze in das Reich der Belästigung verwiesen. Aber niemand schien sich dessen bewußt zu sein. Nur bei den Jungen funkelte ein Glühen auf den Wangen, als fände die Entwürdigung des Kunstgenusses allein dort noch ihren Ausdruck.
Inzwischen war der Vortrag zu Ende gegangen. Die Jungen konnten wieder lauter miteinander reden.
»Kommt noch was?«
»Siehst du doch«, belehrte Oskar Thompson Wilhelm Krause, der gefragt hatte, »der Schultze reibt sich schon wieder die Hände.«
Theo hatte in den Saal hinuntergesehen. Stille war dort eingezogen, in einer sich langsam ausbreitenden Bewegung. Ein seltsames Gefühl beschlich Theo. Ein Gefühl wie eine große Bedrohung, in die hinein der Tenor des Kaufmanns vorzutragen begann:
»*Wer reitet so spät durch Nacht und Wind ...?*«
Theo lauschte der Schubert-Vertonung des Erlkönigs.
»*Es ist der Vater mit seinem Kind. Er hat den Knaben wohl in dem Arm ...*«
Unter den Rippenbögen spürte er, wie sein Herz einige zusätzliche Schläge machte. Seine Augen begannen zu brennen. Als hätten die beiden Jungen an seiner Seite gemerkt, welche Veränderung in ihm

vorgegangen war, ließen sie ihn gewähren. Eine unerträgliche Spannung zog in ihn ein, benahm ihm den Atem und drohte ihn zu zerreißen.
Tenor Schultze setzte zur letzten Strophe an: »*Dem Vater grauset's, er reitet geschwind, er hält in den Armen das ächzende Kind, erreicht den Hof mit Mühe und Not, in seinen Armen das Kind war tot.*« Mit einer dramatischen Geste und einem etwas zu geschluchzten Ton brach der Vortrag ab.
Um nicht zu zittern, hielt Theo die Strebungen der Brüstung umklammert. Wo eben noch Gefühle in ihm getobt hatten, herrschte jetzt Stille. Mit der Zunge leckte er den kalten Schweiß von den Lippen. Unten im Saal hatten die Leute angefangen zu klatschen. In seinen Ohren klang es, als zertrümmerten sie Holz.

Wie spät es geworden war, vermochte er nicht zu sagen. Auf der freien Fläche vor dem Podest hatte man angefangen zu tanzen. Dem Fräulein am Flügel war ein Violinist zu Hilfe gekommen, ein spindeldürres Männlein im schwalbenschwanzigen Frack, das eine dünne Melodie, zu der sich an die fünf Paare drehten, aus den Saiten gequetschte. Sein eher unangenehmes Fiepsen instrumentierte die Gespräche derer, die auf ihren Plätzen geblieben waren.
Ein niederdrückendes Gefühl der Verlassenheit hatte Theo in einen Schwebezustand versetzt. Mit den Jungen war er die Galerie abgelaufen, hatte aus verschiedenen Blickwinkeln das Treiben im Saal betrachtet, ohne Freude daran zu empfinden.
»Theo, komm schon!«
Kaum, daß ihn der Anruf erreichte. Weit weg, wie ein hoch in den Lüften kreisender Vogel, schaute er herab auf Personen und Dinge, sah Punkte nur und Linien und hörte den Wind sacht an den Scheiben kratzen, während schon die Glocken begannen, das neue Jahr einzuläuten.

Im Haus hatte man inzwischen zusammenrücken müssen. Emilies Schwester war mit dem jüngsten Fontane-Kind, Max, eingetroffen und hatte dem Tagesablauf damit eine neue Ordnung gegeben. Besonders Theo wurde davon betroffen, weil die Unterrichtsstunden, die er bei seiner Mutter nahm, nun ausfielen. Die Zeit nach dem Mittagessen stand ihm so frei zur Verfügung. Und er nutzte sie, indem er sich mit seinem jüngeren Bruder Rudolf in den Dünen herumtrieb, den Möwen zusah oder den Schiffen, die am Horizont aufrauchten wie lange, spitze Keile, um ebenso plötzlich wieder zu verschwinden. Mit Riesenschritten ging es gegen den Sommer. Wieder kamen die Badegäste. Über Nacht veränderten sie das Straßenbild: Leiterwagen, umfunktioniert zu Personentransportern, brachen auf zu Landpartien. Gruppen sonnenhutbewehrter Freizeitler wanderten mit Klappstühlen und Körben umher. Badekarren standen wellenumspült im seichten Wasser. Und auf dem Gipfel kliffähnlicher Dünen thronten wachsamen Auges die Patrone der sich am Strand tummelnden Familien.
Emilies Verwandtschaft hatte sich angesagt: Vier junge Damen, die auf der Stelle für Probleme sorgten, weil Theo plötzlich krank wurde. Hofrat Dr. Kind diagnostizierte: Kaltes Fieber. Wenn es Theo in Schüben überfiel, kroch er unter seine Decke, ringelte sich zusammen wie ein Embryo und schüttelte sich, bis der Rahmen des Betts in den Fugen ächzte. Weder das gütliche Zusprechen Mamsell Schröders konnte ihm helfen noch das Chinarindenpulver seines Vaters. Beharrlich in seinen Erklärungen, machte er die Ausdünstungen verantwortlich, die aus der vom Laboratorium ablaufenden Steinrinne an den Fenstern vorbeistrichen, vor allem jetzt, in der sich aufheizenden Sommerluft. Um ihn zu trösten, hatte ihm der Vater zwei Katzen geschenkt. Theo nannte sie Peter und Petrine. Als er den Wunsch nach geistiger Zerstreuung äußerte, verschaffte ihm der Vater eine Illustrierte: Den Neuruppiner Bilderbogen. Und als der Sohn seine Kurzweil nur über manuelle Beschäftigungen sichern zu können glaubte, war Louis Fontane sich nicht zu schade, Pappe, Leim und Leinen aufzutreiben, weil Theo sich als Buchbinder versuchen wollte. Wochenlang. Schließlich erwies sich Theos Natur stärker als die rätselhafte Krankheit.

Die Zeit drängte. Seit Ostern schon stand dem kommerzienrätlichen Haus der Krauses ein Privatlehrer zur Verfügung, der sich der Kinder jener Familien annehmen wollte, die es als unangemessen und unzumutbar fanden, ihren Nachwuchs in die Stadtschule zu schicken. Zu ihnen zählten auch die Fontanes.
An einem Montagmorgen – Theo behauptete zwar, noch etwas schwach auf den Beinen zu sein, was ihm auch jeder seiner Hohlwangigkeit wegen glaubte – trat er mit Rudolf zusammen den Gang zu seiner neuen Unterrichtsstätte an. Das Haus der Krauses lag etwas abseits vom Stadtkern, auf einem leichten Erdbuckel, mit Blick auf die See. Rudolf war ins Fabulieren geraten, als er Theo Auskünfte über ihren Schulort erteilte. Dabei hatte er soviel Farbe aufgetragen, daß er von Mal zu Mal unglaubwürdiger klang. Jetzt mußte sich Theo eines Besseren belehren lassen. Das Haus erinnerte mit seinem Hochparterre, zu der eine Steintreppe Zugang verschaffte, an einen Wehrturm. Drumherum lief ein mit Säulen und Kettengittern versehener Gang. Im Inneren: Korridore und Flure, die sich kreuzten und dem Gebäude eine klare Ordnung aufzwangen. Die Wärme, die draußen herrschte, prallte an dem wuchtigen Gemäuer ab. So gegen alles Äußere abgeschirmt, behauptete das Interieur nicht nur eine jahreszeitliche Unabhängigkeit, sondern zeugte auch von der klaren Vorstellung seines Besitzers. Das Haus wollte gewinnen und setzte auf großen Stil. Theo verschlug es den Atem. Vorbei an den Kupfer- und Stahlstichen, den Porträts und Schlachtengemälden, den Seekriegshelden und Volksbefreiern folgte er überwältigt, den Blick mal scheu gesenkt, mal leuchtend erhoben, einem schon betagten Diener zu jenem Zimmer, in dem Dr. Lau, der neue Lehrer, seine Lektionen abzuhalten pflegte.
»Zwei, die noch mitmachen wollen, Herr Doktor.«
Ohne besondere Umstände hatte der ältliche Mann die Jungen in den Raum geschoben, um sich dann mit einem Verhalten, das weder Respekt vermissen ließ noch Hochachtung zur Geltung brachte, zurückzuziehen. Dr. Lau nahm es gelassen zur Kenntnis. Gut dreißig Jahre alt, hatte er sich, der Not gehorchend, um diese Hauslehrerstelle beworben. Nicht eben glücklich darin, versuchte er seinem Schicksal, die beste Seite abzugewinnen.
»Setzt euch dazu!« sagte er, als die beiden Jungen immer noch hilflos herumstanden.
Zwei Tische waren zusammengerückt worden, hinter denen die

Schüler Dr. Laus bereits Platz genommen hatten. Das Zimmer, ehemals eine Dienstbotenkammer, war gerade so groß, um die Anwesenden aufzunehmen. Dr. Lau nickte ermunternd. Für einen kurzen Moment hatten seine forschenden Augen hinter den Brillengläsern aufgeblitzt, um sofort wieder in jene fühlbare Kälte zurückzutauchen, die die Jungen in eine schweigende Unterwürfigkeit zwang.
Theo und Rudolf hatten die für sie bereitstehenden Stühle aufgesucht. Obwohl die Augen Dr. Laus nicht mehr auf ihnen ruhten, fehlte ihnen der Mut, Kontakt zu ihren Nachbarn aufzunehmen. Bis auf zwei gehörten alle ihrem engsten Bekanntenkreis an: Neben Wilhelm Krause und zwei seiner jüngeren Brüder waren es der Sohn Frau Bedas und Oskar Thompson. Noch hatte niemand gesprochen, aber sowohl Theo als auch Rudolf ahnten, daß nur Bedeutsames aus dem Munde jenes Mannes kommen könne, der jetzt langsam vor ihnen auf und ab zu gehen begann und mit jedem Gedanken, den er freisetzte, die befremdende Kälte aus dem Zimmer vertrieb. Für ganze zwei Stunden hingen die Jungen an seinen Lippen, jedes Wort, jede Silbe verschlingend. Der schmale, nach innen gezogene Mund unter der kräftigen, schnabelähnlichen Nase hatte längst seinen Schrecken verloren. Wenn er von den großen Ideen der Antike sprach, strahlte sein Gesicht in einer selbstvergessenen Entrücktheit.
»Ja«, betonte er dann, »auch das haben Menschen ersonnen. Und das dürft ihr nie vergessen.«
Die Art, wie er es sagte, hinterließ immer den Eindruck, als wolle er sich entschuldigen. Für gewöhnlich unterbrach er an solchen Stellen seinen Vortrag, strich sich seufzend durch das dichte schwarze Haar und blickte nach draußen. Ein zweiter Seufzer leitete dann mit eben solcher Gewißheit über zum nächsten Unterrichtsteil. Und so ging es durch den Morgen, bis sich die Gesichter der Jungen gerötet hatten und sich in ihren Pupillen der Wunsch zum Ausdruck brachte, mit Dr. Lau Zeit und Raum zu durchmessen, wenn nicht mehr heute, dann morgen oder übermorgen.
Die Resonanz, die er fand, nahm er dankbar zur Kenntnis. Aber er wußte auch, wann es genug war. Dann pflegte er mit einem breiten Lachen in die Hände zu klatschen, nicht ohne darauf hinzuweisen, daß der Tag auch noch etwas anderes verlange. Und bevor sein Gesicht sich wieder jene eigentümliche Unterkühltheit zu eigen machte, die die andere Seite des Mannes andeutete, entließ er sie mit einem freundlichen: »Bis morgen!«

Die Tage wurden länger. Und mit ihnen dehnten sich die Nachmittage, die dem Versteckspielen gehörten, dem Stelzenlaufen und Baden im Meer. Dunkel brannte sich die Sonne in die erhitzten Kindergesichter. Sie nahmen es lachend zur Kenntnis. Nie war ihr Leben unbeschwerter gewesen, kühner, nie eindrucksvoller als jetzt.
Die Badegäste hatten Besitz ergriffen von der Stadt. Wo sie auftraten, bestimmten sie den Gang der Dinge. Selbst dort, wo sie fehlten, lag ihre Abwesenheit wie ein mahnender Schatten auf der Routine der Verrichtungen. Sie waren der Dorn in der selbstgefälligen Schläfrigkeit des Hafenstädtchens, das in der Selbstgenügsamkeit Erfüllung zu finden hoffte und doch nur dem Rausch der Ablenkung erlegen war.
Die Dünen wurden den Jungen ein zweites Zuhause. Zwischen ihnen zu liegen, im mannshohen Gras, flach auf den Sand gepreßt, verborgen vor sich selbst und anderen, war der Gipfelpunkt ihres Vergnügens. Für keinen mehr als Theo. Niemand war imstande, so lange den Atem anzuhalten wie er. Niemand konnte sich so zusammenkugeln, auf das kleinstmögliche Maß bringen. Niemand so lange an einer Stelle ausharren. Er schien alles mitzubringen, was man braucht, um sich erfolgreich zu verbergen.
Beim Stelzenlaufen war es ähnlich. Die Balance zu halten, schien ihm angeboren. Während die Spielkameraden stürzten, war bei ihm alles Maß und Kontrolle. Nie kam er ins Straucheln. Er hantierte mit den Stangen, als seien sie angewachsen. Seine Augen erspähten jede Unebenheit. Hoch über der Erde fühlte er sich wohl und zeigte es allen mit einem Ungestüm, das so wenig zu ihm gehörte und darum auffiel.
Mit dem Schwimmen hingegen tat er sich schwer. Während sich Oskar Thompson und auch Rudolf wie junge Robben im Wasser tollten, schreckte Theo davor zurück. So koordiniert seine Bewegungen auf den Stelzen abliefen, beim Schwimmen mißlang alles. Das Wasser besaß tausend tückische Löcher, durch die es ihn mit Bleigewichten nach unten zog. Auf sein ängstliches Rufen hin waren Oskar und Rudolf zu ihm geschwommen, hatten ihn unter die Arme gefaßt und an den Strand befördert.
»Was war denn, Theo?«
Erschöpft hatte er sich in den Sand gestreckt, unfähig zu antworten. Unter den Rippenbögen pochte sein Herz, als ließe sich das Entsetzen nicht abschütteln.
Theo hatte die Augen geöffnet, einen Spalt nur, bis die Pupille sichtbar wurde.

»Sag nichts Papa und Mama davon, hörst du!«
Rudolf bedeutete ihm, daß er sich auf ihn verlassen könne. Dann machten sie sich auf den Nachhauseweg, als sei nichts gewesen.

Die frühen Morgenstunden in der Gesellschaft Dr. Laus gehörten bald zum angenehmsten Teil des Tages. Im zuzuhören wurde zur reinsten Freude, nicht nur deshalb, weil er es verstand, die Stoffe faßlich anzuordnen. Der Grund war wohl eher darin zu sehen, daß er alle Sachverhalte, sei es Geschichte, Geographie, Rechnen oder Schreiben aus einer einzigen Perspektive zu betrachten pflegte: Seiner eigenen. Obwohl durch die geöffneten Fenster die kühle Seeluft in die kleine Domestikenstube strich, glühten die Wangen der Jungen angesichts der kühnen und schonungslosen Inanspruchnahme seines pädagogischen Grundsatzes.
»Ja, die Freiheit«, konnte sich Dr. Lau ereifern, »darum ist es doch im Grunde stets gegangen. Um das Freiwerden von etwas ... für etwas.«
Nach solchen Emphasen neigte er dazu, die Stirn zu kräuseln, als habe ein dunkler Gedanke bei ihm Einzug gehalten. Er ging dann für gewöhnlich schnell zur Darstellung eines nebensächlichen Gesichtspunktes über, nicht ohne den Eindruck zu hinterlassen, daß er in seinem Meinungsbild unsicher geworden war. Nicht selten aber kam es vor, daß er sogleich zu seinen Thesen zurückfand, die Stirn noch umwölkt, finster im Ausdruck, daß er zum Fürchten aussah.
»Und dann« sagte er so leise, als mache ihm die gewonnene Einsicht Angst, »scheint es auch eine Unfreiheit zu geben, die frei macht, und eine Freiheit, die schlimmer ist als die schlimmste Knechtschaft.«
Mit einem fast Abbitte leistenden Blick streifte er nach solchen Ausflügen die Gesichter der Jungen, die fragend geworden waren und verkniffen, aber um so mehr Respekt für den Mann zum Ausdruck brachten, der so tiefe Gedanken hegen konnte. Das Außerordentliche, das ihm anhaftete, wurde um die Facette des Unbegreiflichen reicher, wenn Kommerzienrat Krause Neigung verspürte, dem Unterricht beizuwohnen. Das kam selten vor, weil der alte Herr zusehends schlechter zu Fuß war und mit dem Besuch eher einer Langeweile nachgab, als echtem Interesse folgte. In der Regel trat er ohne anzuklopfen ein, würdig in seinem gewellten weißen Haar, mit ei-

nem etwas verhärteten Lächeln auf den Gesichtszügen, das nicht ganz ernst genommen werden wollte.
Bei seinem Eintreten zuckte Dr. Lau zusammen. Trotzdem schmälerte es sein Ansehen bei den Jungen nicht. Sie mochten ihn, zurückhaltend und kühl, wie er war, weil er die Welt in einer Weise begriff, die ihnen gefiel. So mehrte sein unbegreifliches Verhalten nur das Geheimnis, das ihn umgab.

Ohne den Kalender zu respektieren, war das Wetter plötzlich bärbeißig geworden. Als sei es November, jagte es seine Furien durch die Pommersche Bucht. Es wurde kälter. Wolkenbrüche verwandelten den Sand von Straße und Strand in eine zähe, klebrige Masse.
Der Badebetrieb ruhte für einige Tage. Als es die ersten wagten, den Fuß wieder vor die Tür zu setzen, weil sich zwischen dem aufschwellenden Grau des Himmels die Sonne gezeigt hatte, erteilte ihnen das Wetter eine böse Lektion mit Stürmen und Brandungswellen. Das Schiffahrtsamt meldete: »Land unter.«
Theo und Oskar hatten Dienst. So war es am Morgen im Krauseschen Haus ausgemacht worden. Dienst nannten sie es inzwischen: Das Observieren von Dr. Laus Tagesablauf.
Fast war es die Regel, daß er nach der Lektion für ein, zwei Stunden in seinem Zimmer blieb, um sich auszuruhen oder zu lesen, wie man vermutete. Kurz nach ein Uhr verließ er dann das Haus zu einer seiner Unternehmungen. Mit geschmeidigen Bewegungen schritt er über den Weg, der zum Strand führte. Für Sekunden verschwand er hinter der Sichtblende hochaufgeschossenen Strandgrases, um an anderer Stelle wieder aufzutauchen. Er schien von etwas getrieben, was stärker war als er.
Als der Abstand groß genug war, um unbemerkt zu bleiben, verließen Oskar und Theo ihr Versteck. Da sie nicht befürchten mußten, von anderen entdeckt zu werden, verzichteten sie auf Umwege und folgten Dr. Lau über den Tretpfad zum Ufersaum. Das wirbelnde Strandgras peitschte ihre Gesichter, während der Wind ihnen den Atem verschlug. Das Grollen der aufsteigenden und auseinanderbrechenden Wellenberge erschwerte die Verständigung. Aber auf dem hellen Sand hob sich die Gestalt Dr. Laus deutlich ab. Er hatte seinen Anzug ausgezogen, den Bratenrock. Darunter trug er ein dunkles Trikot, das ihm das Aussehen eines Artisten gab. Mit ausgreifenden Schritten rannte er auf die Wasserlinie zu, die einem Hexenkessel

glich aus spritzender Gischt und ohrenbetäubendem Lärm. Und mitten hinein in dieses Inferno entfesselter Naturgewalten hechtete Dr. Lau, ließ sich von ihnen verschlingen, um wieder ausgespien zu werden.
Die Jungen hatten sich aufgerichtet. Ort und Zeit waren vergessen. Sie hatten angefangen zu brüllen, lang und anhaltend, wie junge Robben heulen. Aber der Wind riß ihnen die Laute von den Lippen, noch bevor sie geformt waren.
Im Schaukeln der Wellenberge war Dr. Laus Kopf sichtbar geworden, ein dunkler Punkt in der Ferne, dort, wo das Tosen der Brandung dem gleichmäßigen Wiegen der See Platz macht. Kaum merklich bewegte er sich von der Stelle, ließ sich tragen von den Elementen, führen.
Längst war die Absicht, deretwegen die Jungen Dr. Lau gefolgt waren, in Vergessenheit geraten. Anderes hatte bei ihnen Einzug gehalten: Gefühle der Beschämung im Übermaß und Bewunderung. Wortlos schlichen sie nach Hause. Theo gab an der Abendtafel nur unwillig Auskunft über das, was er am Tage erlebt hatte. Das Lügen fiel ihm schwer. Seine Einsilbigkeit erklärte man sich damit, daß er übermüdet sei und deshalb schnellstens ins Bett müsse. Als sich Mamsell Schröder mit einem: »Dann schlaf mal gut, Bengelchen«, verabschiedete, um sacht die Tür ins Schloß zu ziehen, waren seine Gedanken längst eigene Wege gegangen.

Das Ende des Sommers war abzusehen. Von den Birken stoben schon die Blätter in dichten Bäuschen. Die Farben der Gräser verschossen zu schmutzigem Braun, obwohl man es noch wagen konnte, ohne Jacke oder Umschlagtuch vor die Tür zu gehen. Und in den Gärten und Höfen, in den Lauben und unter den schütter werdenden Kastanien saßen sie noch beisammen, die Fischer, Kaufleute, Handwerker, um den Tag zu beenden bei einer Pfeife, während aus den Gasthöfen am Bollwerk die Schifferklaviere jammerten.
Ermutigt durch Dr. Laus Vorbild hatte Theo damit begonnen, sich im Schwimmen zu üben. Zwangsläufig stellten sich Fortschritte ein. Wenn ihm auch alles fehlte, was einen guten Schwimmer ausmacht, so konnte er doch mit sich zufrieden sein. Darüber hinaus wirkte der Unterricht des Dr. Lau wie ein Jungbrunnen. In seinen Worten und Gedanken perlten die lichten Momente des Lebens wie Kohlensäu-

rebläschen in einem stillen Wasser. Sie wuschen die dunklen Flecken von der Seele und machten die Tage heller, als sie waren.
»Und das Wichtigste ist die Hoffnung«, setzte er immer öfter jetzt seinen Ausführungen hinzu, »nicht weil sie als rhetorische Floskel in unserer Sprache Bestand hat, sondern weil es sie gibt und sie das Eigentliche ist.« Und dann öffnete er das Fenster, sperrangelweit, als glaube er an den nächsten Frühling und die junge Sonne, während es trüb über der See wurde und die Wagen der Feriengäste nach Süden zogen wie die Vogelschwärme aus dem Norden.
Es hieß, er käme aus kleinen Verhältnissen. So wollte es das Gerücht. Burschenschaftler sei er gewesen, einer von denen, die in der Luther-Stadt Zopf, Korporalsstock und Ulanenrock verbrannt hatten, um zu bekunden, wie sie die Welt zu sehen gedächten. Seither treibe ihn die Unrast durch das Land. Ein Relegierter sei er, der Dr. Lau, und habe hier sein Unterkommen gefunden. Da niemand es wagte, der Wirklichkeit auf die Sprünge zu helfen, wurde das Gerücht zum Glaubensbekenntnis.
»Aber ein guter Lehrer ist er«, ergriff Louis Fontane für den Geschmähten Partei.
Soeben waren von Emilie Zweifel angemeldet worden, ob es richtig sei, Theo und Rudolf diesem Mann weiterhin auszuliefern.
»Er ist schließlich kein Verbrecher, mußt du zugeben.«
»Aber einer der Schwierigkeiten hat, und das genügt«, wurde ihm mit Nachdruck erklärt, »seit dieser Infragestellungen ist er eine übel beleumdete Person. Außerdem hat er sich das selber zuzuschreiben durch sein, ich will mal sagen, eigentümliches Verhalten.«
Sie standen kurz davor, die Mittagstafel aufzuheben. Längst hatte ihm der Zorn den Appetit verschlagen.
»Was hat das Himmeldonnerwetter mit Rechnen und Schreiben zu tun?« stieß er überhastet hervor und machte nur wieder deutlich, wie leicht sie ihn ins Wanken zu bringen vermochte.
»Bitte, Louis«, entgegnete sie mit gönnerhafter Miene, »sei nicht so naiv. Es geht doch um die Haltung, die er den Kindern vermittelt. Willst du, daß sie einmal so dastehen wie er: Ohne Amt und Würden?«

Milde Winter, behauptete der Volksmund, versprächen ein schlechtes Jahr. In der Tat war es weder kälter geworden noch hatten die Äquinoktialstürme Zeit gefunden, sich auszutoben. Bei einem bescheidenen Wehen war es geblieben, einem unentschlossenen Aufbäumen, einige Male, zu früh noch dazu. Der Himmel hatte sich eingenebelt, schmutziggrau. Aber Schnee war nicht gefallen.
Ungeachtet dessen nahmen die Dinge ihren Lauf. Die Wintersaison wurde vorbereitet. Im Kalender erschienen die Schlacht- und Backtage nebst jenen Terminen, die für die Gesellschaften angesetzt waren. Louis Fontane besuchte wie eh und je den Spielsalon, mit derselben Regelmäßigkeit, wie er die Lamentos seiner Frau über sich ergehen ließ. Die große Szene, es gab sie noch im Hause Fontane. Längst litt Theo nicht mehr unter dem schmollenden Rückzug seines Vaters, seinen Niederlagen, die er wegschlief, um wie Phönix aus der Asche aufzuerstehen. Seitdem es ihm gelungen war, das eigene Unvermögen zu ersetzen durch mehr Selbstbewußtsein, fühlte er sich sicherer. Seine Krankheitsanfälligkeit war geschwunden. Das neblige Novemberwetter und selbst der verregnete Dezember mit seiner untypisch milden Temperatur konnten ihm nichts anhaben. Die Schale, in der seine Seele ruhte, war fester geworden.
Und alles verdankte er nur Dr. Lau. Das wußte er. Die Unterrichtsstunden bei ihm bekamen etwas Weihevolles. Die Bewunderung für den Lehrer überstieg jedes Maß. Auch wenn er manchmal den Eindruck hatte, daß Dr. Lau litt. Obwohl wenig bei der Sache, machte sein Lernen Fortschritte. Unbegreifliches wurde verständlich, kam es nur aus Dr. Laus Mund.
»Spitzt eure Ohren«, leitete er in der Regel die von den anderen gefürchteten Exkurse ein, »der Mann heißt Goethe, und was er geschrieben hat, gehört zum Besten.«
Darauf nahm er Haltung an. Zuweilen schloß er auch die Augen. Mühelos flossen die Zeilen dahin, wenn er zu deklamieren begann und die Zeit bis zur Neige füllte.

»Sitz ich allein
Wo kann ich besser sein?
Meinen Wein
Trink ich allein.
Und niemand setzt
Mir Schranken
Ich hab so meine Gedanken.«

Nach einer Kunstpause nahm er seine Brille ab, begutachtete kritisch die Gläser und putzte an ihnen herum, als sei ihm nichts wichtiger als das. Nebenhin bemerkte er, er habe soeben Goethes West-Östlichen Diwan rezitiert.
»Das Schönste, was ich kenne«, sagte er mit durchschimmerndem Enthusiasmus, »weil es unübertrefflich ist in seiner geistigen Haltung.«

6. KAPITEL – SWINEMÜNDE, 1829

Der Tag, an dem der Bagger die Swine heraufkroch, grub sich unvergeßlich ins Gedächtnis ein. Nicht nur bei denen, die sich beim Treideln die Schultern und Hände blutig gerissen hatten. Unvergeßlich blieb er vor allem denen, die vom Überseehandel lebten. Ihnen drohte das Herz stillzustehen, als das floßähnliche Monstrum aus Schaufelrad und Dampfkessel, über den ein röhrenförmiger Kamin weißen Qualm in den Himmel schickte, vor den Landungsstegen ankerte. Das Ereignis war so aufrüttelnd gewesen, daß sich niemand gefragt hatte, woher der Bagger gekommen war. Wie ein urweltlicher Drache hatte er vor der Stadt Stellung bezogen und fesselte die Aufmerksamkeit aller.
Entlang dem Bollwerk zog sich von der Minute des Eintreffens an eine zweite Mauer aus wogenden Menschenleibern. Wo die Stege begannen, war seitdem jedes Durchkommen unmöglich. Nur von den Kaufleuten hatte sich niemand blicken lassen. Unschlüssig waren sie in ihren Häusern geblieben, gelähmt im schwelenden Zorn, auch verängstigt bisweilen, weil sie nicht wußten, wie es weitergehen sollte. Alsbald wurde das Befürchtete wahr. Der Bagger blieb bis in die Saison hinein. Die Feriengäste kamen, nahmen Quartier und mußten zu ihrem Erstaunen feststellen, daß sich manches geändert hatte. Neben der Belästigung durch das rund um die Uhr rumorende Schaufelrad war es das Panorama der Bucht, das Mißfallen erregte. Eine Kette von Schiffen verschiedener Größe und unterschiedlichen Aussehens verstellte den gewohnten Fernblick, und wo einstmals das Spiel der Wellen mit Licht und Wolkenzug die Sinne reizte, dümpelten jetzt angemietete Fischerboote mit mannshoher Ladung durch die Brandung. Der Sommer stand unter einem Unstern.

Erfahrene hatten sie gewarnt: »Laßt die Finger davon. Geht nach Hause!«
Trotzdem waren die Jungen mit ihren selbstgebastelten Seglern hinausgefahren. Selbst der Betreiber des Baggers, jener schottische Ingenieur Macdonald, hatte es ihnen in einem wortreichen Kauderwelch ans Herz gelegt. Flöße seien nichts für die See. Er wüßte, wovon er spräche. Mit ihrem Verhalten bewiesen sie nur, daß sie dumm seien. Aber anstatt mit Einsicht zu reagieren, betrieben die Jungen ihre Enterspiele weiter, kühner noch als vorher. So kam der Tag, an dem sie sich auf den schmierigen Planken des Baggers wiederfanden, ausgepumpt, durchnäßt und zitternd.
»A narrow shave«, hatte sie Macdonald, der Ingenieur, empfangen, nachdem er die Jungen mit einer langen Stange aus dem Strom gefischt hatte. Im letzten Augenblick, wie er meinte, und damit denen aus dem Herzen sprach, die unter das gekenterte Floß geraten waren. Die Todesangst in ihren Augen sprach Bände. Theo indes brachte es eine neue Freundschaft ein.
Im Grunde verdankte er sie seinen feingearbeiteten Lederschuhen, die im Gegensatz zu den Holzpantinen der anderen Jungen trotz warmer Witterung nicht trocknen wollten. Und darüber hinaus seiner Vorliebe für Geschichten jeder Art.
Was der alte Ehm begonnen, sein Vater und Dr. Lau weitergeführt hatten, setzte nun der Ingenieur Macdonald auf den Planken eines Flußbaggers fort. Bevor er zu dem kam, was bei Theo in den folgenden Tagen für Aufregung sorgte, tröstete er ihn. Er sei beizeiten zu Hause, meinte er, die Schuhe stünden auf dem heißen Dampfkessel.
»Der hat noch jeden Wassertropfen zum Schmelzen gebracht.«
Es war kurz vor Sonnenuntergang. Aus den Dünen wanderten die letzten Badegäste ab. Immer weniger Boote unterhielten den Pendelverkehr zwischen dem Strand und den auf Reede liegenden Schiffen. Das Schaufelrad des Baggers war zur Ruhe gekommen. Die Ventile wurden geöffnet. Pfeifend und weiße Schwaden ausstoßend, entwich der Druck aus dem Kessel. Theo hielt sich die Ohren zu.
»Du wärst schon die rechte Hilfe«, spaßte der Mann mit dem rötlichen Backenbart und den wasserblauen Augen. Dabei verwies er auf die Hantierungen seines Assistenten, dem es oblag, die Feuerung zu betreuen.
»Weißt du, daß ich in deinem Alter schon an den Öfen gearbeitet habe«, setzte er erklärend hinzu, »oben in Edingburgh war das, in den

Spinnereien mit den mechanischen Webstühlen.« Und dann holte der Mann aus, von dem Theo nicht mehr wußte, als daß er Macdonald hieß und Ingenieur war, zu einer Rekapitulation seines Lebens.
Sie hatten sich im Schatten des Kessels niedergelassen, der hochgeschossene, knochige Mann mit dem Löwenkopf und dem Bart, und Theo, verschlossen, abwartend, aber ganz Ohr. Von Edingburgh war die Rede, seinem Felsenschloß und den großzügigen Straßen, der Rauheit des Landes: Den kargen Hochebenen, den moosigen Gründen, den stillen Seen und der unendlichen Einsamkeit, in der sich die Seele des Wanderers verlor. Von den Kriegen erfuhr er, die das Land durchtobten, den Norden vom Süden, den Westen vom Osten trennten.
»Die Geschichte meiner Heimat wurde mit blutigem Griffel geschrieben.«
Ein nachdenklicher Ernst zeichnete das Gesicht des Ingenieurs.
»Gott vergebe uns den wilden Trotz, mit dem wir alle: Die Macleans, die MacNabs, die Mackenzies, Mac Dougalls und auch wir Macdonalds dazu beigetragen haben« sagte er dann, mehr zu sich als zu dem Jungen. Theo hatte den Eindruck, daß er froh war, nach Wochen nervenötenden Einerleis mit einem Fremden sprechen zu können.

Zu Hause merkte niemand etwas von Theos neuer Bekanntschaft. Emilies Verwandte waren wieder zu Besuch gekommen und sorgten für Kurzweil und Ablenkung. Da in der Schule keine Probleme auftauchten, blieben Theos Treffen mit dem Ingenieur Macdonald verborgen. Allerdings war deren Ende abzusehen. Die vom Schiffahrtamt in Auftrag gegebene Arbeit war fast abgeschlossen. Der Bagger hatte die Fahrrinne freigelegt.
»Eine Woche vielleicht noch«, schätzte Macdonald, der Theo zum Bagger herübergerudert hatte. An den Ventilen machte sich schon der Assistent zu schaffen. Vor einer Kajüte, in der der Ingenieur nachts schlief, warteten auf einem Tisch Getränke, daneben Tabaksbeutel und Meerschaumpfeife. Als läge nicht ein Tag dazwischen, fand das Gespräch des gestrigen Abends seinen Fortgang. Aus den Holzaufbauten des Baggers dunstete die gespeicherte Wärme und machte die Frische des Seewindes vergessen. Macdonald hatte seine Meerschaumpfeife entzündet und paffte helle Wolken gegen die Tischplatte, als wolle er mit dem Schornstein seines Baggers in Wettstreit treten. Sichtlich genoß er seine Erzählerrolle.

»Bei den Clans waren wir stehen geblieben« eröffnete er seinen Vortrag. Theo zeigte wie gestern lebhaftes Interesse. Soviel er bereits darüber wußte, hausten sie in den verborgenen Tälern des Hochlandes, jahrhundertelang, abgeschieden, für sich.
»Sie versorgten sich selbst«, führte der Ingenieur weiter aus, »Fremde bekamen sie kaum zu Gesicht, was auch besser für sie war. Denn voller Verständnis füreinander waren sie gegen Außenstehende die reinsten Teufel. Treu und aufopferungsbereit gegenüber ihren Häuptlingen, war ihre Unzuverlässigkeit sprichwörtlich, wenn der König rief.« Der Erzähler unterbrach sich für einen Augenblick und sah Theo mit den wasserblauen Augen bedeutungsvoll an. »Sie liebten dieses Leben«, setzte er seine Erzählung fort, »die Abgeschlossenheit bereicherte sie. Sie fanden dort alles, was sie brauchten. Wenn sie Raubzüge unternahmen, zogen sie sich bald wieder in den Schutz ihrer Täler zurück. Das Land drumherum betraten sie nur in Ausnahmefällen. So kam eines Tages das Land zu ihnen, in Gestalt englischer Heere, und machte ihrer Einsiedelei ein Ende.«

Bis in den Schlaf hinein verfolgten Theo die Bilder, die in den Darstellungen geweckt worden waren. Manchmal wurde er darüber wach, starrte mit aufgerissenen Augen in das Zwielicht seines Zimmers, in dem sich alle Gespenster Schottlands versammelt hatten. Aber kein Laut kam über seine Lippen. Zumal er das Zimmer teilen mußte mit zwei von Emilies Verwandten, die hinter einem Wandschirm ihre Schlafstätte gefunden hatten. Wie hätte er ihnen die Hexen und Elfen, Wichtelmännchen und Brownies, Pucks, Klabautermänner und Klopfgeister auch verständlich machen können, die in seinem Kopf Quartier bezogen hatten. Welches Entgegenkommen wäre zu erwarten gewesen, wenn er von den Baliols, Wallaces und Bruces erzählt hätte oder den Stuarts: Den Karls und Jacobs und der tragischen Mary.

Wie oft in den Nächten fühlte er sich in die Täler der Hochebenen Schottlands versetzt, abgeschlossen, allein mit den pittoresken Gestalten und Szenen, die vor seinen Augen tanzten, während sich die Welt um ihn herum der Reglosigkeit der Nacht hingegeben hatte. Im Bett sitzend, durchlebte er die Raubzüge und Kriege, von denen er vernommen hatte, so gegenwärtig und nah, daß er sich Zügel auferlegen mußte, um nicht aufzuspringen. Die täglichen Unterweisungen

in schottischer Geschichte und das nächtliche Nacherleben verdichteten sich alsbald zur Idee einer Schicksalsverwandtschaft.
So trat er morgens aus seinem Zimmer in dem Bewußtsein, die schützenden Mauern aufzugeben, wie die Clans ihre Täler verließen, für kurze Zeit nur, um Unaufschiebbares draußen zu erledigen. Damit meinte er inzwischen auch Dr. Laus Unterricht, der viel von seiner Farbe verloren hatte, seitdem der Ingenieur Macdonald ihm Konkurrenz machte.

Ungalant, wie sich das Jahr präsentiert hatte, verabschiedete es sich auch. Nach regenverhangenen Herbstwochen und vor der Zeit einfallenden Sturmtiefs wollte zu allem Unglück der Frost nicht bis Dezember warten und sperrte mit packeisdicken Schollen die Zufahrt zum Bollwerk. Über Nacht hatte sich ein Deckel aus gepreßten Kristallen auf die Swine gelegt und den Strom zum Verschwinden gebracht. Zum Leidwesen aller Schiffer, die um ihre vom Eis eingeschlossenen Boote bangen mußten, nachdem die Temperaturen noch einmal gefallen waren.

Für Theo hatte ein gutes Jahr seinen Abschluß gefunden. Dezember würde er zehn Jahre alt werden, und er konnte mit Stolz verbuchen, daß er an Wissen zugelegt hatte. Aufgrund dessen war es ihm sogar möglich gewesen festzustellen, daß sein Vater Walter Scott las, aus Passion, wie er bald erfuhr, und damit absichtslos eine Verbindung herstellte zu den Eindrücken, die Theo von Schottland empfangen hatte.
Wenn es in seiner Macht stand – und das war mit Ende des Jahres im stärkeren Maße der Fall, weil Louis Fontane seine Kasinobesuche reduzierte – bat er den Vater darum, von Ivanhoe zu erzählen, Richard Löwenherz und, was er besonders gerne tat, von Quentin Durward. So schloß sich auf diese Weise eine schwärende Wunde, die seit der Enttäuschung über den Vater geschmerzt hatte. Seine Welt war ins Lot gekommen. Glaubte er wenigstens. Wie sehr er sich aber darin getäuscht hatte, zeigte alsbald einer jener Sonntage, die mit trockener Kälte und aquamarinblauem Himmel die Swinemünder zum Schlittschuhlaufen einlud. Das nachmittägliche Vergnügen verlagerte sich aufs Eis und erlegte allen, die Rang und Namen hatten, die Verpflichtung auf, mitzutun. So stellten sich in der Folge die Krauses ein, die Scherenbergs, Schönebergs, Thompsons und wie sie alle hießen.

Sogar Schiffahrtdirektor Bauer war mit von der Partie. Die Luft, klar und durchscheinend wie feinstes Glas, unterstrich die Farbenpracht der reich bestückten Mäntel, Mützen, Muffs und munter flatternden Capes, die von den Läufern in grotesken Kringeln und eleganten Linien über das Eis getragen wurden.
Theo hatte sich die Zeit über abseits gehalten und war durch keinen noch so ermunternden Zuspruch zur Teilnahme zu bewegen gewesen. Er hatte Kopfschmerzen vorgeschoben und über Lustlosigkeit geklagt, während die anderen aufs Eis geglitten waren, um sich die Schlittschuhe unterzuschnallen. Das: »Dann eben nicht« der Davonfahrenden hatte seinem Ärger soviel Nahrung gegeben, daß er sich in Selbstvorwürfen erging. Aber alles Nagen und Wüten gegen sich erlöste ihn nicht von dem Mißtrauen, das unausrottbar in ihm Fuß gefaßt hatte, plötzlich in einem Eisloch zu verschwinden, unter die Schollen getrieben zu werden und hilflos zu ertrinken. Das Hilflose war es, was den Gipfel aller abstrusen Angstvorstellungen darstellte, die in ihm waren.
»Theo, nun komm endlich!«
Man winkte ihm zu, amüsierte sich über seine Schrulligkeit, die hartnäckig allen Attacken widerstand. Endlich gab man es auf.
Fortzugehen gestand er sich nicht zu, als hege er noch Hoffnung, Mut zu fassen. So verweilte er hinter der Mauer des Bollwerks, Stunde um Stunde, mit zu Eisklumpen verwandelten Füßen und tauben Fingerspitzen, eine bodenlose Traurigkeit in sich, während er dem ausgelassenen Treiben auf der Eisbahn folgte, solange, bis sich der Himmel eindunkelte, eine violette Färbung annahm und sich das Eis zu leeren begann. Was hätte er darum gegeben, zu denen zählen zu dürfen, die jetzt von Major Thomas schönen Töchtern zum Abschied mit einem Kuß bedacht wurden. Auf diese Weise ausgeschlossen, fiel in den süßen Wein seiner behäbigen Selbstzufriedenheit ein Wermutstropfen, der um so bitterer mundete, als er sich an andere Geschmäkker gewöhnt hatte.

7. KAPITEL – SWINEMÜNDE, 1830

Die Weiden im Garten begannen schon zu sprießen. Ihre pelzigen Tupfer überwuchsen leuchtend das verschossene Braun der Winterfarbe. Auf den Zäunen hockten die Fliegen und putzten brummelnd ihre haarigen Körper. Die Katzen Peter und Petrine nächtigten längst wieder außerhalb des Hauses, was ein untrügliches Zeichen dafür war, daß die kalte Zeit endgültig ihren Abschied genommen hatte.
Den Kindern kam es nur gelegen. Endlich waren die Tage vorbei, an denen man die Stube nicht verlassen konnte. Wenn auch Theo sich Kurzweil zu verschaffen vermochte mit dem Binden von losen Blättern zu Büchern oder im Neuruppiner Bilderbogen Genüge fand, Rudolf blieb oftmals nichts anderes übrig, als das Kinderzimmer in einen Sandkasten umzugestalten.
Der Winter war immer eine schwere Zeit. Besonders in diesem Jahr. Der griechische Unabhängigkeitskrieg ging seinem Ende entgegen. Für Louis Fontane Anlaß genug, sich in phantasiereichen Besprechungen zu ergehen. Die Kinder sperrten Mund und Nase auf, wenn er mal die Partei der türkischen Okkupanten, mal die der griechischen Freiheitskämpfer gestenreich ins Bild setzte und seine persönliche Betroffenheit in einer für Emilie peinlichen Weise unter Beweis stellte. Sie konnte sich nicht von dem Verdacht befreien, daß seine Sympathie für die griechische Sache einen Wunsch ans Tageslicht brachte, der ihn eher herabsetzte, als daß er ihm Ehre eintrug. Sie wußte, worunter er litt.
Mit der anderen Hälfte ihrer Gedanken aber waren die Kinder schon bei den Abenteuern des Sommers. Den Spielen und Raufereien, dem Baden im Meer und dem Beobachten der Feriengäste, die jenes erregende Klima in die Stadt brachten, dessen sie nach dem Winter bedurfte.
Aber noch war es nicht soweit. Die Tage verstrichen, der eine als Abklatsch des anderen. Nur an Dr. Lau fiel eine Nervösität auf, die sonst fehlte. Das Gerücht wollte nicht verstummen, daß er bald den Ort verlassen würde.
Der Tag, an dem er den Kindern mitteilte, daß er aus dem Amt scheiden wolle, war zu schön, um Unterricht abzuhalten.
»Ja, so steht es«, hatte er mit tonloser Stimme am Ende seiner Erklärung gesagt und sich während eines bedrückenden Schweigens die

Brillengläser geputzt. An den offenen Fenstern strichen Möwen vorbei, einen Blick aus ihren marmorierten Augen hineinwerfend, als wollten sie teilhaben an dem sonderbaren Geschehen, das mit Dr. Laus Vorschlag endete, den Unterricht ausfallen zu lassen.
»Bis morgen!«
Den Gruß brachten die Jungen noch über die Lippen, dann polterten sie mit gesenkten Köpfen aus dem Zimmer.

Daß ausgerechnet Louis Fontane seinen Söhnen in die Arme lief, war insofern außergewöhnlich, als er sich um diese Tageszeit normalerweise im Kasino aufhielt.
»So früh zurück, die jungen Herren?« alberte er, als Theo und Rudolf ihm auf dem Flur begegneten. Seit Tagen schon band ihn die Zeitung ans Haus. Genaugenommen, die politischen Ereignisse in Frankreich, die so Umwälzendes versprachen, daß sie dem Kasino den Rang abliefen.
»Sie jagen dieses Bourbonenpack zum Teufel«, rief er zuweilen entzückt aus, mit dem Finger erregt über die Zeilen fahrend, »immerhin hatten sie schon einen Napoleon.« Und als seien mit dem Namen alle Probleme gelöst, klatschte er in die Hände, wie um sich zum guten Geschmack zu gratulieren. Das Schauspiel der Revolte gegen Macht und Anmaßung wurde dem glücklos Hoffenden zur Labsal seiner Seele und bestimmte die Gespräche bei Tisch.
»Könntest du auch mal was anderes reden, lieber Louis!«
Solche Ermahnungen waren in den Wind gesprochen. Selbst wenn sie von Emilie kamen.
Theo hatte andere Sorgen. Unter Berufung auf seinen Umgang mit Buchdeckeln und Bilderbüchern, war er aufgefordert worden, anläßlich von Dr. Laus Ausscheiden ein Theaterstück zu schreiben. Die Jungen wollten es aufführen. Glücklicherweise standen ihm dafür Wochen zur Verfügung, weil Dr. Laus Abreise aus Swinemünde erst für den Herbst geplant war. Trotzdem, Theo schlief schlecht, schwitzte mehr, als es die Temperatur vertretbar erscheinen ließ, und war von einer so gastritischen Ernsthaftigkeit, daß man einen Rückfall in jene ominöse Krankheit befürchtete, die sich als kaltes Fieber jeder Diagnose entzog. In seinem Inneren kochte und brodelte es wie in einem Laboratorium, ohne daß sich allerdings brauchbare Gedanken kristallisierten. Ihm fiel nichts ein.
»Wie weit bist du?« erkundigten sich die Mitschüler immer regelmä-

ßiger bei ihm. Zuerst schwieg Theo. Als die Nachfragen bedrängender wurden, log er: »Fast fertig.«
Zu Hause warf er sich heulend aufs Bett, verkrallte sich ins Kissen und verfiel dann in eine ohnmachtsähnliche Apathie. Am nächsten Morgen malte er die ersten Schriftzüge aufs Papier. Es kam tröpfchenweise, wie herausgepreßt. Das einzig wirksame Mittel dagegen bestand in einem Spaziergang mit seinem Vater zur Anlegestelle des Dampfers. Er brachte die sehnlichst erwartete Gazette, aus der Louis Fontane seinen Seelenbalsam bezog. Entsprechend aufgeräumt war seine Gemütslage, während er mit Theo den Landungssteg betrat, an dem der Dampfer fest machen würde. Die Launigkeit des Vaters ließ Theo die eigene Notlage vergessen.
»Die Unseren werden es ihnen schon zeigen« hörte er ihn regelmäßig hinter seine Ausführungen setzen, als wolle er damit das Ganze garnieren. Dabei war es ihm besonders darum zu tun, keinen Zweifel darüber aufkommen zu lassen, daß er mit den »Unseren« sich und die Menschen seines Herkommens meinte. Für Theos geduldiges Zuhören bedankte sich Louis Fontane, indem er ihn in die Zeitungslektüre einbezog.
Der Neuruppinger Bilderbogen wanderte in die Rumpelkammer der abgelegten Leidenschaften. So engagiert das neue Metier von Theo betrieben wurde, sowenig half es ihm beim Abfassen seines Theaterstücks. Längst waren die Badegäste wieder da, auch die Sommereinquartierungen. Sie trugen nicht gerade zur Schaffung jener Atmosphäre bei, die Theo für sein Werk brauchte. Überhaupt schien Emilie die einzige zu sein, die unter diesen Besuchen nicht litt. Im Gegenteil, ihre Nervosität, immer auf dem Sprung, über sie herzufallen, löste sich in Luft auf, was Louis Fontane einmal im Spaße damit erklärt hatte, daß ihre Korporalsseele Rekruten brauche.
Die Ereignisse in Frankreich spitzten sich zu. Theo machten sie bald zu einem versierten Kenner der französischen Geschichte. Indes trug es nichts bei zur Fertigstellung seines Theaterstücks. Am Kalender wurden schon die letzten Junitage abgerissen.
»Ja, ja, mein Sohn«, delektierte sich Louis Fontane wieder einmal an seiner Lieblingshypothese, nach der die Zeit der gekrönten Häupter vorbei sei.
»Jetzt zählt nur noch der Tüchtige.«
»Und wann kommt die Revolution, Papa?«
»Bald, mein Sohn.«

Dieser Art ernstgenommen zu werden, gefiel ihm. Seinem Theaterstück kam es zugute. In wenigen Tagen wurde es zu Ende geschrieben.

Der Sommer ging in seine zweite Hälfte. Schon wanderten die Vögel, riesige Winkel in den Himmel schneidend, gen Süden ab. Ihr Gekreische mahnte an einen frühen Winter. Die letzten Feriengäste verließen Swinemünde. Im Hause Fontane war man wieder unter sich.
An einem Morgen, Ende September, eröffnete Dr. Lau seinen Schülern, daß er in der nächsten Woche aus dem Dienst scheiden werde.
»Ich hoffe, daß ich euch etwas vermitteln konnte.«
Die Reaktion der Jungen bestand aus Schweigen.
Dr. Laus Gesicht wurde ernst. Er wandte sich ab, lehnte an der Fensterbank. Klägliches Zirpen, von fernen Vogelschwärmen, die ihre Winterreise angetreten hatten, erfüllte den Raum, als Oskar Thompson Theo in die Seite stieß:
»Jetzt!«
Vor dessen Augen wanderte noch einmal der zurechtgelegte Satz vorbei, dann erhob er sich und ging auf leisen, zögernden Sohlen auf den abgekehrt dastehenden Dr. Lau zu. Einen Schritt hinter ihm blieb er stehen. Die ersten Zweifel meldeten sich, ob es richtig gewesen war, die Aufgabe zu übernehmen.
»Hochverehrter Herr Doktor ...«, begann er, stockte.
Dr. Lau war leicht zusammengezuckt, starrte ihn an, fragend. Schwäche überfiel Theo. Um wieder Halt zu finden, setzte er erneut an: »Hochverehrter Herr Doktor, wir möchten uns ... Sie ... beehren.«
Der Satz zerfloß vor seinem inneren Auge. Aber er redete weiter, mechanisch. Der Mund öffnete sich, schloß sich. Die Zunge versah ihren Dienst. Er hörte sich sprechen. Aber er verstand nichts. Er war irgendwo, aber nicht hier, war fahnenflüchtig geworden. Dr. Lau hatte zuerst die Stirn in Falten gelegt, dann gelächelt.
»Das ist eine noble Geste von euch«, meinte er, »ich bin gespannt.«
Das Theaterstück konnte beginnen.
Als Theo am Abend früher als sonst in sein Bett kroch, war er angefüllt von einer niederziehenden Schwere. Die Aufführung dröhnte in seinem Kopf nach. Aber alles in ihm war Beschämung und Überdruß. Er hatte sich für etwas hergegeben, was er nicht wollte. Und diese Mißachtung seiner eigenen Person – das spürte er mit schmerzlicher Deutlichkeit – wog keine noch so erfolgreiche Autorenschaft auf.

8. KAPITEL – SWINEMÜNDE, 1831

An den Fenstern klebten schon die Eisblumen, obwohl das Laub noch an den Bäumen hing. Die Atemfahnen dampften vor den Mündern, wenn man die Stube verließ. Quallige Ringe schwammen die Swine herunter und deuteten an, daß das Eis kam. Dabei war es erst November. Der Winter würde wieder einmal lang werden.
Eine Behauptung, die die Kinder um den Satz erweitert hätten, er sei auch eine gute Einrichtung. Einmal wegen des Schnees und dann der überfrorenen Senken und seichten Tümpel wegen, auf denen sie vor der Stadt ihren Vergnügungen nachgehen konnten. Für Theo hatte das Jahresende ein eigenes Gewicht und die Spiele mit seinen Kameraden einen besonderen Glanz bekommen. Den Glanz des Abschieds. Was hatte doch seine Mutter gesagt und sein Vater bestätigt?
»Nächstes Jahr wirst du dreizehn. Da gehörst du auf eine anständige Schule!«
Der Gedanke, Swinemünde verlassen zu müssen, mutete weniger schrecklich an, als es die Inaussichtstellung zu sein schien, er müsse alleine in Neuruppin auskommen. In der Stadt, in der er geboren worden war und nun das Gymnasium besuchen sollte. Der Schreck, der ihm durch die Glieder gefahren war, wich nur zu bald dem befreienden Gefühl, den Ort seiner Beschämungen verlassen zu können. Sie nagten immer noch unerbittlich an ihm und verlangten mit derselben Rücksichtslosigkeit nach Begleichung, wie er sich wünschte, der Tag der Abreise möge bald kommen.
Seine enthusiastischen Versprechungen, er wolle Professor werden – Professor für Geschichte – klangen um so unglaubwürdiger, als die persönliche Not mitschwang, sein Selbstbewußtsein wieder aufrichten zu müssen. Entsprechend schal fielen dazu die Kommentare der Eltern aus, die sich auf ein: »Sieh erst mal zu«, und: »Ja, ja, das wird sich zeigen«, beschränkten und ihn auf die Einsamkeit seiner Träume verwiesen.
Aber am Widerstand wächst die Kraft. So entschloß er sich, aufs Eis zu gehen, sich die Schlittschuhe unterzuschnallen und über die gefrorenen Schilde der Tümpel zu gleiten. Wenn er mit knirschenden Kufen den Eispanzer ritzte, dann stieg noch etwas auf von der verbannten Angst, das tückische Element unter ihm könne ihn verschlingen. Aber bei jedem Kreisbogen, den er mit fliegenden Rockschößen zog,

jeder gelungenen Schußfahrt quer über die Spiegelfläche, festigte sich sein Zutrauen, und eine Beglückung durchflutete ihn, vor der Mißmut und Hader zurückwichen.
Der Mond schaute schon durch das überreife Gerippe der Erlen, während die Jungen mit weiß gefrorenen Nasen und tauben Fingerspitzen immer noch unermüdlich ihre Figuren in das Eis zeichneten. Das Riedgras, steif und fest wie Dolchklingen, knisterte unter dem Zugriff der Abendkälte. Ein eigenartiges Gefühl hatte Theo überfallen. Als sei er von etwas berührt worden, einer großen, liebenden Hand, aus dem Dunst heraus, der sich über dem Grasmeer breitete. Es durchschauerte ihn bis tief hinein in sein Innerstes. Für einen Augenblick verharrte er, Atemwolken ausstoßend, während sich die Tränen in seinen Augen zu Kristallen verformten, noch ehe sie über das Unterlid stürzen konnten.

Weihnachten kam heran und mit dem Fest Theos Geburtstag. Auf die Frage, was er sich wünsche, hatte er bildungshungrig geantwortet: »Bücher, aus denen ich was lernen kann.«
So waren Schellers Lexikon, Stielers Atlas und Beckers Weltgeschichte auf dem Präsentetisch gelandet. Augenfällige Beweise dafür, daß der Entschluß, Theo aufs Gymnasium zu schicken, richtig gewesen war.
Noch einmal entzündete ein Frühling seine Lebensflammen. Über Nacht wurde das Land farbig. Im Hof des Fontane-Hauses sprossen die Kirschblüten, schneeig weiß, während an der Frontseite die Kastanien einen flaschengrünen Schirm vor die Fenster zogen. Abschiedsbesuche standen an, die Theo mehr schlecht als recht absolvierte. Alles war ausgerichtet auf jenen letzten Tag, an dem er seinen Koffer packen würde, um in einem Neuruppiner Predigerhaus ein neues Unterkommen zu finden.
Bemerkenswert oft blieb er jetzt daheim, als müsse er die in Aussicht stehende Trennung innerlich noch vollziehen. Seine Stimmung war heiter.
Die dreitägige Fahrt nach Neuruppin sollte Theo mit seiner Mutter unternehmen, die sich in Anbetracht der Lage ihm gegenüber besonders weich und zugänglich zeigte. Und auch das Wetter gab sich launig. Obwohl es April war, blieb es stabil. Das Land wetteiferte mit sich selbst, als es noch einmal für den Abschiednehmenden seine ganze Pracht entfaltete. Ohne Scheu und Hintergedanken, wie ein redlicher Gastgeber, der sich in guter Erinnerung halten will.

II. BUCH

Das Leben geliebt und die Krone geküßt
Und den Frauen das Herz gegeben
Und den letzten Kuß auf das schwarze Gerüst
Das ist ein Stuart Leben.

(Th. Fontane: Lied des James Monmouth)

1. KAPITEL – BERLIN, MAI 1876

Im dritten Stock des Hauses Potsdamer Straße 134c war Ruhe eingekehrt. Nach und nach hatten die Fontanes ihre Schlafstätten aufgesucht, mit der ganzen Umständlichkeit, die ein im Zwist zu Ende gegangener Tag mit sich bringt. Emilie war durchs Entrée ins Schlafzimmer gehuscht, was für sie einen Umweg bedeutete. Ansonsten nämlich suchte sie vor dem Schlafengehen ihren Mann noch einmal in seinem Arbeitszimmer auf, um ihm eine: »Gute Nacht« zu wünschen.

Auch bei den übrigen Mitgliedern der Familie gestaltete sich der Abschluß dieses Tages ungewöhnlich. Mete, die 16jährige Tochter, verschwand geradezu geräuschlos in ihrem Zimmer, ein Verhalten, das nicht weniger untypisch für sie war als das ihrer Mutter. Anna, das Hausmädchen, unterließ es sogar, im Arbeitszimmer anzufragen, ob es für die Nacht noch etwas zu besorgen gäbe. Längst schlief sie auf ihrer Liege in der Küche, wo sie die Nacht zu verbringen pflegte. Einzig im zur Straßenseite gelegenen Arbeitszimmer brannte, kaum merklich zuckend, das Licht in den Gaszylindern.

Der Vorwurf, beim Abendessen vorgetragen, rücksichtslos zu sein und egoistisch, hatte sich noch einmal schmerzhaft gemeldet und Theos Vorsatz umgeworfen, das Entlassungsgesuch in die endgültige Form zu bringen. Auf Konzeptpapier eingefangen, harrten die zurechtgelegten Gedanken ihrer Bearbeitung.

Eine eigentümliche Schwere lastete auf dem Zimmer. Das Verlangen, eines der Fenster zu öffnen, war ganz plötzlich aufgetaucht. Die Mainacht, kühl, aber schon angefüllt mit den Vorboten des Sommers, sorgte für lärmende Spätheimkehrer. Klackend hallten ihre Schritte durch die Straßenschlucht, untermischt zuweilen vom Knallen lockerer Hufeisen auf dem Pflaster der Fahrbahn. Die Nachtluft wirkte belebend. Wenn sie sich des Geistes bemächtigte, flossen die Gedanken wieder. Der Mut kehrte zurück, der sich verschreckt zwischen den Manuskriptblättern des Romans verkrochen hatte.

Theo war mehr als einmal nahe daran gewesen, alle erlittenen Demütigungen zu vergessen, den Entwurf des Entlassungsgesuchs zu zerreißen und auf seinen Posten als Sekretär der Akademie der Künste zurückzukehren.

Neben seinem Schreibtisch lief tickend die Standuhr, mit verläßlicher

Akkuratesse, wie sie es im Zimmer seines Vaters in Swinemünde getan hatte. Den Trost, den sie bereithielt, nahm er dankbar an. Als seien die Mächte der Nacht zu Hilfe gerufen worden, schloß sich das Geläut der nahen Matthäi-Kirche an: Zwölf Uhr.

Das Zimmer füllte sich mit Leben. Die Gestalten der Kindheit schienen einzutreten: Jene phantasiereichen Gespinste der Küchenmamsells und Pferdeknechte, nicht weniger anrührend jetzt, als sie es damals gewesen waren. Er nahm es als gutes Zeichen. Eine Brise blähte den Fensterbehang und drängte die letzte abgestandene Luft heraus. Vom Landwehrkanal rollte es heran, glucksend. Wie allein er war in seiner Entscheidungslosigkeit, wurde ihm jetzt so recht bewußt. Kein Laut regte sich hinter der Tür, wo Emilie schon im tiefen Schlaf liegen mochte. Kein Knarren einer Bettstelle unterbrach den reißenden Fluß seiner Gedanken, die über Katarakte von Zweifeln in eine bodenlose Tiefe stürzten. Was ihm vor kurzem noch ausgemacht erschien, zerfiel wie ein Kartenhaus. Der Entschluß, den Dienst in der Akademie zu quittieren, gegen Emilies Protest, gegen den Rat der Freunde, auf ein Vielleicht hin, das nicht mehr wog als ein angefangener Roman, scheute zurück vor der kühnen Gedankenlosigkeit vermessener Sekunden.

Es lähmte ihn so vollends, wie es nur der Versuch vermocht hätte, gleichzeitig am Roman und Abschiedsgesuch zu schreiben.

2. KAPITEL – LETSCHIN IM ODERBRUCH, 1843

Es fehlte nicht an Gründen, Letschin aus dem engeren Kreis jener Orte zu streichen, die einen Besuch wert waren. Neben allen Nachteilen, die aufzuzählen dem nicht schwerfallen durften, der Letschin übel wollte, bestand der größte wohl darin, daß es nichts vorzuweisen gab. Letschin war eine bloße Anhäufung banaler Baulichkeiten, ein Sammelsurium von Häusern, die über zwei Stockwerke nicht hinauskamen. Aus rohem Mauerwerk gefugt, stülpten sich lang heruntergezogene Dächer darüber. Auf den Firsten thronten Storchennester.

Abseits des Weges von Berlin nach Küstrin gelegen, verirrte sich dorthin die Postkutsche nur einmal die Woche, weniger um Reisende abzusetzen, als Briefe abzuliefern. Schreiben allerdings konnten in Letschin nur wenige. Um zu korrespondieren, mußten die meisten fremde Hilfe in Anspruch nehmen.

»Das machst du jetzt?« hatte Emilie Fontane ihren Mann spöttisch gefragt, als er über Büttenpapier seinen Nachmittag verhockte. In der Apotheke war ohnehin nichts zu tun gewesen. Außerdem konnte seit Frühjahr die dort anfallende Arbeit von seinem ältesten Sohn Theodor übernommen werden, der nach beendeter Apothekerlehre in Berlin und Erfahrungen in zum Teil renommierten Häusern in Dresden und Leipzig als Defektar ins Elternhaus zurückgekehrt war.

»Du solltest froh sein, daß wir uns die Leute verpflichten können«, verteidigte Louis Fontane seine Schreibarbeit, »hier ist jeder auf jeden angewiesen.«

»Weiß Gott«, seufzte Emilie, aber es klang wie einer jener weit ausholenden Vorwürfe, die sie nicht müde wurde zu wiederholen, seitdem sie ihre Apotheke in Swinemünde aufgegeben hatten, um in Letschin, wie sie es formuliert hatte »unterzugehen«. Und in der Tat war es ein Abstieg in jeder Beziehung gewesen. Auch was das Haus anbetraf. Alles in allem hatten sich die knappen Räumlichkeiten fünf Personen zu teilen. Rudolf, Max und Jenny Fontane waren, der Not gehorchend, bei Verwandten untergekommen. Elise, ein Nachkömmling, 1838 noch in Swinemünde geboren, strapazierte nun neben Theo und einem Dienstmädchen das Fassungsvermögen des Hauses.

Der Verkaufsraum der Apotheke lag auf der rechten Frontseite. Er war gerade so groß, daß sich vier Personen in ihm aufhalten konnten. Alles andere als eine Goldgrube, ernährte die Apotheke ihren Mann mehr schlecht als recht.

Die Anstellung bei seinem Vater war das fünfte Arbeitsverhältnis, das Theo eingegangen war, seit er Berlin verlassen hatte. Keine der ihm bekannten Apotheken konnte mit der väterlichen konkurrieren, was Langeweile und Leerlauf anbetraf. So kam der Verkaufstisch weniger in Berührung mit Pillenschachteln und Salbendosen als mit den ledernen Einbänden von Livius und Horaz, die ostentativ herumlagen, um vom ernsthaft betriebenen Lateinstudium zu künden.

Allenfalls am Abend meldete sich Kundschaft an, nach der Arbeit auf dem Feld oder im Stall. Unterschiedslos vergingen die Tage, und wenn sie herum waren, blieben von ihnen nur müde gewordene Beine als Ergebnis eines öden Herumstehens.

Aber es gab auch glückliche Stunden. Stunden, in denen die Seele zur Ruhe kam. Sie gehörten dem Spaziergang mit seinem Vater, dem hier kein Spieltisch Gewalt antun konnte. Um die Mittagszeit, wenn die Apotheke für einige Stunden schloß, verließen sie oftmals das Haus, vor allem jetzt, an der Schwelle des Sommers. Bunt überpinselt prangte das Land. Das torfige Braun des Bruchs war unter einem zarten Grünton verschwunden, der sich über Tümpel und Brackwasser spannte. Von den Wiesen her, die von windzerzausten Hecken eingeschlossen waren, kam das Muhen von Kühen. Weil ein Storchenpaar abgehoben hatte von einer Wiese, waren die Fontanes stehengeblieben, um dem majestätischen Flügelschlag der Tiere zu folgen, die einige Kreise über einem Sumpfanger zu ziehen begannen.

»Das mit Mama nimm nicht so ernst«, ging Louis Fontane wieder auf das von ihnen kurz zuvor geführte Gespräch ein, »du kennst sie ja.«

Das Naturschauspiel, das eben noch ihre ganze Aufmerksamkeit in Anspruch genommen hatte, schien vergessen. Theo lauschte verkrampft.

»In Swinemünde haben wir ein großes Haus geführt«, fuhr Louis Fontane fort, »hier müssen wir uns mit Marek, dem Wirt, und Wuttke, dem Krämer, begnügen. Das ist für Mama nicht hinnehmbar.«

Auf anderen Streckenabschnitten sprachen sie nichts, bummelten nebeneinander her, den Blick gesenkt, beäugten sie das Auf und Nieder der Schuhspitzen, als könnten sie sich nicht satt daran sehen. Und dabei hatte Theo soviel zu sagen: Warum er zurückgekehrt war, so

plötzlich. Aber immer wieder wurde er unterbrochen vom Vater, als seien beide nicht mutig genug für die Wahrheit.
Ausflüge dieser Art dauerten nicht lange. Kurz vor 15 Uhr schwenkten die Fontanes ein auf die Hauptstraße, einen unbefestigten Fahrweg, der einen rechten Winkel bildete und alle Gebäude des Ortes an sich zog. In der warmen Jahreszeit begehbar, war er in den regenreichen Monaten nur Fuhrwerken zu empfehlen. Ein weiterer Umstand, der nicht gerade dazu beitrug, Emilies Bereitschaft zu heben, mit ihrer neuen Umwelt Frieden zu schließen.

Wenn die Fron hinter dem Verkaufstisch zu Ende war, schlich Theo in den ersten Stock des Hauses, wo die Bücher auf ihn warteten. So begann in aller Heimlichkeit der schönste Teil des Tages hinter jenem Wall von Folianten und Quartheften, die zu nicht mehr taugten, als einen ziegelsteinmächtigen Lederband einer Shakespeareausgabe zu schützen, die seit Jahren schon sein Begleiter war.
Insofern hatte seine Mutter recht, als sie Mißtrauen anmeldete. So ernst war es ihm mit dem Abiturexamen nicht, wenngleich ihm die Absicht eine unverzichtbare Hilfe war, seine mehr als prekäre Lage auszuhalten. Dieses Aushaltenmüssen erwies sich allerdings für seine Übersetzungsarbeit als nicht gerade förderlich. Einer Arbeit, die er in ebenso tolldreister wie verzweifelter Verkennung seiner Möglichkeiten in Angriff genommen hatte. Den Sommernachtstraum wollte er neu übertragen, vor allem aber den Hamlet, einfühlsamer dem gewundenen Seelenleben jenes Dänenprinzen nachsteigen, als Wieland und Schröder es mit ihren Übersetzungen vermocht hatten. Wer war berechtigter dazu als der, der sich kongenial nennen durfte im Lieben und Leiden.
Galt das nicht schon für Neuruppin, dachte er, nicht für das Gymnasium, in das sie dich gesteckt haben, mit der Langeweile und den ermüdenden Wiederholungen? Und nicht ebenso für die Gewerbeschule des Herrn Klöden in Berlin, mit ihrem Wust an Unterrichtsfächern, die einem bunten Christbaumschmuck mit abgeschmacktestem Flitterwerk glichen?
Gott sei Dank hatte es auch das andere gegeben: Monate des leichtfertigen Dahinlebens zwischen Cafébesuchen, türkischem Zelt und häuslicher Idylle. Alles versetzt mit einem Schuß Hochstapelei und Verantwortungslosigkeit. Aber es hatte ihm Klödens Gewerbeschule nicht nur erträglich gemacht, sondern ihr sogar den Stachel genommen.

Das Schweifen durch die Wälder der Mark Brandenburg kam ihm in den Sinn, schuleschwänzend, weil der Onkel eine Sommerwohnung angemietet hatte und der Weg zum Unterricht verführerisch weit geworden war. Die berauschende Zeitungslektüre in verwunschenen Konditoreien, die ihn den Schulstoff vergessen machten und sein Ohr schärften für den Anruf der Zeit.
Die Galerie jener Gestalten trat vor sein inneres Auge, in denen er die Ausmessungen des Lebens kennenlernen durfte: Der verarmte Graf, die Prostituierte, der Schriftsteller, tuberkulös und heruntergekommen. Der Beamte, des Betrugs überführt. Bankrotte Kaufleute. Nicht zuletzt der eigene Onkel, abgestürzt aus traumtänzerischen Höhen einer Künstlerkarriere in die Feuchtwohnung einer Mietskaserne. Eine Personnage des Elends, aber auch einer Freiheit, die ihn damals hatte aufatmen lassen.

3. KAPITEL

Trotz Postkutsche traf selten Briefpost in Letschin ein. Diese Erfahrung änderte sich seit Theos Anwesenheit. Aber weniger seine exotischen Briefadressen hatten Marek, Gastwirt und Posthalter in einer Person, dazu bewogen, den großformatigen Umschlag persönlich in die Apotheke zu expedieren, als die eigennützige Überlegung, sich mit den Fontanes gut zu halten. Mareks Tochter, einziges Kind und Erbin seines Anwesens, litt nämlich seit Jahren unter asthmatischen Anfällen.
»Für Sie, Herr Fontane!«
Das Glöckchen über der Eingangstür der Apotheke bimmelte noch, als Theo den Brief schon in der Hand hielt.
»Oho, Odessa«, rief er aus und brachte Marek dazu ein: »Interessant, wenn ich bemerken darf« hinzuzufügen, während er listig Theos Hantierungen am Briefumschlag beobachtete, dessen filziges Papier seinen Anstrengungen trotzte. Marek schien die Komplikation gelegen zu kommen.
»Vielleicht kann der Herr Vater mal wieder vorbeischauen, so am Samstag, auf der Kegelbahn«, kam er schließlich mit der Sprache her-

aus, um schmunzelnd die Katze aus dem Sack zu lassen: »Der junge Herr natürlich auch.«
Theos: »Mal sehen« hatte den Wirt unmöglich zufrieden stellen können. Aber Theo war bereits zu sehr in die Lektüre seines Briefes vertieft, um noch weiterhin ansprechbar zu sein. Die Wangen glühten, und das Briefpapier in seinen Händen hatte zu zittern begonnen. So verließ Marek unverrichteter Dinge den Verkaufsraum, lautlos und wie auf Samtpfoten.

Odessa, im Mai 1843

Lieber Fontane!
Du wärst mir ein Buch mit sieben Siegeln, gäbe es nicht jene luziden Stunden, in denen ich Deinen wachen Verstand leuchten sehen und Deinen aufrichtigen Charakter bewundern durfte. Beide Erfahrungen sind mir inzwischen Halt und Stütze geworden angesichts der trübsinnigen Briefe, die Du mir in meine Diaspora zu schreiben pflegst. Was ist nur mit Dir los, daß Du mir dieses Wolfsgeheul der Verlorenheit in die russische Weite nachsendest? Welchen Abstieg hast Du hinter Dich gebracht, Lamentos an die Stelle von Taten zu setzen?

Theos Hände waren ruhiger geworden bei den ersten Zeilen.
»Wolfsohn, ja, wie er leibt und lebt«, sagte er zu sich, »sein Ton, schonungslos und erfrischend direkt.«
Die markigen Sätze wirkten aufrüttelnd auf ihn und schufen Ordnung. Er las weiter.

Mache mich nicht glauben, daß alles umsonst war. Wenn Du schon entschlossen scheinst, Deinen Abgesang anzustimmen, so appelliere ich an Deine Freundespflicht, wenigstens mich nicht mir einzubeziehen. Denn ich müßte es meinem Versagen zuschreiben, sähest Du Dich außerstande, Deine Falle, wie Du schreibst, zu verlassen. Eine Falle, die Du Dir selber aufgebaut hast. Mit Lust und kindischer Dickköpfigkeit.

Für einen Moment ließ Theo den Brief sinken. Dann hob er ihn wieder an. Speichel war in seinem Mund zusammengelaufen. Er schluckte.

Wo sind die forschen Aufschwünge geblieben? Der freche Bardenton, der Dich in Leipzig auszeichnete? Legen nicht Gedichte zuhauf Zeugnis dafür ab, welch heißen Blutes Du sein kannst? Ja heißer manchmal als das der Renommierer. Deine Verse klingen mir noch in den Ohren, schrecklich in ihrer Maßlosigkeit, zuweilen selbst für uns, die Leipziger Herweghianer. Heute soll Fischblut durch Deine Adern rinnen? In Deiner Brust schlägt das Herz eines Hasen? Niemals!

Der angeschlagene Ton begann Theo zu mißfallen. Wolfsohn streifte die Grenze des Erträglichen. Ausgerechnet dieser rücksichtsvolle Dr. Wilhelm Wolfsohn, der ihm die Leipziger Zeit in der Neuberschen Apotheke nicht nur durch seine Freundschaft zu einem Erlebnis hatte werden lassen, sondern auch sein Mentor für russische Literaturgeschichte gewesen war. Jetzt wird sogar Wolfsohn beleidigend, dachte Theo, hatte sich aber sofort in Verdacht, zu überempfindlich gewesen zu sein. Er wandte sich dem Brief wieder zu.

Nun halte ich indes Deine Entscheidung, das bürgerliche Pferd zu satteln, weil Dir der Pegasus entlaufen ist, schlichtweg für eine Geistestrübung, der ein Stallknecht zum Opfer fallen darf, aber nicht Du. Daß Du Dein Verhalten im Grunde genauso töricht einschätzt, wie ich es tue, beweist mir Deine Unfähigkeit, die wahre Ursache für die Rückkehr in die elterliche Apotheke aufzudecken. Mit einem Wort, entgegen all Deinen Beteuerungen bist Du alles andere als fertig mit der Kunst.

An dieser Stelle war er froh, den Brief nicht in einer Aufwallung blinden Zorns zur Seite gefegt zu haben. Auf seiner Stirn zitterten Schweißtropfen. Er kümmerte sich nicht darum.

Zu Recht, denn es gibt nicht den geringsten Grund, las er. *Hast Du es nicht schließlich fertig gebracht, alleine, wohlgemerkt, Binder, den Verleger, auf Dich aufmerksam zu machen? Hat er Dir nicht aufgrund eines einzigen Gedichts – Shakespeares Strumpf – seine Zeitschrift, die »Eisenbahn«, für weitere Veröffentlichungen zur Verfügung gestellt? Und tut er es nicht heute noch, wie ich mich unlängst überzeugen konnte?*
Also, Du schreibst weiter, heimlich vermutlich, dichtest, übersetzt und willst mich glauben machen, der Feder auf immer entsagt zu haben. Tolldreister, welche Eitelkeiten plagen Dich nicht?

Der letzte Satz hatte getroffen. Theo zuckte zusammen. Wie ein Degenstoß war es durch ihn gegangen. Aber er warf ihn nicht um. Vielmehr wandte er sich gespannt den nächsten Zeilen zu.

Ja, Eitelkeit. Wenn Du Dich für eine Diva hältst oder Primadonna, dann bleib mit Gott in dem Irrtum befangen. Daraufhin aber den Klageton anzustimmen, um anderer Leute Krokodilstränen freizusetzen, stellt den Gipfel dessen dar, was persönliche Vermessenheit auszudenken vermag. Du bist alles andere als bedauernswert, mein Alter. Das laß Dir von Deinem Wolfsohn sagen.

Für einen Moment hielt Theo inne. Die Schweißperlen, so angewachsen inzwischen, daß sie über den Strich der Augenbrauen stürzten, trocknete er mit dem Hemdärmel ab. Bevor der Brief auf die letzte Seite ging, atmete er noch einmal durch. Dann konnte er lesen:

Du versetzt Dir nur die Backpfeifen, die du anderen ersparen willst. Und jetzt beschwörst Du das Mitleid der Welt, damit sie Dir Recht gibt. So willst Du auf Umwegen die Ernte einfahren in die Scheune Deines lächerlichen Stolzes. Schäm Dich!

Die Standpauke begann an seinen Nerven zu zerren. Eine eigentümliche Schwäche hatte ihn heimgesucht und auf einen Hocker sinken lassen. Trotzdem studierte er den Brief weiter, mit mehr Einlässigkeit noch als eben.

So laß es Dir eine Lehre sein und entsage dem wehklagenden Geheul, wie arg es Dich auch getroffen hat, willst Du Dir meine Freundschaft erhalten. Nicht zuletzt deshalb auch, weil Du damit mein Einschätzungsvermögen, was Deine Person anbetrifft, in Zweifel zögest. Ich halte Dich nämlich immer noch für einen forschen, draufgängerischen Kerl, der nicht nur teuflisch gute Verse schreiben, sondern auch, wenn nötig, die Ärmel aufkrempeln kann. Anderenfalls müßte ich Dich zum opportunistischen Aufschneider herabwürdigen, der bei der ersten Feindberührung mit Bauchgrimmen die Fahne wegwirft, nicht ohne sich vorher nach einer mitleidigen Seele umzusehen, die ihm die Gewissensbisse wegbetet.
Denk immer daran, daß ich Dich im fernen Rußland unter unseren deutschen Kolonisten als einen Schriftsteller eingeführt habe, von dem Großes zu erwarten ist. Wenn auch nicht in Preußen, so hat Dein Name in Odessa, Pe-

tersburg und Moskau bereits einen guten Klang. Das möge Dir soviel Aufschwung geben wie Mut machen, Dich selber zur Ordnung zu rufen. Und wenn gar nichts hilft, dann rate ich Dir zu einer Applikation, die ihre Wirkung noch nie verfehlt hat: Verlieb Dich wieder. und das über beide Ohren. Dir damit gedient zu haben, trotz harter Worte, in treuer Freundschaft

Dein Wilhelm Wolfsohn

Daß Wolfsohns Kopfwäsche ihn stärker mitgenommen hatte, als Theo es nach der Lektüre des Briefes annehmen durfte, zeigte sich in der Hartnäckigkeit, mit der ihn die Leipziger Zeit verfolgte. Sie ging soweit, daß die Reminiszenzen seine Übersetzungsarbeit zu stören begannen und Hamlet in Gefahr geriet, in einer Schublade zu verschwinden.

Ob hinter dem Verkaufstisch, am Sekretär oder im Gespräch mit seinem Vater, immer stand eine jener Gestalten neben ihm, die in Leipzig seinen Weg gekreuzt hatten: Männer mit literarischen Ambitionen, Könner ihres Fachs oder Dilettanten, Schöngeister, alle von einer faszinierenden Bildung und entschlossenen Weltanschauung. Es kam vor, daß er seinen Vater »Wilhelm« nannte, nach seinem Freund Wolfsohn, oder »Max«, wie einen aus der Reihe jener vielen Bekannten, die jetzt in der Einöde von Letschin seinen Kopf zu beleben begannen.

Solche Verwechslungen beantwortete der Vater mit erstaunten Augen, zuweilen auch mit Stirnrunzeln, ließ sich aber sonst nichts anmerken. Auch dann nicht, wenn Theo im Gespräch Kenntnisse voraussetzte, die nur er selber besitzen konnte. Zu allem schwieg sich Louis Fontane seiner Frau gegenüber aus, machte sich selber aber um so mehr Gedanken.

»Es ist an der Zeit«, sagte Emilie eines Morgens mit jener feierlich ernsten Miene, die auf tagelange Grübeleien schließen ließ, »sich Sorgen zu machen.«

»Um Theo?«

Die Begriffsstutzigkeit ihres Mannes quittierte sie mit einem müden Zwinkern.

»Siehst du nicht, wie erschreckend bequem er ist?« versuchte sie ihm die Augen zu öffnen, »er will für den Rest seines Lebens in Letschin bleiben. In deiner Apotheke.«

Die Art, wie sie den letzten Satz betont hatte, zwang ihn, Partei für den Sohn zu ergreifen.
»Ich denke, wir legen ihm nahe zu heiraten«, sagte Emilie.
»Heiraten?«
»Ja«, verdeutlichte sie mit der ganzen Entschlossenheit, die eine ausweglose Situation bereit hält, »es ist die einzige Möglichkeit für Theo, sich eine Zukunft aufzubauen. Zugegeben«, fuhr sie fort, »Mareks Tochter ist keine Schönheit. Aber was heißt das schon. Dafür ist sie eine gute Partie, die es Theo ersparen würde, dem Geld und der Anerkennung hinterherlaufen zu müssen. Sie ist vielleicht die einzig große Chance seines Lebens. Da lohnt es sich schon, die anfallenden Kosten in Kauf zu nehmen. Schönheit hin, Schönheit her. Der Rock ist manchmal näher als das Hemd.«
Die Unumwundenheit ihres Denkens trieb ihn in ein fassungsloses Staunen. Er starrte sie an, bis sie seinem Blick auswich. Seine ganze Haltung schien auszudrücken, daß er daran zweifelte, es mit der Frau zu tun zu haben, die er kannte.
»Deine Aufgabe wird darin bestehen, lieber Louis«, sprach sie dessen ungeachtet weiter, »mit Marek Fühlung aufzunehmen, vorsichtig, versteht sich, um unsererseits Bereitschaft zu signalisieren. Soviel darf ich von dir erwarten, wenn du schon sonst nichts für deine Kinder tust.«
Er sah noch genauso überrumpelt aus wie eben.
»Das heißt, ich soll ihn einladen?« fragte er nach einer Weile verdattert.
»Genau das«, bestätigte sie mit einiger Zufriedenheit, »von da an geht alles wie von selbst.«

Daß etwas in Gang gekommen war zwischen den Fontanes und den Mareks, konnte selbst dem Gleichgültigsten nicht verborgen bleiben. Marek sorgte nicht nur weiter für die persönliche Postzustellung bei den Fontanes, man besuchte sich auch seit einiger Zeit wechselseitig des Sonntags. Und am Samstagabend reicherten Vater und Sohn Fontane den Kreis jener Leute an, die sich auf der Kegelbahn tummelten und mit dem Getöse der rollenden Kugeln und stürzenden Hölzer den Abendfrieden des Dorfes störten. Im Kramladen, bei der Arbeit auf den Feldern, in den Werkstätten, ja selbst beim Auslegen der Reusen begannen die Dörfler zu munkeln.

Seit jenem Augenblick, als ihm dämmerte, welcher Absicht sich die fleißig betriebenen Besuche und Gegenbesuche unterordneten, hatte er aufgehört zu schreiben. Nicht nur der Hamlet war nun endgültig in der Schublade verschwunden, sondern gleich auch die Skizzen zu den Gedichten, die er in unregelmäßigen Abständen nach Leipzig sandte, um sie in der Zeitschrift »Die Eisenbahn« veröffentlichen zu lassen. Die veränderte Situation, die er in der ganzen Tragweite zu wittern begann, war in erster Linie dafür verantwortlich, daß ihm jeder Gedanke entglitt, bevor er noch Gestalt annahm.

Er fing an, sich zu fürchten. Es traf ihn in der Apotheke, beim Bimmeln des Glöckchens, beim Eintreten von Kunden. Es verfolgte ihn bis in die Nachtstunden, die kein Schlaf abkürzen wollte.

Die Spaziergänge mit seinem Vater entarteten zu einem Martyrium. Kaum daß er imstande war, eine Unterhaltung zu führen. Alles schien ihn zu bedrohen.

Im Gegensatz dazu war der häusliche Friede wieder ins Lot gekommen. Emilies Stimmungsschwankungen hatten aufgehört. Sie erfreute sich einer stabilen Seelenlage, die ihre anklägerischen Seiten vergessen machte und einen Charme an ihre freilegte, den Louis seit ihrer Verlobungszeit nicht mehr wahrgenommen hatte. Diese Veränderung hätte die ideale Voraussetzung darstellen können für Theos schöngeistiges Tun, wäre er dazu noch imstande gewesen. Aber sowohl die Leichtigkeit, die das ganze Haus beflügelte, als auch das launige Sommerwetter waren spurlos an ihm vorübergegangen. Je wortkarger und trübsinniger er wurde, um so weniger schien seine Umwelt Kenntnis davon zu nehmen.

Emilies Wunschvorstellungen, die sie so kurz vor der Erfüllung wähnte, verdrängten die Wirklichkeit derart nachhaltig, daß sie sogar die Werbetrommel für Mareks Tochter zu rühren begann und sie ein: »... wahres Geschenk für jeden Mann« nannte.

Solche Ausbrüche kalkulierter Lobpreisung hinterließen in Theo nur ein zwiespältiges Gefühl. Hatte ihn Wolfsohn nicht einen opportunistischen Aufschneider genannt für den Fall, daß er die Hände in den Schoß legte?

»Und bist du das nicht?« mußte er sich jetzt fragen, angesichts seiner Unfähigkeit, den elterlichen Versuchen ein Ende zu machen, ihn mit dieser Marie Marek zu verkuppeln.

Anfang Juni wendete sich das Blatt. Unvorhergesehen, wie vom Zufall diktiert oder einem wohlmeinenden Schicksal.

Marek hatte sich wieder einmal in der Rolle des Postboten geübt und war in der Apotheke erschienen.
»Ein Brief, Herr Fontane!«
Sein Auftreten entbehrte nicht einer gewissen Vertraulichkeit.
»Berlin, dieses Mal, was Eiliges?« fragte er, während Theo den Brief öffnete und zu lesen begann.
»Ich hab mir gedacht, der muß gleich her.«
Wenn er erwartet hatte, hierfür eine besondere Wertschätzung entgegen nehmen zu dürfen, so sah sich Marek jetzt getäuscht. Theo bedankte sich mit keinem Wort bei ihm, behandelte ihn statt dessen schroff und legte ihm auf diese Weise nahe zu gehen.

Berlin, 10. Juli 1843

Mein lieber Fontane!
Du kannst Dir keine Vorstellung davon machen, was es für mich bedeutet hat, Deinen Namen in der Liste jener Eintragungen zu finden, in denen die Einjährigen-Freiwilligen für das nächste Jahr geführt werden. Also, Du willst zu den Preußen, hast Dich klamheimlich, wie ich mir denken kann, auf die Erfassungsliste setzen lassen und bist, wie mir zu Ohren gekommen ist, für alle Welt unauffindbar in einem Oderbruchdörfchen verschwunden.
Du kannst Dir denken, daß alles zusammen in mir ein reichliches Gemenge unangenehmer Gefühle hinterlassen hat. Mein guter Fontane, der Platen- und Lenau-Adept in der Uniform eines preußischen Grenadiers, dem die Freiheitsmelodei ausgetrieben wird mit dem Kommandogebrüll eines pflichtversessenen Feldwebels. Diese Vorstellung kann gehörig auf den Magen schlagen. Mehr aber noch, daß Du Dich verkrochen hast in der Hinterwelt der Froschteiche und Mückenplagen, um dort, Gott weiß es, neuen Zielen nachzusinnen. Es fällt mir indes schwer, solche auszumachen, und hoffe aus vollem Herzen, daß Du damit zurande gekommen bist.
Mit einem: Ich nehme zu unserer beider Gunsten an, daß Dich überzeugende Gründe dorthin geführt haben, Gründe, die Deinem Leben Weite und Tiefe geben können, und nicht irgendeine Schrulligkeit, wie sie jetzt weltschmerztrunkene Seelen zuhauf in die Verbannung treibt. Davon ausgehend und eingedenk der anregenden Gespräche und literarischen Soirées in Berlins Kaffeetempeln und Weinhöhlen, möchte ich Dich einladen zu einer Renaissance der alten Sturm- und Drangwochen. Du würdest mir einen Riesengefallen tun und Dir die Möglichkeit zumindest eröffnen, einen Vorgeschmack zu bekommen von den spröden Annehmlichkeiten des preußischen Soldatenlebens. Ich

verspreche nicht zuviel, wenn ich behaupte, mit anekdotischen Stoffen angefüllt zu sein wie ein zu hastig eingeschüttetes Weinglas. Und Anekdoten sind doch Deine Leidenschaft, wie ich noch weiß.
Also! Nichts wie her mit Dir. Berlin wartet.

In unverbrüchlicher Freundschaft

Dein Bernhard von Lepel,

den der Zufall einer preußischen Einschreibungsliste auf Deine Spur geführt hat.

4. KAPITEL – BERLIN, 1843

Er war ihm bis vor das Landsberger Tor entgegengeritten, der hochgewachsene Seconde-Leutnant des Kaiser Franz Regiments Bernhard von Lepel. Noch während die Pferde ausgespannt wurden, um neuen vor der Postkutsche Platz zu machen, war er eingetroffen, auf einem sehnigen Hannoveraner, dessen gestriegeltes Fell in der Sonne glänzte.
»Fontane!«
Er ließ sich nicht einmal Zeit abzusitzen, reichte dem lauthals begrüßten Freund die Hand vom Pferd herunter, um sich sogleich um den Fortgang der Reise zu kümmern.
»Das hätte nicht sein müssen«, mühte sich Theo mit einem Dankeswort ab, »du hast genug um die Ohren.«
»Nicht genug, um darüber einen Fontane zu vergessen«, zeigte Lepel, daß er Konversation zu machen verstand. Er hatte inzwischen sein Pferd hinter der Kutsche angebunden, nachdem ihm erklärt worden war, daß er mitfahren könne.
»Ist alles glatt gegangen?«
Wenn er damit die Reise gemeint hatte, war Theo um keine Antwort verlegen. Die Begründung der Berlinfahrt hatte ihn allerdings einigen Schweiß gekostet, wenngleich ihm gerade seine schwierige Lebenssituation zu Hilfe gekommen war. Er hatte seiner Mutter gegenüber behaupten können, er müsse dringend nach Berlin, weil es sei-

nes Abiturexamens wegen schulbehördlich etwas zu regeln gäbe. Eine Ausrede, so unverschämt sie auch gewesen war, die die Mutter schließlich überzeugt hatte. Inwieweit der Vater seiner Erklärung Glauben geschenkt hatte, war eine andere Sache. Bei ihm konnte er allerdings davon ausgehen, daß er für Husarenstücke immer Verständnis aufbrachte, nicht zuletzt deshalb auch, weil er über die Fähigkeit verfügte, sie in der Phantasie nachzuerleben. Das: »Es ist alles gut gegangen«, mit dem er Lepel zufrieden stellte, war demnach weder übertrieben noch gelogen. Schon gar nicht, wenn er sich selber einbezog.

Letschin hinter sich lassen zu dürfen, wenn auch nicht für immer, wirkte befreiend. Das nicht nur wegen der Heiratspläne, die ihn ängstigten. Sie waren ja nur der letzte Tropfen in einem Faß von bedrohlichen Widersprüchen, die ihn nach Letschin geführt und dort festgehalten hatten. Jetzt waren sie von ihm abgeglitten wie die Haut einer Schlange, wenn auch nur für kurze Zeit.

»Du kannst bei mir wohnen, solange du willst«, hatte Lepel angeboten, während sie auf der Landstraße durchgerüttelt wurden, »ich wohne zwar in keinem Schloß. Einfaches Leutnantsquartier, Kasernenhofblick, alles stilecht. Da kannst du schon mal Pulverqualm riechen fürs nächste Jahr.«

Wenn er lächelte, verschwanden die hohen Backenknochen für einen Augenblick, und das strenge Junkergesicht bekam einen Anstrich von Milde und Leutseligkeit. Wegen der Enge in der Fahrgastkabine sprachen sie wenig.

Ob Theo sich auf Berlin freue, hatte Lepel einmal angefragt, ob er neue Gedichte mitgebracht habe, ein anderes Mal. Aber ein Gespräch wollte nicht in Gang kommen.

Das Bild vor den Fenstern hatte sich verändert. Die Kiefern- und Birkenalleen hatten Häuserzeilen Platz gemacht. Gärten und umzäunte Parzellen schoben sich in die Heidekrautfelder. Dann trat die Landschaft zurück, aufgesogen von Straßen und Häuserreihen, die zu einem Schachbrett zusammenwuchsen.

Am Alexanderplatz vorbei fuhr die Kutsche auf den Spitteler Markt zu.

»Wir sind gleich da«, versprach Lepel.

Theo nahm die Nachricht mit Erleichterung auf.

»Vom Markt zur Kaserne ist es ein Katzensprung«, beruhigte der Leutnant den durch die Fahrt sichtlich mitgenommenen Freund,

»mein Bursche ist informiert. Er hat dir schon ein Bett aufgestellt.« Soviel Besorgtheit hinterließ mehr Beschämung bei Theo als Dankbarkeit und am Ende nur ein hilfloses Nicken. Auch deshalb war er froh, als der Wagen hielt.

So müde er war, aber er erinnerte sich der Abende, als sie nicht anders als jetzt durch die Straßen Berlins gefahren waren, mit heiß geredetem Kopf. Der Wein hatte ihr Blut verflüssigt und der Tabaksqualm ihre Lungen geätzt. Alles, was an Phrasen während des Tages seinen Weg ans Licht gefunden hatte, war noch einmal durch ihre Nervenzellen gejagt und hatte ihnen nicht weniger zugesetzt als das Gekrittel irgendeines poetischen Beckmessers an der Metrik und den Zeilen eines ihrer soeben entstandenen Sonette. War es ein Jahr her oder zwei? Viel war inzwischen geschehen.

Unter dem von Wind und Wetter zernagten Steinadler über dem Eingangsportal hatten sie das Treppenhaus betreten. Kühl und von einer ungesunden Feuchte führte es sie über abgetretene Steintreppen ins erste Stockwerk, wo Leutnant von Lepel eine zweizimmerige Wohnung besaß.
»Hier ist es«, meinte er überflüssigerweise, während er den Verschlußknopf drehte.
»N' Abend, Herr Leutnant!«
»N' Abend, Stepanske!«
Der Bursche, ein gedrungener Mann mit einem runden und freundlichen Slawengesicht, hatte Haltung angenommen, als solle er ausgezeichnet werden für seine umsichtig getroffenen Vorbereitungen. Im Zimmer waren die Möbel neu zurecht gerückt worden. Die Fauteuils standen näher beim Flügel, den Efeuranken umrahmten. Der Tisch war verschwunden. Dafür deckte eine Liege jetzt den Stellplatz ab. Vor keiner Unannehmlichkeit war Lepel zurückgescheut, um das Unterkommen seines Gastes zu ermöglichen.
»Mach es dir bequem!«
Theo ließ sich in einen Fauteuil rutschen. Lepel schnallte den Säbel ab und warf Stepanske die Schirmmütze entgegen.
»Einen Tee, wenn's dir recht ist?« fragte er vorsichtig an. Theo nickte. Er hatte seine Jacke halb aufgeknöpft. Die Halsbinde war verrutscht und zeigte gelbliche Schweißspuren. Halb sitzend, halb im Sessel liegend, vermittelte er einen Eindruck von Nachlässigkeit, der

Stepanske in seiner schneeweißen Uniform ein verächtliches Lächeln abnötigte. Aber er kannte inzwischen die Vorliebe seines Leutnants für derlei Gestalten. Selbst ganz das Gegenteil, von steifer Korrektheit, die keine äußerlichen Mängel durchgehen ließ, umgab er sich gerne mit Leuten, die Bekleidungsfehler aufwiesen und im Comme il faut unsicher waren. Der Tee hielt, was er versprach. Die Lebensgeister strömten in Theo zurück.
»Schau dich nur um!« rief Lepel aus dem Nachbarzimmer, wohin er sich zurückgezogen hatte, um sich zu erleichtern, »damit muß ich leben.«
Hiermit meinte er das sicher nicht zufällig zustandegekommene Sammelsurium von Büsten, Bildern, Waffen, Flaschen und Teebüchsen, die über das Mobiliar verteilt waren. Dazwischen Pflanzen, die mit langen Trieben nach allem griffen, um es unter sich zu begraben.
»Mein ganz persönliches Chaos«, begleitete er Theos Betrachtungen, »aber wohltuend, wenn man den ganzen Tag dem Reglement angehört.«
Aus seinem Zimmer heraus sah er, wie Theo nickte.
»Gehör ich vielleicht auch dazu, zu deinem Chaos?« hörte er ihn fragen. Er zögerte einen Augenblick, aus einer Anwandlung von Pietät heraus. Dann sagte er: »Vielleicht, aber den letzten Schluß daraus zu ziehen, überlasse ich dir.«

Auf dem Kasernenhof, der zur Schlafzimmerseite hin lag, hatte das Exerzieren aufgehört. Berlin rüstete sich für die Abendstunden, in denen die Droschken, Fiaker und Equipagen durch die Straßen rollten, als wollten sie den Beweis dafür antreten, daß man mit den Großstädten der Welt in Konkurrenz zu treten wünsche. Ein Ehrgeiz, der Tausende aus ihren Häusern trieb: Unter die Linden, in die Friedrichstadt, das Reservat der alteingesessenen Familien, deren Privilegien man in Frage zu stellen begann. Aus der Luisenstadt und Königsstadt kamen sie: Die Händler und Fabrikanten, in Seide und Brokatweste, zurechtgeputzt die Damen mit Diademen und zu Türmen aufgesteckten Frisuren. Speisten Unter den Linden zwischen Dandys und Gardeoffizieren, stürmten das Etablissement von Kroll, der Maskenbälle wegen, ergötzten sich an den Feuerwerken und venezianischen Nächten, als hätten sie und ihresgleichen nichts anderes getan, nichts anderes gekannt, über die Jahrhunderte hinweg.

Theo hatte eine ungestörte Nacht hinter sich gebracht. Die Fahrt war so anstrengend gewesen, daß selbst die ungewohnte Umgebung dem totenähnlichen Schlaf nichts hatte anhaben können. Bis in die späten Morgenstunden war er liegengeblieben. Und das, obwohl Lepel sich für den Dienst hatte fertig machen müssen, wobei ihm Stepanske nicht gerade geräuschlos zur Hand gegangen war. Gegen zehn Uhr erst wurde Theo wach. Das Frühstück stand schon auf dem Tisch, daneben ein Zettel: Wünsche wohl geruht zu haben. Bon appetit. Dein Lepel. Und darunter, etwas abgesetzt: Sieh Dich zwischenzeitlich um. Ansonsten stehe ich Dir in Kürze wieder zur Verfügung. Umsichtig, wie Stepanske war, hatte er alles für die Toilette zurecht gelegt. Im Nu war Theo mit der Rasur fertig und gewaschen, hatte das Frühstück hineingestopft und im erregenden Bewußtsein, wieder Berliner Pflaster unter den Füßen spüren zu dürfen, das Haus verlassen. Er war so davon in Anspruch genommen, daß er den Lärm überhörte, der vom Kasernenhofplatz kam, wo Rekruten verbissen exerzierten. Im Kraftgefühl einer gut verbrachten Nacht und mit dem Appetit eines ausgehungerten Gourmets nahm er seinen Marsch durch die Straßen der Stadt auf, in denen trotz vorgerückter Stunde noch die Müdigkeit der Nacht zu nisten schien.
Nichts war vergessen, alles war in Theo noch so gegenwärtig, als läge nicht Leipzig dazwischen und Dresden. Jede Faser seines Körpers reagierte auf den Anruf der Eindrücke. So planlos, wie er drauflos marschiert war, fielen sie ihn an: Vor den Restaurants und Cafés, Leihhäusern und Handwerksstuben. Aus den Weinkellern kroch noch die Ausdünstung des Nachtbetriebs, während in den Konditoreien der vergangene Tag schon daraufhin revisioniert wurde, was er an Erinnerungswertem gebracht hatte.

Am Kranzlereck zeigte sich das erste Brennen unter den Füßen. Der Verkehr war dichter geworden. Jetzt gegen Mittag hatten auch die letzten die Traumschwere von sich gestreift.
Auf der Terrasse des Cafés Kranzler langweilten sich Gardeleutnants im Schatten von Markisen.
»Euer Eminenz hier zu treffen, ist mir eine besondere Ehre!« So konnte nur einer das Gespräch eröffnen: Julius Faucher. Theo fand es müßig, sich umzuwenden.
»Ich habe mir alle Mühe gegeben, sie dir zuteil werden zu lassen«, ironisierte er, um die ihm von Faucher aufgezwungene Tonlage zu

kopieren. Dann tauchte auch schon dessen herausforderndes Gesicht vor ihm auf.
»Wieder im Lande, Theo, und läßt dich nicht sehen?«
Wenn er damit den Hippelschen Keller meinte, jene konspirative Höhle, in der der Wein in Rinnsalen floß und der Hohn auf Gott, König und Geschichte in Strömen, hatte er recht. Schon für die Zeit, als er noch in der Schwanen Apotheke arbeitete und Verse schmiedete. Der Hippelsche Keller, in dem Faucher seine »Sieben Weisen« versammelte, wie sie sich nannten, war von jener Art, die Theos Vorstellung von Freiheit um ein Stockwerk übertraf. Wer dorthin nachsteigen wollte, mußte bereit sein, vom Boden der Tatsachen Abschied zu nehmen. Und dazu war Theo weder fähig noch willens.
»Mitgefangen, mitgehangen«, meldete sich Faucher wieder, »Hermann ist mein Zeuge, daß ich dich an die Kette einer neuen Verpflichtung gelegt habe. Wir warten auf dich.«
Als Theo berichtete, wo er im Augenblick wohne, nickte Faucher nur seinem Begleiter zu, einem jungen Mann, dessen geckenhafte Erscheinung die Blicke seiner Umwelt auf sich zog, um dann zu bemerken: »Aha, Lepel, verstehe schon.«
Der junge Mann neben ihm lächelte matt.
»Maron denkt sich seinen Teil«, interpretierte er dessen Reaktion nicht ohne verletzende Absicht, um so gleich zu versprechen, daß natürlich niemand böse sei.
»Du kannst immer zu uns kommen, Theo«, setzte er hinzu, »und wenn dein Gardeleutnant dich rausschmeißt, weil ihn der Junker sticht, findest du bei uns eine Bleibe.«

Noch bevor Lepel sein Versprechen wahrmachen konnte, war Theo in dessen Kasernenwohnung zurückgekehrt. Nach der brütenden Hitze draußen spendeten die festungsähnlichen Mauern eine angenehme Kühle. Obwohl das Thermometer für diese Jahreszeit seinen Höchststand erreicht hatte, wurde im Hof weiter exerziert, mit stupender Pflichtversessenheit.
Einmal nur war Theo ins hintere Zimmer gegangen, um zuzuschauen. Aber es gab zuwenig Anziehendes, um seine Aufmerksamkeit auf Dauer zu fesseln. Er hatte sich statt dessen hingesetzt, dann ausgestreckt und die Fauteuils dafür zusammengeschoben. Bald war er von der Langeweile eingeholt worden und beim Bücherregal gelandet. Faust, Dantes Göttliche Komödie neben Knigges Über den Umgang

mit Menschen und Rumohrs Schule der Höflichkeit. Theo schmunzelte und dachte sich seinen Teil. Zum Lesen war er bei allem Interesse zu müde.
Erst am frühen Nachmittag wurde seinem Warten ein Ende bereitet. Übereilt, als wolle jemand die verlorene Zeit einholen, sprang die Tür auf.
»Pardon, ich habe alles versucht ...!«
»Du wirst es nicht glauben, aber ich bin dir fast dankbar dafür«, wandte Theo ein, auch um dem Freund eine peinliche Rechtfertigung zu ersparen. Stepanske war neben ihm ins Zimmer geschossen und machte sich sogleich ans Aufräumen.
»Hast du dich wenigstens unterhalten?« fragte Lepel, während er sich des Säbels und der Mütze entledigte. Die oberen Knöpfe seines Uniformrocks öffnend, ließ er sich seufzend in einen Sessel fallen.
»Unerwartet gut«, sagte Theo, während Stepanske ihn bediente. Jetzt lächelte Lepel wieder. Daß er sein Versprechen brechen mußte, hatte ihm wohl mehr zugesetzt, als er zu zeigen bereit gewesen war.
»Das soll so bleiben« stellte er mit leuchtenden Augen in Aussicht, »für heute abend habe ich eine Überraschung parat.« Obwohl gedämpfter Stimmung, merkte Theo auf. Lepel nickte bestätigend: »Du hast richtig gehört. Aber zunächst muß ich dich noch einmal quälen.«
Er hatte damit den Einkaufsbummel gemeint, zu dem er mit Theo eine Viertelstunde darauf aufgebrochen war. Er könne seinen Gästen schlecht Wasser und Brot vorsetzen, hatte er erklärt und damit die Pirsch gerechtfertigt, wie er seinen Weg zu den Geschäften nannte.

5. KAPITEL

Den ganzen Nachmittag über hatte das Gewitter schon am Himmel gehangen. Jetzt entlud es sich in rauschenden Vorhängen und rollenden Crescendos. Wegen der weit vor der Zeit eingefallenen Dunkelheit – es war Mitte Juni – hatte Stepanske die Petroleumleuchten angezündet und den Gesichtern der Anwesenden jene marmorne Unbeweglichkeit vermittelt, wie sie Statuen anhaftet. Wenn die Gesichter beim Sprechen in Bewegung gerieten, näherten sie sich dem Grotesken. Das galt vor allem für den Gast, der sich als Alexander von Sternberg vorgestellt hatte. Ein Mann, dessen Auftreten und Gesten etwas Einnehmendes ausstrahlten. Sie waren kühl und doch gewinnend, vor allem durch die Art, wie er rücksichtsvoll mit sich umzugehen pflegte.

»Fontane, so ... so ... Sie veröffentlichen?«

Der Anrede war nicht zu entnehmen gewesen, ob sie eine Aussage oder Frage beinhaltet hatte. Eine chronische Skepsis schien Sternberg zu plagen hinsichtlich jeglicher Fähigkeiten, die andere für sich beanspruchen wollten.

»Eine Novelle bisher, ansonsten Gedichte im Figaro und in der Leipziger »Eisenbahn«, warf Lepel ein, bevor noch Theo antworten konnte. Der Gewitterschauer war inzwischen so angeschwollen, daß Lepel sich gezwungen gesehen hatte, zum Fenster zu gehen, um es zu schließen.

»Aber Herr Fontane steht ja erst am Anfang«, fügte er hinzu und brachte Theo damit ungewollt in Verlegenheit, zumal Sternberg dazu in selbstgefälliger Meisterschaft gelächelt hatte.

Der zweite Besucher, ein Leutnant von Saint-Paul, der trotz seiner militärischen Charge in Zivil gekommen war, besaß den starren Blick des ewigen Zweiflers. Er hatte geschwiegen, mehrmals zum Glas gegriffen, den schweren Portwein heruntergekippt und einige Kekse nervös in sich hineingestopft. Als ihm der Augenblick günstig erschien, mischte er sich ein.

»Ich kenne Sie, Herr Fontane«, meinte er mit der Bestimmtheit, die reifen Gedanken zukommt, »Hippels Keller, nicht wahr?«

»Schon möglich«, nahm ihm Theo das Wort aus dem Mund, »aber ich kenne Sie nicht.«

»Dann kennen Sie Berlin nicht«, witzelte Saint-Paul und streifte die Maske ab, hinter der er sein Wesen bisher verborgen gehalten hatte.

Lepel als Gastgeber übernahm sofort die Rolle des Einführenden.

»Unser Leutnant ist ein Original«, erklärte er, Theo zugewandt, und entlockte Sternberg wieder jenes milde Lächeln, das eher aufreizend als verbindlich wirkte.

»Aber auch einer jener Dichterlinge, lieber Herr Fontane«, ergänzte er mißgünstig, »die ihre Gedanken für Rammstöße gegen das Tor der vorgeblichen Ungerechtigkeit halten, nur weil sie diese Gedanken dem Papier anvertrauen.«

Ein stilles Lächeln schüttelte ihn.

»Lassen Sie sich das als Dichter für die Zukunft ein abschreckendes Beispiel sein.«
Saint-Paul, auf solche Unverschämtheiten vorbereitet, schlug chevaleresk die Beine übereinander und verschanzte sich hinter einer Leutnantsattitüde, die an Arroganz Sternberg in nichts nachstand.
»Wer im Glashaus sitzt, mein lieber Baron«, sagte er im gedehnten Tonfall dessen, der einen anderen bei einer Lüge erwischt, »soll nicht mit Steinen werfen.«
Damit konnte er Sternberg allerdings nur zu einer seiner belustigten Grimassen veranlassen.
»Wissen Sie, Herr Fontane«, fuhr Saint-Paul ungerührt fort, »Herr von Sternberg unterhält seit geraumer Zeit eine illegitime Liebschaft, die ihm viel Geld einbringt. Mit anderen Worten: Herr von Sternberg schreibt seine Romane für ein Publikum, über das er sich mit jedem Wort lustig macht.«
Man hätte Lepel leicht ansehen können, daß ihm der Verlauf des Abends mißfiel. Als literarische Soirée geplant, wie sie des öfteren stattfand, entwickelte er sich zum Forum für persönliche Anfeindungen.
»Scherenberg hat übrigens auch noch zugesagt«, versuchte er deshalb, das Klima zu entschärfen, »er wird etwas später kommen.«
Saint-Paul schlug sich ausgelassen auf den Schenkel.
»Ich muß schon sagen, Lepel«, stieß er mit krächzender Stimme hervor, »du hast heute abend alles aufgeboten, was an tintenklecksenden Exoten durch Berlin streift. Verzeihen Sie, Herr Fontane, daß ich so ausfällig werde, aber die Gegenwart von Herrn von Sternberg reizt nun mal meine Galle.«
Mit einer schwungvollen Bewegung hatte er dem Portwein zugesprochen, als wolle er damit ankündigen, daß das letzte Wort gesagt sei. Sternberg grinste. Aber es war unübersehbar: Der frechdreiste Angriff auf seine Ehre hatte etwas in ihm zum Kochen gebracht.
»Ach wissen Sie, Herr Fontane«, setzt er nach einer Minute der Besinnung zu seiner Ehrenrettung an, »es ist immer das alte Lied. Dem Erfolgreichen läuft der Neid nach. Der Herr Leutnant kann es nicht verwinden, daß mir die Zeilen in Taler und Pfennig vergütet werden, während die seinen sich damit zufrieden geben müssen, mit dem Papier zu vergilben.«

Alle empfanden Erleichterung, als Stepanske auftauchte. Er war mit zögerndem Schritt, der seinen Bewegungen etwas Linkisches gab, an den Kreis der Kampfhähne herangetreten und hatte seinem Leutnant Zeichen gemacht. Sie verwandelten Lepel im Nu in ein Bündel sprudelnder Launigkeit. »Scherenberg ist da!« ließ er im Aufspringen vernehmen und rannte zur Tür, als habe er nur auf dessen Eintreffen gewartet. Der Disput kam darüber zur Ruhe. Nicht zuletzt auch deshalb, weil der Gast alle Aufmerksamkeit für sich beanspruchte. Eher widerstrebend hatte er sich von Lepel ins Zimmer komplimentieren lassen, ohne dabei den Eindruck ausräumen zu können, daß er es genoß, gedrängt zu werden.

»Komm, leg ab!«

Lepel half Stepanske dabei, das durchnäßte Plaid von Scherenbergs Schultern zu nehmen. Eine Papierrolle wurde sichtbar, wohl verwahrt unter der Achsel getragen. Lepel quittierte es mit einem zufriedenen Kopfnicken, in dem sowohl Ermunterung als auch Respekt mitschwangen.

»Doch noch fertig geworden?« fragte er.

»Ich hab noch einmal alles umgeschrieben«, erklärte Scherenberg, »stimmiger gemacht, die Pointen schärfer herausgearbeitet. Darum ist es etwas später geworden.«

Der leicht verkrampfte Mund, in dem immer ein gewichtiges Wort auf seine Erlösung zu warten schien, wurde schärfer. Die Lippen zogen sich zum Strich auseinander, als müßten sie einer Flut von Ungesagtem gegenüber Widerstand leisten. Ansonsten schien der Mann durch den Raum zu schweben, getragen von einer verschämten Eleganz, die um ihre Rechtfertigung rang.

»Stepanske, rück das Tischchen her und stell die Kandelaber drauf!« kommandierte der in Gastgeberlaune schwelgende Lepel und dirigierte Scherenberg zum improvisierten Vorlesepult. »Du kennst die Anwesenden ja, bis auf Herrn Fontane«, begleitete Lepel Scherenbergs Bemühungen, sich hinter dem Tischchen einzurichten. Während er die Papierrolle entfaltete, hatte er mehrere Male: »Ja, ja ...«, gesagt, zerstreut, wie er die ganze Zeit über in Erscheinung getreten war, und hatte sowohl Sternberg als auch Saint-Paul zu einem verächtlichen Schmunzeln veranlaßt. Theo war zurückgefallen in jene unberührt registrierende Haltung, die ihn auch während des Streits ausgezeichnet hatte. Etwas abseits von ihnen war Stepanske auf seinem Hocker zur Ruhe gekommen. Scherenberg hatte sich zwischen-

zeitlich gesammelt, einmal nach oben geblickt, als flehe er den Segen des Himmels herab, um dann seinen Einfällen die Zügel schießen zu lassen. Wie zum Auftakt hatten unter einem Donnerschlag die Scheiben geklirrt.
Scherenberg rezitierte zuerst leise, mit leicht vibrierender Stimme, die sich an den Worten und Sätzen festzuhalten schien. Wollte es das Glück, dann intonierte ein Krachen die Pointen, schoß ein Blitzstrahl einen Korridor in die fragende Ungeduld der Zuhörerrunde. Das Pladdern des Regens auf den Scheiben klang wie eine vorweggenommene Akklamation. Trotzdem zeichnete sich ein erstes Unverständnis in den Gesichtern der Zuhörer ab. Dessen ungeachtet deklamierte Scherenberg weiter, umtost vom Wüten der Naturkräfte.
»Wann hört er endlich auf?« hatte Saint-Paul gezischelt, verborgen hinter dem Brüllen eines Donnerschlags, aber laut genug, um bei Lepel eine Gebärde der Ungehaltenheit wachzurufen. Scherenberg hatte es bemerkt. Die letzte Zeile war verlesen, da sprang er auch schon auf, fahrig, als sei ihm etwas Unaufschiebbares eingefallen, und entschuldigte sich umständlich damit, er müsse schnellstens nach Hause.
»Wir sehen uns im ›Tunnel‹ wieder!« hatte ihm Lepel nachgerufen, während er schon aus der Tür war und leichtfüßig die Treppe hinunterstürzte.
»Du bist deinem literarischen Sonntagsverein immer noch treu?« fragte Sternberg, nachdem sichergestellt war, daß Scherenberg nicht mehr zurückkam.
Lepel machte einen etwas verwirrten Eindruck. Er deutete darauf hin, daß er wegen Scherenbergs Unfreundlichkeit mit sich zu ringen hatte. Seine Antwort: »Natürlich, bin ich es«, empfand Sternberg angesichts dessen als unbefriedigend.
»Weißt du übrigens, daß ich von allen Seiten angesprochen werde, diesem versezählenden und federquälenden Herrenklub beizutreten«, hakte er deshalb noch einmal nach, während Lepel dabei war, zusammen mit Stepanske die Spuren von Scherenbergs Besuch zu beseitigen.
»Aber ich bin hart geblieben im Neinsagen«, fuhr Sternberg fort, »nicht, weil ich auf Protektion und Mäzenatentum als Schriftsteller verzichten kann, mir gefällt der geheimratliche Rahmen einer rauchigen Gastwirtsstube nicht, in der sich euer Verein sonntäglich trifft, um sich dilettierend den selbstgefälligen Literatenbauch zu streichen. Und schon gar nicht, mein lieber Lepel, die Anwesenheit solcher krä-

hender Hähne wie Scherenberg, die unentwegt ihr Gefieder schütteln, um zu sehen, ob jemand drauf reinfällt.«
Stepanske hatte angefangen, den Tisch zu decken. Etwas atemlos war Lepel in seinen Sessel gefallen, so, als sei er froh, eine Angelegenheit abgeschlossen zu haben.
»Scherenberg ist ganz Genie«, versuchte er, den Freund in Schutz zu nehmen, »er verzichtet auf alles, der Kunst zuliebe. Was man auch gegen ihn einzuwenden vermag, den Respekt kann man ihm nicht versagen.«
»Wie dem auch sei«, riß Sternberg die Initiative sofort wieder an sich, »für mich ist Scherenberg eines jener Individuen, die den Zeitgeist dazu nutzen, sich in den Vordergrund zu spielen. Wozu taugt denn die ganze Schreiberei, die wie eine Epidemie über alle gekommen ist, wenn nicht dem aufmüpfigen Versuch, der eigenen Bedeutungslosigkeit ein Ende zu machen. Scherenbergs Geniestreiche, mein lieber Lepel, sind die Krickeleien nervöser kleiner Leute, die ihrer Umwelt ein bewunderndes Staunen entlocken wollen, um auf ihre Art einzulösen, was sie unter Freiheit verstehen. Sie glauben, mit Wortgeklingel und Emphase Welten einreißen und Ihre Namen in den Reihen der Unsterblichen unterbringen zu können.«
Keiner war danach mehr bereit, aus eigenen Werken zu lesen. Eine Entwicklung, die Theo nur entgegenkam angesichts der Auffassungen, die über Literatur und Literaten vertreten worden waren.

6. KAPITEL

Mehr als einmal hatte er nicht übel Lust gehabt, Lepel zu erklären, er wolle ihm nicht länger zur Last fallen. Selbst beim gemeinsam eingenommenen Mittagessen hatte der Wunsch Theo auf der Zunge gelegen, seine Abreise in Aussicht zu stellen. Aber Lepels Generosität war an diesem Tag so ins Kraut geschossen – sie hatten Unter den Linden in einem exklusiven Lokal diniert – daß ihm die Ankündigung wie eine Beleidigung erschienen war. Allerdings hatte der vergangene Abend soviel Abneigung in ihm freigesetzt, daß die Aufrechterhaltung dieses Vorsatzes nur eine Frage der Zeit war. Selbst Lepels Ver-

tröstung, Theos Rekrutenzeit im Kaiser Franz Regiment sei mehr Vergnügen als Pflichterfüllung, half da wenig.
»Na, ja, euch Einjährigen-Freiwilligen«, hatte er gönnerhaft gemeint, »nimmt man nicht so hart ran. Ihr gehört mehr zu den Komparsen und dürft herumstehen. Und Uniformtragen ist schließlich auch eine schicke Angelegenheit.«
Dazu war Theo nicht mehr eingefallen, als einfältig zu nicken. Lepel, der den Freund gut genug zu kennen glaubte, hatte sich damit zufrieden gegeben, seine Aufmerksamkeit dem Gaumengenuß zugewandt und sein Konversationsbedürfnis auf den Nachmittag vertröstet.
Der hatte sie in den Tiergarten verschlagen.
»Dieser Scherenberg ...?«
»Ja«, fiel ihm Lepel sofort ins Wort, weil er ahnte, daß dort der Grund für Theos Verstimmung zu suchen war.
»... geht es dem wirklich so hundsmiserabel?«
»Wie man's nimmt«, sagte Lepel mit einem scheelen Blick zur Seite, als fürchte er sich vor der Offenlegung einer bisher verheimlichten Wahrheit, »er lebt vom Stundengeben und Anschreiben, wie man behauptet, erledigt Gelegenheitsarbeiten und versucht, sich über die Runden zu bringen. Ein Poet, wie er im Buche steht.«
Reiter kamen ihnen entgegen, in eng geschnittenen Kostümen. Am Zylinder der Dame flatterte ein seidener Flor. Lepel legte die Hand an den Mützenschirm.
»Baron und Baronin Reitzenstein«, setzte er Theo in Kenntnis.
»Und Erfolge?«
»Was ... ach ja, keine, von denen ich wüßte«, meinte Lepel reichlich fahrig, weil ihn das Bild der Baronin noch gefangen hielt, die mit einem angedeuteten Lächeln gegrüßt hatte.
»Scherenberg ist eine Stammtischgröße, ein Hinterzimmermatador, aber ganz Genie, daran zweifelt keiner im ›Tunnel‹.«
Der zunehmenden Spaziergänger wegen mußten sie ihre Aufmerksamkeit stärker dem Weg widmen. Besonders in der Nähe der Teiche und Wasserläufe tummelten sich die Ausflügler. Die Temperaturen waren noch einmal auf einen Höchststand geklettert und hatten den Tiergarten zum attraktivsten Platz der Stadt werden lassen. »Übrigens was hältst du davon, eine Lokalstudie im ›Tunnel‹ zu absolvieren, gleich heute nachmittag?« fragte Lepel, während sie sich drängelnd und herumgestoßen durch einen Menschenpulk schoben.
»Du willst mir Mut machen, stimmt's?« gab Theo zurück. Im Getöse

der Unterhaltungen war er gezwungen gewesen, lauter zu sprechen.
»Aber so schlimm ist es mit mir nicht«, versuchte er, den Verdacht des Freundes zu entkräften, Scherenbergs Person und Schicksal könnten ihn erschreckt haben.
»Trotzdem hast du recht, ein leichtes Magendrücken ist geblieben«, gestand er zögernd ein.
»Ich hätte ihn nicht einladen sollen«, sagte Lepel wie im Selbstvorwurf, »ich hab nicht daran gedacht ...«
»Daß ich nicht weit von ihm entfernt bin?«
Lepels Schweigen sprach überdeutlich aus, was seine Rücksichtnahme unterschlug. Auf einer der Bogenbrücken, die die Bachläufe im Tiergarten überquerten, blieb er darum stehen. Sie waren allein.
»Scherenberg ist aufs Ganze gegangen, allein dafür schon verdient er Respekt, nicht Mitleid, meinst du nicht auch?«
»Sicher«, sagte Theo, aber er hatte nur einen Wunsch: Das Thema möglichst schnell hinter sich zu lassen.

Die Sitzungen der Dichtervereinigung »Tunnel über der Spree« fanden für gewöhnlich zwischen 17 und 20 Uhr statt. Es war üblich, die Lokale, wo man sich in Hinterzimmern, Festsälen und Gartensalons traf, zu wechseln. Ursprünglich Sammlungsstätte von Satirikern, Pamphletisten und streitbaren Intellektuellen während der Regierungszeit Friedrich Wilhelms III, war sie inzwischen, fast 20 Jahre später, herangewachsen zu einer Institution, die ihren Stolz darein setzte, jenseits aller Stände, Vorurteile und politischen Meinungen zu rangieren. Nicht umsonst führte sie in ihrem Vereinswappen den Eulenspiegel und nannte sich nach einem der technischen Weltwunder jener Zeit: Dem Londoner Themse-Tunnel. Im Leitspruch des »Tunnels über der Spree« brachte sich plakativ der olympische Anspruch zum Ausdruck, der die Mitglieder allsonntäglich zum literarischen Wettstreit zusammenführte: Ungeheuere Ironie – unendliche Wehmut. Genau des Eindrucks konnte sich Theo nicht erwehren, als er mit Lepel kurz nach 17 Uhr den mauerumkleideten Hof eines Lokals in der Leipziger Straße betrat und dabei an Scherenberg denken mußte. Mehrere Tische waren zu einer Geraden zusammengerückt worden, dessen Kopf eine Art Pult bildete. Auf Klappstühlen lauschten die Teilnehmer den gesetzten Worten eines kleinwüchsigen Mannes.
»Merckel ...«, flüsterte Lepel Theo zu, als sei die Information lebenswichtig, »sie sind schon beim Protokoll.«

Ein aufmerksamer Kellner hatte zwei weitere Stühle bereitgestellt. Während sie Platz nahmen, wandten einige der Zuhörer die Köpfe nach ihnen um und nickten Lepel zu. Unbeeindruckt davon fuhr der Mann, den Lepel Merckel genannt hatte, damit fort, Zertifikate auszustellen, Urteile bekanntzugeben, die in Verbindung standen mit Namen renommierter Philosophen und über jeden Zweifel erhabener Dichter. Dabei tauchten Formulierungen auf, die wie Titel von Gedichten und Novellen klangen. Theo hatte Lepel fragend von der Seite angesehen. Auf dessen Gesicht lag ein breites Grinsen.
»Nom de guerre«, erklärte er so leise wie möglich, »keiner von uns trägt hier seinen Hausnamen. Du siehst: Egalité marschiert ganz vorne. Der einzige Adel, der im »Tunnel« gilt, ist der, den ein gelungenes Werk vergibt.«
Trotzdem hatten sich einige nach ihnen umgedreht, einen Unwillen zum Ausdruck bringend, der Lepel sofort zum Verstummen brachte. Eben wurde über die Annahme des Protokolls abgestimmt.

Lepels Antrag, Theo als Gast zuzulassen, hatte bei allen, wie erwartet, Zuspruch gefunden, weniger angenehm empfunden worden war von Theo Lepels Einführung seiner Person. Er hatte ihn als Novellisten und Lyriker vorgestellt, der die Gelegenheit wahrnehmen möchte, Neuestes vorzustellen. Obwohl er sich über den Freund ärgerte, wußte er jetzt immerhin, warum er ihn gedrängt hatte, seine Gedichtmanuskripte einzustecken.
Auch über Lepels Bitte stimmte die Tunnelgesellschaft ab. Ihr wurde stattgegeben. Aber zunächst galt noch die Tagesordnung. Der kleinwüchsige Mann hatte seinen Platz am Pult geräumt für einen anderen, der als Götz von Berlichingen tituliert worden war. Mit federndem Schritt hatte er die Strecke zwischen Klappstuhl und Pult hinter sich gebracht. Er mochte jünger noch als Theo sein, wirkte frisch und siegesgewohnt und sonnte sich bereits in der Bewunderung der anderen, als könne er deren so sicher sein wie die Kellner der Bestellung von Tee und Kaffee. »Moritz Graf Strachwitz«, raunte Lepel, ohne daß Theo ihn um die Auskunft gebeten hätte, »das Hätschelkind des ›Tunnels‹.« Der so Benannte hatte hinter dem Pult Platz genommen, mit raschen Handgriffen ein Papier vor sich ausgerollt und die Zuhörerrunde noch einmal taxiert, bevor er sich zu einem Wort bereit fand. »Ich habe die Ballade Das Herz von Douglas genannt«, sagte er mit angerauhter Stimme, die von einem eher unsoliden Lebenswan-

del zeugte. Die gespannte Stille seines Publikums hatte der Situation einen sakralen Anstrich verliehen. Ein aufgesetzter Ernst erschien im Gesicht des jungen Mannes, als er zu rezitieren begann. Und er verblieb dort unangefochten, während Strophe um Strophe dahinfloß.

Niemand wagte zu applaudieren. Wie in einen Bann geschlagen, verharrten alle auf ihren Stühlen. Strachwitz hielt die Augen gesenkt und setzte dazu an, mit steifen Fingern das Blatt einzurollen, aus dem er gelesen hatte. Ohne ein Geräusch zu hinterlassen, waren die Kellner wieder verschwunden. Merckel, der den Vorsitz führte, erhob sich nach einer überwältigten Minute und nickte allen in Art eines geheimen Einverständnisses zu. »Kommen wir zur Diskussion!« sagte er ermunternd.

Wodurch sie sich auszeichnete, war vor allem ihre Kürze. Übereinstimmung wurde darin erzielt, daß man keine Mängel fand. Die Form sei tadellos, der Inhalt über jede Kritik erhaben.

»Das Ergebnis?« fragte Merckel.

»Sehr gut«, vermerkte die Gesellschaft ohne Gegenstimme. Damit war der Zeitpunkt gekommen, ihrer Begeisterung lautstark Ausdruck zu verleihen. Obwohl die Ovationen kein Ende zu finden schienen, blieb Strachwitz bescheiden. Das prononcierte Selbstgefühl von vorhin war umgekippt in ein verbindliches Lächeln, mit dem er dem Auditorium dankte.

»Einnehmend, nicht wahr?« begeisterte sich Lepel und stieß Theo im Überschwang an. Als keine Antwort kam, bemerkte er in dessen Augen Tränen.

»Was ist denn?« fragte er.

»Nichts«, versuchte Theo abzulenken.

Aber Lepel war dadurch nur um eine Spur skeptischer geworden.

»Gott, bist du sentimental«, knurrte er, kaum fähig, das Schmunzeln zu verbergen, das ihn übermannt hatte, »oder sollte es gar Neid sein, mein guter Fontane? Dann indes – und sein Schmunzeln gerann in einer Maske unterkühlter Höflichkeit – hättest du Anlaß, an einem Charakterfehler zu arbeiten.«

Mit kaum niedergehaltener Erregung hatte er seinen Aufruf erwartet. Zwischenzeitlich waren Gedichte eines Herrn Smidt, wie Lepel ihm zugeflüstert hatte, vorgetragen und vom Auditorium per Abstimmung als schlecht zurückgewiesen worden. Während der Gerügte

noch mit seinem Schicksal haderte, machte der Vorsitzende Merckel die Anwesenden darauf aufmerksam, daß ein gewisser Herr Fontane als Rune, wie die nicht vereinszugehörigen Teilnehmer an den Abenden hießen, um das geneigte Ohr der Runde bitte.
»Viel Glück«, hatte Lepel Theo noch zugeraunt, bevor dieser mit zittrigen Beinen und hämmerndem Puls zum Vorlesetisch gegangen war.
Zum ersten Mal sah er jetzt die Gesichter der Männer: Düstere, abschätzige Gesichter, die sich über Halsbinden und Stehkragen erhoben. Mit betulicher Strenge musterten sie ihn. Trotz der Wärme im Hof, die vom Kies abstrahlte wie von einem gußeisernen Ofen, schauerte ihn so stark, daß er das Kopfnicken des Vorsitzenden fast übersehen hätte.
Ein Abgrund tat sich auf. Seine Stimme klang leer und wesenlos, als er ankündigte, er wolle drei Gedichte vorlesen: Der blinde König, Eine Linde und Der Trinker. Noch einmal senkte sich das Geräuschbarometer auf seinen niedrigsten Punkt. Man hörte den Kies unter der Hitze knacken. Aber schon nach der ersten Strophe war Theos Stimme fester geworden. Ohne aufzuschauen, las er die drei Gedichte vor, nur unterbrochen von einer kurzen Atempause. Als er absetzte, schien das Rund leergeworden zu sein. Verschreckt suchte er Halt bei Lepel. Aber auch Lepel schien sich zurückgezogen zu haben, saß gesenkten Kopfes da, als schäme er sich der Freundschaft mit Theo. Merckel schließlich brach das Eis.
»Danke, Herr Fontane«, übernahm er in seiner Eigenschaft als Vorsitzender das Wort, »der Vortrag war sehr instruktiv.«
Ihm die Unsicherheit damit zu nehmen, wenn es überhaupt in seiner Absicht gelegen hatte, mißlang. Theo schlich zurück zu seinem Stuhl, beklommen und von einem Gefühl erfüllt, besser verzichtet zu haben.
»Bitte, meine Herren!«
Das war Merckels Ordnungsruf gewesen, Stellung zu beziehen. Dabei hatte er einen kurzen Blick auf Theo geworfen, voll mitleidiger Anteilnahme, aber einer Anteilnahme, die sich die Verpflichtung abnimmt, Änderung herbeizuführen.
»Schneider«, murmelte Lepel, als der erste begann, seine Meinung vorzutragen, »ein besonders wichtiger Mann im Club.«
Die Fremdheitsgefühle in Theo hatten Grade erreicht, die es ihm unmöglich machten zu reagieren. Er hörte nur, wie von unzulänglicher

Wirklichkeitsauffassung die Rede war. So könne man nicht von einem König sprechen, wetterte Schneider. Was sich der Autor Fontane in Der blinde König geleistet habe, gehe am guten Geschmack vorbei. Ein besonders eklatantes Beispiel dafür sei Der Trinker. Kunst herabzuwürdigen zu einem Spaziergang durch die Gosse, könne nicht der Sinn des Schreibens sein. Einzig Eine Linde fand geteilten Beifall. Jemand bemerkte, daß der Gegenstand in seiner symbolischen Funktion durchaus richtig vom Autor erkannt worden sei, wenngleich die Ausdeutung in ihrer gesellschaftskritischen Schärfe den Wert des Gedichts wieder mindere.
Als Merckel zur Abstimmung aufrief, kehrten die Lebensgeister zu Theo zurück, obwohl das Ergebnis nicht besser war als bei seinem Vorgänger Smidt. Trost konnte er allerdings daraus beziehen, daß Merckel für die Anwesenden zum Ausdruck brachte, Herr Fontane sei zweifellos ein talentvoller Autor, der bei etwas mehr Konzentration, Verantwortlichkeit gegenüber der Sache und einem Schuß verfeinerten Formgefühls es zu erfreulichen Schöpfungen bringen könne.
Die Zustimmung war eher spürbar gewesen, als daß sie zutage trat. Trotzdem hatte sich von Theo etwas gelöst, das wie ein Bleigewicht in ihm gewesen war.

Scherenberg hatte gelesen mit derselben Abgekehrtheit und eigenbrötlerischen Empfindlichkeit, die in Lepels Wohnung zu erkennen gewesen war. Nach dem Vortrag hatte er fluchtartig das Pult verlassen, um sich zwischen die anderen zu verkriechen, mit ängstlicher Gleichgültigkeit der Aussprache lauschend, die sogleich in Gang kam. Wie zu erwarten, hatte seine Naturballade den Geschmack des Auditoriums getroffen und die höchste Belobigung erstritten.
»Siehst du«, bemerkte Lepel zu Theo, »so kann man sich im Menschen täuschen.«
Nach zwei weiteren Rezitationen legte die Tunnelgesellschaft eine Pause ein. Über die efeuüberspannten Hofmauern floß ein silbriger Dunst, der die Schürzen der Kellner perlmutten funkeln ließ. Während der Vorträge, aus welcher Rücksicht auch immer, war nicht geraucht worden. Jetzt züngelten die Streichhölzer vor den Zigarren und Pfeifenköpfen und setzten sie in Brand. Überall hatten sich Diskussionsrunden gebildet. Gleich zu Anfang schon war der Mann, der den Vorsitz geführt hatte, auf Lepel zugestürzt, um ihm zu gratulieren. »Mein guter Schenkendorf – so Lepels Nom de guerre im »Tunnel«

– rief er überschwenglich aus, »Sie treiben uns in der Tat Leute zu, die im Gedächtnis haften bleiben.«
Eine Minute später erfuhr Theo den vollen Namen des Mannes: Wilhelm von Merckel, Jurist, tätig am Berliner Kammergericht, wie ihm Lepel später zusteckte. Aber zunächst einmal konnte Theo nur feststellen, daß er die Kleinwüchsigkeit des Mannes unterschätzt hatte. Merckel war fast zwergenhaft, besaß dazu einen langen und überdimensionierten Schädel mit einer hohen Stirn. Seine spitze und dabei große Nase war das auffälligste an seinem Gesicht. Obwohl er sich aufgeräumt und forsch gab, schien er unter seiner geringen Größe zu leiden. Er mied es, zu Theo aufzuschauen, der ihn in seinem Gardemaß um fast zwei Kopfeslängen überragte.
»Trotzdem, junger Mann«, meinte er, immer noch Lepel zugewandt, wie in ein Konsilium mit ihm verstrickt, »bleibt noch viel zu lernen.«
Lepel blinzelte Theo zu, machte sich damit aber sowenig verständlich, daß dieser eher verwirrt als aufmerksam den Erklärungen folgte.
»Versuchen Sie es doch mit der Ballade«, riet Merckel, »sie ist nicht aus purem Zufall die von uns favorisierte Form. In der Ballade inkarniert sich sozusagen unser weltanschauliches Credo. Entgegen allen Vorwürfen sind wir ganz und gar nicht lebensabgewandt. Wir suchen das Leben nur dort, wo es noch nicht angekränkelt ist vom zersetzenden Zeitgeist. Das Leben, das wir zu fassen versuchen, ruht noch auf dem seelischen Urgrund. Wir lassen uns noch von ihm tragen, ja inspirieren, während der gnadenlose Frondeursschritt der kleinmütigen Zeit an uns vorbeidonnert.«
Von seinen Worten in Mitleidschaft gezogen, hatte ein feierlicher Ernst seine Person ergriffen. Zum ersten Mal wagte er es, Theo anzublicken. Etwas Beschwörendes, zur Besinnung Aufrufendes brannte in seinen Augen.
»Im Epischen, Lyrischen und Dramatischen der Ballade, junger Mann«, sagte er, »verschmelzen die Ansprüche zur gültigen Form. Im Rencontre der Stile verlieren die Teile ihre Einseitigkeit und erheben sich zur symphonischen Schönheit.«
Zu klein, um ihm auf die Schulter zu klopfen, hatte Merckel Theos Unterarm mit einem väterlich aufmunternden Klaps berührt.
»Darauf kannst du dir etwas einbilden«, belehrte Lepel ihn nachträglich, nachdem Merckel die Gesprächsrunde gewechselt hatte, »mit Gästen pflegt Merckel sonst so nicht umzugehen. Du hast bei ihm ein Stein im Brett. Weiß Gott, warum.«

Der Juli neigte sich dem Ende zu, und obwohl Theo wenig Lust zeigte, nach Letschin zurückzuwollen, mußte er sich mit dem Gedanken vertraut machen. Schon allein deshalb, um Lepel nicht ungebührlich zur Last zu fallen. Zweifellos hätte er, wäre er darauf angesprochen worden, die Mutmaßung entrüstet von sich gewiesen. Aber Theo genügte zu wissen, daß es so war, um die Abreise ins Auge zu fassen. Natürlich auch aus Gründen der Glaubwürdigkeit zu Hause. Schließlich war er nach Berlin gefahren, um die rechtliche Seite seines nachzuholenden Abiturs zu klären. Selbst unter Abrechnung jener Tage, die ihm die Eltern zur freien Verfügung gestellt hatten, hätte er die beträchtliche Zeitspanne nicht rechtfertigen können.
Es hieß zu packen. Daran ging kein Weg vorbei.
»Du willst also fahren?« versicherte sich Lepel noch einmal, während Theo seine Tasche mit Reiseutensilien vollstopfte.
»Ich nehm gleich morgen die Kutsche«, erklärte er, »aber vorher werde ich noch bei Faucher vorbeisehen. Er hat mich eingeladen.«
Lepel ließ sich nicht anmerken, wie ihn die Auskunft pikiert hatte.
»Ich dachte, daß du inzwischen weltanschaulich woanders Position bezogen hast«, meinte er gekränkt und spielte damit auf Theos wiederholte Besuche im »Tunnel« an, die alle darauf hindeuteten, daß er sich dort wohlzufühlen begann. Eine Einschätzung, mit der Lepel sicherlich recht hatte. Allerdings konnte er nicht wissen, daß Theos Besuch bei Faucher nur dazu dienen sollte, von einem Lebensabschnitt Abschied zu nehmen. Mit Faucher, Maron und den anderen aus der Hippelschen Weinstube in der Friedrichstraße würde er – das spürte Theo ganz deutlich – auch den übrigen den Laufpaß geben: Den Herweghianern und dem Verleger Binder aus Leipzig und mit ihm seiner Zeitschrift »Die Eisenbahn«. Wenn er wieder nach Berlin käme, wollte er mit all dem nichts mehr zu tun haben.

7. KAPITEL – BERLIN, 1845

Das Oderbruch hatte sich in ein Blütenmeer verwandelt, als Theo April 1845 sein Einjährigen-Freiwilligenjahr beim Kaiser Franz Garde Grenadier Regiment quittierte. Ein Jahr, wider Erwarten angereichert mit Eindrücken und Erlebnissen, die weit über das Militärische hinausgingen, war zu Ende gegangen. Aber es hatte auch in ihm den Entschluß reifen lassen, die Entscheidung über seinen weiteren Lebensweg aufzuschieben. Längst wußte sein Vater davon – und natürlich auch Wolfsohn –, warum er seinerzeit übelgelaunt zurückgekehrt war: Leipzig hatte ihm eine Abfuhr erteilt. Binder, der Verleger der »Eisenbahn«, hatte ihn als ordentlichen Mitarbeiter nicht haben wollen. Dafür war er im September 1844 als Mitglied unter dem Namen Lafontaine in den »Tunnel« aufgenommen worden, auf den formellen Antrag jenes Mannes hin, der ihm als Wilhelm von Merckel vorgestellt worden war. Davor hatte eine zweiwöchige Reise nach England gelegen, ein Gnadengeschenk des Schicksals, recht besehen, betrachtete man das Zustandekommen der Fahrt und die Großzügigkeit seiner militärischen Vorgesetzten. Wenn er trotzdem nach Letschin zurückgekehrt war, so, um zu dokumentieren, daß er sich für die Fortführung seiner Apothekerausbildung entschieden hatte, obwohl er seinen literarischen Ambitionen auch während der Militärzeit treu geblieben war. Die Leipziger und Berliner Erfahrungen hatten allerdings seinem Geschmack eine neue Ausrichtung gegeben. Neben Shakespeare favorisierte er nun Byron, las aber auch wieder Scott und dazu Dickens, was zweifellos eine Fernwirkung war seines beeindruckenden Besuchs in London. Er spielte sogar ernsthaft mit dem Gedanken auszuwandern. Von seinem Vater, der Eskapaden jeglicher Art aufgeschlossen gegenüberstand, mit Fragen überschüttet, konnte er nur ins Schwärmen geraten und von der überquirlenden Lebendigkeit dort berichten, die wie ein Abbild des Menschenmöglichen auf ihn gewirkt habe.
»Berlin ist dagegen ein Provinznest, Papa«, rundete er sein enthusiastisch gezeichnetes Bild über London ab, »ein hinten an den Zug der Geschichte angehängter Waggon, der rappelig mitläuft.«
Der »Tunnel« und England bestimmten darum in der Folge sein Denken, während er hinter dem Verkaufstisch der Apotheke saß, allerdings ohne jenen Griesgram, der ihm nach dem Scheitern in Leipzig

zugesetzt hatte. Die Fronten waren geklärt, wenn sich damit auch nicht der Unfrieden vertreiben ließ.
Vorsorglich hatte er für den 2. Juni seine Übersiedlung nach Berlin geplant. Am 24. sollte er in der Polnischen Apotheke des Dr. Schacht seinen Dienst antreten. Das Abiturexamen und damit die Avancen seiner Mutter auf einen akademischen Beruf des Sohns gehörten den Träumen der Vergangenheit an. Aber auch die mit viel Umsicht vorbereitete Einheirat Theos in die Ansehen und Auskommen versprechende Ehe mit Marieken Marek, weil die asthmatische Gastwirtstochter in einer nebelverhangenen Novembernacht ihrem Leiden erlegen war.

Die Wochen bis zu seiner Anstellung verbrachte Theo zwischen Apotheke und Bögen Papier, auf die er seine Einfälle kritzelte. Neuerdings schulte er sich an Naturballaden, wie sie im »Tunnel« Anklang fanden. Der Einstimmung wegen unternahm er des öfteren Spaziergänge, alleine, schnupperte an Blüten und Blättern, lauschte dem Summen der Insekten und versuchte sich aufzufüllen mit jenem Pandämonium, das er glaubte für seine Naturballaden besitzen zu müssen. Aber das Herz der Dinge öffnete sich ihm nicht. Tiefer in sich hinabzusteigen, verbot ihm eine warnende Stimme. Statt dessen ließ er sich, entgegen seiner ernsthaften Absicht, ablenken von jener Bekanntschaft, die er, bewußt oder unbewußt, auch während seiner Militärzeit nie aufgegeben hatte: Emilie, deren zufällige Übereinstimmung im Namen mit seiner Mutter sicherlich genauso geheimnisvoll war wie das, was ihn an sie fesselte.
Glutäugig, von überschießendem Temperament und aparter Herbheit, war diese Emilie Rouanet-Kummer zum Mittelpunkt seiner Bemühungen geworden. Dabei kannte er sie schon seit der Zeit, als er in seiner Eigenschaft als Gewerbeschüler bei seinem Onkel August lebte. Sie waren Nachbarskinder gewesen, mehr noch, zeitweise gemeinsam erzogen worden. Das Bild des sonderbar verwildert aussehenden Mädchens mit den schüchternen Manieren von damals stand ihm noch vor Augen, das sich so gänzlich abhob von der Erscheinung, die sie jetzt darstellte. Gemocht hatte er sie schon als 16jähriger Schüler, vielleicht eben wegen dieser sonderbaren Mischung aus unergründbarer Tiefe und nichtssagender Oberfläche. Er hatte sie in Berlin besucht, wo sie bei ihrem Adoptivvater, Herrn Kummer, in der Dorotheenstraße wohnte, hatte ihr Briefe geschrieben und Ge-

dichte gereimt. Die letzten waren ihr aus Letschin zugegangen, vor wenigen Tagen noch. Auch deshalb freute er sich auf Berlin. Und er war sich fast sicher, daß Emilie Rouanet-Kummer ein wesentlicher Grund dafür war, seine Berufsausbildung fortzusetzen. Was immer das in dem Zusammenhang heißen mochte.
»Das Militär hat dir gut getan. Du siehst gesund aus und bist verändert.«
»Ja, Papa«, stellte er den Vater nach solchen oder ähnlich klingenden Bemerkungen zufrieden, um damit über brisantere Themen hinwegzuhelfen. Die elterlichen Beziehungen waren endgültig zerrüttet.
»Ohne Entschlossenheit geht es nun mal nicht. Und das Militär ist das Entschlossenste«, räsonierte der Vater dann in seiner unbekümmerten Art, mit der er sich allen Verpflichtungen entziehen konnte, »dem Napoleon so gut wie uns Freiwilligen anno 13 und auch den Preußen ist das Militärische exzellent bekommen. In Abwandlung des Wortes eines alten Griechen möchte ich fast glauben: Der Waffenrock ist der Vater aller Dinge.«
Reflexionen darüber anzustellen, dafür hatte Theo weder Zeit noch stand ihm der Sinn danach, auch wenn der Vater recht haben mochte, was seinen Zustand anbetraf.
Der Abreisetermin rückte näher. Die Gespräche mit dem Vater wurden seltener, brachen schließlich ab. Ganz auf Berlin ausgerichtet, verbrachte Theo die letzten Tage in nervöser Fahrigkeit.

Die Polnische Apotheke des Medizinalrats Dr. Julius Eduard Schacht, die Theo am Morgen des 24. Juni betrat, befand sich an der Ecke Friedrich – Mittelstraße. Frisch gestrichen und zur Frontseite hin im oberen Teil mit Scheiben ausgestattet, wollte das Gebäude einen gediegenen Eindruck hinterlassen. Dr. Schacht war ein Mann von Grundsätzen und einem soliden Selbstgefühl. So liberal wie optimistisch strahlte er die Überzeugung aus, daß ihm vor der Zukunft nicht bang war.
»Also, Fontane, heißen Sie?« wollte er sich noch einmal bestätigen lassen.
»Ja, Herr Medizinalrat«, sagte Theo.
Dr. Schacht hatte ihn mit einem Augenaufschlag gestreift, um sich zu vergewissern, ob er es mit demselben jungen Mann zu tun hatte, der sich vor Monaten in der Uniform eines Unteroffiziers des Kaiser

Franz Regiments beworben hatte. Als sei er zufrieden mit der Begutachtung, meinte er: »Herr Stumpf, mein Geschäftsführer, wird Sie einweisen, Herr Fontane. Ich habe gehört, Sie wollen die Approbation erwerben.«

»Jawohl, Herr Medizinalrat.«

»Nun, ich hoffe, daß Sie einiges bei uns lernen können«, bemerkte Dr. Schacht unaufdringlich. Das Distinguierte schien ihm auf den Leib geschneidert. Ein feines Lächeln gehörte dazu. Beiläufig hatte er auf eine Klingel gedrückt, ein um Verzeihung bittendes Lächeln vorausschickend, als wolle er jede Verstimmung vermeiden.

»Um was ich Sie noch bitten wollte, Herr Fontane, bevor mein Geschäftsführer Sie herumführt«, fügte er hinzu, »Sie sind nicht verheiratet?«

»Nein, Herr Medizinalrat.«

Dr. Schacht legte den Finger nachdenklich an die Nasenspitze.

»Mhm ...«

»Wie meinen, Herr Medizinalrat?«

Als sei der Gedanke spruchreif geworden, hatte er den Finger zurückgezogen.

»Nun«, sagte er zögernd, »im Hause halten sich eine ganze Reihe junger Leute auf. Ich möchte es vermeiden, daß mein Betrieb ins Gerede kommt. Sie verstehen, was ich meine?«

Für weitere Belehrungen stand keine Zeit zur Verfügung. Herr Stumpf, der Geschäftsführer, war in den Salon getreten, um Theo zu übernehmen.

»Herr Medizinalrat!«

»Zeigen Sie Herrn Fontane seinen Arbeitsbereich!« instruierte ihn Dr. Schacht, schon halb abgewendet, als sei er wieder von weit Wichtigerem in Anspruch genommen.

Im Laufe des Tages bekam Theo eine Vorstellung vom Reiche, über das Dr. Schacht gebot. Inzwischen hatte er auch in Erfahrung gebracht, daß er eine Tochter besaß, die Anna hieß und ihn angesichts der jungen Männer im Hause sicherlich manch schlaflose Nacht kostete.

»Der Alte ist ganz närrisch, daß ihm einer an sie rangeht«, hatte ihm sein Gegenüber am Mittagstisch anvertraut, ein eben den kurzen Hosen entwachsener Bursche, der sich Friedrich Witte nannte. Theo nickte stumm.

Andere Erfahrungen kamen schon bald hinzu: Zum Beispiel, daß er seine Arbeit ungestört verrichten konnte, weil Herr Stumpf aus Gründen einer allergischen Überempfindlichkeit gegenüber Pulverstaub und Gerüchen dem Laboratorium fernbleiben mußte. Eigens deshalb war die Apotheke um ein Nebengebäude erweitert worden. Dependencen gab es auch bei der Einquartierung. Theos Bett befand sich im verschalten Hohlraum eines Treppenaufgangs. Sommers war es dort so warm, daß der Schlaf nicht kommen wollte, wintertags klebte die Kälte an den Holzwänden und ließ es vorteilhafter erscheinen, sich auf den nackten Boden zu legen. Die Unterkünfte der anderen waren nicht besser.
Anspruchslos, wie er bisher gelebt hatte, und zu zurückhaltend, um etwas zu fordern, paßte er sich den neuen Gegebenheiten an, mehr noch, er gewann ihnen einen Reiz ab, der sein schöpferisches Tun beflügelte. Entgegen kam ihm dabei die Kenntnis, daß jener Friedrich Witte, gut zehn Jahre jünger als er, künstlerische Neigungen zeigte und sich in Gedichten versuchte. Die gemeinsame Arbeit im Laboratorium endete so oft in Fachsimpeleien zwischen Dichterkollegen.

Seit kurzem fruchteten Lepels Ermahnungen nicht mehr, Theo möge sich öfter im »Tunnel« sehen lassen. Im Gegenteil, er mied ihn, wenn er konnte. Statt dessen suchte er in seiner Freizeit die Dorotheenstraße auf, wo der Bruder seines Vaters, August Fontane, seit Jahresbeginn wohnte. Daß er als Alibi herhalten mußte, tat ihm nicht leid, weil es schließlich um Emilie ging, die temperamentvolle Adoptivtochter des Rats Kummer, der wieder Kontakt mit den Fontanes pflegte. Die Beziehungen datierten noch aus der Zeit vor dem Wegzug August Fontanes nach Leipzig und gründeten sich vor allem auf der gemeinsamen Vorliebe für das Bon vivre. Genauso exaltiert wie August Fontane in seinen Lebensansichten, gaben sie ein Gespann ab, das nicht jedermanns Sympathie genoß. Schon gar nicht die der quicklebendigen Adoptivtochter Emilie.
Wenn Theo Sonntag mittag die Stufen hinaufsprang, die ihn zur Wohnung des Onkels führten, dampften ihm schon die Gerüche von Suppe und Bratensoße entgegen. Selbst kinderlos, verschwendete Philippine Fontane Ehrgeiz und Liebe an die Beköstigung ihres sich stets ausgehungert gebenden Neffen.
August Fontane kündigte sich meist durch seinen einschmeichelnden Baßbariton an, der durch das Treppenhaus dröhnte, als fühle er sich

als verhinderter Künstler verpflichtet, zur Erbauung der Mitbewohner wenigstens sonntags seinen Beitrag zu leisten. Früher spielte er dazu auch Klavier. Aber die guten Zeiten waren vorüber. Ehemals eigenständig – er hatte ein Malgeschäft besessen – verdiente er jetzt nach einer Verurteilung wegen Veruntreuung von Mündelgeldern seinen Unterhalt als Geschäftsführer einer Kunsthandlung, mit viel Umsicht, auch wenn er einen Gutteil der Arbeitszeit in einer gegenüberliegenden Konditorei zubrachte. Sie zählte zu den wenigen Vergnügungen, die er sich noch leistete. Eine von ihnen war das sonntägliche Kartenspiel mit Herrn Kummer, der für gewöhnlich um 16 Uhr in der Fontaneschen Wohnung erschien, um mit August Fontane die alten Tage zu beschwören. Rat Kummer hatte sein Leben zwischen Erfindungen, Tüfteleien und einer Anzahl Frauen zugebracht, die es auf eine Heirat mit ihm abgesehen hatten. Selbst Philippine Fontane hatte ihre Schwester auf ihn angesetzt. Aber bevor Rat Kummer sich ein zweites Mal verehelichte, waren eine ganze Reihe von Haushälterinnen chancenlos an ihm vorübergezogen. Da seine finanzielle Lage miserabel war, mußte seine Attraktivität mit dem einnehmenden Wesen zu tun haben, das alle rühmten. In der Tat stellte Herr Kummer das dar, was man einen guten Menschen nennt. Er hatte Emilie, das uneheliche Kind einer Predigerwitwe, nicht nur seinen Namen gegeben, sondern auch für eine vorzügliche Ausbildung gesorgt, so daß Emilie mit Lebensformen in Berührung gekommen war, die sie zu Hause nicht kennengelernt hätte.

»Wird sie wieder mitkommen?«

Philippine Fontane, die ihrem Mann an Nonchalance nicht nachstand, hatte die Suppenterrine schwungvoll plaziert und allen einen guten Appetit gewünscht. Ihr ganzes Gehabe legte sie auf die Tochter eines Theaterdirektors fest. Auch wenn sie selber nicht lange auf der Bühne gestanden hatte, war sie dem Rollenfach nicht entwachsen. In der Begegnung mit ihr fühlte man sich stets angehalten, hinter der Schauspielerin die Person zu suchen. Den meisten mißlang es.

»Keine Angst, Emilie wird mit von der Partie sein«, beglich sie zwinkernd Theos Anfrage, schwenkte ihr Kleid zur Seite, als bereite sie einen spektakulären Abgang vor, um sich dann an den Tisch zu setzen.

Punkt 16 Uhr betraten Rat Kummer und seine Tochter den Salon. August Fontane hatte bereits mehrere Sätze Karten auf einem kleinen Rundtisch bereitgelegt. Wegen des Sommerwetters standen alle Fen-

ster der Wohnung offen. Ein leichter Durchzug hielt die Wärme fern. Aber die Geräusche der Straße brachen manchmal störend ein. Philippine hatte einen Kuchen gebacken, obwohl sie wußte, daß sie ihn würde allein essen müssen. Nach dem Kaffee verabschiedeten sich Theo und Emilie in der Regel, um in den Straßen spazierenzugehen, wie sie behaupteten. Tante Philippine schmunzelte dazu. Mit ihrem Mann und seinem vom Spielteufel besessenen Gast, Herrn Kummer, war ohnehin nicht zu rechnen. Ihr Weg war vorgezeichnet, weil sie einfach nur ihren Füßen folgten. Sie trugen sie aus der Dorotheenstraße hinaus Unter die Linden, gleich nebenan. Bei schönem Wetter glich die Straßenflucht einem Tummelplatz.
Für jeden, der das Paar kannte, war es ausgemacht: Die mögen sich. Nun, wie es aussah, hatte die Initiative wohl eher auf ihrer Seite gelegen. Er schien mehr zuzuhören, überließ es ihr, die Konversation zu bestimmen. Aber ohne sein bereitwilliges Mittun wäre sie wohl schneller im Sande verlaufen, als die beiden den Tiergarten oder das königliche Schloß erreicht hatten.
Emilie sprach gern über Liegnitz, wo eine ihrer Schwestern aus der ersten Ehe ihrer leiblichen Mutter verheiratet war.
»Mit einem Oberstabsarzt«, hob sie hervor und blickte sich dabei um, als habe sie soeben Aufsehen erregt. Wenngleich ihm solche Gespräche nicht vermitteln konnten, was er ansonsten suchte, so genoß er doch das Fluidum, das sie umgab. Oft hatte er sich gefragt, worin die Faszination begründet lag, die Emilie zweifellos auf ihn ausübte. Und genauso oft war er sich die Antwort schuldig geblieben, wenn er eine Reihe von äußerlichen Vorzügen abzog. Schlank und von zupackender Vitalität, strahlte ihr Gesicht eine herbe Schönheit aus, die das schwarze Haar und die dunklen Augen weiter unterstrichen. Nicht viel kleiner als Theo imponierte sie mit einer Würde, die nicht selten wie Arroganz aussah. Der Wirklichkeit verhaftet, wie viele behaupten, war sie das genaue Gegenteil von Theo. Um so bemerkenswerter erschien ihre Leidenschaft für das Theater. Ein Charakterzug, der Theo in dem Augenblick ihre Sympathien eingetragen hatte, als er, Gewerbeschüler noch, einem Konkurrenten zu unterliegen drohte. Seine Swinemünder Theatererfahrungen hatten ihm geholfen, ihre Aufmerksamkeit auf sich zu ziehen und jenes Verhältnis anzubahnen, das, sonderbar genug, Sonntag für Sonntag auf eine neue Überraschung zusteuerte.
Im Dunstkreis des Tiergartens geriet Emilie nicht selten ins Schwär-

men über die Liegnitzer Verhältnisse ihres Schwagers. Das parkähnliche Bild des Areals rührte an Wünsche in ihr, die Theo manchmal auf skeptische Distanz gehen ließen. Ebenso schnell aber gab er sie auf, wenn er die Frische und den Optimismus spürte, mit dem sie die feudalistische Lebensführung des schwesterlichen Haushaltes ausmalte. Sie gab sich dabei so ungekünstelt und liebenswert echt, daß jedes daran Rühren ihm wie ein Frevel vorgekommen wäre. Rücksichten, die er bisher in keiner der anderen von ihm gepflegten Beziehungen zu Frauen bemerkt hatte. Nicht in Leipzig und nicht in Dresden, wo die Kontakte, so intim sie geknüpft waren, dieser Feinfühligkeit entbehrten. Er mutmaßte Respekt. Und es gab Minuten, in denen er eben diesem Respekt die Ursache dafür zuschrieb, daß er von Emilie nicht loskam. Ganz gleich, ob sie den Tagesablauf im Hause ihres auf das Vorbild hin stilisierten Schwagers schilderte oder die Großzügigkeit seiner räumlichen Verhältnisse, immer lauschte er ihr mit einer Mischung aus naiver Gutgläubigkeit und reifem Erstaunen. Dieses unantastbare Ferment vorgezeigter Sicherheit, die aus jedem ihrer Worte sprach, umgarnte ihn mit berückenden Fäden.

Daß es damit etwas auf sich hatte, zeigte sich bei seiner Arbeit im Laboratorium. Obwohl älter und erfahrener im Umgang mit chemischen Stoffen, mußte der um zehn Jahre jüngere Witte mehr als einmal korrigierend eingreifen, weil Theo Präparate verschandelte.
»Mensch, Theo, wer ist hier eigentlich der Lehrling!«
So abgekanzelt zu werden, traf ihn weniger in seiner Berufsehre als in seinem persönlichen Stolz, der seit seiner Poussage mit Emilie noch angreifbarer geworden war. Witte hatte ja recht, wer war hier der Lehrling?
Im nächsten Jahr wollte er seine Approbation erwerben, um selbständig zu sein: Mit einer eigenen Apotheke und mit Emilie. An der ganzen Giftmischerei lag ihm wenig, insoweit hatte Witte schon den Nagel auf den Kopf getroffen. Sie war ihm eben soviel wert, als er darüber seine Chancen bei Emilie verbessern konnte. Eines war ihm klar geworden nach den Gesprächen mit ihr: Bei gänzlicher Aussichtslosigkeit auf bürgerliche Ehren stünde er auf verlorenem Posten. Und das war der Fall, wenn er ihr die Wahrheit anvertraute, freier Schriftsteller werden zu wollen. »Fritz, der liebe Gott hat dich mir an die Seite gestellt«, pflegte er sich bei Witte entschuldigend nach einem

aufgedeckten Fauxpas zu bedanken, »man könnte meinen, du wärst in einer dieser Hexenküchen zur Welt gekommen.«
Solche Komplimente des Älteren taten Witte nicht nur gut, sondern festigten auch ihre Freundschaft. Theo revanchierte sich, indem er sich seiner Sonette und Lieder annahm, metrische Fehler ausmerzte, schiefe Bilder zurechtrückte und ihn ermunterte, nicht aufzugeben, obwohl Begabungsmängel ins Auge stachen. Um ihn nicht zu kränken, unterschlug er sein Wissen. Aber Witte, ausgestattet mit dem kühlen Blick des Pragmatikers, brachte selbst das Wort darauf.
»Ach, Theo«, sagte er einmal, »das mit dem Reimen und Versemachen ist mir nicht wichtiger als das Dämpfeinhalieren hier. Nicht wichtiger als Gott weiß was.«
Dem erstaunten Blick des Freundes wußte er dadurch zu begegnen, daß er erklärte: »Ich gehe halt erst alles einmal durch, Theo. Es ist ja wenig genug, was man ausprobieren kann.«
Auf die Frage, ob er sich von der Einstellung etwas verspreche, geschweige denn glaube, damit zu einem Beruf zu kommen, meinte er verspielt: »Ich will ja auch nichts Besonderes werden.« Und als Theo, dessen Neugier er auf die Spitze getrieben hatte, nachhakte mit einem: »Na, sag schon, was!« entgegnete er mit abgeklärter Despektierlichkeit: »Bloß König, Theo«, und verfiel in ein freches Lachen.
Über die Zukunft unterhielten sie sich mit besonderer Einlässigkeit. Nicht nur, weil sie jung genug dazu waren. Es lag auch etwas in der Luft, wie ein kalter Wind Schnee und Schwüle ein Gewitter ankündigen. Der Degout beherrschte das Straßenbild: Die dreiste Anmaßung, die Häme, Scheiben klirrten, und so mancher wagte es nicht mehr, die Fenster seines Palais abends auszuleuchten. Angespien zu werden, gehörte zu den gewöhnlichen Unverschämtheiten. Bei allem hatte die Polizei ein waches Auge. Aber gerade das trug dazu bei, die Angst derer zu steigern, die darin nur Hilflosigkeit sehen konnten.
Natürlich hatte Fritz Witte auch Theo nach seinen Zukunftsplänen gefragt.
»Nach dem Examen«, druckste er, weil er merkte, daß er sich viel zuwenig klare Vorstellungen gemacht hatte, »werde ich mich nach einer Apotheke umsehen. Zwischenzeitlich woanders arbeiten. Vielleicht wird's auch etwas länger dauern. Zeit genug, um zwischendurch zu heiraten.«
Im selben Atemzuge, wie er es gesagt hatte, merkte er, daß er log. Weder der väterliche Erbteil noch seine eigenen finanziellen Kapazitä-

ten waren groß genug, um davon eine Apotheke zu kaufen. Darüber hinaus durfte er das Verhältnis zu Emilie nicht als so sicher einstufen, um daraus automatisch auf eine Heirat zu schließen. Aber hätte er Witte gegenüber die Wahrheit sagen sollen: »Alles so la la, grob über den Daumen gepeilt. Mehr Hoffen als Wissen.«
Nicht gegenüber diesem Hosenmatz, der die Welt in einen Sack stekken wollte und sich unlängst noch brüstete, er würde eines Tages Anna, die hübsche Tochter des Medizinalrats Dr. Schacht, heiraten. Auf solche Klötze gehörten entsprechende Keile, auch wenn sich Theo darin schwer tat. Dabei hätte er Grund gehabt, sein Gefieder zu spreizen. Zwei seiner Balladen waren in »Cottas Morgenblatt für gebildete Leser« erschienen, einer Zeitschrift, in der immerhin Goethe veröffentlicht hatte. Ein Glücksfall, der auch in seinem Auftreten gegenüber Emilie für Änderungen gesorgt hatte. Etwas vorweisen zu können, stärkte ihm das Rückgrat, wenngleich er bei Emilie nicht hoffen durfte, gerade mit Balladen Begeisterungsstürme wachzurufen.
Wie seine Mutter hing Emilie Rouanet-Kummer dem Grundsatz an: Nur Geld regiert die Welt. Trotzdem, er mochte sie.
Vielleicht lag er auch deshalb seit kurzem mit dem »Tunnel« in Fehde. Lepels Ermahnungen waren nicht ganz ungehört verpufft. Zuweilen ließ er sich jetzt sonntags dort wieder sehen, kurz nur, trug eine seiner Balladen vor, Stimmungsbilder, Erlebnisdichtung, sauber in der Form, aber weit weg vom Feuerregen, der in der Politik dieser Tage niederprasselte. Je sicherer ihm der Erfolg wurde, um so unzufriedener war er.
Lepel begann, sich für ihn zu schämen. Die Urteile der Kunstrichter wurden schlechter. Man begegnete seinen Schöpfungen mit Spott, ja mit Verärgerung. Wehmütig und mit erhobenem Zeigefinger erinnerten einige an den »Towerbrand« und den »Markuslöwen«. Daran möge er sich fürderhin orientieren. Was er sich da jetzt erlaube, lüsterne Aristokraten, dummes Gesindel und brutale Büttel ins Bild zu setzen, stelle ihn leider auf eine Stufe mit Leuten wie Freiligrath, Weerth und Heine. Wilhelm von Merckel, sein Gönner und Mentor im »Tunnel«, nahm ihn sogar, puterrot und unübersehbar gereizt zur Seite, um ihn zu fragen, ob er das nötig habe. Theo wußte keine Antwort. Hingegen erinnerte er sich sofort, daß in solchen Fällen nur einer Rat wußte: Wilhelm Wolfsohn, Gesprächspartner und Vorbild aus der Leipziger Zeit, der ihn besser kannte als er sich selbst.
Am Abend desselben Tages noch – die Sonne spielte schon mit den

Dächern und ließ sie in allen Rottönen aufleuchten – verkroch er sich in der Dependence der Apotheke, weil er ungestört bleiben wollte, und setzte einen Brief an Wolfsohn auf, mit dessen Abfassung er sich immer besondere Mühe gab.

Berlin, Juli 1845

Lieber Freund!
Meine Klagen im Ohr, wie schlecht es mir geht, wirst Du nicht gerade erwartungsfroh Briefen aus meiner Feder entgegensehen. Sie sind in der Tat, bis auf ganz wenige Ausnahmen, für deren Zustandekommen auch Du noch gesorgt hast, wenig erquicklich. Der heutige Brief macht hierin keine Ausnahme. Deinem Alten steht wieder einmal das Wasser bis zum Halse, wie sehr durch eigene Schuld, durch Dummheit oder das Walten höherer Mächte sei dahingestellt. Dabei entbehrt das Ganze nicht des Pikanten. Du errätst es richtig: Kabale ist angesagt und Liebe. Mehr Liebe als Kabale, aber was nicht ist ...
Ich will den Teufel nicht an die Wand malen. Aber ich beginne, mich zu inkommodieren. Und das bei Leuten, deren Sympathien mir nicht nur lieb sind, sondern die ich auch brauche. Das alles mit einer diabolischen Genugtuung im Leibe, die erröten macht. Wielange sie mir diese Frondeurshaltung nachsehen, bleibt ihr Geheimnis. Auch die größte Geduld ist bekanntlich erschöpfbar. Nun kommt dieses Querulantentum nicht aus heiterem Himmel. Ich habe es mir damit erklärt, daß ich nur eine Retourkutsche fahre, weil man mir Versäumnisse wegen zugesetzt hatte.
Aber so leicht will ich es mir nicht machen, vor allem, weil etwas mir sagt, daß es nicht stimmt. In der Sache hängt mehr drin, als eine einfache Gleichung freisetzt.
Erkläre mir zum Beispiel, was bringt einen Theodor Fontane dazu, der zugegebenermaßen nicht die Welt kennt, aber immerhin einmal den Fuß über den Kanal gesetzt hat, fünf Wochen in einen Verwirrtheitszustand zu verfallen, nur weil ihn ein Paar kohlschwarze Mädchenaugen angeblickt haben. Augen, die weder so fremd noch so zauberisch schön sind, daß sie eine neurasthenische Reaktion rechtfertigen. Dabei hat es eine Zeit gegeben, in der das genaue Gegenteil für mich galt. Ich empfand diese Augen einmal als leer, stumpf und ausdruckslos.
Sag mir, kluger Kopf, was ist passiert?
Ich will mich nicht auf den Frauenkenner hinausreden, bei Gott, da haben andere mehr Grund, aber dieses Wesen bleibt mir ein Rätsel. Ich bin nicht

mehr Wille. Viel weniger noch bin ich in ihrer Nähe jenes sauertöpfische Etwas, als das Du mich kennst. Ich schreibe Verse, offenbare ihr meine Liebe, meine Einsamkeit, winde mich in heißem Verlangen, schwöre die heiligsten Eide und trete ihr entgegen wie ein minnesüchtiger Ritter seiner Frouwe. Das reime zusammen, wer sich besser darauf versteht. Ich kann es nicht. An wen bin ich geraten, sag! Hexe oder gute Fee? Ich höre schon Deine Stimme: An eine Frau.

Auf eine Grußformel verzichtete er, weil er sich plötzlich entschlossen hatte, den Brief nicht abzusenden. Seine Beziehung zu Emilie vertrug keine fremde Einmischung.

8. KAPITEL

Ihre Spaziergänge wurden länger. Dazu luden nicht nur die heiteren Hochsommertage ein, die den Märkischen Sand ausbrannten, als wollten sie ihn zum Glühen bringen, sondern auch ein sich verstärkt einstellendes Bedürfnis nach Einsamkeit.
Emilie hatte vorgeschlagen, den Kreuzberg zu besuchen, jenen Hügel im Süden der Stadt, auf dem es ein gußeisernes Denkmal zu bewundern gab. Kein Ort für Leute, die sonntags die Stille liebten, in der Tat. Im Vergleich zu anderen Orten aber herrschte hier Frieden.
Der Anmarsch hatte sie ins Schwitzen gebracht. Vor allem Theo, der sich an Leipzig erinnert fühlte. Wie oft war er dort zu den Schlachtfeldern des Befreiungskriegs gewandert.
Er hatte es nicht gewagt, seine Halsbinde zu lockern, weil er sich Emilie gegenüber keine Blöße geben wollte. Vielleicht hatte er deshalb auch hochgestapelt, als er, von Emilie nach der Apotheke seines Vaters gefragt, sie eine Goldgrube genannt hatte. Auch auf Swinemünde waren sie zu sprechen gekommen. Jetzt mußte er sich eingestehen, daß er seiner Neigung zur Phantasie gerade dort hatte die Zügel schießen lassen, wo er glaubte, bei Emilie Boden gewinnen zu können.
»Meine Eltern führten ein großes Haus, ja, ja«, hatte er großsprecherisch behauptet, »mein Vater konnte es sich sogar erlauben, seinen Betrieb vom Kasino aus zu leiten.«

Emilie war verlegen geworden. Den Versuch, noch einmal von Liegnitz zu berichten, hatte sie aufgegeben, dafür aber begonnen, von jenem vornehmen Pensionat zu reden, das sie besucht hatte.
»Du kannst dir keine Vorstellung davon machen. Das Ganze gepflastert mit Adelsprädikaten und Goldtalern. Und mittendrin die kleine Emilie Rouanet, adoptierte Kummer.«
Den gegen sich gerichteten Seitenhieb fing sie ab mit einem strahlenden Lächeln, als sei ihr über soviel Glück der Himmel aufgegangen.

Um sich keinen Sonnenbrand zuzuziehen, hatte Emilie ihre Kopfhaube umgelegt. Der milchfarbene Teint ihrer Gesichtshaut bekam einen rosa Schimmer, der sie puppenhaft aussehen ließ.
»Du bist doch nicht müde?« gab sich Theo besorgt, als sie das Denkmal erreicht hatten.
»Es geht«, schränkte sie ein und gab ihm zu denken.
Nur wenige Sonntagsausflügler waren unterwegs. Zumeist Familien mit Picknickkörben, die ihre Decken im Heidekraut ausbreiteten. Schwer und träge brütete das Land in der Sonnenglut. Die Dächer von Schöneberg und Rixdorf im Süden leuchteten aus den Heidesträuchern und Kiefernhainen. Ein feiner Sandregen, vom Winde bewegt, rieselte an der Kleidung herunter und erinnerte daran, wie unfruchtbar der Boden war.
Theo hatte wieder Swinemünde ins Gespräch gebracht.
»Dr. Lau hieß dein Lehrer?« nahm Emilie bereitwillig das Thema auf. Um vor ihr zu glänzen, hatte er ihn: »Mein Hauslehrer«, genannt. Angesichts des Denkmals war es wieder aufgetaucht, das Bild jenes ernsten und wohl auch verzweifelten Mannes, dem das Freiheitsproblem zu einem Buch mit sieben Siegeln geworden war.

Wegen des langen Heimwegs und der vorgerückten Stunde verließen sie den Kreuzberg, noch bevor es die anderen taten. Sie wollten sich auch nicht dem Verdacht aussetzen, die Anstandsregeln verletzt zu haben, wenn sie zu spät zurückkamen. Emilie machte einen erschöpften Eindruck. Ihre Quirligkeit schien erlahmt, dafür ein bohrender Schmerz ihr zuzusetzen, der sich unübersehbar in die feinen Linien ihres Gesichts eingegraben hatte. Er wollte ihr einen Gefallen tun, als er sie aufforderte, von sich zu erzählen, weil er wußte, wie gern sie über Liegnitz redete. Aber auf ihren Augen bildete sich sogleich ein Tränenschleier, den nicht einmal die Blenden ihrer Haube zu verber-

gen vermochten. Ein Ruck war durch sie gegangen und brachte sie in Gefahr zu straucheln.
»Habe ich was Falsches gesagt?«
»Nein, nein«, beruhigte sie ihn, »vielleicht war es sogar gut.« Und während sie auf den Tiergarten zuwanderten, erzählte sie ihm von jener schrecklichen Zeit, als sie nach dem Tode der ersten Frau ihres Adoptivvaters in die Obhut eines Hausmädchens gegeben wurde.
»Es war so entsetzlich«, schluchzte sie, »alles mit ansehen zu müssen, so entsetzlich ...«
Zu betroffen, um nachfragen zu können, schwieg er. Sie kam von selber ins Reden.
»Diese ewigen Poussagen ... Soldaten ... Untermieter ... und ich mußte mit, damit es niemand erfuhr.«
Er begann, nervös an seiner Halsbinde zu reißen, als er hörte, daß sie, noch keine zehn Jahre alt, auf Kasernenhöfen allein gelassen, ausharrte, um auf die Rückkehr ihrer liebestollen Pflegerin zu warten.
»In irgendeine Ecke gedrückt, bei Wind und Wetter, zwischen den vielen fremden Männern«, beschwor sie noch einmal den Schrecken jener Zeit.
»An Bettpfosten haben sie mich gebunden, wie einen Hund, um ungestört zu sein«, sagte sie im Vorwurfston, »kannst du dir das vorstellen?«
Die Müdigkeit, die sie eben noch plagte, war von einer Lebendigkeit verdrängt worden, die zu eckig wirkte, um an Erholung denken zu lassen. Alles in ihr war auf Flucht eingestellt.
»Dumm, daß ich mich darauf eingelassen habe«, bereute sie sogleich ihren Entschluß, sich ihm anzuvertrauen, »vorbei ist vorbei. Ich verderb uns damit nur den Tag. Und der war doch schön, oder?«
»Ja«, sagte er nur, weil die Wucht des Gehörten ihn immer noch niederdrückte.
Als sie in die Dorotheenstraße einschwenkten, hatten sich seine Gefühle gereinigt. Jetzt war er sich ganz sicher, daß er sie liebte.

Berlin, September 1845

Mein lieber Wolfsohn!
Ein beglückender Sommer ist zu Ende gegangen. Mit Bedacht habe ich das Epitheton: Beglückend davor gesetzt. Er war es in jeder Beziehung: Beruf-

lich, in der Kunst und vor allem in jenen Angelegenheiten, die wir lieber vor der Umwelt verbergen, weil wir sie ganz und gar für uns auskosten möchten: Ich meine die Liebe. Vorbei sind die Parforce Jagden unseligen Angedenkens, jene Attacken, geritten gegen schmerzliche Selbstzweifel. Mich hat dieser Hahnenstolz immerhin die Hypothek einer unglückseligen Mutter und eines vaterlosen Abkömmlings gekostet, die beide schneller aus der Krippe meines bescheidenen Budgets fressen, als ich sie füllen kann. Solchen Mutproben bin ich inzwischen entwachsen. Mein Verhältnis zum Weiblichen hat sich geklärt. Was ich suchte, habe ich gefunden. Dabei hat sich der Satz wiederholt bewährt, daß, wer in die Ferne schweifen will, sich erst einmal vor der Tür umsehen soll.

In der Tat, bei mir war es so. Das Gute wartete vor meiner Tür. Mir tritt es nun Sonntag für Sonntag entgegen in jener mich berauschenden Mischung aus herber Sinnlichkeit und liebreizendem Sachverstand. Was ist schon Schönheit, wenn sie nicht aus jener Tiefe strahlt, die uns kopflos macht? Und kopflos hat mich dieses Wesen gemacht, dem ich den beglückendsten aller Sommer verdanke. Er hat alles in mir entfaltet: Den Mann und das Kind.

Ja, diese Frau macht mich selig und stürzt mich in Abgründe der Eifersucht. Sie reißt mich hoch zu Gipfeln des Mutes, um mich abstürzen zu lassen in die tiefsten Tiefen der Verzagtheit. Sie kehrt in mir das Unterste zu oberst, läßt mich in die geheimsten Winkel meiner Seele blicken, mich erschaudern und gleichermaßen staunen. Sie schickt mich auf Höllenfahrten und verheißt mir den Himmel. Ich schreibe ihr Verse, die mir anderenorts die Schamesröte ins Gesicht treiben würden. Ich flehe und bitte, lege ihr mein Herz zu Füßen und finde doch keine Ruhe.

Was das alles heißen mag, meine Kunst treibt darüber ihre schönsten Blüten. Nenne sie meine Muse, und ich werde dir vorbehaltlos beipflichten.

Ja, ich liebe sie. Aber sie ist auch der Stachel in meinem Fleische, weil sie mich daran gemahnt, den Sprödigkeiten eines Brotberufs meine Referenz zu erweisen.

In herzlicher Verbundenheit
Dein Theo

Dem Brief war dasselbe Schicksal beschieden wie dem voraufgegangenen. Er wurde nie abgeschickt.

Bis gegen 22 Uhr in der Apotheke zu bleiben, war die Regel, auch jetzt im Dezember, wo die Kälte hinzukam und das Arbeiten unmöglich machte.
Trotzdem, Theo hatte allen Grund, heiter zu sein. Seit einigen Stunden hielt er einen Brief in den Händen, der ihm einen immerhin angenehmen Abschluß des Tages versprach. Emilie bat ihn darin, sie nach Hause zu begleiten. Punkt 22 Uhr sei sie deshalb an der Apotheke. Der Gedanke daran erwärmte ihn, mehr als die Vorstellung, daß sein Onkel, August Fontane, heute Geburtstag feierte, und das sicher in der ihm und seiner Frau gemäßen Art.
Eine Minute vor zehn Uhr tauchte Emilie vor der Polnischen Apotheke auf, gerade zu dem Zeitpunkt, als Theo, um keine Mißverständnisse aufkommen zu lassen, das Labor verlassen hatte. Sacht wie Daunenfedern schwebten Schneeflocken hernieder und hatten einen weißen Flaum auf Emilies Cape gezaubert. In der übergezogenen Kapuze erkannte er sie nur an ihren unverwechselbar energischen Bewegungen, die jedem das Gefühl vermittelten, daß Geduld nicht ihre stärkste Seite war.
»Ach ...«, machte sie erstaunt, als er sie anstupste, »Ihr Bruder ist gerade gegangen. Er war so freundlich, mich herzubringen.« In ihm schoß es siedendheiß hoch. Sie hätte sich demnach auch von Rudolf nach Hause bringen lassen können. Daß sie es nicht getan hatte, mußte etwas bedeuten.
»Dann waren Sie ja Gott sei Dank keine Minute ohne männlichen Schutz«, versuchte er einen Spaß, aber er war viel zu aufgeregt, um ihn angemessen plazieren zu können. Sie lächelte trotzdem unter der Aufstülpung ihrer Kapuze, von der jetzt flockig der Schnee rieselte.
Einen Atemzug später trabten sie, vorsichtig die Füße aufsetzend, die Friedrichstraße hoch zum Oranienburger Tor, in dessen Nähe Emilie als Hauswirtschaftsschülerin in Diensten stand.
Das Schneetreiben hatte zugenommen. Theo mußte blinzeln, um die Richtung zu halten.
»War's schön?« knüpfte er etwas gezwungen eine Unterhaltung an, weil er vermeiden wollte, daß sich etwas zwischen sie stellte. Aber sie sprühte vor Unternehmungslust und begann, sofort zu erzählen, wie angenehm sie den Nachmittag verbracht habe.
»Alle haben wir Sie vermißt, Theo«, eröffnete sie ihm.
Er errötete leicht, weil er wußte, daß sie ihm damit schmeicheln wollte. Nur mit halbem Ohr hörte er zu, wie sie von Tante Pinchens

Likör und Aufgesetztem schwärmte und die lebenden Bilder beschrieb, mit denen sie sich die Zeit verkürzt hatten.
»In anderthalb Jahren habe ich alles unter Dach und Fach«, wechselte er etwas abrupt das Thema. Die Eiskristalle auf ihren Wimpern begannen zu tanzen, als sei sie überrascht worden.
»Sie meinen Ihre Ausbildung?«
»Ja«, bestätigte er aufgeregt, weil er ihre Besorgtheit spürte, »Mitte des kommenden Jahres werde ich aus der Polnischen Apotheke ausscheiden, um mich bei meinen Eltern in Letschin auf das Examen vorzubereiten.«
Bildete er es sich nur ein, in Emilies Gesicht ein erschrecktes Flackern wahrgenommen zu haben?
»Was dann kommt, wird sich zeigen«, ging er darüber etwas prahlerisch hinweg.
»In der Regel kommt es anders, als man denkt«, parierte sie seine Selbstgefälligkeit. Das unsichere Flackern stand jetzt in seinem Gesicht. Sie verfiel in ein Lachen, hell und klingend, voll hintergründigen Übermuts. Als sie zu laufen begann, folgte er ihr.
»Wohin so schnell?«
»Das werden Sie gleich sehen!«
Der Schneebelag stäubte von ihrem Cape, während sie mit ausgreifenden Schritten, die nur von der Sperrigkeit ihres langen Rocks eingeschränkt wurde, auf die Weidendammer Brücke zulief. Passanten wichen ihnen kopfschüttelnd aus.
»Emilie, so warten Sie doch!«
Obwohl er an Tempo zugelegt hatte, blieb sie drei Schritte vor ihm. Die schiere Lust schien sie angefallen zu haben, ihn hinter sich zu sehen und sein Rufen zu hören, dessen: »Emilie ... Emilie ... bleiben Sie doch stehen!« Vorbeikommenden ein gerührtes Schmunzeln abnötigte. Als sie abrupt stehen blieb, plumpste er ihr in den Rücken. Nie hatte er sie vergnügter gesehen. Aus ihren Augen sprühten Funken. Sie riß die Kapuze zurück. Die schwarzen Haare stoben auseinander. Schneeflocken verfingen sich in ihnen und ließen sie im Gaslicht changieren.
»Was war denn?« fragte er so einfallslos, wie er mühevoll um Atem rang.
»Das war«, sagte sie und schnippte ihm ein Eiskristall von der Nasenspitze. Ihre Ausgelassenheit kippte in Albernheit um. Sie faßte ihn bei der Hand und zog ihn mit sich fort. Ein paar Schritte liefen sie. Dann

fragte Emilie keuchend: »Nach Letschin gehen Sie also wieder?« während der Atem aus ihrem Mund dampfte.
»Ja«, erkühnte er sich, »aber das macht nichts, wenn wir uns vorher verloben.«
Er spürte sofort, daß er offene Türen eingerannt hatte.
Unvermittelt wie vorhin, war sie zum Stehen gekommen. Etwas Schelmisches blinzelte in ihren Augen. Mit einer Zutraulichkeit, die er bisher bei ihr nicht bemerkt hatte, schaute sie ihn an.
»Sie sind wirklich ulkig«, sagte sie weich.
Auf seinem geröteten Gesicht glitzerte die Feuchtigkeit der geschmolzenen Flocken, während er sie mit erstaunten Augen ansah.
»Wäre es nicht an der Zeit, jetzt du zu sagen?« meinte er. Der treuherzige Ton, in dem es vorgebracht worden war, wirkte wie Wasser auf die Mühle ihrer Heiterkeit.
»Natürlich«, sagte sie mit gewinnender Miene und faßte wieder nach seiner Hand, »also ich finde, du bist wirklich ulkig.«
»Meinst du?« fragte er, ungläubig noch, als ihm schon ein Kuß den Mund versiegelte.

9. KAPITEL – LETSCHIN, 1846

Der Spätherbst war die schönste Jahreszeit im Oderbruch. Die Tage besaßen noch etwas von jener Großzügigkeit, die die Bauern am Abend auf ihren Bänken sitzen ließ, Pfeife rauchend unter Weinlaub und Kletterrosen. In den Brüchen konnten die Angler und Reusenleger ihre Geduld bis in die späte Stunde hinein strapazieren, während das Gesinde erleichtert in den Küchen beisammenhockte, weil die Herrschaft zufrieden war.
Über dem gräulich angehauchten Himmel aber pflügten die Keile der abwandernden Vogelscharen, als wollten sie daran erinnern, daß die angenehmen Tage gezählt waren.
Bei den Fontanes waren sie längst vorbei. Nie hatte Theo es stärker empfunden als dieses Mal. Von einer eisigen Unzugänglichkeit erfüllt war das Haus, das er nach nunmehr anderthalb Jahren wieder betrat. Kalt und feucht der Flur. Die Fensterscheiben schlierig, als habe bereits der Winter von ihnen Besitz ergriffen.

Auf sein Rufen hin war das Hausmädchen erschienen. Ohne einen Gruß hatte es ihm die Tasche abgenommen und auf den Garten gewiesen.
»Der Vater ist bei den Beeten!«
Von der Mutter kein Wort.
Ihn grauste davor, in dieser Atmosphäre die letzte Etappe seiner Examensvorbereitung abzuwickeln, auch wenn ihm der Vater auf die Schulter geklopft hatte.
»Gut, dich zu sehen, Junge!«
»Was macht Mama?«
Er vermied es zu antworten und zuckte nur überfragt mit den Schultern. Lustlos streute er weiter Torf über die Beete, weit vorgebückt, als scheue er den Blickkontakt.
»Sie will mich verlassen«, bemerkte er dann nach einer Weile.
»Verlassen?«
Er knurrte etwas, als fehle ihm die Kraft, darüber zu sprechen. Wie er in seinen Holzschuhen, über denen sich die beschmutzte Leinenhose stülpte, an den Beeten entlang wanderte, tat er Theo mit einem Male unendlich leid.
»Mama will nach Neuruppin zurück.«
Einen Schritt hinter ihm war Theo dem Vater gefolgt. Obwohl er Trockenheit im Hals fühlte, fragte er: »Ist das ganz sicher, Vater?«
Als ließe es sein Stolz nicht zu, den Schicksalsspruch in gebückter Haltung hinzunehmen, richtete sich Louis Fontane zu voller Größe auf.
»Es ist so endgültig, wie ich dabei bin ein alter Mann zu werden, mein Sohn«, meinte er dann im salbungsvollen Ton dessen, der sich auf dem philosophischen Standpunkt einzuschwören beginnt, »wir werden Mama verlieren.«
Aber noch verschanzte sie sich in ihrem Zimmer, das gleichzeitig der Salon war, und schränkte damit die Bewegungsfreiheit der anderen ein. Sie speiste allein und bediente sich des Hausmädchens, wenn sie Theo und ihrem Mann eine Nachricht zukommen lassen wollte.
Zwei Tage nach seiner Ankunft fand Theo auf dem Sekretär ein Kärtchen vor mit der Aufschrift: *Herzlichen Glückwunsch und mache nur so weiter. Inzwischen ist ein zweiter Alimentierungsbescheid ins Haus geflattert. Ich habe von Dir auch nichts anderes mehr erwartet. Deine Mutter.*

Zur philosophischen Lebensschau, die Louis Fontane sich zuzulegen gedachte, gehörten auch die nun regelmäßig unternommenen Spaziergänge ins Bruch. Davon versprach er sich nicht nur ein höheres Maß an Besinnlichkeit, die angesichts seiner Lage in der Tat angebracht war, nebenbei hoffte er vor allem, auf diese Art sein Gewicht reduzieren zu können, das in letzter Zeit beachtlich angewachsen war.

»Jeder Zentimeter Speck ist eine Tonne Sorgen«, pflegte er seine Leibesfülle in der ihm witzigen Art zu kommentieren. Aber seine Umwelt konnte er damit nicht täuschen.

Er litt unsäglich. Dafür sprachen seine Atemnöte und Herzbeklemmungen, die ihn anfallsweise heimsuchten und auf eine beginnende cardiovaskuläre Krankheit hinwiesen.

»Wann machst du dein Examen?«

»Im März nächsten Jahres, Papa.«

Den Abendspaziergang unternahm er mit Theo, der, über seinen chemischen Lehrbüchern hockend, den Tag in seinem Zimmer verbracht hatte. Für das Angebot des Vaters, ihn zu begleiten, war er deshalb dankbar.

»Wirst du es schaffen?«

»Wenn es darum geht, es nur zu bestehen, denke ich schon«, versuchte sich Theo in einer Einschätzung der Möglichkeiten. Aber der Vater wechselte das Thema, als wolle er davon nichts mehr hören.

»Weißt du«, sagte er ernüchtert, »der Apothekerkram hat mich zeitlebens nicht interessiert. Der war für mich immer Notbehelf, eine Mesalliance sozusagen, wie ich eine bin für Mama. Heute denke ich mir oft, ich hätte es anders machen sollen.«

Sprachlos hatte Theo dem Vater zugehört, besonders weil er spürte, daß es ihm eine Herzensangelegenheit war, seinen Ärger loszuwerden. Die apoplektische Rötung in seinem Gesicht war zurückgegangen. Er schien versöhnlicher.

»Da!« rief er, als habe er sich nicht gerade ereifert, und wies in die Ferne, wo sich das blaugrüne Band der Oder mit einer Reihe von Segeln auffüllte.

»Frachtkähne unterwegs, solange es noch geht«, erklärte er, »höchste Zeit, in einigen Wochen ist der Fluß zu.«

Reden zu dürfen, schien ihm gut zu tun. Eine Heiterkeit flog ihn an, die seiner Lage in einem Maße widersprach, daß sie zur Sorge Anlaß gab.

»Was macht übrigens deine Braut?«
»Ich glaube, es wird was zwischen uns«, versuchte Theo auszuweichen.
»Ich wünsche es dir jedenfalls, auch wenn Mama sich darin gefällt, deine Braut zu bemitleiden.«
»Ich weiß«, sagte Theo, »sie hat mich aufgegeben und prophezeit Emilie ein hartes Los.«
Der Vater wurde ernst.
»Du hast eine Vorstellung davon, wie es hier steht?« fragte er plötzlich.
»Ich denke schon, Papa.«
Das Kopfschütteln des Vaters war etwas zu heftig, um zufällig zu sein.
»Keine Ahnung hast du«, sagte er vorwurfsvoll, »du beziehst dich auf das mit Mama. Aber es steht weit schlimmer.«
In Theos Magen meldete sich ein feines Stechen, als er die Leidensmiene des Vaters sah.
»Ich werde die Apotheke aufgeben müssen«, kam es abgerungen aus ihm, »ich kann sie nicht mehr halten. Es tut mir leid, mein Junge. Aber du wirst ohne alles dastehen.«
Um Theos Kopf legte sich ein Reif. Dumpf begann es zu pochen. Zum Stechen im Magen ergab das eine Voraussetzung, die es ihm unmöglich machte zu sprechen. So redete der Vater weiter, vom Aufsichselbstgestelltsein und vom Mut, den das Leben oft abverlange.
»Aber irgendwie geht's immer«, resümierte er, »auch bei mir wird's wieder gehen, wenn Mama mich verlassen hat. Irgendwo, na ja.«
Solche Gedanken belebten ihn erneut. Seine selbstgefällige Seite kam wieder zum Vorschein. Er ruckte mit den Schultern, wie er es oft getan hatte, wenn er sich für seine Kasinobesuche und Spielabende rüstete. Während sie weitergingen, warf er die Beine wie im Parademarsch. Die leidigen Aspekte seines Lebens waren abgelegt wie ein Rucksack bei einer Rast. Das Kunststück zu lavieren, die Augen zu schließen und sich auf einer Insel der Wunschträume einzurichten, gelang ihm immer noch.
»Was macht übrigens deine Kunst?« meinte er unternehmungslustig, während sie kräftig ausschritten, als wollten sie noch weitgesteckte Ziele erreichen.
»Das Examen ...«, stotterte Theo, weil ihn die unverblümt vorgetragene Wahrheit erschüttert hatte.

»Versteh schon«, unterbrach ihn der Vater augenblicklich, um ihm Verlegenheiten zu ersparen, »dumme Frage.«
Trotzdem spürte er, daß es ihm daran gelegen war, wenn schon nicht von Erfolgen, so doch wenigstens von beharrlichen Bemühungen zu hören. So sagte er:
»Es ist nicht ganz, wie du vermutest. Natürlich schreibe ich.«
Er sah, wie der Vater aufmerkte.
»Und was?«
»Balladen. Englische Stoffe, Preußisches ... Porträts ...«
Die Überschwenglichkeit in der Gestik seines Vaters ließ vergessen, daß er sich eben noch als alt und bedauernswert erlebt hatte. »Aha, Preußisches«, schmatzte er, »das ist interessant. Preußisches, das ist Kraft und Mut und Gottvertrauen. Und daraus kann nur Gutes werden.«

10. KAPITEL – BERLIN, 1848

Er hatte seiner Skepsis wieder einmal zu sehr die Zügel schießen lassen. Das Examen war besser bestanden worden, als er es seinem Vater in Aussicht gestellt hatte. Seit Spätherbst 1847 in der Jungschen Apotheke beschäftigt, quälten ihn neue Sorgen: Wie es mit Emilie weitergehen sollte, wenn es ihm nicht gelang, einen Hausstand zu gründen.
Zur Sorge gesellte sich die Eifersucht wie ein verzehrendes Feuer.
»Bitte!«
Von Freundlichkeit konnte keine Rede mehr sein. Bei den Kunden galt er als mürrisch. Viel weniger noch mochte er sie. Wenn er die ledernen, hartgesichtigen Gestalten gewahrte, die allmorgendlich das Verkaufslokal der Apotheke frequentierten, trat ihm der Schweiß auf die Stirn. Übelkeit flog ihn an, seine Stimme wurde spröde und knarrend. Dabei wußte er, daß seine Abneigung nur in der dumpfen Befürchtung begründet war, ihn könne ein ähnlich hartes Schicksal einholen und dazu zwingen, morgen für morgen die Gratisportion des amtlich verordneten Lebertrans hier in der Apotheke abzuholen. Seit dem letzten Gespräch mit seinem Vater hielt er es immerhin für denkbar.
Die Anstellung in der Jungschen Apotheke war keine gute Partie ge-

wesen, eher eine Notlösung, aber sie paßte haargenau auf die Situation, in der er sich befand. Auf seinem Lebensweg war er dort angelangt, wo die letzte Sprosse zum Abstieg begann. Eine Theke aus Holz, ein Examen, das nicht viel heißen wollte, und eine Braut, die ihn noch nicht aufgegeben hatte, trennten ihn davon. Nicht viel, zugegeben, gerade ausreichend, um noch hoffen zu können.
Wenn mittags im Turm der Georgenkirche, die gleich nebenan lag, die Glocke anschlug, fuhr er zusammen. Das Ticken der Kirchenuhr, seinem Fenster gegenüber, ließ ihn abends nicht in den Schlaf kommen, den er so nötig gehabt hätte, vor allem jetzt, wo seine Treffen mit Emilie, die so oft stattfanden, wie es eben möglich war, von jener Unsicherheit überschattet wurden, die die Freude auf eine Wiederholung mindert. Wenn er es schon nicht wagte, von seinem Unwohlsein zu reden, dann stand es ganz außer Frage, die berufliche Notlage anzusprechen.
»Wie geht es dir?«
»Gut«, wiederholte er mit tapferem Stoizismus, wenn sie versuchte, an sein Geheimnis heranzukommen.
»Was macht die Arbeit?«
»Ich bin zufrieden«, erklärte er wahrheitsgemäß, weil er sowohl mit seinem Prinzipal als auch mit den anderen Angestellten auskam, mehr noch. In gewisser Weise respektierten sie ihn, nachdem sie in Erfahrung gebracht hatten, daß er in Zeitungen veröffentlichte.
»Das freut mich«, sagte sie dann heiter, um nichts von ihrem Verdacht zu zeigen, und sie stapften durch den eiskalten Abend, der die Nähe von Schnee verhieß.

Solche Ausflüge konnten nicht lange dauern. Höchstens eine Stunde. Dann mußte Emilie zurück sein. Ihre Herrschaft, bei der sie die Hauswirtschaftslehre absolvierte, sah ihr in puncto Pünktlichkeit nichts nach, wenn sie sich überhaupt bereit zeigte, ihr Ausgang zu geben. So waren die Nächte für Theo lang, voller Gedanken und Dämonen, die eintraten, ohne gebeten worden zu sein. Wenn die Turmuhr erneut schlug, wußte er, daß sie ihn eine weitere Stunde verhöhnt und verlacht hatten. Da half es wenig, sich an die stolzen Minuten zu erinnern, die es immer noch gab, wenn er seine preußischen Feldherrnballaden im »Tunnel« verlas. Hatte nicht Lepel unlängst noch gesagt: »Neben Scherenberg hast du die größten Chancen, dem ›Tunnel‹ ein zweites Licht aufzustecken.«

Ja, aber was konnte das schon bedeuten in einer Welt, in der Gedichte wenig galten.

Allen Vorzeichen zum Trotz hatte der Winter mit Schnee gegeizt. Eine Schicht warmer Luft war von Südwesten herangewandert und den ganzen Januar über nicht gewichen.
»Det bringt dies Jahr manchen zum Schwitzen«, hatten die Unken geweissagt und vielsagend mit den Augenlidern geklimpert.
Ende Februar 1848 gaben ihnen die Ereignisse recht. Die Zeitungen hatten es den Berlinern brühwarm ins Haus gemeldet: In Paris herrschte Revolution.
Wer noch offen genug war, um kleinste Veränderungen zu registrieren, bemerkte bald eine ungewohnte Eile, als sei der Stoffwechsel der Stadt abrupt in die Höhe geschnellt. Die Luxuskarossen verschwanden von den Straßen. In den Palais blieben die Fenster verschlossen. Um die Friedrichstadt und Wilhelmstadt wurden Wachmänner zusammengezogen, und so mancher, dem Besitz und Herkommen teuer war, bestand darauf, seine Dienerschaft bewaffnen zu lassen. Vorsorglich hatte der Polizeipräsident volle Bereitschaft für seine Schutztruppe angeordnet.
Aber Berlin rührte sich nicht.
Vermehrt ließ sich in diesen Tagen Herr Jung unter seinen Angestellten sehen, half mit beim Verkauf, als wolle er nicht versäumen, die Revolution an seinem Laden vorüberziehen zu sehen. Er ging davon aus, daß sie bestellt war, und wartete auf ihr Eintreffen.
Es ging in die zweite Märzwoche, als Herr Jung sein Personal zusammentrommelte. Vorkehrungen seien zu treffen, die Glasabdeckungen der Apotheke an der Frontseite und die Fenster Parterre notfalls mit Holzlatten zu vernageln.
Als die Angestellten an diesem Abend den Laden schlossen, wurden sie in augenfälliger Weise mit den neuen Gegebenheiten bekannt gemacht.
»Herr Fontane, dahinten!«
Aus der Tiefe der Neuen Königsstraße, wo sich die Dunkelheit zwischen den Hauswänden staute, wanderte das Karree heran, im Gleichschritt, wie ein Dampfhammer stampfend. Die weißen Hosen blitzten wie geschwenkte Laken. Obenhin schaukelten die Pickel der Helme in drohender Akkuratesse.
»Sie setzen Truppen ein. Es geht los!«

Theo nickte. Sorgenfalten meißelten sein Gesicht, weil er an Emilie dachte.

Die Nächte unterwarfen sich einem neuen Reglement. Anstelle der schwarzen Gedanken über Beruf und Zukunft fing sein Gehirn jene greifbaren Eindrücke auf, die spukhaft in unregelmäßigen Abständen unter seinem Fenster auftauchten: Geräusche von Pferdehufen, trabend, galoppierend, Dragoner, die Jagd auf Passanten machten. Zuweilen wischte das Flackerlicht geschwenkter Fackeln über die taubenetzten Fensterscheiben seines Zimmers. Dem Gezischel von Stimmen folgten alsbald Befehle, herausgebrüllt, ungeachtet der nächtlichen Stunde. Dann klapperten Stiefel über das Pflaster wie Erbsen über ein Küchenblech.
In solchen Augenblicken rückten seine Ängste wieder zusammen wie in einem Brennspiegel. Emilies Sicherheit, sie schien ihm nicht hinreichend gewährleistet, falls es zum äußersten kommen sollte. Er mußte etwas unternehmen, gleich am nächsten Tag.

Noch nie hatte er enthusiastischer das Ende einer Woche begrüßt, weil es ihm erlauben würde, mit Emilie über seine Bedenken zu sprechen. Zuerst hatte er an seine Eltern in Letschin gedacht, dann aber weniger aus psychologischen denn praktischen Gründen davon Abstand genommen, ihnen Emilie anzuvertrauen. Ihr den Vorschlag zu machen, sich in die Arme ihrer begüterten Schwester zu flüchten, widerstrebte ihm aus Gründen, die seinen Stolz verletzten. Bei allen Abstrichen, die man am Charakter seines Onkels August Fontane vornehmen konnte, der Kavalier war ihm nicht abzusprechen.
Er entschied sich dafür, sie bei ihm einzuquartieren.

Die Revolution schlich durch Berlins Straßen, längst nicht mehr wie ein scheuer Bittsteller, sondern aufrecht wie jemand, der um seine Ansprüche weiß. An Gefolgschaft war kein Mangel. Die Zusammenrottungen nahmen zu. Krawalle mit Polizei und Militär erschütterten den in den letzten Atemzügen liegenden Frieden.
»Es fehlt nur noch der Funke für die große Explosion«, waren sich die Berliner in ihrer Einschätzung der Situation einig. Um so erstaunter gaben sie sich, als am Morgen des 18. März die Ausrufer in den Straßen berichteten, daß der König den Forderungen der Liberalen entsprochen habe.

Der Ausnahmesituation Rechnung tragend, hatten die Geschäfte den Verkauf eingestellt. Die Belegschaft der Jungschen Apotheke war sich einig darin gewesen, geschlossen an der Huldigung auf dem Schloßplatz teilzunehmen.

»Sie kommen nicht mit, Herr Fontane?«

Er entschuldigte sich mit einer unaufschiebbaren persönlichen Angelegenheit, versprach aber, das Versäumte sobald wie möglich nachzuholen. Emilies Sicherheit ging ihm vor.

Er hatte seinen Onkel richtig eingeschätzt. Er war zu Hause geblieben. Wenngleich Auftritte jeglicher Art zu seiner Passion gehörten, in der Masse widerstrebten sie ihm

»Gott sei's gedankt, du hast deinen Verstand behalten«, rief er mit der an Grandezza gewöhnten Gestik, als Theo in die Wohnung trat, »Pinchen, schnell!«

Das galt seiner Frau, die aus dem zur Straße herausführenden Fenster des Nachbarzimmers lehnte, mit Kissen unter den Armen abgepolstert, als nehme sie ihr Abonnement in einer Theaterloge wahr.

»Theo, Gott, Junge!«

Sie bemühte sich, ihren Mann an betulicher Besorgtheit zu übertreffen.

»Gut, gut, daß du da bist.«

Ihrem Vorsatz hielt sie auch da die Treue, als sie erfuhr, daß Theo seine Braut bei ihnen einquartieren wollte.

»Nur für ein paar Tage sicher.«

»Das spielt keine Rolle«, schwächte Tante Pinchen Theos Bedenken ab, »du hast ja recht, ist es nicht so August?«

Es war 16 Uhr, als von der Kurfürstenbrücke die Geschütze in die Königstraße hineinkartätschten. Salve auf Salve, bis der Schmauch aus den Rohren in ätzenden Fahnen an den Fassaden vorbeistrich. In den Pausen hallten die Stiefel der aufmarschierenden Regimenter in schwellenden Echos durch die Schläuche der Straßenzüge und bereiteten die Bühne für den ersten Akt. Die Aufbruchstimmung, die ihre Fahnen in allen Ecken der Stadt schwang, hatte Theo zum Alexanderplatz getrieben. Wo die wildwütige Kampfeslust sich ihre Monstren aus Hausgeräten und Pflastersteinen und umgestürzten Wagen errichtet hatte, waren die Menschen zusammengelaufen. Im Vergleich zu den wehrhaften Vorkehrungen, die in anderen Straßen ge-

troffen worden waren, stellte die Barrikade auf dem Alexanderplatz von Höhe und Ausdehnung her etwas Besonderes dar.
»Jeder Berennung gewachsen«, qualifizierte Bruno Bauer, einer der sieben Weisen aus Hippels Keller, das Bauwerk gegenüber Theo, dem er im Räuberzivil mit chevalereskem Schlapphut und einer Steinschloßflinte in der Hand entgegen gelaufen war. »Ich wußte, daß du im entscheidenden Augenblick zu uns gehören würdest«, rief er, die Wangen vor Erregung glühend.
Im Strudel der Leiber, die ameisenhaft die Barrikade überkletterten, erkannte Theo Maron. Umflort von einem ellenlangen Schal, der zuzeiten in Windstößen hinter seinem Kopf wie ein Propeller kreiselte, thronte auf einer Kiste, die den höchsten Punkt der Barrikade markierte, tatenlos dem Geschehen folgend, als sei es allein seinetwegen inszeniert worden. Zurufe beantwortete er mit einem majestätischen Kopfschütteln.
»Laß diesen Schlappschwanz«, krakeelte Bruno Bauer, »Maron kann nur schwätzen.«
Ohne zu fragen, riß er Theo mit sich fort zum Königstädter Theater, wo sich ein Menschenauflauf durch den Eingang drängte. »Im Requisitenfundus soll es Waffen geben«, erklärte Bauer, während sie sich in den Menschenstrom einreihten, der ungestüm ins Theater einbrach, »du brauchst einen Schießprügel. Die Preußen werfen nicht mit faulen Eiern.«
Ein verunglücktes Grinsen furchte sein Gesicht, als sie halb mit Absicht, halb gestoßen im Zuschauerraum landeten. Der Vorhang auf der Bühne war schon heruntergerissen. Kulissen flogen ins Proszenium. Die Leinenbespannungen zerfetzten zu mannsgroßen Löchern. Teile der Bestuhlung krachten aus der Verankerung. Unter lautem Jubel wanderten Hellebarden, Piken, Äxte, Dolche und Degen auf die Straße. Im Orchestergraben wurden Musketen verteilt, kurzläufige Feuerstöcke archaischen Aussehens.
»Nur zu«, versuchte Bauer, Theo zu überzeugen, »heute ist alles gut, was den Junkern den Garaus macht.«
Auf dem Rückweg stolperten sie Faucher in die Arme. Er brillierte gerade in der Rolle eines Zeremonienmeisters, der die Anstehenden mit gravitätischen Gesten in ihre Funktion einwies.
»Fontane, du irrlichternder Geist«, versuchte er einen, gemessen an der Situation, unangebrachten Spaß, »hat dich endlich Hegels Weltgeist bekehrt?«

Für einen Augenblick vergaß er seine Aufgabe, stürzte auf Theo zu und umarmte ihn.
»Daß uns die Geschichte in so kurzer Zeit wieder zusammenführen würde, hätte ich trotz meines triefenden Optimismus nicht geglaubt«, spreizte er sich in einer Weise, die schon deshalb nicht recht überzeugen wollte, weil er aus dem Mund nach Alkohol stank. Dann ließ er von Theo ab, ballte die Faust, während sein Gesicht an Leutseligkeit verlor, und sagte: »Zeigen wir, für wen die Zukunft gemacht ist.« Das Kinn hatte er dabei vorgeschoben, als sei ihm nichts wichtiger als das.
»Sein Wort in aller Ohr«, drängte Bauer und ließ durchscheinen, daß er sich nicht länger festhalten wollte. Zur Unterstützung seiner Absicht hatte er den Kolben seiner Flinte zweimal auf den Boden des Theaterfoyers gestoßen und die Fliesen zum Klirren gebracht.
»Sie will nicht mehr warten«, meinte er anzüglich und beäugte blinzelnd die langläufige Waffe.
Faucher, wieder ganz aufgegangen in seiner Organisatorenrolle, entblößte raubtierhaft die Zähne.
»Wer kann es ihr auch schon verdenken«, sagte er mit provozierender Obszönität, »daß sie möglichst schnell das Hirn aus einem Junkerschädel blasen möchte.«
Bauers grobschlächtiges Lachen verbarg Theos Betroffenheit. Er war froh, als er den in allen Blaufarben schwellenden Himmel über sich auftauchen sah, einen Himmel, so blau an manchen Stellen wie die Uniformröcke der preußischen Grenadiere.

Gegen 17 Uhr begannen die Kirchenglocken zu läuten. Als hätten sie sich abgesprochen, warfen sie sich ihre Botschaften zu. Wie der Rauch von den Feuerstellen stiegen ihre Melodien in den Himmel, klar und durchsichtig zuweilen oder dunkel und von numinoser Tiefgründigkeit.
Die Menschen auf dem Alexanderplatz horchten auf. Herzschläge lang verharrten sie, von einer kreatürlichen Furcht umfangen, die mit den Säften ihres Körpers aufzusteigen schien.
»Sie sollen endlich aufhören mit dem Gebimmel«, schimpften die Männer hinter der Barrikade und versicherten sich ihrer Waffen, »was denken die sich dabei?«
Gleichzeitig nahm das Schießen zu. Gewehrfeuer sprang wie abgebrannte Feuerwerkskörper an allen Ecken der Stadt auf.

»Sie berennen die Barrikaden.«
Dafür sprachen die Salven, die in rhythmischen Sequenzen den Gefechtslärm skandierten.
Es den anderen gleichtuend, hatte Theo seine Muskete geladen, Pulver hineingestopft und die verdämmte Kugel hinterhergestoßen, alles ohne rechten Sachverstand, wie ihm von kundiger Seite bestätigt wurde. Das war um so bemerkenswerter, als er Unteroffizier in einem Garderegiment gewesen war. Seine Verwunderung darüber wich aber schneller, als sie angesichts dessen gerechtfertigt gewesen wäre. Auf dem First der Barrikade hatte sich nämlich eine Gestalt daran gemacht, die schwarzrotgoldene Fahne zu schwingen, feierlich abgestimmt auf den Melodienbogen der Kirchenglocken.
Theo erstarrte im selben Augenblick, als die Gestalt oben auf ihn herabsah.
»Hallo ... Fontane ...!«
Der Fahnenstock begann, schneller zu kreiseln. Im Luftzug wurde das Tuch glatt wie eine bemalte Leinwand.
»Fritz ...!«
Behende hüpfte die Gestalt an der Barrikadenwand herunter, ließ sich die Fahne abnehmen und stürmte auf Theo zu.
»Fritz Witte, mein Gott ... hier?« stieß Theo hervor, bemüht, seinen Augen Glauben zu schenken, »ausgerechnet du?«
Ein schelmisches Zwinkern im Blick, straffte der ehemalige Lehrling aus der Apotheke des Dr. Schacht den in irgendeinem Pfandverleih aufgetanen Jägerrock und meinte:
»Wieso denn, hab' ich dir nicht mal gesagt, daß ich König werden will?«

Berlin, 19. März 1848, nachmittags

Mein guter alter Papa!
Daß ich Dir unter den obwaltenden Umständen überhaupt schreiben kann, überascht mich mehr, als Dich der Brief aller Voraussicht nach in Erstaunen versetzen dürfte. Aber die vergangenen 24 Stunden haben mir die Verpflichtung auferlegt, Dich unbedingt in Kenntnis zu setzen über geradezu unglaubliche Vorkommnisse. Mein Gewissen würde nicht ruhen bis zum Jüngsten Tag, enthielte ich Dir das vor, dessen Augen- und Ohrenzeuge ich geworden bin.

Ich kenne zu gut die Vorlieben meines alten Papas, um mir einbilden zu können, daß ich ihm damit eine Freude mache, wenn nicht gar einen Wunsch erfülle. Sollte der Informationsfluß in Preußen so zäh sein – im vorliegenden Fall schließe ich das nicht aus – um Dich in Letschin von der Welt ausgeschlossen zu haben, hier die Sensation: Auch Berlin hat nun seine Revolution.
Du entnimmst schon der Formulierung meinen diesbezüglichen Standpunkt. Jedenfalls wurde ausgiebigst geschossen und noch mehr Munition dort vertan, wo verbales Feuer brillierte. Auf eine königliche Bewilligungseuphorie, einem Schreckdurchfall nicht unähnlich, folgte die, kalkuliert oder nicht, Kolossallüge eines Hunderte von Toten kostenden Massakers auf dem Schloßplatz, mit der traurigen Konsequenz, daß dieselbe Zahl am Abend des 18. März nicht dort, sondern über die Stadt verteilt auffindbar war. Die Berliner hatten es den Parisern, Wienern, Badensern, Budapestern gleichgetan, wogegen nichts einzuwenden ist, wenn es wirklich das gewesen wäre, was es sein sollte: Eine Revolution.
Mein lieber Papa, ich sehe es in Deinen Augen leuchten. Unsere Swinemünder Nachmittage stehen in mir auf: Napoleon, die Sturmscharen von 1813 ...
Solltest Du ihre Rückkehr in den beschriebenen Abläufen vermutet haben, so muß ich Dich enttäuschen. Mitnichten! Ich urteile so, selbst auf die Gefahr hin, mir ins eigene Fleisch zu schneiden. Du vermutest richtig: Auch Dein Sohn wollte natürlich dabei sein und hatte sich mannhaft postiert. Aber statt der Revolution kam der Budenkrach. Alles war Improvisation, ein Gemisch aus Größenwahn, Mordlust, Karneval und blindwütigem Drauflosschlagen. Bis Mitternacht wurde gekämpft. Straßen verwandelten sich in Blutrinnen. Flammen schrieben ihre glutene Botschaft in den nächtlichen Himmel. Das Ganze um den Preis vergeudeter Menschenleben und eines königlichen Befehls an die Truppe, um Mitternacht die Angriffe einzustellen. Die Leidenschaften hatten sich ausgetobt. Man kehrte zurück zu traulichem Einvernehmen.
Du kannst Dir vorstellen, daß ich mich frühzeitig zurückgezogen habe, mit bestem Gewissen übrigens.
Im Moment ist die Stadt ruhig. Die Truppe soll im Laufe des Tages ganz abgezogen und durch eine Bürgerwehr ersetzt werden. Entwicklungen, die zu observieren Du Dir nicht entgehen lassen solltest. Bei etwas Glück könntest Du schon in zwei Tagen hier sein. Emilie geht es übrigens gut.
In Erwartung Deines Eintreffens

Theo

Der 21. März 1848 war ein Dienstag. Ein Tag, dessen frühlingshaften Zauber zu genießen nur dem gelang, der die Ereignisse der vergangenen drei Tage vergessen konnte.
Ein Nervenfieber hatte die Stadt erfaßt. Unentwegt patrouillierten Abteilungen der neu ausgerüsteten Bürgerwehr durch die Straßen, dreist ignoriert von jenen Kolonnen, die sich daran erbauten, die Wände der Palais mit provozierenden Parolen zu beschmieren. Geschäfte und Cafés hatten wieder geöffnet, als sei der Ausnahmezustand nur ein Alp gewesen.
In der Jungschen Apotheke ging der Verkauf allen Unbilden zum Trotz ungestört weiter. An den Tumult der vergangenen Tage erinnerten nur eine Kanonenkugel, die im Eckstein des Hauses saß, und neuerdings Herrn Jungs Auftritte als Hauptmann einer Bürgerwehrkompanie.
Als gegen Mittag Louis Fontane die Apotheke betrat, um seinen Sohn abzuholen, zeigte er sich wider Erwarten entgegenkommend.
»Sehen so die neuen Herren aus?«
»Man muß abwarten, Papa«, hatte Theo lächelnd erklärt, während sie die Königstraße zum Schloßplatz hinuntergingen.
Einen beherzten Schritt vorlegend, schnaufte der Vater: »Wie dem auch sei, mit gefällt dein Prinzipal nicht.«
»Er ist auskömmlich, Papa.«
»Ich denke auch an deine Braut. Solche Leute sind überall mickrig. Auch im Zahlen.«
»Da hast du nicht ganz unrecht, Papa.«
»Na, siehst du!«
Sie hatten den Schloßplatz erreicht. Fuhrwerke querten ihn in ununterbrochener Folge, beladen mit Verletzten, die durch die Portale des Schlosses in die unteren Räume getragen wurden. Angesichts des ungewohnten Bildes hatten die Fontanes im Schritt verharrt.
»Übrigens«, meinte Louis Fontane, vom eben angeschlagenen Thema fast abgekommen, »wenn du willst, kannst du woanders anfangen. Die Stelle ist besser dotiert. In einem Krankenhaus auf dem Kreuzberg. Das wenigstens kann ich für dich arrangieren, wenn ich schon sonst nichts zu bieten habe.«
»Danke«, entgegnete Theo, um sich sogleich zu widersprechen. Der Vater überhörte die Mißlaunigkeit und ließ sich interessiert darüber belehren, daß in den zum Lazarett umfunktionierten Schloßsälen Emilies Vetter als Arzt arbeite.

»Das wäre doch für uns die Chance, Papa«, stichelte Theo mit gespieltem Ganovenblick, »unsere Schuhsohlen auf dynastischem Marmor abzuwetzen.«

Aber der Vater weigerte sich. Das gehe doch nicht, meinte er. »Schloßsäle für unsereinen. Wo kommen wir da hin!«

In nicht abreißenden Schnüren kamen ihnen jetzt Menschen entgegen. Hoch-Rufe gingen ihnen voraus, in Abständen lautstark wiederholt.

»Der König«, entfuhr es Louis Fontane. Dann vermochte er nur noch zu stammeln.

Inmitten einer Kavalkade eng aufgeschlossener Dragoner erschien der Oberkörper Friedrich Wilhelms IV. Sein sonst eher freundliches Gesicht wirkte verschlossen. Ein grimmiger Zug spielte um seinen Mund. Nicht anders als bei denen, die an seiner Seite ritten. Trotzdem brandeten ihnen die Hoch-Rufe der enthusiasmierten Masse entgegen. Am Morgen noch hatte sie den König angesichts der auf dem Gendarmenmarkt aufgebahrten Toten der Barrikadenkämpfe gezwungen, die Särge in demütigender Weise zu grüßen. Jetzt schien alles vergessen.

Als die Kavalkade nahe genug heran war, gab es keinen Zweifel mehr daran, wer die schwarzrotgoldene Fahne hielt, deren Tuch über den Helmen und Dreispitzen knatternd zusammenschlug.

Louis Fontane hatte den Mund aufgerissen, als ringe er um Luft. Theo schwieg.

Sie ließen den Kondukt an sich vorüberziehen, passierten die Wache und marschierten strammen Schritts auf das Brandenbruger Tor zu, auf dessen entgegengesetzter Seite sich das Gartencafé Fuhrmann befand, dem sie einen Besuch abstatten wollten.

Die ganze Zeit über hatten sie kein Wort gewechselt. Plötzlich aber blieb Louis Fontane stehen wie jemand, dem ein kurioser Einfall seinen Willen aufzwingt.

»Es will mir nicht aus dem Kopf«, schnaufte er, »der König mit dem Symbol der Erzfeinde Preußens.«

»Na, immerhin tragen ja seine Erzfeinde, wie du sie nennst, auch seine Uniformen, Papa!«

Die Stirn des Vaters legte sich in Falten, als er nicht ohne Resignation zugab:

»Was mir niemand mehr zu beweisen braucht. Aber eines erkläre mir, Theo!«

»Was denn, Papa?«
»Wie man die Freiheit nun nennt, bei der ein König zum Fahnenschwenker seiner Untertanen und die Untertanen zu Leibgardisten ihres Tyrannen geworden sind?«

Berlin, im Mai 1848

Mein lieber Wolfsohn!
Könntest Du mich dieser Tage sehen, Du wärest stolz auf mich. Lange genug haben Deine Vorwürfe und Mahnungen an mir gezehrt. So berechtigt sie waren, in ihrer Schärfe besaßen sie nicht immer jenes einfühlsame Etwas, das in den schwersten Stunden des Lebens aufmuntert.
Viel hat sich bei mir nicht geändert, gleichwohl es mir besser geht. Ich habe mich angehängt an den langen Zug derer, die ihre persönlichen Belange vertrauensvoll der großen Politik in die Hände legen. Allerdings nicht ohne eigenes Mittun. Ich kann für mich in Anspruch nehmen, rührig gewesen zu sein, weil für mich inzwischen der Satz gilt: Preußen muß verschwinden.
Nicht etwa deshalb, wie manche wissen möchten, weil es das symbolisiert, was mir Fußangel und Stolperstein im Leben war. Sicher nicht. Es muß verschwinden, weil es eine Beleidigung ist für alle freisinnigen Seelen.
Mögen sich die Geister im Königlichen Schauspielhaus über der Frage zu Tode erschöpfen, ob am Ende der Konstitution ein Staatenbund oder Bundesstaat, ein Reich oder ein Nationalstaat, eine Habsburger- oder Hohenzollernkrone herauskomme, für mich ist das eine so nachrangig wie das andere. Auch ich will Deutschland, aber ein Deutschland in Freiheit. Sollen nur alle Kronen darin untergehen. Preußen aber muß den Anfang machen. Soviel Groll kann Dich nur erfreuen, mein guter Wolfsohn, wenn es Dich nicht gleichzeitig mißtrauisch macht, angesichts der Wankelmütigkeit, die ich in der Vergangenheit gezeigt habe. Preußen hat mein Blut zum Sieden gebracht. Nicht nur wegen der Rolle, die es in der unglückseligen Auseinandersetzung unserer Tage gespielt hat, mehr noch, weil es das Niederdrückende in corpore ist. Will Deutschland leben, muß Preußen sterben. Laß mich nicht davon reden, wie ich den schwächlichen Rückzug seiner großspurigen Soldateska bewerte, angesichts der Zusammenrottung heißsporniger, aber unbedachter Menschenmassen. Die Peinlichkeit schwemmt nur an die Oberfläche, was dieser Staat zu züchten vermochte: Verschlagenheit, Hinterlist, Kriechertum und was weiter an Charaktereigenschaften gedeiht unter der Herrschaft von Enge und Kleinlichkeit.

Erspare mir auch auf die äußeren Miseren einzugehen, die auf dem sauren Boden dieses absterbenden Landes das Licht der Welt erblickten.
Die Miasmen einer tödlichen Krankheit verpesten die Luft. Aber es fehlen die Kräfte, fürchte ich, das Fenster aufzustoßen, um frische Luft hereinzulassen.
Unsere Liberalen verzetteln sich in egoistischen Rangkämpfen. Damit werden sie den Junkern wie erschöpftes Wild vor die jagdgewohnten Flinten laufen. Unsere Revolutionäre erwärmen sich an einem Sieg, dessen Zustandekommen sie weniger sich selber als königlicher Unentschlossenheit verdanken.
Freiheit aber ist etwas Unteilbares. Man hat sie oder hat sie nicht. Ich fürchte, wie bilden uns ein, sie längst an die Kette gelegt zu haben.
Wie sehr ich jenen Herwegh-Enthusiasmus in mir wiederentdeckt habe – wenn er jemals ganz verschwunden war – beweist mein Plan, in Folge eine Reihe von Aufsätzen erscheinen zu lassen, die sich mit dem Thema Preußen und wie ich es sehe beschäftigen. Daß ich damit so manchen Gipskopf echauffiere und auch Freunden einen kräftigen Nastenstüber verpasse, ist mir bewußt.
England und englische Literatur gehören – wie sollte es anders sein – zum Vademecum meiner Tage. Inwieweit mich die Beschäftigung schöpferisch inspiriert, wird sich zeigen. Übrigens liegt mein Versepos »Von der schönen Rosamunde« immer noch unberührt beim Morgenblatt. Vielleicht muß ich Dich irgendwann bitten, hier vermittelnd tätig zu werden.
Es bleibt halt, wie es war: Einmal Lehrer, immer Lehrer. Du weißt jetzt, wie es um mich steht.

Dein Theodor Fontane

11. KAPITEL

Theos Übersiedlung nach Bethanien hatte nichts im Wege gestanden. Herr Jung war froh gewesen, nicht nur einen unzuverlässigen Mitarbeiter loszuwerden, sondern auch einen politisch unsicheren Kantonisten, seitdem die Revolution Farbe bekannt hatte.
Theo verdächtigte er zunehmend heimlicher Sympathien mit jenen Elementen, die aus linken Blickwinkeln nach seinem Eigentum

schielten und die Revolution zu einer Republik umgestalten wollten.
Nur Emilie bedauerte Theos Weggang. Aber auch nur deshalb, weil Kreuzberg eben nicht gleich nebenan lag und sie sich noch des Sonntags erinnerte, an dem sie von dort mit Blasen an den Füßen und todmüde heimgekehrt waren.
Dabei hielt das Krankenhaus, ein Neubau, der vor einem Jahr eröffnet worden war, für Theo alle Annehmlichkeiten bereit, die er sich unter seinen Umständen nur wünschen konnte. Zu einer auskömmlichen Bezahlung kam reichlich freie Zeit, die nur dadurch beschränkt wurde, daß er nachmittags zwei Diakonissinnen Unterricht in Pharmazie erteilen mußte. Eine Sinekure, recht besehen, die Anlaß hätte sein können, dem Schicksal zu danken, wenn er dahinter nicht die planvoll führende Hand mehr noch seiner Mutter als seines Vaters vermuten mußte.
Das Instrument ihres Bekehrungsversuchs hieß Pastor Schultz, ein zur Familie der Fontanes in Beziehung getretener Bekannter. Er war der Spiritus rector des Krankenhauses, Gewissen und Dämon in einem. Ihm in die Augen zu sehen, verlangte Mut. Sein Gehabe war so starr wie seine Grundsätze. Doch besaß er einen Vorteil: Er konnte zuhören.
Gleich am ersten Tag hatte er sich Theos angenommen, war mit ihm im Garten des Krankenhauses spazieren gegangen und hatte sich über Eltern und Geschwister berichten lassen.
»Wohl dem«, bekannte er nach Minuten, »der in der Familie noch den Mittelpunkt seines Lebens sehen kann. Das ist ja heute nicht mehr selbstverständlich.«
Je besorgter sich der Pastor gab, um so abwehrender verhielt sich Theo, auch eingedenk der insistierenden Attacken auf seine politische Überzeugung, die sein Freund Lepel seit neuestem ritt.
Ihr Briefkontakt in den letzten Monaten ähnelte einem mit Erbitterung geführten Kleinkrieg, in dem nicht mit Finten und Hieben gespart wurde, um den anderen matt zu setzen. Seine inzwischen auch öffentlich bekundete Einstellung gegen ein monarchistisches Deutschland in dem Aufsatz »Preußens Zukunft«, erschienen in dem linksorientierten Organ »Die Berliner Zeitungs-Halle«, hatte ihm seit August neben Lepel eine Reihe anderer Gegner eingetragen. Zuvorderst Leute aus dem »Tunnel«, worunter Wilhelm von Merckel, sein Gönner, noch der nachsichtigste war.
Aber es hatte Theo nicht davon abgehalten, am 13. September einen

zweiten Aufsatz folgen zu lassen, der die hinhaltende Strategie der Nationalversammlung, deren Verfassungswerk er an Standesrivalitäten scheitern sah, geißelte. Gegner jedoch erwuchsen ihm auch in Bethanien, am Mittagstisch, an dem er mit einem Arzt, Dr. Wilms, dem Krankenhausinspektor, Herrn Kniesberg, und zuweilen auch mit Pastor Schultz zusammensaß. Gerade dessen Anwesenheit ermahnte ihn daran, daß seine Aufgabe in Bethanien weitergesteckten Zielen seiner Feinde diente und er auf der Hut sein mußte.

»Meine Herren, lassen Sie es sich schmecken!« hatte Pastor Schultz an diesem Tag nicht ohne Absicht zur Einnahme des Mittagessens aufgefordert, »die Zeit der Eintöpfe ist bald vorbei.« Obwohl Anspielungen zum rhetorischen Inventar des Pastors gehörten und er reichlich davon Gebrauch machte, sorgte er in diesem Fall nur für fragende Gesichter. Dr. Wilms, immer etwas reizbar, zeigte sogar Verärgerung. Aber Pastor Schultzes Laune war heute unerschütterlich. Ein jungenhaftes Schmunzeln huschte über sein Gesicht, als er meinte: »Haben Sie nicht gehört?« Sowohl Inspektor Kniesberg als auch Theo, die bereits in ihrem Linseneintopf löffelten, hielten aufmerksam inne.
»In Wien haben kaiserliche Truppen begonnen, die Revolution vor die Tür zu setzen. Ja, ja, meine Herren«, überließ sich der Pastor seiner Gefühlsseligkeit, »Prag und Paris im Juni. Jetzt im Oktober Wien ...«
Die Fortsetzung des Gedankengangs ersparte sich, nicht zuerst wegen der seiner Meinung nach zwingenden Logik der Ereignisse, sondern aus Gründen der Aufrechterhaltung eines gedeihlichen Miteinanders. Denn sowohl Dr. Wilms als auch Theo zeigten vermehrt Anzeigen von Unmut.
Daß sich der Pastor gerade am Mittagstisch zu solch undelikaten Belehrungen hinreißen ließ, kam nicht von ungefähr. Mitte Oktober hatte Theo seinen dritten Aufsatz veröffentlicht und darin die Absetzung aller Fürsten gefordert. Ihn dafür im Beisein der anderen abzustrafen, hielt er seinen, wie er mutmaßte, bestellten Bekehrer für ebenso fähig wie willens.
Nachdem von zwei Küchengehilfinnen abgeräumt worden war und sich Pastor Schultz die Finger an einem Tischtuch sauber gerieben hatte, brachte er sich in Pose, spektakulär wie immer, und meinte unvermittelt: »Es zeigt sich nur wieder, wie weit voneinander geschie-

den unsere Welten sind. Sie – im Beisein der anderen pflegte er Theo wie einen Fremden zu behandeln – nähern sich dem Leben mit Zentimeterband und Schöpfkelle, ich mit der Frage nach dem Wesen.« Er lächelte versonnen.
»Das vorausgesetzt«, fuhr er fort, nur schwer jene Überheblichkeit unterdrückend, die seiner Natur mitgegeben war, »haben Sie recht, mein junger Freund. Wenn es darum geht, Bauchumfänge zu messen und Butterfässer auszuschöpfen, ist es mit der von mir gemeinten Welt schlecht bestellt. Aber wenn wir fragen nach den Proportionen von Geist und Seele, dann ist Ihre Welt und nicht meine eine der Hungerleider und Zukurzgekommenen.«

Das Mittagsmahl war mit einem Eklat zu Ende gegangen. Weder Dr. Wilms, der mit kaum verhohlenem Zorn den Tisch verlassen hatte, noch Theo waren von den Sophismen des Pastors überzeugt worden. Am Abend desselben Tages noch stellte er Theo zur Rede, der gerade seine nachmittägliche Lektion beendet hatte. Schönes Wetter herrschte. Und so gingen sie hinaus in den Garten des Krankenhauses, dessen frisch ausgestreute Wege im weichen Licht des verglimmenden Tages zu fließen begannen.
»Deine Verbohrtheiten machen mir zunehmend mehr Sorge«, eröffnete Pastor Schultz das Gespräch, nachdem sie draußen waren, »das betrifft vor allem diese, ich muß es so nennen, intellektualistischen Prostitutionen in der linken Postille.«
»Meine Aufsätze, meinen Sie«, korrigierte Theo. Sein Tonfall verriet, daß er nicht gesonnen war, klein beizugeben, zumal ihn das herablassende Du zu ärgern begann.
Pastor Schultz ging nicht auf den Einwand ein. Statt dessen meinte er: »Es wäre doch nur klug, mit politischen Stellungnahmen dieser Art vorsichtiger umzugehen.«
»Sie glauben ...«
»Ja, das glaube ich«, sagte der Pastor, »wir werden in Kürze wieder solide Verhältnisse haben. Darum solltest du dich nicht kompromittieren.«
Das Apodiktische der Aussage hatte Theo davon abgehalten, Einwände vorzubringen. Auch war ihm die Abhängigkeit wieder bewußt geworden, die sich in der Gestalt des Pastors personifizierte. Eine Abhängigkeit, die um so schmerzlicher wirkte, als ihre Nachteile durch ebenso viele Vorteile aufgewogen wurden. Er mochte Betha-

nien nicht verlassen, jedenfalls jetzt noch nicht. Geduldig ergab er sich deshalb in die Rolle des Zuhörers, während Pastor Schultz umständlich, aber nicht ohne Genuß erklärte, wieso nach dem in Aussicht stehenden Fall von Wien durch die Truppen des Fürsten Windischgrätz Berlin sich zwangsläufig anschließen müsse.
»Das Gefühl für Recht und Gerechtigkeit wieder in Erinnerung gebracht«, meinte er in hymnischer Erhebung, »ist für die gewunde Rechtfertigung des Verstandes ein zu gewaltiger Gegner, um seiner Herr zu werden. Zumal er mit einem zweiten ringen muß: Dem Gefühl der Schuld. Beide werden dem Ungeist der Zeit ein Ende bereiten. Und daran können auch diese Herren nichts ändern.«
Er wies nach Osten, von wo in Abständen das Rasseln von Trommeln und Pfeifensignale heranwehten.
»Bürgerwehrmänner auf der Hasenheide«, sagte er, »sie spüren das Nahen des Unheils.«

Die folgenden Tage machten deutlich, welche Entwicklungen sich vollzogen hatten.
Angesichts dessen arbeitete Theo unverdrossen weiter an seinem Aufsatz »Einheit oder Freiheit«, den er wieder in der Berliner Zeitungshalle zu veröffentlichen gedachte. Ein Aufsatz, der dem Freiheitsgedanken Priorität einräumen wollte vor allen anderen Forderungen liberaler Programmatik. Daß er sich damit ins Abseits des Zeitgeistes manövrierte, war ihm ebenso klar, wie er aus dem Grunde Besuche im Tunnel mied. Mit der Bitte an Lepel, ihn mit einem Muskedonner zu versorgen, damit er der Gegenrevolution nicht mit leeren Händen entgegentreten müsse, hatte er eindeutig Position bezogen.
Sosehr er sich damit alle Rückzugslinien abschnitt, der, wie es aussah, kopflose Marsch nach vorne wog das Risiko auf, ja schaffte ein Behagen, das der Wirklichkeit Hohn sprach und allenfalls damit erklärt werden konnte, daß er stolz darauf war, sich Pastor Schultzes Ermahnung erfolgreich widersetzt zu haben.
Seine schöpferische Kraft gewann in dem Maße, wie sich die politische Situation in Widersprüchen und Zynismen fing. Dramen gingen ins Planungsstadium; Karl Stuart, Cromwell. Epen wurden skizziert: Barbarossa, Arabella Stuart. Lehrstücke zur Zeit, Warnungen und Beschwörungen in einem.
Der 10. November setzte hinter die Absichten einen Schlußpunkt. Schon um Mittag wurde es dunkel. Die Schwestern hatten Kerzen in

das Zimmer gestellt, in dem Dr. Wilms, der Inspektor und Theo ihr Essen einnahmen.
Wieder war es Dr. Wilms, der die Aufgabe des Informanten übernehm, kühler nur und mit sichtlich niedergehaltenen Gefühlen.
»Wrangel ist in die Stadt einmarschiert«, sagte er.
Im Gesicht des Inspektors zuckte eine Nervenfaser. Theo würgte an einer Kartoffel.
»Und die Bürgerwehr?« fragte er.
Dr. Wilms grinste unverschämt.
»Die hat keinen Schuß abgegeben, meine Herren.«

12. KAPITEL – BETHANIEN, 1849

Gegen 17 Uhr verließen die letzten Besucher das Krankenhaus. Um diese Zeit war es noch angenehm warm im August, so daß die Besuchsstunden unter freiem Himmel abgehalten werden konnten. Vom Fenster des Raums, in dem Theo die beiden Diakonissinnen auf ihr Examen vorbereitete, ließen sich die Paare beobachten, die eingehakt und langsamen Schritts die Sandwege abschritten, betulich miteinander redend. Zuweilen setzten sie sich auf die Bänke, oder sie blieben vor den Rosenbeeten stehen, um die von Fliegen umschwirrten Blütenkelche zu bewundern.
Öfter als früher hatte er jetzt Zeit, während des Unterrichts Pausen einzulegen. Das Examen der Schwestern stand unmittelbar bevor, so daß es mehr zu rekapitulieren als zu lernen gab. Wenn er hochblickte, sah er die Schwalben von den Doppeltürmen des Portals niederschießen, auf der Jagd nach Insekten. Sie erinnerten ihn in fataler Weise daran, daß er in diesem Winter mit ihnen auf Wanderschaft würde gehen müssen.
Eine Erleichterung indes konnte er verbuchen. Seit die Restauration die politische Geschäftsführung wieder übernommen hatte, waren die Nachstellungen Pastor Schultzes ausgeblieben. Sei es, daß er davon ausging, die Verhältnisse hätten Theo ohne sein Zutun bekehrt, oder dessen politische Einstellung sei ohnehin ungefährlich geworden. Jedenfalls kümmerte er sich jetzt mehr um seine Abendgesellschaften als um ihn.

Sie bestanden aus einem Zirkel von Redakteuren der Kreuzzeitung, einem Blatt, das der Hofkamarilla nahe stand und dem Regierungsprogramm der monarchistisch-konservativen Kreise seine Spalten zur Verfügung stellte.
Ein- zweimal hatte Theo an den Reunions teilgenommen, weniger aus Taktgefühl, um die Hausgemeinschaft nicht zu verprellen, sondern weil Emilie seit Wochen als Gesellschafterin nicht zur Verfügung stand. Nach Abschluß ihrer Hauswirtschaftslehre hatte sie einen Urlaub angetreten, in Liegnitz, auf dem Gut ihres Schwagers. So war er denn zwischen jenen schwarzbefrackten Herren gelandet, die in immer neuen Anläufen das für sie schäbige Monster der Verfassung beredeten, die der König freiwillig, trotz Auflösung der Nationalversammlung, auf sich genommen hatte. Da man bald wußte, wie Theo politisch einzuordnen war, machte sich der eine oder andere ein Vergnügen daraus, die Ausweglosigkeit darzustellen, in die sich die demokratische Front manövriert habe.
Pastor Schultz präsidierte solchen Zusammenkünften mit der verschlossenen Miene des unerbittlichen Richters. In die historischen Exkurse schaltete er sich nicht ein, wohl in der Annahme, sie könnten Theos Widerstandsgeist aufs neue beleben. Nur einmal ließ er sich zu einer Bemerkung herab. Es war gerade darüber gesprochen worden, was es die Demokraten gekostet habe, ihre Niederlage mit Waffengewalt aufhalten zu wollen. Dabei hatte er Theo mit stechenden Augen durchbohrt, als wolle er den Gedanken tief in ihn einpflanzen.
Beim Abschied – es war kurz vor Mitternacht – trat ein trotz seiner jungen Jahre beleibter Mann an Theo heran. Auf seiner Brust baumelte noch das Lorgnon, das er während des Abends immer wieder auf- und abgesetzt hatte, ohne zu erkennen zu geben, daß er die Sehhilfe wirklich brauchte.
Sie waren gerade auf den hallenden Flur des Krankenhauses getreten, durch dessen Dämmerlicht Motten flatterten, als er Theo zuflüsterte: »Machen Sie sich nichts daraus«, um dann schweigend bis zum Portal neben ihm herzugehen. Als sie in die kühle Luft eintauchten, meinte er: »Vielleicht sieht man sich ja mal unter angenehmeren Umständen wieder. Mein Name ist übrigens Hesekiel, George Hesekiel.«

Alles war so geblieben: Das Gutshaus, der tannenstarrende Park, die trauliche Atmosphäre des: Für immer und ewig, wie vor drei Jahren, als er das letzte Mal mit Bernhard von Lepel zu dessen Vater nach Köpenick gefahren war. Inzwischen hatte der alte Herr das Zeitliche gesegnet, der Gardeoffizier von Lepel den Dienst im Kaiser Franz Regiment quittiert und war mit seiner Frau in die Märkische Heide gezogen, um von nun an nur noch für das Anwesen der Familie zu leben. »Und natürlich für die Kunst«, hatte Theo sogleich gegen diese Philosophie des satten Müßiggangs protestiert, die er, wenn er ehrlich war, gerne unter den jetzigen Umständen zu der seinen gemacht hätte.

Sie waren durchs Haus gegangen, hatten einmal den Park umrundet, um im Kaminzimmer ihr Gespräch fortzuführen.

»Vielleicht gelingt mir bei meinen Kunstübungen etwas à la Scherenberg«, meinte Lepel scherzhaft zu Theos Anspielung und brachte ihn damit überraschend zum Schweigen.

»Daß dieser Kerl solch unglaubliches Glück hatte«, führte er deshalb weiter aus, »ist in meinen Augen so erstaunlich wie ungerecht. Scherenberg hat etwas Geniales an sich, zweifellos. Aber ihm fehlt Größe.«

Lepel auf Scherenberg gestoßen zu haben, hielt Theo jetzt für eine Dummheit. Ihm war alles darum zu tun, das Thema zu beenden, um nicht noch einmal mit jenem elenden Gefühl konfrontiert zu werden, das in ihm aufgestiegen war, als er von Scherenbergs Erfolg hörte. Louis Schneider, Tunnelmitglied und neuerdings Vorleser bei Hofe, hatte es auf der letzten Sitzung verkündet: Scherenbergs Epos »Waterloo« war vom König nicht nur gnädig aufgenommen worden, sondern hatte am Hofe sogar Begeisterungsstürme entfacht. Scherenberg, Hungerleider, Sonderling und Tunnelpoet war damit jedenfalls ein gemachter Mann. So sehr man es ihm gönnen konnte, Theo brachte es nicht übers Herz. Lepels Angebote fielen ihm ein, mit Geld auszuhelfen, für den schlimmsten Fall, oder mit einem Verlegenheitsposten zu locken: Als Staubabwischer im Militärarchiv des Kriegsministeriums. Der Name Scherenberg brannte in seiner Seele wie ätzende Lauge. Im Kamin war ein Feuer entzündet worden, eines jener Art, wie es der Spätsommer mit seinen kalten Abenden vertrug. Die Tür zum Park stand ungeachtet dessen offen. In der sich anfeuchtenden Luft verströmten die Tannen ein bitteres Aroma.

Lepel hatte Theo kurzfristig eingeladen, nachdem sichergestellt war,

daß sowohl die Oberin von Bethanien, die Gräfin Rantzau, als auch Pastor Schultz gegen einige Tage Urlaub nichts einzuwenden hatten. Theos Vertrag war ohnehin fast abgelaufen. Außerdem legten die beiden Schwestern, die zu unterrichten seine Aufgabe gewesen war, in wenigen Tagen ihr Examen ab. So hatte Lepels Angebot keine unüberwindlichen Widerstände aufgeworfen, wenngleich das Ereignis selbst Mauern des Mißtrauens errichtet hatte.
Er mochte und konnte ihn nicht fragen. Aber Theo hätte doch gerne gewußt, was einen siegesstolzen Junker, auch wenn er sein Freund war, dazu bewog, nach Monaten eines gnadenlosen Papierkriegs, einem Rebellen die Türen seines Vaterhauses zu öffnen. Bekehrungsversuche? Gelüste zu triumphieren über einen geschlagenen Kontrahenten? Oder einfach nur die Fortführung einer Freundschaft, in der die Fronten wieder geklärt waren?
Möglich, daß sie deshalb bisher jede politische Bemerkung vermieden und es dabei hatten bewenden lassen, nach den persönlichsten Dingen zu fragen: Nach Emilie, den Eltern, der beruflichen Zukunft. Beim letzten Punkt hatte Theo lang genug gezögert, um Lepel den Rückzug antreten zu lassen. Erneut darauf einzugehen, hatte er sich danach nicht mehr getraut.

Zwischen den Tannen war Nebel aufgezogen. Die Umrisse verschwammen zu großen, dunklen Flächen, vor denen sich Schleier wie ätherische Wesen bewegten.
Lepel schloß die Tür und schob ein neues Holzscheit ins Feuer. »Du solltest deinem Vater raten, die unrentable Apotheke abzustoßen und woanders noch einmal zu beginnen, mit dir als Kompagnon», sagte er, während er mit einem Haken die Glut aufschüttelte, »für Unternehmungen jeglicher Art ist die Zeit günstig.«
»Du kannst es nicht lassen, dir an meiner Stelle den Kopf zu zerbrechen, nicht wahr?« versetzte Theo so unmißverständlich, daß Lepel seine Hantierung für einen Moment unterbrach.
»Willst du mich zu einem Bourgeois machen?«
»Nur zu einem, der gute Verse schreibt, weil er den Kopf von Sorgen frei hat«, sagte Lepel und fuhr mit seinen Bemühungen fort, »du würdest dich übrigens für eine Spezies entscheiden, die nicht ohne Chancen dasteht. Preußen braucht neue Infusionen, wenn es die Rolle spielen will, die ihm von seiner Bedeutung her zukommt. Mit Ehre, Treue, Gottesfurcht, Pflicht allein ist es nicht mehr getan. Was es

braucht, ist ein neues Augenmaß für das Machbare. Realitätssinn, Wendigkeit müssen mit den alten Werten amalgamieren. Der Rechenschieber muß den Marschallstab ergänzen.«
»Du machst mir angst«, unterbrach ihn Theo. Aber Lepel war so von seinen Ideen in Anspruch genommen, daß er es überhörte.

Berlin, Bethanien im Dezember 1849

Mein guter, treuer Wolfsohn!
Fast schäme ich mich, die Feder in die Hand zu nehmen. Wieviel Geduld mußt Du besitzen, Dir immer und immer wieder das höllische Gekrächze anzuhören, das ich in meinen Briefen anstimme, weil es mir wieder einmal dreckig geht. Und wann ist das nicht der Fall, wirst Du sagen und hast ganz recht.
Nicht zuletzt deshalb, lieber, bester Freund, gehört meine ganze Bewunderung Dir. Vielleicht tröstet es Dich: Aber ich habe nur Dich, wenn es darum geht, einen klugen Gedanken zu erbitten, für den Fall, daß guter Rat teuer ist. Und vice versa kann nur ein anerkennendes Wort aus Deinem Mund mein zusammengeklapptes Selbstbewußtsein mühelos wieder aufrichten. Damit sei Dir Deiner Bedeutung für mich bewußt.
Vor allem jetzt, nachdem eine ganze Welt aus den Fugen geraten ist und sich fast jeder mit Kind und Kegel aufmacht, dem vermaledeiten Vaterland den Rücken zu kehren. Ein Gedanke, der kurzzeitig auch auf mich einen gewaltigen Reiz ausgeübt hat. Aber beruhige Dich, natürlich werde ich bleiben, allen Unerträglichkeiten, Schikanen und Widerwärtigkeiten zum Trotz, die sich für mich dadurch noch steigern, daß ich zum Monatsende meine Stelle verliere.
Wie ich dastehe, so am Scheideweg zwischen der Rückkehr in eine jener Giftküchen von Apotheken und der geradezu als Wahnidee zu bezeichnenden Vorstellung, es in einem zweiten Anlauf als freier Schriftsteller zu versuchen, davon kannst Du Dir bei aller Einfühlsamkeit kein Bild machen.
Dabei ist das eine so sinnlos wie das andere, wenn ich mir vor Augen halte, daß ich weder als Angestellter in einer Apotheke noch in der Rolle eines dem Zufall ausgelieferten Schriftstellers eine Familie ernähren kann. Ich bilde mir nämlich nicht ein, daß sich der Fall Scherenberg, von dem Du zweifellos gehört hast, ein zweites Mal wiederholt. So sehr ich es in meiner Vermessenheit wünschte.
Ich indes will und kann nicht mehr warten. Meine Verlobung geht ins fünfte

Jahr. Ganz abgesehen davon, daß es mir peinlich wird, sehne ich mich nach einer festeren Bindung. Ich bin des Nomadentums überdrüssig. Vielleicht aber auch der nagenden Angst, ich könne Emilie unter all meinen Unfähigkeiten und Problemen verlieren. Stelle ich mir ohnedies ständig die Frage, was ein apartes Mädchen von Verstand und Benehmen bei einem Luftikus wie mir hält, wenn nicht eine Macht numinoser Art. Numinos muß sie schon sein, lieber Freund, sonst wäre ich längst wieder ein Singleton und Stromer, mit dem Richtschwert eines amtlichen Alimentebescheids über mir.

So willig ich bin, dem Zustand ein Ende zu machen, so gewaltig sind die Hindernisse, die sich mir in den Weg stellen. Aber an der Aufgabe wächst die Kraft. Das ist nicht nur ein gutes Wort, sondern auch ein wahres.

Sei ruhig erstaunt – sicher bist Du auch darüber erfreut, wie ich Dich kenne – daß ich mich entschlossen habe, dem Galeerendienst in den Kästen von Apotheken auf immer ade zu sagen. Ich will und muß es versuchen, mir mein Leben und natürlich auch das Emilies mit der Feder zu verdienen, komme, was da wolle. Meine Wahl war einfach. Ich kann nur gewinnen. Das Maß des Erträglichen ist voll. Das der Zuversicht wartet darauf, von mir mit großen Taten auf die Probe gestellt zu werden.

Glaube es nur, mir ist nicht bang davor. Die vergangenen eineinhalb Jahre haben mir gezeigt, daß ich nicht schlechter bin als die, die sich mit viel Getöse und Weihrauchschwenken anheischig machten, eine bessere Weltordnung zu errichten. Sie wollten Größtes, ich will nur das Große. Soviel Enttäuschung zu fabrizieren wie sie, wird mir schwerlich gelingen. Gemessen an den Niedrigkeiten eines preußischen Königs und den tönenden Hohlheiten bigotter Freiheitler, nehmen sich die Unzulänglichkeiten eines Theodor Fontane aus wie das Sakrileg einer Kirchenmaus gegenüber dem Wüten tempelschändender Vandalen.

Nein, teurer Freund, ich bin guter Dinge, was das Stehen auf eigenen Beinen angeht, zumal ich Dich an meiner Seite weiß. Nicht zuletzt auch den Erfolg, der mir mit meinen Preußenaufsätzen beschieden war.

Noch ist nicht aller Tage Abend, auch was eine Rekapitulation des Scherenberg-Glücks anbetrifft, allem vorhin dazu Gesagtem zum Trotz.

Angefüllt mit soviel Optimismus, möchte ich Dich für dieses Mal verlassen als

Dein nun aller Bürgerlichkeit lediger
Theodor Fontane

PS: Daß es für mich nur ein Vorwärts zu neuen Ufern gibt, scheint Familienschicksal zu sein. August Fontane, der Bruder meines Vaters, hat sich mit seiner Frau dem Auswandererstrom in die USA angeschlossen. Und meine Eltern haben sich endgültig getrennt.
Du siehst, nichts kommt von ungefähr.

13. KAPITEL – BERLIN, 1860

Die Tür war hinter ihm zugefallen, mit einem so sanften Zug, wie ihn nur dem Respekt ihres Brotgebers verpflichtete Domestiken zustande bringen. Sein Herz klopfte noch, wenngleich befreiter, wie in einem leichten Galopp.
Es war nicht einfach, bei Dr. Tuiscon Beutner vorstellig zu werden, dem Chefredakteur der als ultrakonservativ verschrienen Kreuzzeitung, und schon gar nicht in der Rolle des Bittstellers, auch wenn Referenzen diesen Gang erleichterten.
Dr. Beutner galt wie seine Zeitung als unerbittlich, prinzipientreu und unnachsichtig, was andere Meinungen anbetraf. Wahrheit und Weisheit hatten sich in ihm inkorporiert und gestalteten Gespräche mit ihm erwiesenermaßen äußerst schwierig. Aber Theo hatte offengestanden keine andere Wahl. Seine Möglichkeiten waren erschöpft und gleichermaßen die Kräfte, die es ihm erlaubt hätten, den Sprung in eine erneute Ungebundenheit noch einmal zu wagen.
Elf Jahre Erfahrung lagen hinter ihm mit jener schillernden Vision einer Freiheit, in der er sich bisher nicht mehr geholt hatte als blaue Flecken an Leib und Seele. Zudem war seine Risikobereitschaft durch die inzwischen erfolgte Heirat mit Emilie erheblich gesunken.
Dr. Beutner hatte sich mit sichtlicher Neugier während ihres ansonsten schleppenden Gesprächs gerade bei diesem Punkt aufgehalten.
»Aha, seit zehn Jahren verehelicht. Kinder?«
»Zwei Jungen, Herr Doktor. George, mein Ältester, ist neun. Theodor vier. Und seit kurzem bin ich auch Vater einer Tochter.« Inwieweit jene zur Zufriedenheit des Chefredakteurs ausgefallene Antwort letztendlich die Einstellung herbeigeführt und wieviel die Referenz dazu beigetragen hatte, ließ sich nicht mehr rekonstruieren. Es war auch im nachhinein so unerheblich, wie die ganze Angst vor dem Gespräch es geworden war und das gequälte Hin und Her zwischen Sofa und Besucherstuhl, nur um zu kaschieren, daß hier zwei Männer beieinander saßen, sie sich nichts zu sagen hatten.
Dr. Beutner, in keinem Augenblick verhehlend, daß er im Mittagsschlaf gestört worden war, hatte daraufhin Zuflucht genommen zu einem ausgedehnten Monolog, der, wie es bald schien, weniger der Not gehorchte als einem eingefleischten Bedürfnis, den Ton anzugeben. So nachhaltig, daß ganze Abschnitte seines Vortrags Theo im

Gedächtnis haften geblieben waren. Vor allem, daß er ihn immer: »Guter Herr Fontane«, oder auch: »Mein Bester«, genannt hatte. Attribute, die angesichts seiner Kenntnis über Theos politische Vergangenheit einer ironischen Anzüglichkeit nicht nur nahestanden.

»Dem Himmel ist ein reuiger Sünder lieber als hundert Gerechte, heißt es doch, nicht wahr? In dem Sinne fühlen Sie sich bei uns aufgenommen. Ihre interessanten Artikel, die von uns in der Vergangenheit veröffentlicht wurden, haben wir natürlich nicht vergessen«, hatte Dr. Beutner mit einem undurchsichtigen Lächeln hinzugefügt, »Sie werden noch reichlich Gelegenheit haben, Ihr Können bei uns unter Beweis zu stellen, jetzt, wo in Preußen mit Prinz Wilhelm ein Mann das Zepter führt, dem unverfälschtes Hohenzollernblut durch die Adern rollt. Sie dürfen sich glücklich schätzen, Herr Fontane.«

Das mußte eines der letzten Worte Dr. Beutners gewesen sein, nachdem klargestellt war, daß Theo als fest angestellter Mitarbeiter in die Redaktion eintreten würde, mit der Aufgabe, den englischen Artikel zu redigieren. Aufgrund der umfänglichen Erfahrung, die er während seiner Englandaufenthalte habe sammeln können, wie der Chefredakteur schmeichlerisch bemerkte, nicht ohne auch hier seine ironischen Fähigkeiten auszuspielen. Als Theo die zwei Stockwerke, die zur Wohnung Dr. Beutners führten, hinter sich gelassen hatte, nahm ihn eine veränderte Welt auf. Eine Welt, die er sich alles andere als gewünscht hatte. Aber unter den traurigen Gegebenheiten seines Lebens war sie für ihn die einzig mögliche geworden.

Berlin, Juni 1860

Mein lieber Wolfsohn!

Hochtönenden Fanfarenstößen folgt nicht selten Grabesstille. Ich denke nicht zuletzt dabei an mich. Wie bin ich ins Feld gezogen, und wie kehre ich zurück? Mit der verbrieften Kapitulation im Gepäck. Ja, ich bin eine geschlagene Truppe.

Schau ich zurück, dann in einer Mischung aus Verwunderung und herzbeklemmender Angst. Verwunderung darüber, all die Jahre selbstverleugnender Rührigkeit überhaupt durchgestanden zu haben, und Angst davor, einen Lebensabschnitt wiederholen zu müssen, wie es die Jahre zwischen jenem waghalsigen Entschluß, mich allein auf den freien Schriftsteller zu verlassen, und meiner heutigen Situation darstellen.

Das Ergebnis ist blamabel genug, um für sich zu stehen. Ich darf Dich darüber in Kenntnis setzen, daß ich seit dem ersten Juni der Redaktion der Kreuzzeitung angehöre. Nenne es, wie Du willst. Meinetwegen eine feige Konversion, daß ich nunmehr einem Blatt angehöre, dessen Unredlichkeit niemand in Zweifel zieht und dessen politischer Standort bekanntlich so weit von den demokratischen Postillen entfernt ist wie die Erde von der Venus.

Ich überlasse es der Brillanz Deiner Eingebungen, hier zu entscheiden. Sieh darin Schwäche, Überschätzung, Blindheit angesichts von Gegebenheiten, die meine Begabung, meine Menschenkenntnis und Geschicklichkeit überstiegen. Vielleicht auch Unverschämtheit, sich ganz auf Freunde zu verlassen, für den Fall eines Falles.

Ich habe reichlich davon Gebrauch gemacht, wie Du – selbst betroffen davon – weißt. Dabei stehst Du nur in einer Linie mit anderen, die mich entweder finanziell vor dem Sturz in den Abgrund bewahrten – wie Lepel und mein Vater – oder durch ihren Einfluß mir Zugang verschafften zu jenen Ressourcen, die man eine Stellung nennt, wie Du und Wilhelm von Merckel. Allen muß ich nun als Schuldner mit leeren Händen entgegentreten. Viel schlimmer noch, wie ein schäbiger Heuchler, der seine Anschauungen auswechselt wie ein paar schmutzige Socken und sich den Teufel darum schert, Herwegh gegen Preußenadler und Christus mit Dornenkrone einzutauschen.

Ich überlaß es den Zynikern, mir hier zu unterstellen, ich hätte schließlich im vergangenen Jahrzehnt in solchen Volten meine Meisterprüfung abgelegt. Nicht umsonst bin ich bei staatlichen Presseorganen angestellt gewesen und habe die Wahrheit jahrelang mit meinem Griffel zu einem faden Lügenbrei zerrührt. Das ist nicht von der Hand zu weisen, allenfalls entschuldbar durch die Besonderheit meiner Situation, meiner familiären, die mich gezwungen hat, einen Unterhalt für vier Köpfe, ohne Rücksicht auf tiefergehende Gefühle, zu erstreiten, aber auch meiner persönlichen, die mich im Aufwind der Revolutionswirren zu einer falschen Einschätzung der Dinge und meiner Möglichkeiten gelangen ließ.

Keiner hat mehr dafür gezahlt als ich: Mit einer Reihe schwerer und schwerster Krankheiten, die mich dem Tod nahe brachten, und Erfahrungen der Ohnmacht und Unfähigkeit, die wie Hammerschläge das Fundament meines ohnehin fragilen Selbstbewußtseins erschütterten. Wenn es nicht zerbröselte zu einem Häufchen trauriger Resignation, so verdanke ich das anderen: Meiner Frau, deren tapferes Ausharren in Berlin, aber auch an meiner Seite in London mich vergessen ließ, in welch hoffnungsloser Lage ich mich dort befand. Ich verdanke es ihrer hausfraulichen Tugend, mit der sie es verstand, unsere Wohnungen in der Fremde mit jenem Fluidum zu versehen, das Geborgenheit vermittelt. Auch meinen Freund Lepel muß ich anführen. Ihm verdanke ich – über alles andere hinaus – daß ich den Glauben an Poesie und Schönheit im Gewurstel journalistischer Platitüden nicht verlor und eine Aufgabe mit nach Hause brachte, die wie eine Sendung in mir nachwirkt.

Nichts davon soll mich entschuldigen. Schon gar nicht in Deinen Augen. Will es die Nachsicht, so verringere sie meine Schuld um eben den Teil, der abgelitten wurde, aber auch um jenen, mit dem ich gezeigt habe, daß Gesinnungslumperei nicht mein Fach ist.

Du weißt, daß mein Londoner Prokrustesbett in dem Augenblick von mir aufgegeben wurde, als ich – der Thronwechsel war eben vollzogen – diejenigen mit Tinte und Feder abstechen sollte, deren Laudatio ich vordem lauthals zu singen hatte. Und das, obwohl mir die Erniedrigungen vor Augen standen, mit denen ich meinen Lebensunterhalt in den vergangenen Jahren mittels Stundengeben und Petitionen an Seiner Majestät allergnädigste Spendabilität fristen mußte. Nicht zu vergessen jene aberwitzigen Optionen, mich ins bürgerliche Lager als Apotheker zurückzustufen.

Ermesse daran, lieber Freund, wieviel Schonung ich verdiene. Was an Vorwürfen auch gegen mich anzubringen ist, einer entbehrt jeder Berechtigung: Ich sei meinem Genius untreu geworden. So hart es mich anfocht in all der Zeit, ich habe meinem Dämon abgerungen, was ihm unter den widrigen Umständen abzuringen war. Ich habe mich als Herausgeber einer Anthologie so stark gemacht für die Belange der Kunst wie als Mitarbeiter für ein belletristisches Jahrbuch. Und ich war als Literaturtheoretiker so alert wie in der Abfassung von Reisebildern.

Es hat mir das Äußerste abverlangt, was ich damals zu geben vermochte. Und doch war es neben dem anderen, der leerlaufenden Geschäftigkeit, das Eigentliche dieses schrecklichen Lebensabschnitts.

So war unter dem Gesichtspunkt meiner künstlerischen Entwicklung England nicht nur ein Verlust. Es hat mich gebeutelt, gewiß, mir Beulen und Schrammen zugefügt und meiner Eitelkeit arge Blessuren verpaßt. Aber hätte ich nicht weniger mitnehmen können? Immerhin habe ich gelernt, meiner scheuklappenbehafteten Forschheit Zügel anzulegen, niedriger zu stapeln und meinen Anspruch auf Freiheit und Unabhängigkeit in einer Weise zu relativieren, die sie beide für mich annehmbar machen, ohne dabei das Notwendige zu vergessen.

Daß ich nun in der Kreuzzeitung sitze, zähle zum Notwendigen. Aber ich werde seine Freiheiten zu nutzen wissen, das verspreche ich Dir. Der Freiheiten gibt es bekanntlich so viele wie Notwendigkeiten, ihnen zu widersprechen. Gott sei Dank aber spielen sie auf ewig Katz und Maus miteinander. In der Hoffnung, Deiner Absolution für wert befunden zu sein

Dein Theodor Fontane

14. KAPITEL

Seit kurzem kam er früher von der Redaktion nach Hause, obwohl er damit nicht den Eindruck erwecken wollte, er habe sich Emilies Vorhaltungen zu Herzen genommen. Seine Dickhäutigkeit kannte keine Grenzen, wenn es darum ging, die nächtlichen Streifzüge mit jener Freundschaft zu verteidigen, die Emilie nur unter dem Namem George kannte.

»George hat in der Redaktion den Schreibtisch vis à vis«, hatte Theo seiner Frau auf eine der wenigen von ihr hierzu gestellten Fragen erklärt, »ein espritvoller Kopf und schließlich einer aus dem Kreis jener Leute, denen Du, die Kinder und ich unsere Existenz verdanken.«

Ihr damit zu verstehen zu geben, daß es letztendlich George Hesekiels Referenz gewesen war, die ihn bei der Kreuzzeitung hatte unterkommen lassen, war ein Argument, gegen das Emilie nichts aufzubieten hatte.

Seit Theo vor einem Jahr unter peinlichen Umständen den Staatsdienst als halbamtlicher Mitarbeiter der Zentralpressestelle hatte quittieren müssen, war das Thema, wie er sich ihre Existenzsicherung vorstelle, nicht mehr vom Tisch gekommen.

»Du mußt dir schließlich etwas dabei gedacht haben, als wir heirateten«, war eine von Emilies bösesten Spitzen.

»Immerhin habe ich euch versorgen können«, rechtfertigte er sich mit einem eingestandenermaßen schlechten Gewissen, da es wenig genug gewesen war, was seine Tätigkeit in London als Korrespondent der staatlichen Zentralpressestelle und seine schriftstellerischen Arbeiten abgeworfen hatten. Mit solchen Verweisen stand er allerdings auf verlorenem Posten, weil seine Frau ihm vorhalten konnte, wie oft er sie allein gelassen habe.

»Ausgeliefert dem Mitleid anderer«, beschwor sie dann noch einmal die Monate, als sie mit ihrem ersten Sohn, George Henri, auf die freundlich gewährte Unterstützung der Merckels angewiesen war und sich, wie sie sagte: »Unendlich gedemütigt«, gefühlt habe.
»Schließlich bist du ja nachgekommen. So allein, wie du behauptest, warst du demnach nicht.«
Aber sie weigerte sich beharrlich anzuerkennen, daß damit auch die Demütigung beglichen war.
Es war gegen 22 Uhr, wenn er die Tür zu ihrer kleinen Wohnung in der Tempelhofer Straße aufschloß. In seinem Kopf saß dann noch der Nebel des abgesessenen Arbeitstages. Als Redakteur des englischen Artikels blieb nicht viel Spielraum für Tätigkeit, da die politische Welt des Jahres 1860 auf Frankreich schaute, wo Napoleon III gerade im Verein mit den Piemontesen Österreich um seine italienische Besitzung, die Lombardei, gebracht hatte. So hieß es, sich auf knapp gefaßte Meldungen, was England anging, zu beschränken.
Emilie hatte kein Licht entzündet. Es war Anfang September, und die Tage hatten noch einen langen Atem. Das half sparen. Ein Umstand, der es ihr ermöglichte, gefaßt zu bleiben, wenn er übellaunig ins Zimmer trat, in dem sich ihr familiäres Leben abspielte.
Wehmütig entsann sie sich der Londoner Zeit, wo ihr ein Haus zur Verfügung gestanden hatte, obwohl sie damals nur zu viert waren. Jetzt drängten sich ihre Verhältnisse zusammen auf wenige Quadratmeter, die am Tage zu Wohnraum und Küche und nachts zu einem Schlaf- und Arbeitszimmer umgestaltet werden mußten. Wenn Theo seine literarischen Arbeiten, die Emilie zusehends skeptischer betrachtete, fortführen wollte, kamen sie nicht umhin, diese Umstellungen vorzunehmen. Besorgt dachte Emilie an die Kinder, vor allem George und Theodor, die in zurechtgemachten Alkoven an den Wänden schliefen und immer wieder durch die Hantierungen und das Licht gestört wurden.
»Muß es eigentlich sein?« hatte sie ihn des öfteren in letzter Zeit gefragt und Theo damit in eine unversöhnliche Gereiztheit getrieben.
Für das nächste Jahr war die Herausgabe seiner Balladen geplant. Zum ersten Mal würden sie damit komplett einem größeren Publikum vorliegen. Die Rücksichtslosigkeit, von Emilie mit Vorliebe gebraucht als Bezeichnung für seine anthologische Tätigkeit, versetzte sie in Schrecken. Kaum daß ihr Mann zu Abend aß oder mit ihr, geschweige denn den beiden Jungen, sprach. An das Körbchen, in dem

die kleine Mathilde lag, die er zwar zärtlich: »Meine Mete«, zu nennen beliebte, trat er kaum heran. Schrie das Baby, dann warf er seiner Frau einen zornigen Blick zu, als sei sie für die Störung verantwortlich. Und als Störung empfand er alles, was die Beendigung seines Manuskriptes beeinträchtigte.

Während er arbeitete, saß sie für gewöhnlich in einer der dunklen Ekken des Raums und strickte. Notgedrungen, weil das Licht sie am Schlafen hinderte, aber auch, um mal das eine oder das andere der Kinder zu trösten, wenn es erwachte.
Von seinem Tisch her konnte er ihr Gesicht nicht erkennen. Es war nicht mehr als ein gräuliches Oval vor einem dunklen Hintergrund. Aber er konnte sich ausmalen, daß alles aus ihm gewichen war, was er anziehend fand, vor allem aus ihren Augen, deren einforderndes Feuer vernichtend geworden sein mußte.
Das Klappern ihrer Stricknadeln war verstummt, was soviel hieß, daß auch sie unter der Wucht ihrer Anschuldigung zu leiden begonnen hatte. Aber um etwas zurückzunehmen, war es zu spät, wenngleich es nach Entschuldigung klang, als sie fragte:
»Könntest du nicht etwas anderes schreiben?«
»Und was?« entgegnete er kleinlaut.
»Einen Roman. Irgendetwas, was die Leute kaufen!«
Er hatte den Federhalter aus der Hand sinken lassen und schob ihn mit übertriebener Fürsorglichkeit über den Rand des Papiers hinaus.
»Du meinst ...?«
Sie sah, daß der gequälte Ausdruck, in dem Ekel und Überdruß der letzten Jahre sich einen überhöhten Ausdruck zu verschaffen suchten, bei ihm zunahm. Ihre Stimme hatte sich mit sanften Tönen aufgeladen, als sie riet, es doch wie ein anderes Redaktionsmitglied der Kreuzzeitung zu machen: Hermann Goedsche, der unter dem Pseudonym Sir John Retcliffe historische Romane mit außerordentlichem Erfolg schrieb.
»Ich wollte lieber sterben, als mich mit diesem Aufschneider Goedsche kongenial zu machen«, knurrte er nur, den Blick nicht vom Papier hebend.
»Dann versuch es wenigstens mit Abenteuern. Du weißt, wie gut Heinrich Smidt, dein Tunnelbruder, seine Bücher unterbringt«, gab Emilie ihre Versuche nicht auf und brachte ihren Mann dieses Mal in unkontrollierbare Wut.

»Smidt ... Smidt«, stieß er haltlos hervor, »dieser intellektuelle Falschmünzer. Ich besitze weder dessen maritime Vergangenheit noch seinen verabscheuungswürdigen Servilismus«, womit er auf Smidts Bibliothekarsstelle im Kriegsministerium angespielt hatte. Emilie machte sogleich deutlich, daß sie hier anderer Ansicht war.
»Was du Servilismus nennst, heiße ich Verantwortung. Eine Verantwortung, die übrigens auch Scherenberg besitzt.«
»Ausgerechnet Scherenberg«, war Theo sofort bemüht, sich Luft zu machen, »der ist doch ein Guck in die Luft.«
Er spürte, wie die Gefühle seine Gedanken fraßen, wenn die Rede auf Scherenberg kam.
»Er hat es auf jeden Fall verstanden, sich mit seinen Werken bei Hof beliebt zu machen«, erinnerte Emilie ihn mit schmerzlicher Unverblümtheit daran, daß Scherenbergs Schlachtenepos »Abukir« ihm nicht nur Zutritt verschafft hatte zu den Schlössern in Preußen, sondern er auch an den Hof des Bayernkönigs geladen worden war.
»Und bei allem war er sich nicht zu schade, einen Hilfsposten in der Bücherei des Kriegsministeriums anzunehmen«, meinte Emilie ergänzend, um sogleich Theos wütende Proteste herauszufordern.
»Almosen hatte er angenommen!«
»Eine Pension aus der königlichen Privatschatulle, soviel Gerechtigkeit muß sein, Theo. Außerdem hast du dich selbst darum bemüht.«

Ihre Auftritte wiederholten sich. Zuweilen wurden darüber die Kinder wach, lugten über das Plumeau ihrer Liege in den Lichtkreis, in dem ihr Vater sich gegen die hartnäckig vorgetragenen Angriffe ihrer Mutter zur Wehr setzte. Erst wenn Mete sich mit einem greinenden Beitrag meldete, wurde dem zankenden Ehepaar bewußt, daß es Rücksicht auf die Kinder nehmen mußte.
»Da hast du's!« versuchte Emilie in solchen Fällen die Schuld abzuwälzen, ohne dabei zu bedenken, daß Theo längst bereit war für eine Generalabrechnung.
»Und laß mich übrigens in Zukunft auch zufrieden mit meinem Schwager Sommerfeldt«, fiel er ihr aufgebracht ins Wort, »ich weiß ja inzwischen, wie tüchtig er ist, weil er die Bauern in Letschin ausnimmt. Vater hat es nicht gekonnt, als er noch in seiner Apotheke saß. Wir Fontanes sind halt kleine Kirchenlichter, wenn es darum geht, anderer Leute Geld locker zu machen.«
Daß sie alles und jeden in ihre Mäkeleien einbezog, traf ihn weniger

als die Ungereimtheiten, deren sie sich bediente. Zu recht mußte er sich fragen, was jener Herr Sommerfeldt, der zufälligerweise seine Schwester Jenny geheiratet hatte und mit dem er weder in enger Verbindung stand noch sie einzugehen wünschte, als Richtschnur in seinem Leben zu suchen hatte. Zudem trug er jenem Herrn nach, daß er sich die Apotheke seines Vaters auf der einen Seite zu einem Spottpreis angeeignet hatte, während er auf der anderen Seite wußte, daß sich aus ihr eine Goldgrube machen ließ. Daß dadurch die Trennung der Eltern beschleunigt worden war, stellte ein Moment besonderer Unversöhnlichkeit dar. Der Name Sommerfeldt gehörte zu den Tabuwörtern in Theos Wortschatz.

Wenn Emilie ihn besonders treffen wollte, zitierte sie Fritz Witte. Dabei entsann er sich in lebhaften Bildern der gemeinsamen Arbeit in Dr. Schachts Laboratorium und des kecken Gebarens, das der Lehrling Witte an den Tag zu legen pflegte. Er wollte nicht nur, tollkühn, wie er war, damals Dr. Schachts Tochter heiraten, sondern auch gleich König werden. Obwohl das Letztere nur ein makabrer Spaß gewesen war, Dr. Schachts Tochter Anna zu heiraten, war ihm immerhin inzwischen gelungen. Jetzt trug er sich mit dem Gedanken, pharmazeutische Artikel en gros herzustellen, um sie in aller Welt zu vertreiben.

»Du wirst sehen, in einigen Jahren hat er eine Fabrik«, prophezeite Emilie in mißgünstiger Besorgtheit.

»Was ich ihm neidlos wünsche«, verteidigte Theo den Freund. So generös er sich auch zu gebärdern wußte, mußte er dennoch schlucken. Witte war einer, der in die Welt paßte. Und das konnte er nicht unbedingt von sich behaupten.

Die ärgste Klage aber erhob Emilie dort, wo sie darauf hinwies, ihre wohnlichen Verhältnisse erlaubten es ihnen nicht einmal, Gäste zu empfangen. Dabei dachte sie an den Kreis jener Tunnelmitglieder, die eine Dependence des Vereins gebildet hatten, Ellora genannt. Ein Kreis von Leuten, die sich sowohl menschlich als auch in ästhetischen Fragen näher gekommen waren und in Abständen privat verkehrten. Diese Treffen, in den Wohnungen der Mitglieder abgehalten, wurden auch von den Frauen in Anspruch genommen.

»Und das bringt dich um Verstand und Seelenfrieden?« fragte Theo mit prononciertem Erstaunen.

»Ja«, gab sie zu, »mehr als du glaubst.« Und sie erzählte ihm, zum ersten Mal, wie sehr es sie als Kind gedemütigt hatte, von den Eltern

einer besser gestellten Freundin, wie sie sagte, ausgeladen worden zu sein.
»Von da an, Theo, wußte ich es«, brachte sie mühsam nur unter Schluchzern hervor, »daß es nicht ausreicht, einfach mit dabei zu sein. Um wirklich dazuzugehören, bedarf es eines anderen: Eines hinreichenden Maßes an bürgerlicher Glaubwürdigkeit. Und die besitzen wir nicht.«

15. KAPITEL – BERLIN, 1861

Niemand hatte es voraussehen können. Sicher am wenigsten der Betroffene. Es war alles sehr schnell gegangen: Ein Unwohlsein, ein Schwindel, nicht so neu, daß er zur Sorge hätte Anlaß geben können, dann ein Schmerz, heftig und vernichtend in der Brust. Und Wilhelm von Merckel war tot.
In der Woche zwischen dem Weihnachtsfest und Sylvester zwang er die hinaus in Schnee und Eiseskälte, die ihm die letzte Ehre erweisen wollten.
Der Wind spielte mit den Flocken, als die Trauergemeinde aus Mitgliedern des »Tunnels«, Angehörigen des Kammergerichts, ehemaligen Mitarbeitern des Literarischen Büros, das Merckel kurzzeitig geleitet hatte, und Anverwandten den Friedhof verließen. Erst 58jährig hatte Wilhelm von Merckel mit seinem Tod dafür gesorgt, daß über die verständliche Trauer hinaus sein Freundeskreis von einer Bestürzung betroffen worden war, die selbst jetzt noch im betretenen Schweigen nachwirkte. Keiner konnte es begreifen, daß Immermann, wie er im »Tunnel« hieß, nicht mehr sein sollte.
Der Pastor hatte es für alle in Worte gefaßt, als er am Grabe von einem herben Verlust sprach, den nicht nur die Kunstwelt getroffen habe – damit meinte er vor allem Merckel den Lustspieldichter – sondern auch die, die den Menschen in ihm kennengelernt hätten.
»Er besaß etwas«, sagte er, »was unsere Zeit dabei ist zu vergessen: Güte. Er versteckte sie hinter der ledernen Korrektheit des Beamten, aber er bewies sie rückhaltlos all denen, die ihrer bedurften. Die Zeit ist über ihn hinweggegangen, auch in dem, wie er dachte. Sein Herz gehörte der Vergangenheit, weil sein Kopf erkannt hatte, daß das

Neue nicht schon das Bessere ist. Seine Worte waren oft härter als das, was er lebte. In seinen Taten aber hat er uns gezeigt, wie er erkannt sein wollte: Als ein liebenswürdiger Mensch.«
Emilie hatte nicht mehr an sich halten können. Die Tränen waren über ihre Wangen geschossen und hatten in ihrem Gesicht glitzernde Bahnen hinterlassen. Theo war ihr von der einen, Lepel von der anderen Seite zu Hilfe gekommen, indem sie ihr den Arm unterschoben. Sie weinte noch, als sie den Friedhof verließen, um beim obligaten Kaffee und Kuchen das Leichenbegängnis zu beenden.

Der großen Teilnehmerzahl wegen war ein Festsaal angemietet worden. Emilie war Henriette von Merckel, Taufpatin des zweiten Sohns, Theodor Fontane, und deshalb von den Kindern auch Tante Merckel genannt, bei den Vorbereitungen für die Beerdigung behilflich gewesen. Wenigstens soviel wollte sie gutmachen. Lepel hatte sich neben Theo und dessen Frau plaziert. Im Saal, wo man dabei war, die Mäntel und Plaids abzulegen, roch es in der warmen Ofenluft nach Nässe und Schnee.
Emilie hatte für Henriette von Merckel, die wie gelähmt durch den Verlust ihres Mannes dem Geschehen beiwohnte, die Organisation des Ablaufs übernommen und die Gäste eingewiesen. Es dauerte nicht lange, und aus der beklommenen Dumpfheit der Friedhofsstimmung war ein aufgeräumtes Treiben geistiger Auseinandersetzungen geworden. Besonders dort, wo die Angehörigen des Literarischen Büros, die unmittelbar nach der gescheiterten Revolution die Zeitungen auf demokratische Umtriebe hin zu inspizieren hatten, auf das Kammergericht stießen. Die Schlagabtäusche wurden manchmal mit solcher Erbitterung geführt, daß sie der Situation den Stempel des Pietätlosen aufdrückten. Lepel hatte sich soeben energisch zur Wehr gesetzt gegen die Behauptung eines vierschrötigen Geheimrats, ehemals dem Literarischen Büro angehörend und jetzt angestellt im Kultusministerium, der liebe Verstorbene habe zu jenen zwar sympathischen, aber seltener werdenden Exemplaren Mensch gezählt, die nur in Preußen ihre Heimat sehen konnten.
»Großartig klingt mir noch sein Gedicht: Gegen Demokraten helfen nur Sodaten in den Ohren«, hatte sich der Geheimrat abschließend zu einer posthumen Laudatio des Toten verstiegen und den Rüffel einstecken müssen, daß er Merckel wohl kaum gekannt haben dürfte angesichts dieser Behauptung.

»Ja, das Preußische ist ein für allemal tot«, stimmte die Gruppe, bestehend aus Assessoren, Referendaren und Räten des Kammergerichts, etwas geschmacklos ein, »die Versuche Preußens, sich auf Kosten Deutschlands zu vergrößern, sind bekanntlich seit Olmütz gescheitert.« Das habe auch der neue König eingesehen und sich mit den Liberalen arrangiert.
Wie darüber allerdings die deutsche Einigung vorangetrieben werden sollte, wußte niemand zu erklären. Und während die Kuchengabeln klapperten und Kaffee von den Bedienungen nachgeschüttet wurde, ergingen sich die Parteiungen in Hypothesen und Warnungen vor einer unkalkulierbaren politischen Entwicklung.
Henriette von Merckel hatte all dem mit einem versteinerten Gesicht zugehört. Es war ihr nicht anzumerken gewesen, inwieweit sie diese Gespräche als Zumutung empfunden hatte. Der Schmerz über den Verlust ihres Mannes, der ihr doppelt zusetzte, weil sie kinderlos war, hatte ihre Regungen hinter einem Panzer von Bewegungslosigkeiten versteckt. Mehrmals war Emilie mit der Hand über ihren Arm gefahren. Sie hatte es hingenommen wie ein geduldiges Kind, an ihrem Kaffee genippt und etwas Kuchen gegessen, mit trockenem, geschmacksunempfindlichem Mund. Zuweilen lief noch eine Träne aus ihren Augen und tröpfelte einsam und verloren über ihre Wangen. Aber je mehr Zeit verstrich, um so stärker hatte sie sich in der Gewalt.

Kurz nach Mittag erst – die angeregte Diskussion hatte nicht unerheblich dazu beigetragen – lief die Trauergemeinde auseinander. Emilie bot Henriette von Merckel an, den Rest des Tages bei ihnen in der Tempelhofer Straße zu verbringen. Aber Henriette wehrte dankend ab mit dem Hinweis, daß sich ihre Schwestern schon um sie kümmerten.
So trennten sie sich. Theo ging zurück in die Redaktion der Kreuzzeitung, Emilie zu den Kindern, die von einer Nachbarin beaufsichtigt wurden.
Sie hatten sich eingehakt, während sie über das glitschige Trottoir stampften. Der Schnee war matschig geworden und brachte Emilie dazu, ihren Rocksaum in Sicherheit zu bringen.
»Ein fürchterlicher Schlag, Wilhelms Tod, nicht nur für Henriette«, sagte sie, ihrer Atemwolke hinterherlaufend, »hätte er nicht etwas damit warten können?«

Theo schwieg eine Weile, dann meinte er:
»Ja, es ist schlimm, vor allem für uns. Wir stehen jetzt ohne Beschützer da.«

Die Idee war in England geboren worden, in einer heimeligen Stunde, zwischen den Schlössern des schottischen Hochlandes. Aber sie hatte ihm nicht nur seinen ernüchternden Englandaufenthalt mit helleren Farben angeleuchtet, sondern auch noch eine Aufgabe für viele Jahre beschert.
November 1861 waren die ersten Arbeiten dazu als Buch mit dem Titel »Wanderungen durch die Mark Brandenburg« erschienen. Die Absicht, Begebenheiten, Architektur und Schicksale aus der preußischen Frühgeschichte darzustellen, zwang ihn allerdings neben literarischen Studien Reisen zu unternehmen, deren finanziellen Aufwand Emilie nur mit einem weinenden Auge zur Kenntnis nehmen konnte, zumal keine besonderen verlegerischen Gewinne zu erwarten waren.
So oft es ging, versuchte Theo, auf seine Schwester Elise zurückzugreifen, die mit ihrer Mutter seit der Trennung der Eltern in Neuruppin wohnte. Fähig, aber auch willens, dem Bruder unter die Arme zu greifen, ließ sie sich einspannen, für ihn Erkundigungen über Land und Leute einzuholen, um es Theo zu ersparen, mit dem Zug, dem Pferdeomnibus oder der Kutsche das Berliner Vorland zu durchkämmen.
Seine Zeit war in der Tat bemessen. Nicht einmal zuerst durch die redaktionelle Arbeit bei der Kreuzzeitung. Emilie forderte vielmehr ein höheres Maß an Interessse für die familiären Belange, denen er ihrer Meinung nach zu wenig Aufmerksamkeit widmete.
»Ich habe einfach zuviel am Halse«, entschuldigte er sich in einsichtigen Stunden, deren es nicht eben viele gab, wie Emilie meinte.
Außerdem, betonte sie, habe er ja selber dafür gesorgt, daß ihm die Zeit davonlaufe.
»Deine Vereinsmeierei«, sagte sie und steigerte sich dabei gerne hinein in einen weinerlichen Ton, »das Geschreibsel bis in die Nacht. Kein Wunder, daß die Kinder und ich zu kurz kommen.«
Immer wieder hatte er versucht, es ihr zu erklären, daß die Anstellung bei der Zeitung, obwohl fest, zu wenig abwerfe und Hoffnungen hinsichtlich einer besseren Bezahlung zwecklos seien. Einer

Rückkehr in die Apotheke habe er endgültig entsagt. Deshalb müsse er schreiben.
Das Wort Schreiben hatte er mehrmals wiederholt. Da eine Einsicht bei Emilie ausgeblieben war, hatte er sie schlichtweg als naiv abgestempelt und sich in seinen bewährten Stoizismus geflüchtet. Zu einer Änderung seines Verhaltens war es nicht gekommen.
Abend für Abend saß er weiter am Tisch, arbeitete nun an seinen Aufsätzen über die Mark Brandenburg, die in Abständen von der Kreuzzeitung gedruckt wurden. Gemessen an der Weite des Themas war es eine Beschäftigung, die nicht nur für Jahre Arbeit gab, sondern auch die Möglichkeit zu Buchveröffentlichungen. Zudem setzte er sich seit Januar 1861 mit dem Gedanken auseinander, einen historischen Roman zu schreiben.
»Einen Roman aus der Aufbruchszeit«, wie er Bernhard von Lepel einmal anvertraute, »ich will beschreiben, wie es damals anfing 1813, als alles noch frisch war und der Horizont offen.«
Mit Lepel kam er neuerdings wieder öfter zusammen, Lepel, der bei Köpenick in seinem Herrenhaus das beschauliche Leben eines Privatiers führte und sowohl über die nötige Zeit verfügte als auch den rechten Sachverstand, um Theo bei seinen Fahrten in die Mark zu begleiten. Nicht selten mußte es an den Wochenenden geschehen, da das Verständnis eines Dr. Beutners, des Cheredakteurs der Kreuzzeitung, eng gesetzte Grenzen kannte. Es hatte einige Mühe gekostet, aber schließlich war Dr. Beutner davon zu überzeugen gewesen, Theo für eine Woche freizustellen.
»Nach Wust wollen Sie also, na, ja«, hatte er gemeint und seinem Bildungsdünkel sofort die Zügel schießen lassen, »sich an diese Katte-Tragödie heranmachen? Ein fast, wie mir scheint, zu heißes Eisen in unseren Tagen. Verbrennen sie sich nur nicht die Finger.«
Einen Tag später, bei kräftigen Winden, die das Laub in den Alleen schüttelten, schwenkte die Postkutsche in das Dorf Wust ein. Erleichtert, der aufgeheizten Fahrgastkabine entronnen zu sein, nahmen Theo und Lepel Quartier im erstbesten Gasthaus. Es war Mittsommer. Auf den Feldern und Wiesen ringsum brütete die Hitze, trotz der Winde. Die Dorfstraße, schmal und staubig, döste vor sich hin.
In der Schankstube bestellten sie Wein, von einem eilfertigen Wirt mit ebensoviel Umsicht wie Mißtrauen bedient.
»Zum Gut wollen die Herrschaften? Gerad die Straße herauf ...!« stand er bereitwillig Rede und Antwort.

Obwohl es ihrem Plan widersprach, nahmen sie sich Zeit für einen Mittagsschlaf. Zum Fenster heraus, dort, wo die Fliegen vor den Scheiben verbissen brummelten, lag die Kirche, die sie aufsuchten wollten, umflirrt vom ätzenden Licht der Augustsonne, und daneben Kattes Gruft, überschattet von Rüstern und Eschen.

Auf der Hinfahrt waren sie ins Diskutieren geraten. Theo hatte Lepel über Dr. Beutners Bedenken informiert, die Katte-Episode, obgleich historisch, sei politischer Zündstoff.
»Diese konservativen Knochen der Kreuzzeitung sind alles andere als morsch«, hatte Lepel lachend gemeint, »sie hören das Gras wachsen, wenn es um delikate Themen geht.«
Daraufhin war es zwischen ihnen zu einer politischen Bestandsaufnahme gekommen, bei der Theo die Behauptung vorgebracht hatte, der preußische Aar spreize seine Krallen und halte nach Beute Ausschau.
»Deine Phantasie geht mit dir durch«, war ihm Lepel zwar ins Wort gefallen, mußte aber zugeben, daß die geplante Heeresreform mit ihrer verlängerten Dienstzeit nicht nach einer friedlichen Entwicklung aussah.

Die Unterhaltung war längst im Strudel der Neuigkeiten untergegangen, als sie am frühen Nachmittag – der Schlaf hatte sie erfrischt – auf das Herrenhaus der Kattes zuwanderten. Wie immer klopfte Theo das Herz, wenn er sich einer Situation wie der vorliegenden aussetzen mußte. Die Vorstellung, abgewiesen zu werden, erweckte in ihm quälende Unzulänglichkeitsgefühle, wenn es sich um Familien handelte, die auf eine reiche und bewegte Vergangenheit zurückblikken konnte. Bernhard von Lepel an seiner Seite zu wissen, half ihm jetzt über diese Unsicherheit hinweg. Das Herrenhaus der Kattes lag in einem ausgreifenden Park, umschmiegt von einem dichtgewachsenen, aber unkultivierten Baumbestand. Statuen säumten die Alleen, auf ihren Sockeln zerbröckelnd und windschief im Fundament. Moos und Erosion hatten das marmorne Weiß verschießen lassen zu einer buntfarbigen Palette. Stumm, mit erblindeten Augen, empfingen die Heroen und Putten den Besucher, der sich den Weg bahnen mußte durch das dschungelhafte Areal auf die Rampe zu, über der sich der Eingang des Hauses erhob.
Ein Diener war ihnen entgegengetreten.
»Sie wollen zur Gruft?«

Das Ansinnen schien ihm wenig neu. Wer hier anklopfte, kam jener Vergangenheit wegen, die dem Namen der Kattes einen brillanten und gleichzeitig zweifelhaften Klang verliehen hatte.
»Wenn es geht ...«
Sie wurden in den Empfangssaal gebeten, warteten unter Bildern von Personen in Perücke und Küraß, von ihnen mißmutig betrachtet aus starren Fischaugen, bis die Herrin des Hauses erschien. Schweigend, den Blick abwendend, nahm sie ihre Bitte entgegen, um schließlich lautlos zu nicken. Der Diener übernahm die Aufgabe zu antworten.
Woher das Kind gekommen war, blieb ein Rätsel. Plötzlich stand es neben ihnen.
»Der Kleine wird Sie hinführen«, instruierte der Diener, »ich gebe Ihnen den Schlüssel. Sollte etwas anfallen, stehe ich zur Verfügung.«
Mit einer müden Bewegung hatte er Theo den Schlüssel übergeben. Er war so kalt wie die Hand, die ihn gehalten hatte.

Eine Viertelstunde später standen sie der dickbohligen Eichentür der Gruft gegenüber, die sich unter sanftem Druck zu öffnen begann. Abgestandene Luft schlug ihnen entgegen. Es roch nach Moder und Vergänglichkeit. Eine undurchdringliche Wand aus Schwärze und Staub richtete sich vor ihnen auf, die ein weiteres Vordringen nicht empfehlenswert erscheinen ließ.
»Gibt es eine Lampe?« fragte Lepel, die Stirn in Runzeln legend, weil im bewußt geworden war, wie unüberlegt sie ihren Plan angelegt hatten. Das Kind schüttelte den Kopf, sann eine Weile nach, um dann wortlos wegzulaufen.
»Was hat es?«
»Warten wir ab«, sagte Theo und verdeutlichte damit nur, daß ihnen gar nichts anderes übrig blieb.
Auf Grabsteinen nahmen sie Platz, beschirmt von Lorbeer und Wacholder, die ihre Schattenschneisen über die Gräber legten. Lepel wischte sich mit dem Taschentuch über den kurz geschorenen Kopf, auf dem die Geheimratsecken wuchsen.
»Wie wirst du's anlegen?« meinte er, um die Wartezeit zu überbrükken.
»Den Bericht? Ich werde den Katte darstellen, wie er war: Ein Preuße mit Ehre im Leib, von dem sich die heutigen, die sich so nennen, eine Scheibe abschneiden können.«
»Du kannst dir einen Affront nicht erlauben«, warnte Lepel, die Lip-

pen nachdenklich gespitzt, »man reagiert bei Hofe empfindlich, gerade jetzt, wo sich Krone und Parlament mit gezückter Klinge gegenüberstehen.«

»Ich lasse mir keine Zügel anlegen, nicht bei dieser Sache« fuhr Theo auf und gab zu erkennen, daß seine Entrüstung ernst gemeint war, »die Kreuzzeitung mag den Artikel dann eben nicht drucken. Ich bin drauf vorbereitet.«

Ihr Gespräch brach an dieser Stelle ab, weil sie des Kindes ansichtig wurden, das um eine Buschgruppe bog und mit dem Diener den Weg heraufkam. Der alte Mann trug einen Leuchter und hatte sich reich galoniert. Alles zusammen ergab, gemessen am Hintergrund, ein pittoreskes Bild.

Als der Diener sich umständlich zu entschuldigen begann, winkte Lepel ab.

»Verlieren wir keine Zeit!« Dann tauchten sie ein in die schweigende Welt der Toten.

Unter den Schuhsohlen schmergelte der Staub, während sie dem Lichtschein hinterherliefen. Die Luft atmete sich so schwer, wie die Kälte des alten Gemäuers sie urplötzlich überfallen hatte. Die Pforte blieb zurück als gleißender Bogen, den die Sonne nicht zu durchschreiten wagte.

»Dort«, sagte der Diener und wies in eine Ecke.

Unter den Sarkophagen nahm er sich bescheiden aus: Der Sarg Hans Hermann von Kattes. Das Holz war rissig geworden, der Farbanstrich abgesprungen, als sei auch die Erinnerung dabei, sich aufzulösen, daß hier einer lag, der einmal den Zorn eines Monarchen mit dem Opfer seines Lebens besänftigt hatte. Und während der Diener mit gleichgültiger Rührigkeit den Deckel vom Sarg schob, um den Blick freizugeben auf die mumifizierten Überreste des durch das Schwert hingerichteten Lieutenants von Katte, mußte sich Theo fragen, wieviel von dem wohl noch in dem Kind lebendig war, das sich hinter ihren Rücken verkroch, weil es den Anblick des versteinerten Gebeins nicht ertragen konnte. Würde es überhaupt verstehen können, was damals geschah?

Ein Kronprinz, als Friedrich der Große später in die Geschichte eingegangen, der seinen Vater mehr fürchtet als das Henkersbeil. Ein Lieutenant, Katte mit Namen, von der Garde Gensdarmes, der sich aus Freundespflicht bereit erklärt, bei der Flucht zu helfen. Einer Flucht, die den Tatbestand, wie beide wissen, einer Desertion erfüllt.

Entdeckung und Verhaftung, zuerst des Kronprinzen. Dann Kattes. Sein Stolz hat es ihm verboten, die durchaus vorhandenen Möglichkeiten, sich in Sicherheit zu bringen, zu nutzen.
Oder war es mehr gewesen? Besinnung, Loyalität, Verantwortung? Dann das Entscheidende: Ein Kriegsgericht, das bereit ist, Gnade walten zu lassen. Und ein Monarch, dem das Recht über alles geht. Katte ist es schließlich, der diesem Rechtsgefühl mit seinem Tod für alle sichtbar unvergeßlichen Ausdruck verleiht und den Kronprinzen rettet.

»Wir stünden vor der Geschichte besser da, wenn es ein anderes Ende genommen hätte«, lenkte Lepel ihre Gedanken zurück auf den Grabstättenbesuch, als sie wieder im Gasthof saßen. Sie hatten zu Abend gegessen. Theo wischte sich mit einem Tuch den Mund ab und blickte zur Tür, durch die einige Gestalten traten: Bauern des Dorfes, die den Schankraum zu beleben begannen.
»Du meinst, ein Urteil ohne Rechtsgrundlage, ein Entscheid kraft königlicher Verfügungsgewalt über Land und Leute, sei angemessener gewesen?« wandte er sich nach der Ablenkung an den Freund.
»Es wäre gerechter gewesen«, gab Lepel zu bedenken, »was war denn mehr geschehen, als daß zwei eben dem Kindesalter Entwachsene kopflos Reißaus nehmen wollten.«
»Sie sind desertiert, Bernhard!«
»Die offizielle Lesart, Theo!«
»Die faßbare Wirklichkeit, Bernhard!«
»Die Kreuzzeitung scheint tiefer in dir zu stecken, als ich annehmen durfte«, machte Lepel seinem Erstaunen Luft und stellte seine Absicht hintan, für sie beide eine Flasche Wein zu bestellen.
»Wir sprechen hier über Gerechtigkeit«, sagte er, ohne seine Betroffenheit zu verbergen. Aber Theo zeigte sich unzugänglich.
»Du sprichst über Gutdünken«, meinte er abweisend, »über eine Gerechtigkeit, die letztendlich Willkür heißt.«
»Deinen Rechtsfanatismus heiße ich unmenschlich«, erboste sich Lepel, »ich verstehe dich nicht mehr.«
»Ich will nur sicher gehen, Bernhard!«
»Sicher?«
»Ja«, erklärte Theo, »Monarchen, die sich zum Maßstab aller Dinge machen, flößen mir Angst ein. Selbst dann, wenn sie Urteile fällen, die den Geist der Menschlichkeit atmen.«

16. KAPITEL – BERLIN, 1863

Die Frage war berechtigt, ob die Reisefeuilletons das geworden waren, was sie auch sein sollten: Kritische Adnoten zur preußischen Geschichte, versehen mit einem gehörigen Schuß Gegenwartsbewältigung.
Immer öfter, so mutmaßte Theo, hatte sich Emilie mit ihrem skrupulösen Verantwortungsgefühl durchgesetzt und ihn Abstriche machen lassen, die zwar offiziellen preußischen Stellen gefallen mochten, ihm selber aber das Drosselband der Unehrlichkeit umlegten. Er spürte, daß es ihm auf Dauer die Luft nehmen würde. Emilies Argumente waren allerdings gewichtig gewesen: Verärgerung der tonangebenden Kreise am Hofe, die sich weitgehend aus der märkischen Junker-Aristokratie rekrutierten, Gefährdung seiner Anstellung bei der Zeitung und damit der Existenz seiner Familie.
»Wir sind allein in diesem Jahr zweimal umgezogen«, hatte sie ihrem Mann in einem Anfall von Verzweiflung vorgeworfen, »wo soll das noch enden?«
Und das, obwohl diesen Monat der zweite Teil der gesammelten Reisefeuilletons als Buch seien Weg an die Öffentlichkeit genommen hatte. Vorgänge, die Emilie erwiesenermaßen mit Anwandlungen von unbegründeter Hoffnung auf Geld und Anerkennung begleitete. Dabei erschien ihr das Letztere im Augenblick wertvoller als der sehnlichst erwartete Geldsegen.
»Wenn es doch mal so ginge wie bei Scherenberg«, hatte sie geseufzt, um wieder einmal die Erfahrung machen zu müssen, daß es anders ging.
Das Herumreisen zwischen Spree und Oder hinterließ seine Spuren. Obwohl in den besten Mannesjahren, tauchten bei Theo vermehrt Anfälle von Müdigkeit auf. Wenngleich die Tätigkeit in der Redaktion eher Kräfte sparen half, sorgte der Umgang mit George Hesekiel, Redaktionsmitglied, Schreibtischnachbar und spendabler Freund, dafür, daß die Reserven unvorhergesehen schnell aufgezehrt wurden. Lepel hatte ihn vor Hesekiel gewarnt, erfolglos.
»Er ist eine Seifenblase, sag ich dir. Nicht nur, daß er so dick ist wie die nämliche, er kann sich auch wie eine Blase aufpumpen, vor allem, wenn Öffentlichkeit in der Nähe ist.« Der Gedanke lag immer nahe, daß Lepel Hesekiel die Freiheit neidete, aber auch den respektlosen

Anspruch, sein Leben in seigneurialer Großzügigkeit zu führen. Ungeachtet finanzieller Dauerprobleme. Am Ende mochte es sogar Eifersucht sein.

Im August machte sich Erschöpfung breit. Abendliches Arbeiten war nicht mehr möglich. Obwohl er die Versuche nicht aufgab, schlief er über den beschriebenen Papierseiten ein. Emilie begann er leid zu tun.
»Du mußt ausspannen«, riet sie, obgleich sie um seine Eskapaden wußte, die zu dem Zusammenbruch geführt hatten.
»Hier ... ausspannen?«
»Fahr irgendwohin«, beschied sie seine hilflose Anfrage mit generöser Selbstlosigkeit, »Geld genug wird dafür da sein. Am besten an einem Ort, wo du zu dir kommen kannst. Allein.«
Er dachte sofort an die Ostsee: Weiße Strände, Birken und Riedgras im Wind. Schilfdächer, unter den Brisen knisternd.
»Ich reise nach Swinemünde oder Heringsdorf«, sagte er. Das Gräuliche aus seinem Gesicht schwand. »Wenn mir etwas hilft, dann das.«

Swinemünde, im August 1863

Mein lieber Wilhelm Wolfsohn!
Papier ist bekanntlich geduldig. Es gibt nicht wenige Möglichkeiten, um diesen schönen Satz einer Überprüfung z unterziehen. Die beste ist gewiß die, einfach draufloszuschreiben, um am Ende zu sehen, was herauskommt. Ist es gut geworden, dann hat man gerad den Punkt getroffen, wo das Behagen zu Hause ist. Seit zwei Wochen zähle ich zu jenen Zeitgenossen, die es sich erlauben können, dem Alltag lebewohl zu sagen, um ganz ihrer Lust und Leidenschaft zu frönen. Mit anderen Worten: Ich mache Urlaub, nachgerade in jenem Ort, dem ich fünf Jahre meiner Kindheit verdanke. Jahre, die sich im Rückblick rosafarben verklären. Auch wenn ich der Vergangenheit damit Gewalt antue – und ich tue es gewiß – ich wurde gelabt auf einer himmlischen Aue und war damals zu dumm, es zu ahnen.
Wie ein ins Vaterhaus Heimgekehrter bin ich durch die Straßen gelaufen, habe nach meinen Fußspuren Ausschau gehalten: Im Sand, auf dem Kirchplatz, wo die Kastanie stand und noch steht, am Strand der Swine und in den Kuhlen von Heringsdorf, wo wir als Störtebeker-Piraten unsere Residuen unterhielten. Alles war noch an seinem Platz: Die Apotheke meines Vaters, die wehrhaften Mauern des Bollwerks, das Gästehaus, in dem sich Syl-

vester die Bürgerschaft tummelte, und das Kasino, das meinen Vater öfter sah als die Verkaufstheke seines Ladens.
Und doch war alles anders. Der Badebetrieb, einstmals mehr Abwechslung als Geldquelle, hat sich zu einem zyklischen Furor entwickelt, der wie ein Herbststurm in das Land einbricht. Die Merkantilisierung hat der Architektur der Stadt Gewalt angetan. Hotels und Pensionen durchziehen die Häuserzeilen. Der Strand, Aufenthaltsort Naturhungriger zu meiner Zeit, hat sich in eine Promenade zeigewütiger Wassertreter verwandelt, die sich dreimal am Tag von Kellnern abfüttern lassen, um auch der letzten Bequemlichkeit nicht entsagen zu müssen. Alles buckelt vor Mammon. Um ihn zu besänftigen, bedarf es nicht mehr hochherziger Appelle und tiefsinniger Reden. Ihn besänftigt nur noch die rohe Faust. Und die zu ballen, steht bekanntlich in der Macht selbst des niedrigsten Geistes. Tatsachen, die den neuen modus vivendi nicht unbeliebter machen, wirst Du zu recht vermuten. Ich für meinen Teil bin dabei, die Abrechnung mit der Zeit und den Menschen auf dem Papier auszutragen. Ein Verfahren, das Emilie entgegen kommt, fürchte ich. Ungeschicklichkeit im Umgang mit Ämtern und Offiziösen hält sie bei mir für eine über den Erbgang erworbene Charakterschwäche.
Nun, ich bereite einen umfänglichen Roman vor, in dessen Mittelpunkt ein Mann steht, der in einer Epoche moralischen Verfalls und nationaler Würdelosigkeit den Gehorsam gegen den König aufkündigt, um im Alleingang die Ehre des Vaterlandes vor der Geschichte zu retten.
Du ahnst schon, worum es geht. Ich denke an 1812, als das Volk einen König daran erinnern mußte, was Pflicht war: Einen Despoten – damals einen französischen – von deutschem Boden zu vertreiben. Schon möglich, daß Emilie das Thema weniger gefällt. Immerhin werden dem preußischen Adler kräftig die Federn gestutzt und seiner Selbstgefälligkeit ein mächtiger Dämpfer aufgesetzt. Darüber hinaus ist der Roman für mich aber mehr: Die Auseinandersetzung mit Menschen, denen die Freiheit alles war und deren Kompromißlosigkeit die Throne das Fürchten lehrte. Eine wahre Labsal für einen wie mich und die vielleicht einzige Freude in diesen Tagen. So weit hierzu.
Wie ich gehört habe, beginnst Du zu kränkeln, mein Alter. Bürde mir zu den vorhandenen Sorgen nicht noch weitere auf. In der festen Überzeugung, daß Dein Gesundungswille sich als robuster erweist als alle noch so niederträchtigen Miasmen der Welt, überläßt Dich wieder Deinen Arbeiten

Dein Theodor Fontane

17. KAPITEL – BERLIN, 1864

Den Kopf der Preußischen Zeitung zierte ein eisernes Kreuz, aurahaft umschrieben: Vorwärts mit Gott für König und Vaterland. Von dieser eigentümlichen Gestaltung der Vorderseite entlehnte sich die im Volksmund gebräuchliche Bezeichnung: Kreuzzeitung. Ehemals gegründet als Organ der konservativ-junkerlichen Partei, um den liberalen und demokratischen Blättern Gleiches entgegensetzen zu können, propagierte es eine Weltanschauung, die in feudalen Philosophien wurzelte.

Patriarchalisch nicht nur in der Theorie, sondern auch in der Art, wie die Redaktion geführt wurde, mochte sie einmal im Jahr nicht darauf verzichten, den Beweis anzutreten, daß man bei allen Unterschieden doch eine verschworene Gemeinschaft war. Zu dem Zweck rief Dr. Beutner die Angestellten des Hauses – vom Botenjungen bis hin zum stellvertretenden Chefredakteur – zu einer Ressource zusammen, die für gewöhnlich im Konferenzsaal des Zeitungsverlages stattfand. Um dem Versammlungsaufruf die gebührende Weihe zu geben, wurden illustre Gäste eingeladen, Männer mit Verdiensten oder doch wenigstens klangvollen Namen: Professoren, Geheimräte, Geistliche und Vertreter der Junker-Aristokratie.

Der Konferenzsaal war dazu ausgeräumt und ein Buffet aufgestellt worden. Es gab wahlweise Weißbier oder Wein, um den Ansprüchen aller vertretenen Chargen gerecht zu werden. Die Zusammenführung, wie Hesekiel diese Ressourcen einmal spöttisch benannt hatte, zog sich vom frühen Abend bis nach Mitternacht, war immer anregend, zuweilen wurde es sogar laut und machte deutlich, daß man sich nicht auf Distinguiertheit verlassen konnte, obwohl Dr. Beutner, der Chefredakteur, in seinen Begrüßungsreden stets zu betonen pflegte, man sei: »Entre nous«.

Das Flair der großen Familie, wortreich beschworen, brachte es bald zustande, die Tatsache der im Alltag kultivierten Unterschiede auszulöschen.

»Zum Nutzen und Frommen aller«, hatte Dr. Beutner zu einem seiner Nachbarn, dem Grafen Stolberg, bemerkt, »das, was sie jetzt lauthals fordern, allgemeines, gleiches und direktes Wahlrecht, führt doch nur zur Verblendung und Anarchie.«

Mitternacht war überschritten. Der Kalender zeigte den 1. Februar. Die winterlichen Temperaturen hatten den Boden draußen steinhart gefrieren lassen. Zuweilen streiften Schneeflocken die Fensterscheiben des Konferenzsaals, die vom Atem der Gäste zugehängt waren.

Nicht anders mochte es im Norden aussehen, wo zu dieser Stunde die preußischen und österreichischen Kontingente des deutschen Bundes die Grenze nach Schleswig überschritten, zum zweiten Mal nach 1848, um es den Dänen nach deren widerrechtlicher Annektierung zu entreißen.

»Haben Sie es mitgekriegt?«

Verbindlich, wie es seine Art war in solcher Umgebung, hatte sich der Chefredakteur die Überrumpelung nicht anmerken lassen.

»Herr von Klützow!«

Der so Angesprochene, Geheimrat im Kriegsministerium und regelmäßiger Teilnehmer der Ressource, war mit zwei schnellen Schritten an Dr. Beutner herangetreten, heftiger atmend, als es die Anstrengung rechtfertigte.

»Jetzt kann ich es sagen«, stieß er, um Luft ringend, hervor, weil er von einer heftigen Erregung erfaßt worden war, »Wrangel marschiert.«

Theo dachte sofort an Bernhard von Lepel, der im 48er Krieg Teilnehmer gewesen war, nachdem Dr. Beutner die Nachricht an alle Anwesenden weitergegeben hatte. Nach einigen Sekunden des betroffenen Schweigens war rollender Applaus aufgekommen, man hatte sich zugeprostet und in dem Feldzug eine günstige Entwicklung für die Einigung Deutschlands gesehen.

Die Stunde der Auflösung nahte. Dr. Beutner hatte begonnen, dem Ritus gemäß, seine Runde zu machen, um allen Anwesenden für ihr Erscheinen zu danken. Auch das war Teil jenes Arrangements, das getroffen wurde, um das betriebliche Klima der Zeitung zu verbessern.

»Verdrücken wir uns!« meinte George Hesekiel zu Theo, als sich der Chefredakteur aus dem Pulk der Gäste herausschälte und Anstalten machte, auf sie zuzukommen, »ich möchte dem Beutner nicht begegnen.«

Wenn jemand eingeweiht war in die Querele zwischen Hesekiel und Dr. Beutner, dann war es Theo. Seit einiger Zeit schon schwelte der

Streit. Hesekiel, ebenso geldversessen wie freigebig, schrieb neuestens Erfolgsromane, wie er sie renommistisch zu bezeichnen pflegte, die sich Dr. Beutner aber beharrlich weigerte, in der Kreuzzeitung zum Vorabdruck zuzulassen.
Finanzielle und organisationstechnische Gründe waren vorgeschoben worden, um das Projekt zum Scheitern zu bringen. Nachdem Hesekiel auch den lyrischen Impetus in sich freigesetzt hatte und mit derselben Behauptung abgewiesen worden war, unterschob er Dr. Beutner böse Absichten.
»Hast du deinen Mantel?«
Theo mühte sich noch in einen Ärmel, als Hesekiel, noch beleibter als früher wie ein opulenter russischer Großfürst im Türrahmen auf ihn wartete.
Dr. Beutner waren sie glücklich entkommen. Das Stimmengewirr folgte ihnen, während sie sich durch das unbeleuchtete Treppenhaus tasteten, die Mäntel fester an sich ziehend, weil sie die Kälte nach dem Aufenthalt im geheizten Saal doppelt spürten.
»Ich kann das blasierte Getue der devoten Junkerknechte nicht mehr ertragen«, knurrte Hesekiel, als sie die rundbogige Pforte schlossen, »schlimm genug, daß ich hier morgen wieder hin muß.« Theo lächelte. Zum ersten Mal an diesem Abend.

Schiffmühle an der Oder, im Februar 1864

Mein lieber Theo!
Von Dir zu hören, daß ich wieder Großvater geworden bin, hat mir meine Philosophenklause um einige Lichtspritzer heller gemacht. Mutter und Kind sind wohlauf, wie Du schreibst. Und das ist ja allemal das Wichtigste.
Das Zweitwichtigste darf dabei natürlich nicht vergessen werden: Das liebe Geld.
Leider hat es bei uns Fontanes damit immer gehapert. Und folglich auch bei Dir. Mama hat es deswegen von mir weggetrieben. Und wie ich Deine Emilie kenne, gehört sie auch nicht zu denen, die an der Muse Genüge finden. Ich hätte nicht mit Mama zusammengelebt, wären mir nicht jene Schrullen und Verstimmungen bekannt, von denen Du berichtest.
Lehr die Weiber jemand, uns Männer besser zu begreifen! Was gibt ihnen nur den unseligen Glauben ein, wir seien einzig und allein dazu auf dieser Welt,

entweder Geld zu verdienen oder einen respektablen Titel einzuheimsen. Funktioniert weder das eine noch das andere, werden sie griesgrämig und launisch. Ich hab mein Fett abbekommen und darf mich nun den Rest meiner Tage unter abgetakelten Oderschiffern langweilen.
Sieh Du zu, daß es Dich besser trifft! Was nicht heißen soll, das Büßerhemd überzustreifen, um den Pfad der Tugend zu beschreiten. Die Tugenden, denen ich begegnet bin, hatten alle ein häßliches Gesicht. Deinem letzten Brief konnte ich entnehmen, daß Du gerade dabei bist, hierzu Deine eigenen Erfahrungen zu machen. Es ist ein Kreuz mit dem Kreuz. Hat man beruflich damit zu tun, wie Du, ist es um so schlimmer. Alles Doppelzüngigkeit und ätzende Bigotterie. Du hast mir die letzte Ressource Deiner Zeitung so anschaulich geschildert, daß es für mich ein Leichtes war, mir ein Bild von den Verhältnissen zu machen. Alles Phrase. Seit sie es mit der Freiheit haben, auch darin. Was jeder will, ist nur das eine: Kommandieren.
Die Heuchelei unterhält bekanntlich die stärksten Regimenter. Ich verstehe gut, was es für Dich heißt, täglich den Brotteig der Hochanständigkeit kneten zu müssen und gleichzeitig zu wissen, daß die mit Tinte und Feder fabrizierten Biedermänner nur Vorsitzende von Räuberhöhlen sind. Gesocks, was die politische Landschaft heutzutage besudelt. Wen wundert's, daß die Großmeister der schwarzen Kunst im Nu lernwillige Lehrlinge an sich ziehen. Es scheint mir, Du bist der einzige, der das nicht ganz begreifen will.
Das: Entre nous Deines Chefredakteurs Dr. Beutner wird bald wie das abgeschwächte Echo eines anderen Mottos klingen: Deutschland den Preußen. Ich denke mir, das eine ist so verlogen wie das andere.
Sollte es den Preußen erst einmal gelungen sein, ganz Deutschland in den Sack zu stecken, wird so manch Gutgläubiger merken, daß man die Freiheit mit der Einheit herausgefegt hat. Und auch diejenigen der Gläubigerpartei, die einen Patriarchenbart für eine gute Behausung halten, müssen irgendwann zu der Erkenntnis kommen, daß die Zeit vorbei ist, wo man sich unter Zuchtmeisters Knute wohlfühlen konnte.
Einheit hin, Einheit her. Wenn sie den einen alles bringt und den anderen alles nimmt, gehört sie unter die Fliegenklatsche. Und wenn ich Dich richtig verstanden habe, mein Junge, dann war die letzte Ressource Deiner Zeitung von genau der Art, die die Klatsche verdient hat.
Hab nur ein Auge darauf, daß Du Deinem Papa nicht zu ähnlich wirst, dann gibt es keine Probleme. Nicht gerad so unähnlich, wie Mama es gerne gesehen hätte. Die Mitte würde schon reichen. Denn genau besehen, ist sie ja immer das Beste.

Hier möge Dich und Deine Familie dann alles Glück der Erde einholen. Wenn Du dabei noch etwas Zeit erübrigen kannst, besuche angelegentlich Deinen alten Vater, dem ein Gespräch über Gott und die Welt sicher gut tun würde.

Bis bald, wie ich hoffe
Dein Papa

18. KAPITEL – BERLIN, 1865

Obwohl seit längerem kränklich, war er trotzdem überraschend gekommen: Wolfsohns Tod.
An einem Augusttag, zu schön, um von einer solchen Nachricht berührt werden zu dürfen, hatte Theo es erfahren. Von Emilie war ihm der Brief wortlos ausgehändigt worden.
... muß ich Ihnen, werter Herr Fontane, nicht zuletzt auch, weil gerade Sie zu den engsten Freunden meines lieben Mannes zählten, schweren Herzens sein Ableben zur Kenntnis bringen ...
Unterschrieben von Wolfsohns Frau.

Wie an jedem Abend seit Februar hatte er sich zurückgezogen, um weiter an seinem Kriegsbuch über den Feldzug in Schleswig zu arbeiten. Es galt, Berichte durchzusehen, die er im Vorjahr für die Kreuzzeitung angefertigt und deretwegen er zweimal die Kriegsschauplätze bereist hatte. Nicht nur Emilie sah in dem Kriegsthema, für das sich bereits ein Verlag interessierte, den Hoffnungsschimmer, doch noch in der literarischen Anerkennung Boden zu gewinnen, auch Theo versprach sich etwas davon, zumal sein Buch gerade jene Namen feiern würde, die dem Hofe oder führenden militärischen Kreisen nahe standen.
Aber an diesem Abend fehlte ihm die Kraft weiterzumachen. Wenn auch Emilie nur über die vordergründigsten Motive der Freundschaft ihres Mannes zu Dr. Wilhelm Wolfsohn unterrichtet war, verstand sie doch sofort, warum Theo Papier und Feder in der Schublade ließ. Seine Gesichtshaut war gräulich, als er zum Fenster ging, um schweigend hinauszuschauen.

Selbst Mete, inzwischen fünf Jahre alt, deren Aufforderung zum Spiel er nie hatte widerstehen können, mußte sich unverrichteter Dinge in die Arme ihrer Mutter flüchten. Viel weniger noch hatten die Jungen, George und Theodor, eine Chance, beachtet zu werden. Ein Ring eisiger Unnahbarkeit hielt ihren Vater umschlossen, den zu durchbrechen unmöglich war.

Noch weniger hätten sie seinen trüben Gedanken folgen können. Er fühlte sich vom Schicksal vergessen. Wenn er nachrechnete, waren es jetzt fünfzehn Jahre.

Mein Gott, dachte er, daß man so einen Schlamassel durchhält. Fünfzehn Jahre von einer Ecke in die andere geschubst. Kommt man zur Ruhe, wird einem bald der Boden unter den Füßen zu heiß.

Seine Schwierigkeiten in der Redaktion standen ihm momentan vor Augen. Seit er zusammen mit Hesekiel auf der Ressource Dr. Beutner geschnitten hatte, war er ihnen gram. Und das hieß etwas bei einem Mann, dessen Zorn nur durch vollendete Unterwerfung zu besänftigen war. Dazu aber taugten weder er noch Hesekiel. Ihr Barometer zeigte unzweideutig auf Sturm.

In einer solchen Situation Wolfsohn zu verlieren, der sich nicht nur durch seine Ratschläge bewährt hatte, sondern darüber hinaus auch sein Mentor im allerweitesten Sinne geblieben war, hinterließ eine Erschütterung, die auszukurieren schwer sein würde. Eh bien, dachte er, weil er sich der Worte erinnerte, die Yorck in der Schlacht bei Laon gesagt haben sollte, als er in einer ähnlichen Lage war wie er jetzt, es muß auch so gehen.

Seit er sich, allen finanziellen Kalamitäten zum Trotz, einen Erholungsurlaub zugebilligt hatte, trat Emilie mit mehr Unbefangenheit auf, wenn es um Forderungen ging. Sie bestand auf einer Haushaltshilfe.

»Die Arbeit mit den Kindern wächst mir über den Kopf«, hatte sie sich beklagt und etwaigen Einwänden von seiner Seite dadurch zuvorzukommen gewußt, daß sie darauf hinwies, wie sehr sie zudem noch durch seine Arbeiten beansprucht sei.

»Schließlich benutzt du mich als billige Schreibkraft«, hatte sie ihn daran erinnert, daß sie ihm seine von Korrekturvermerken starrenden Manuskripte in die Kalligraphie ihrer Handschrift übertrug.

Die Strategie hatte sich als erfolgreich erwiesen. Seit neuestem verfügten die Fontanes über eine Mathilde, die, ausgestattet mit allen Vorzügen und Nachteilen eines Berliner Mädchens, Emilie spürbar entlastete. Vor allem jetzt, nachdem mit dem kleinen Friedrich die Arbeit nicht weniger geworden war. Und nur Mathilde konnte sie es verdanken, daß sie an diesem Sonntag nicht zu Hause bleiben mußte. Einem Sonntag, der mit dampfenden Wiesen und einem glühenden Morgenrot alle Verheißungen in sich trug, so gut zu Ende zu gehen, wie er anfing.

Obwohl Theos Verbindungen zum Dichterverein »Tunnel über der Spree« loser geworden waren, hielt er darauf, an seinen Ausflügen teilzunehmen. Sie fanden auch deshalb statt, um darüber die inzwischen abgesplitterten Fraktionen Rütli und Ellora wieder zusammenzuführen.

Die Ausflugsziele wurden nie weit gesteckt. Die Forste rund um Berlin boten sich an, die Seen. In Kremsern ging es hinaus. Die Frauen sorgten für die Verpflegung. Auch die Kinder der Mitglieder wurden bei dieser Gelegenheit nicht ausgeschlossen. Möglichst unbeschwert wollte man sich geben, über Gegensätze und verschiedene Ansichten hinwegsehen, geschweige denn, berufliche Unterschiede berücksichtigen. Der Korpsgeist sollte triumphieren und den Tag in der Erinnerung für alle zu einem Erlebnis werden lassen.

Auf den großen Müggelsee hatte man sich an diesem Sonntag geeinigt. Bernhard von Lepel war in Köpenick zugestiegen. Gegen 10 Uhr erreichten die drei Kremser, bestückt mit jeweils zwei kräftigen Pferden, den Waldgürtel um den Müggelsee.

Nebel floß noch durch die Baumwipfel, und von den Waldwegen stieg es feucht auf, als die Kutscher ihre Fahrgäste aufforderten, auszusteigen. Die Pferde könnten nicht mehr weiter, des weichen Bodens wegen.

Im Nu waren die Ladeflächen leer. Sich streckend, um die steifen oder eingeschlafenen Körperteile wieder in Bewegung zu bringen, stand man beieinander. Und während die einen noch dabei waren, ihre Eindrücke zu formulieren, hatten andere schon die Rolle von Pfadfindern übernommen.

»Da hinunter!«

Am rührigsten gab sich Heinrich Smidt, Exmatrose, nautisch versiert und von Bucherfolgen verwöhnt. Er war allen vorangelaufen, so zielstrebig, als könne er das Wasser des Sees riechen. Ohne Zögern schlossen sich ihm die anderen an. Über ihren Köpfen schaukelte die

Vereinsfahne, liebevoll zusammengenäht und mit Allegorien durchwirkt von den handwerklich geschicktesten Frauen der Vereinsmitglieder.
Sie ruhte in den Händen eines Professors von Heyden, im Hauptberuf Kunstmaler, der das Fahnentuch trotz erschwerter Bedingungen unbeschadet durch das Ästegewirr lavierte, um es am Seeufer stolz den Brisen anzuvertrauen, die in Abständen über die Wasserfläche strichen.
Die ganze Zeit über hatten sich die Kinder zurückgehalten. Jetzt, angesichts der neu gewonnenen Freiheit, brach es aus ihnen heraus in vielen: »Ahhs ...«, und: »Ohhs ...«, die sie dadurch zu unterstreichen wußten, daß sie zum Wasser liefen, um ihre Hände hineinzutauchen.
Selbst Emilie zeigte sich beeindruckt.
»Man möchte nicht glauben, welche Schönheiten es gibt, selbst hier bei uns«, meinte sie angerührt und lehnte sich sanft gegen Theos Schulter. Es war schon lange her, daß sie sich zu einer solchen Geste der Zutraulichkeit hatte verleiten lassen.

Der Morgen zog ereignislos dahin. Die Vögel waren allmählich zurückgekommen, nachdem sie der Lärm vertrieben hatte. Erstaunt äugten sie aus dem Gezweig der Kiefern und Birken herunter auf die Menschen, die nichts anderes zu quälen schien, als sich unentwegt unterhalten zu müssen. Zuweilen griffen sie auf Bücher zurück, aus denen sie sich Gedichte und Novellen vorlasen. Andere verschwanden im Buschgürtel. Und wenn sie zurückkamen, trugen sie in den Revers Blumen oder Tannenzweige.
Wer sich zu keiner Betätigung aufraffen konnte, schaute auf den See hinaus, auf dem sich die letzten Nebelbänke auflösten, silbern umflossen vom abstrahlenden Licht. Enten schossen flach über das Ufer, die Binsengewächse mit ihren Bäuchen streifend. Heiser verwehten ihre Schreie in der Weite der Landschaft, aus der drüben jenseits des Sees Friedrichshagen langsam durch Dämmer und Dunst dem neuen Tag entgegenwuchs.
Emilie hatte ihre Decke dort ausgebreitet, wo Professor von Heyden vor kurzem mit theatralischer Geste die Vereinsfahne in den sandigen Boden gerammt hatte, um sie für alle sichtbar im Winde kreiseln zu lassen. Was er sich davon versprach, blieb weitestgehendst sein Geheimnis. Daß es aber damit etwas zu tun haben mußte, den Gemein-

schaftsgeist zu beschwören, dessen Fehlen den Bestand ihres Vereins zunehmend bedrohte, vermuteten viele. Aber zunächst deutete nichts darauf hin, daß jemand oder irgend etwas die Landpartie in Frage stellte. Gegen Mittag – Emilie hatte gerade damit begonnen, assistiert von jener unvermeidlichen Henriette von Merckel, die zum Hause Fontane gehörte wie die alltäglichen Sorgen, den Verpflegungskorb auszupacken – als sich die Palette der Erlebnisse auf unvorhergesehene Weise bereicherte. Mete war es, die darauf aufmerksam gemacht hatte mit einem weinerlichen: »Da ... da ...«, um sich darauf reichlich erschreckt an die Mutter zu klammern. Dann sahen es alle: Ulanen, wohl eine Eskadron, die am Ufer entlangpreschte, die dünnschaftigen, überlangen Lanzen mit den flatternden Fähnchen an der Spitze leicht nach vorne gebogen. Es schien, daß sie auf einem Übungsritt waren, ihre Pferde am See getränkt hatten oder noch die Absicht verfolgten.

Obwohl sie ihrem Lagerplatz mit rasender Geschwindigkeit näher kam, verminderte die Eskadron ihr Tempo nicht. Schon begann der Boden zu vibrieren. Wenige Schritte nur von Emilie entfernt saß das Ehepaar Zöllner, seit Gründung der Ellora zum engsten Freundeskreis der Fontanes zählend.

Frau Zöllner, gleichen Vornamens wie Emilie, hatte sich bereits besorgt erhoben, die Stirn in Kummerfalten gelegt, während ihr Mann Karl sich noch in Gelassenheit übte.

Heinrich Smidt, an einer Wurst herunterschneidend und ansonsten von ostentativem Phlegma, stellte seine Hantierungen ein und starrte mit blinzelnden Iltisaugen der entfesselten Furie preußischer Ulanen ungläubig entgegen. Einige der anwesenden Damen ließen Aufschreie vernehmen und provozierten damit Bernhard von Lepels Beschützerinstinkt. Er richtete sich drohend auf, als wolle er sich dem unverschämten Treiben entgegenstellen. Scherenberg, einsichtig genug, um die Sinnlosigkeit dessen zu erkennen, las unangefochten in einem Buch weiter, während die Eskadron die Höhe des Lagerplatzes erreicht hatte. Für Sekunden nur schien der Boden zu schwanken, als sei ein Erdbeben über das Land hinweggegangen. Dann verhüllte eine braungelbe Wolke die Sonne, rollte über Büsche, Körbe, Decken und Menschen hinweg, als habe eine Wanderdüne beschlossen, die Erde unter sich zu begraben.

»Diese schuftigen Kerle!« zeterte eine weibliche Stimme. Kaum daß sie sich bemerkbar machen konnte in dem Gehuste und Gekeuche,

das den Lagerplatz so schnell überzog, wie die Kavalkade außer Sichtweite geriet. »Wir sollten unbedingt etwas gegen sie unternehmen.«
»Ganz ausgeschlossen«, entschied Professor von Heyden, »alle würden uns auslachen. Die Uniformträger sind heute sakrosankt.«

Als die Schatten der Baumgruppen länger wurden, rüstete man zum Aufbruch. Professor von Heyden bemühte sich bereits um seine Fahne, die nicht ganz schadlos den Anschlag überstanden hatte. Mete, übermüdet und gelangweilt, wimmerte leise vor sich hin, trotz aller Tröstungsversuche durch Frau Merckel. Und Theo machte darauf aufmerksam, daß ihre Wagen schon warteten. Gegen 19 Uhr trat man die Heimfahrt an, unter den Klängen der Mandoline und dem Knattern des Fahnentuchs, in das der Fahrwind blies, als wolle er etwas gutmachen.

Schiffsmühle im Oderbruch, 15. Oktober 1866

Mein lieber Theo!
Ich danke Dir, daß Du an Deinen alten Papa gedacht hast. In der Tat werden Kontakte für mich immer seltener. Wer in die Jahre kommt, hat sich zu bescheiden, sagen die Leute. Und lassen es einen spüren.
Wie Du schreibst, tut es Dir schrecklich leid, mich nicht dabei gehabt zu haben. Nun, es muß hoch hergegangen sein in Berlin. Zweifellos hätte ich es gerne gesehen: Wilhelmus Rex unter dem Brandenburger Tor, neben ihm Bismarck, Roon als Kriegsminister und der unverzichtbare Moltke. Und dahinter die Garderegimenter, die den Österreichern gezeigt haben, was ein preußischer Musketier wert ist. Ich kann es mir sehr gut vorstellen. Vielleicht zu gut, um am Ende darüber zu frohlocken, ausgesperrt geblieben zu sein.
Die Hohenzollern haben die Habsburger also aus Deutschland herausgeworfen. Die Ernte ist eingefahren. Preußen, dieser Lümmel, hat es auf seine ellbogenfreche Art geschafft, die anderen an die Wand zu drücken. Und alle kuschen vor dieser Anmaßung.
Ich kann mich gut erinnern, wie wir beiden anno 1848 im Revolutionsjahr einem anderen Wilhelmus Rex begegnet sind, den man gezwungen hatte, die deutsche Fahne zu tragen. Ich denke mir, daß er sie mit nicht weniger Ehre über seinem Haupte hat flattern lassen, als unser Wilhelm heute durchs Brandenburger Tor geritten ist. Denn mit Ehre hat weder das eine noch das andere

zu tun. Die Preußen von damals und die Preußen von heute huldigen letztendlich beide demselben Ungeist: Der Flucht nach vorn. Alles Operette also: Das Präsentiergriffekloppen, die Parademärsche, die Fahnenappelle, die Zapfenstreiche ...

Eine komische Nummer für leicht beeindruckbare Gemüter. Immerhin zieht der Zirkus hinreichend Publikum an, um seine Ränge zu füllen. Kein Wunder, bei einem Impressario wie Bismarck, der dabei ist, ganz Europa zu seiner Manege zu machen. Seine Unverfrorenheit ist bekanntlich so groß wie die Anbetung, die ihm entgegenschlägt. Wäre er nicht ein Krautjunker, der für die Hohenzollern den Laufburschen macht, ich würde etwas Napoleonisches in ihm sehen. Und das, wie Du weißt, mein lieber Junge, ist für mich die höchste Steigerungsform der Bewunderung.

Aber Bismarck ist kein Napoleon. Er läßt sich für seine Hand- und Spanndienste abfüttern wie ein Domestik, auch wenn es ein Grafentitel ist oder ein Generalmajorsrang. Abfütterung ist Abfütterung.

Er hat schließlich dafür gesorgt, daß den Preußen die Puste nicht ausgegangen ist. Und daß es heute vorwärts marschiert, verdankt es allein ihm.

Wäre er ein Napoleon, dann hieße der preußische König jetzt nicht Wilhelm, sondern Otto.

Wer in die Jahre kommt, mein Junge, darf absurden Gedanken nachhängen. Es ist ein Privileg des Alters, Rücksichten aufzugeben und Wahrheiten auszusprechen.

Alle reden von einer großen Zeit, in der wir stehen. Ich halte sie für mickrig. Alles ist mickrig: Die Zeit, die Leute, die Ideen.

Was ist aus der Freiheit geworden, die unser aller Blut einmal in Wallung brachte. Ein Schielen auf Soll und Haben. Seit die Preußen ihnen die Bilanzen verbessern helfen, haben die Freiheitler von damals ihr liberales Gewissen an die preußischen Kanonen verkauft. Gewachsen ist nur ihre Scheinheiligkeit. Und die wird den Hohenzollern noch zu schaffen machen. Sei's ihnen gegönnt.

Am Ende gibt's einen großen Kladderadatsch. Aber genug davon, auch wenn die Prophetie zu den Vorrechten des Alters gehört. Was macht Deine Arbeit? Wenig genug darüber war aus Deinem Brief zu entnehmen. Du darfst Dich allerdings nicht wundern, daß man Dir in der Redaktion übel mitspielt. Dr. Beutner und Konsorten haben nicht nur Preußengeist inhaliert, sondern das gleich in hundertfach verstärkter Applikation.

Beleidigttun ist die Nobilitierung der Schwäche. Soviel zum Trost.

Immerhin hast Du auch Deine Vergünstigungen. Wer kann schon damit glänzen, die Blut- und Eisenschmiede des künftigen Deutschen Reichs auf

Böhmens Schlachtfeldern persönlich in Augenschein genommen zu haben. Dabei ist Dir das Hasardieren noch mit Honoraren versüßt worden. Was also Klage führen!
Wenn ich richtig gelesen habe, dann planst Du auch über die 66er-Kampagne wie zum deutsch-dänischen Krieg von 1864 ein Buch herauszugeben. Viel Glück dazu!
Aber erwarte nicht zuviel Anerkennung von den Hohen Herren. So wie ich sie kenne, schlagen sie sich nur selber gerne auf die Schulter. Das »entre nous« gilt doch nur für ihresgleichen. Also wappne Dich!
Leider – oder auch Gott sei Dank – hast Du nichts über Emilie und die Kinder verlauten lassen. Ich nehme deshalb an, daß sie sich alle bei bester Gesundheit befinden. Dasselbe weiterhin für Dich wünschend, verabschiedet sich für heute

Dein Papa

19. KAPITEL – ROSTOCK–WARNEMÜNDE, 1869

Die Bahnfahrt hatte ihnen einiges abgefordert, auch wenn eine Reise von Berlin nach Rostock nicht zu vergleichen war mit einer Eisenbahnfart nach Mainz, Köln, Karlsruhe oder in die Schweiz. Entfernungen, die selbst für Emilie zur Gewohnheit geworden waren, nachdem die Fontanes seit neuestem in die Sommerfrische fuhren.
Das finanzielle Polster, auf dem ihr Familienfrieden ruhte, war nach den Buchveröffentlichungen der letzten Jahre solider geworden, obwohl das Werk über den preußisch-österreichischen Krieg buchhändlerisch und unter dem Aspekt einer erhofften Resonanz vom Hofe hinter den Erwartungen weit zurückgeblieben war. Wieder einmal hatte Emilie nur seufzen können.
»Es ist wie verhext!«
Solche Augenblicke konnten Theo den Verstand kosten. Emilie hütete sich, weitere Bemerkungen zu machen. Zusätzliche Probleme konnte sie im Augenblick nicht brauchen, seitdem auch noch George den Familienfrieden aufs Spiel setzte. Inzwischen neunzehn Jahre alt, hatte er nach schulischem Versagen die Offizierslaufbahn eingeschlagen und tat Dienst als Fähnrich in einem Infanterieregiment. Seine

vorrangigste Fähigkeit bestand leider darin, mehr Geld auszugeben, als er besaß. Die Korrespondenz mit den Eltern beschränkte sich deshalb auf Brandbriefe, die in immer kürzeren Abständen einliefen.
»Ach, George ...«, pflegte Emilie mit einem tiefen Atemzug die Kuverts entgegenzunehmen, um sie ungeöffnet auf Theos Schreibtisch zu deponieren. Eine Handlung, die mehr war als eine zufällige Geste.
Zum Kummer, den ihnen George bereitete, kam die Sorge um Theos Mutter, die in Neuruppin, bettlägerig und seit Monaten von ihrer jüngsten Tochter Elise selbstlos gepflegt, ihrem absehbaren Ende entgegendämmerte. Vor zwei Jahren schon hatte Theo seinen Vater verloren.
Jetzt, während er mit Emilie auf dem Rostocker Bahnhof dem Zug entstieg, kamen alle Beschwernisse seines Lebens in einer Ballung auf ihn zu, als hätten sie beschlossen, ihn zu zermalmen. Obwohl Emilie ihn daran erinnerte, wie George das Karussell seiner Schwierigkeiten neuerdings dadurch in Schwung gebracht hatte, daß er nach despektierlichen Briefen an Vorgesetzte den Truppenteil wechseln mußte, schwieg Theo, winkte eine Droschke heran, die sich knirschend von ihrem Standplatz löste, und half Emilie beim Einsteigen. Nichts zu sagen, wenn es um Georges Unvermögen ging, mit dem Leben zurechtzukommen, war sicher besser. Schließlich hatte er ihn und seine Mutter zu einem Zeitpunkt allein gelassen, als er sich hätte um sie kümmern sollen. Das Anwesen der Wittes lag so nahe an Warnemünde, wie es von Rostock entfernt war. Fritz Witte hatte zwar in seinem Brief mit der Einladung, ihn zu besuchen, von einem Haus gesprochen. Aber er hatte gleichzeitig zwischen den Zeilen durchblicken lassen, daß es mehr war als eines der üblichen Häuser, mit denen sich bessere Leute auszustatten pflegten. Das Wort Villa war nicht gefallen. Doch zweifelten weder Theo noch Emilie daran, daß genau das gemeint war, während sie sich den Fahrwind in der offenen Droschke um die Nase wehen ließen.
Links von ihnen strömte die Warnow der Ostsee zu, schnell und strudelig ihre Gewässer führend, als sei die Unrast ihr Lebensprinzip. Von der Warnow hatte auch Fritz Witte in seinem Brief gesprochen. Nachts kann ich das Rauschen des Flusses hören, hatte er geschrieben. So nah ist er.
Der Tag war hell und klar. In der Windstille, die herrschte, versank das Rauschen des Wassers im flirrenden Grün der Landschaft. Nur

ein leises Brodeln begleitete das Rollen der Wagenräder, die eine scharfe Doppelspur durch den lehmigen Boden zogen.
Emilie hatte die Zeit über versucht, ihren Mann in ein Gespräch zu verwickeln. Aber da es wieder um George gegangen war, hatte Theo nur mürrisch abgeblockt. Das Thema war für ihn beendet, nachdem George jetzt auf sein Betreiben hin in einem anderen Infanterieregiment untergekommen war. Emilie sollte sich damit zufrieden geben, daß er ihrem Sohn über seine Beziehungen zum Kriegsministerium hatte helfen können. Beziehungen, die er seiner Mitgliedschaft im »Tunnel« verdankte.
Der Einladung zu den Wittes war er nicht ohne Bedenken gefolgt. Daß er sie trotzdem angenommen hatte, war ein Entgegenkommen. Er wandte sich zur Seite. Über die abgeernteten Felder stelzten langbeinig die Störche. Letschin tauchte aus dem Nebel seiner Erinnerungen auf.
Die Straße, über die sie fuhren und die eigentlich nur ein Feldweg war, führte direkt auf das Haus der Wittes zu. Von weitem schon waren Baugerüste zwischen grün schwellenden Baumwipfeln zu erkennen, die das Anwesen beschatteten. Sie hatten richtig vermutet: Es war eine Villa, mit Porticus, Dependencen, Säulen, Zinnenkranz am Dach, Balkonen, Erkern und Veranden.
Theo schluckte.

Die Entschuldigung war zu schwelgerisch ausgefallen, um nicht gekünstelt zu wirken. Trotzdem war sie ehrlich gemeint. Fritz Witte, atemlos vom schnellen Lauf und bemüht, sich des schmutzigen Laborkittels zu entledigen, hatte Theo vertraulich auf die Schulter geklopft, Emilie mit umständlichen Honneurs willkommen geheißen und seine Frau Anna, wenngleich im Spaß, zurechtgewiesen, weil sie, wie er sagte, ihr Gäste einfach hier im Foyer habe herumstehen lassen. Die von ihr entrüstet vorgebrachte Rechtfertigung überhörte er, obgleich er wußte, daß sie nicht anders hatte handeln können. Ihr Haus war schließlich noch nicht fertig.
»Tut mir leid«, erklärte er, »aber ihr seht ja selbst: Handwerker ... Handwerker ...«
Dabei hinterließ das Foyer auf den ersten Blick den Eindruck, seinen geplanten Endzustand erreicht zu haben. Die Stuckarbeiten an der hochgezogenen Decke waren fertig. Bauchige Bodenvasen füllten mit bunt zusammengestellten Sträußen die Ecken aus. Neben der fast dek-

kenhohen Doppeltür zum Salon hatten auf Sockeln Amor und Psyche Stellung bezogen. Und auch der Teppich, der sich über die gewundene Treppe in die oberen Stockwerke zog, war bereits ausgelegt.
Dessen ungeachtet sprach Fritz Witte von einem trostlosen Zustand, in dem sich das Gebäude befände.
»Es wird noch seine Zeit dauern, bis es bezugsfertig ist« meinte er, ohne daß es dieses Mal nach einer Entschuldigung geklungen hätte. Die unausgesprochene Frage, warum er trotz offensichtlicher Unterbringungsschwierigkeiten Gäste eingeladen habe, beantwortete er damit, daß er niemanden wüßte, dem er lieber seine Erwerbung vorstellen mochte als den Fontanes.
»Du solltes es sehen, Theo, als erster«, betonte er emphatisch, »so unvollkommen, wie alles noch ist. Schließlich brauchen wir voreinander nichts zu verbergen.«
Dem zu widersprechen, hätte geheißen, der Unwahrheit die Ehre zu geben. In der Apotheke des Dr. Schacht, der jetzt Wittes Schwiegervater war, hatten sie schließlich gemeinsam im Laboratorium wintertags gefroren und im Sommer geschwitzt, über Literatur geredet und Verse geschmiedet und am Ende eine Revolution zu machen versucht. Es gab in der Tat wenig, was sie voreinander hätten verbergen können. Allenfalls das, was Fritz Witte mit so zäher Beharrlichkeit seine Vorstellungen in die Tat umsetzen ließ. Es war ihm sowohl planmäßig gelungen, in den Haushalt seines damaligen Brotgebers einzuheiraten, als auch geschickt für sein berufliches Fortkommen zu sorgen. Inzwischen, wie Theo wußte, saß er als nationalliberaler Abgeordneter im Landtag und strebte nach Höherem. Daß er in dieser Rolle nebenbei auch seiner pharmazeutischen Fabrikation manchen Vorteil verschaffen konnte, lag auf der Hand. Bei Berücksichtigung dieser Gesichtspunkte mußte sich Theo ernsthaft fragen, ob die Einladung nicht auch eine von Fritz Wittes planvollen Schachzügen war. Zunächst einmal deutete nichts darauf hin.
Daß der Hausherr übertrieben hatte, als er vom trostlosen Zustand des Gebäudes sprach, zeigte sich bald. Im unteren Stockwerk hielten sich keine Handwerker mehr auf. Allerdings fehlte es noch überall an der Einrichtung.
Die Fontanes hatten ein Zimmer nach hinten heraus zugewiesen bekommen. Bett und Schrank waren nachträglich hineingestellt worden. Welchem späteren Zweck der Bau dienen sollte, entzog sich der Einsicht.

Die beiden Fenster öffneten sich gegen eine Wiese, die eine Unzahl von Vermessungsstangen in ein Muster von geometrischen Figuren verwandelten. Eingeschlossen wurde das Ganze durch einen Graben, aus dem die Zacken einer zukünftigen Mauer wuchsen.
»Ich hoffe, daß ich mit Frühjahr des nächsten Jahres endgültig einziehen kann«, klärte Fritz Witte die unüberschaubare Situation auf und machte damit indirekt deutlich, daß er seinen Wohnsitz noch nicht von der Polnischen Apotheke in sein neues Haus verlegt hatte.
»Eine einigermaßen komplizierte Lebenspraxis«, legte er dar, »eine Fabrik in Rostock zu besitzen und die Familie in Berlin zu wissen. Aber man gewöhnt sich an die Einsiedelei.«
Dann erzählte er, wie er den verfallenen Bauernhof, der jetzt seine Fabrik war, entdeckt und gekauft habe, weil er für seine Zwecke günstig lag und auch den Preis rechtfertigte.
»Das ist dabei herausgekommen«, meinte er, mit der Hand großspurig einen Kreis beschreibend, der weit über die Begrenzung seines Hauses hinauswies, »sollte meine Idee nicht mehr gewesen sein als ein vermessener Griff nach den Sternen, Theo, dann kostet sie mich Kopf und Kragen.«
Anna, seine Frau, war dabei bemerkenswert unbeteiligt geblieben. Gemeinsam hatten sie den Abend im Salon verbracht, einem hallenartigen Raum, der durch mehrere Flügeltüren, mit Verglasung reichlich bestückt, in eine Terrasse überging. Vor ihr dehnte sich die mit Stangen ausgemessene Wiese.
»Das soll einmal der Park werden«, hatte Fritz Witte dem eigentümlichen Phänomen das Geheimnisvolle zu nehmen gewußt, »aber auch das steht noch in den Sternen. Du siehst, Theo, ich lebe auf dem schwankenden Fundament einer Hypothese.«
Eine Daseinsform, die Theo nicht unbekannt war. Emilie hatte ein kurzes Zucken um die Mundwinkel gezeigt und sich dann ihrem Getränk gewidmet, einem mit Alkohol versetzten Fruchtsaft, der von einem Hausdiener gereicht worden war. Ob Fritz Witte ihn eigens für den Abend engagiert hatte oder seine Aufgabe darin bestand, auch ihn zu versorgen, während er hier allein über den Fortgang der Arbeit am Bau und in der Fabrik wachte, danach wagte Theo nicht zu fragen. Vielmehr sprachen sie über die Zukunft. Was lag näher, als die Kinder einzubeziehen.
Anna Witte berichtete über ihre Tochter Elisabeth, Lise genannt, die immer nach ihrem abwesenden Vater frage, und Emilie erzählte von

Metes schulischen Fortschritten, die darauf hindeuteten, daß sie ein besonders aufgeweckter Mensch werde.
»Theo will sie, wenn es eben geht, nach England schicken, zu Bekannten aus seiner Korrespondentenzeit«, stellte sie nicht ohne Stolz heraus und veranlaßte Frau Witte zu einem stummen Nicken.
Über Politik wurde der Frauen wegen nicht geredet. Mehrmals noch schenkte der Hausdiener nach, unaufgefordert, bevor die Nacht aufzog, Gold durchflossen. In Ermangelung geeigneterer Beleuchtungsmöglichkeiten brannten im Salon Kerzen, hoffnungslos anflackernd gegen den dichter werdenden Dämmer. Durch eine der offenstehenden Doppeltüren raunte die Warnow, gelegentlich nur unterbrochen vom heiseren Schreien eines verschreckten Vogels. Vorsichtig rüttelte der Wind an den Scheiben, als sei es an ihm, zur Nachtruhe zu mahnen.

Erst am nächsten Morgen konnte sich das Anwesen der Wittes ganz zur Geltung bringen. Fritz war mit Theo zur Fabrik hinübergegangen. Schon beim gemeinsamen Frühstück hatte der Hausherr, wenn auch eher indirekt, durchblicken lassen, wie sehr ihm die Präsentation seines Betriebes am Herzen lag.
Das Gras, vom Tau durchnäßt, hatte Spuren auf den Umschlägen ihrer Hosen hinterlassen, als sie, einen letzten Sperrgürtel von Fliederbüschen durchbrechend, vor der Halle standen, die ehemals Stallung gewesen war, Wohnhaus und Remise.
»So sieht es nun aus: Wittes ganzer Stolz«, offerierte Fritz den Umbau nicht ohne Ironie.
Aus den Kaminen qualmte es vielfarbig in den Morgenhimmel, eine Aura belästigender, wenn nicht gar penetranter und unerträglicher Gerüche entlassend. Theo rümpfte die Nase trotz einschlägiger Erfahrungen.
»Fritz«, schnaufte er dann, »ich kann deinen Unternehmungsgeist nur bewundern.«
»Nicht bewundern, Theo«, sagte Witte mit kalkulierter Bescheidenheit, »in der zukommenden Weise würdigen.«
»Ich verstehe«, sagte Theo, ohne sich anmerken zu lassen, daß er Wittes Einladung zu begreifen begann.
»Haben wir nicht alle ein Bedürfnis danach?«
»Ja«, bestätigte Theo mit dem Nachdruck dessen, der weiß, wovon er spricht.

Über den Besuch wurde nicht mehr geredet. Fritz Witte war tabu. Genauso wie Schwager Sommerfeldt in Letschin, obwohl Theo hier Abstriche machte.
»Der Sommerfeldt, na, ja«, pflegte er abschätzig zu formulieren. Die eigentümliche Betonung des Namens ersparte es ihm auszuführen, wie niedrig er über ihn dachte.

Im Dezember des letzten Jahres war die Mutter verschieden. Wenngleich nicht unerwartet, hatte ihr Tod Theo tiefer getroffen, als es nach den noch bestehenden Beziehungen anzunehmen gewesen war. Er hatte ihr Briefe geschrieben, in unregelmäßigen Abständen. Darüber hinaus aber keinen Kontakt mehr gehalten. Jetzt kehrten seine Gedanken immer wieder zur Mutter zurück, zu jener zierlichen, gleichwohl energischen Frau, die er so liebevoll bewundert wie stumm gefürchtet hatte.
Sie kollidierten in unzweckmäßiger Weise mit jenen Gedanken, die er sich über Dr. Beutner machen mußte, der die Zurückweisung auf der Redaktionsressource immer noch nicht überwunden hatte. Ohne Zweifel plante er einen Rachefeldzug.
Schon seit längerem war es in der Redaktion üblich geworden, Theo Arbeiten kurzfristig zuzuteilen. Zu kurzfristig, um sie zufriedenstellend bewältigen zu können. Aber genau das schien in das Konzept Dr. Beutners zu passen. George Hesekiel gab sich wenig erstaunt, als Theo ihn auf das schikanöse Verhalten des Chefredakteurs hinwies.
»Sei froh, wenn's nicht schlimmer kommt. Beutner ist ein Ekel«, sagte er und dachte dabei wohl an seine eigene Erfahrung mit ihm.
Zunächst war es bei Nörgeleien geblieben. Dr. Beutner hatte sich an der einen oder anderen Formulierung gestoßen, den Text zuwenig informativ, inhaltlich zu überladen oder in der Diktion zu unpräzise gefunden.
Die Unterredungen waren zwar ohne einen Eklat zu Ende gegangen. Aber Theo war übellaunig von ihnen zurückgekehrt. Trotzdem hatte er gute Miene zum bösen Spiel gemacht, auch da, als Dr. Beutner ihm Anweisungen nur noch über Dritte – Hilfspersonal der Redaktion – zu erteilen begann.
»Himmel Donnerwetter«, kommentierte George Hesekiel das von

allen als ungehörig empfundene Verfahren, »der hat's wirklich auf dich abgesehen. Dabei singt er dein Loblied andernorts, wo er kann, nennt dich unseren Balladier, Reiseschriftsteller und Kriegshistoriker und schmückt sich mit deinen Federn, weil du in seiner Redaktion sitzt. Um dich ganz einheimsen zu können, sollst du nun zu Kreuze kriechen, Theo.«

Um das Maß des Unzumutbaren voll zu machen, hatte Dr. Beutner eine Aufsatzreihe über Skandinavien in Auftrag gegeben.

»In einer Woche wollen wir damit beginnen, Herr Fontane«, hatte er das Vorhaben seinem fassungslosen Redakteur unterbreitet, der einmal eingestellt worden war, um den englischen Artikel zu redigieren, und sich nun binnen einer Woche über Skandinavien sachkundig machen sollte.

»Aber das ist unmöglich, Herr Doktor!« protestierte Theo.

»Unmöglich?« schnaufte Dr. Beutner und ließ bedrohlich die Stimme anschwellen, »in acht Tagen brauche ich den ersten Aufsatz, Herr Fontane, darauf muß ich unbedingt bestehen.«

Eine knappe Woche später wollte Emilie mit Mete nach Hamburg reisen. Wie lange sie in England bleiben würde, stand noch aus. Zunächst aber sorgten die Reisevorbereitungen für einige Unzuträglichkeiten im Haushalt. Sie wurden noch dadurch erschwert, daß sich George angemeldet hatte, der in Hannover die Kriegsschule besuchte und sich auf das Offiziersexamen vorbereitete. Wenn George Anhänglichkeit demonstrierte, dann war Not am Mann, wie Theo die Lage pessimistisch einschätzte.

Die Koffer, bereitgestellt, um Metes und Emilies Sachen für die Reise aufzunehmen, wurden erst einmal von Mathilde, dem Hausmädchen, zurückgetragen. Statt zu packen, traf man Vorbereitung, um George unterzubringen und zu beköstigen. Die Frage, wie es mit den Finanzen stünde, um George gegebenenfalls – und wie fast nicht anders zu erwarten – aus einer neuen pekuniären Zwangslage helfen zu können, wagte Theo kaum zu stellen, tat es dann aber doch und mußte in Erfahrung bringen, daß alles geschehen durfte, nur nicht, was er befürchtete.

Wie es sich für einen Uniformträger gehörte, wurde der Fähnrich George Emile Fontane von allen ausgiebig bestaunt. Nach Umarmung und mütterlichem Kuß mußte er sich der unersättlichen Greiflust der jüngeren Geschwister ausliefern.

George nahm es hin mit der Würde und Geduld dessen, der an derlei Rituale gewöhnt ist. Emilie war es schließlich, die ihn aus der allmählich lästig werdenden Lage befreite.
»Laßt es gut sein«, scheuchte sie Friedel und Theodor aus Georges Nähe und nahm Mete an die Hand, um sie bei sich zu haben, während sie mit ihrem Ältesten sprach. Insgeheim war er ihr Favorit geblieben, ungeachtet der Abstriche, die ihr Mann ständig an ihm vorzunehmen bemüht war. Auch jetzt, wie sie meinte, als sich alle um den Wohnzimmertisch versammelt hatten und Mathilde anfing, den Kuchen aufzuschneiden.
»Also nur drei Tage willst du bleiben?« hatte Theo sich noch einmal bei seinem Sohn rückversichert, als könne er sein Glück kaum fassen. Die hintergründigen Animositäten ihres Mannes gegenüber George waren Emilie zwar aufgefallen, seit Georges Schulversagen aber unabweisbar geworden. Georges Entschluß, zur Armee zu gehen, hatte dann den letzten Ausschlag gegeben, ihn mit jener kühlen Väterlichkeit zu bedenken, die immer knapp daran war, unsympathisch zu wirken. George jedenfalls war ein prächtiger Soldat geworden: Gardemaß wie der Vater, braungebrannt und durchtrainiert, von jener Zackigkeit, die den Soldaten auch im Kugelhagel des Feindes noch in der Linie hält. Seine Sprache besaß den näselnden Tonfall des arroganten Militärs, das sich unendlich weit der übrigen Menschheit überlegen weiß. Sein Denken war so eckig geworden wie die breiten Schultern und bewegte sich mit Vorliebe in Zweiwortsätzen durch die Kargheit seiner Lebensphilosophie.
»Einfach druff, Papa!« lautete darum seine Empfehlung für den Fall, daß Frankreich mit Krieg drohen würde, und brachte den Vater damit regelmäßig in Harnisch.
»Red nicht so kindsköpfig«, knurrte er, »Frankreich ist nicht irgendein Operettenfürstentum!«
»Aber Papa ...!«
»Nimm's nicht tragisch, George«, tröstete Emilie ihren Sohn, als sie sah, daß sich sein Kinn ärgerlich zu kräuseln begann, »Papa hat Probleme mit der Redaktion. In solchen Fällen wird er bockig.«

Theos Stimmungslage verhieß nichts Gutes, als er am nächsten Morgen den Gang zur Redaktion antrat. Am Abend zuvor hatte er den Skandinavienaufsatz zu Ende gebracht, auf den letzten Drücker und

unter Aufbietung aller Finessen. Dr. Beutner würde sich im Laufe des Morgens der Arbeit annehmen und sein gnadenloses Urteil sprechen. Ihm war bang davor.
Aufgrund der Vorkommnisse in letzter Zeit, bei denen der Chefredakteur seinen Willen unter Beweis gestellt hatte, sich Satisfaktion um jeden Preis zu verschaffen, konnte das Urteil nur schlecht ausfallen. Dabei war er dieses Mal fast sicher, daß ihm der Aufsatz gelungen war und jener Haken und Ösen entbehrte, an denen Dr. Beutner seine Mäkeleien aufzuhängen pflegte. Das tröstete ihn zunächst und gab ihm den festen Tritt zurück.

Der morgendliche Verkehr flutete an ihm vorüber. Berlin rüstete für den neuen Tag, mit mehr Elan als sonst, schien ihm. Die Pferde vor den Kutschen und Frachtwagen liefen schneller, eine größere Zielstrebigkeit lenkte die Schritte der Passanten, die Klingeln der Omnibusse klangen schriller, und die Bäckerjungen mit den für sie viel zu großen Körben handhabten sie heute mit der Leichtigkeit gestandener Männer.
Eine Frische hatte von der Stadt Besitz ergriffen, die sich nicht mit dem Frühling allein erklären ließ. Um so deutlicher stellte sich Theo das Bild seiner eigenen Misere vor Augen. Oft hatte er die Möglichkeiten durchgespielt für den äußersten Fall. Aber am Ende war nicht viel geblieben. Er brauchte die monatlich 50 Taler, die ihm die Kreuzzeitung sicher einbrachte. Eine Kündigung war ganz ausgeschlossen, legte er rationale Maßstäbe an. Niemand würde ihn verstehen und niemand es billigen. Daß ihm ein Gnadengeschenk des Himmels in Form eines überraschenden literarischen Erfolgs à la Scherenberg aus der Klemme helfen würde, daran glaubte er schon lange nicht mehr.
Als er den Fuß über die Schwelle des Redaktionsraums setzte, war sein Mund trocken. George Hesekiel begrüßte ihn wie immer mit Handschlag, bevor Theo sein Manuskript ablieferte und an sein Schreibpult ging.
»Schon gehört«, flüsterte ihm Hesekiel zu, »wir machen jetzt gegen Bismarck scharf. Die Parole lautet: Kein Krieg gegen Frankreich.«
Daß Theo nur mit halbem Ohr zugehört hatte, kränkte ihn etwas, brachte ihn aber gleichzeitig dazu, mit mehr Nachdruck seinen Redaktionsklatsch zu vertreiben.
»Es wird gemunkelt, die Preußen bekämen kalte Füße«, kicherte er.

Seine Feder kratzte übers Papier, als habe seine Schadenfreude Grund zum Feiern.
»Hat Beutner schon nach mir gefragt?«
Hesekiel wandte den Kopf. Sein Doppelkinn schob sich mächtig über den Hemdkragen. Das Grinsen glich dem eines Fauns.
»Steht wieder was an?« fragte er lüstern.
»Das Übliche«, erwiderte Theo und sichtete den Stapel englischer Zeitungen, aus deren Nachrichtenangebot er Berichte zu fabrizieren hatte.
Hesekiels faunhaftes Grinsen war erneut aufgeflammt.
»Ich würde mir über Beutner keine Gedanken machen«, versuchte er zu beruhigen, »der hat jetzt ganz andere Sorgen.«

Daß der Botenjunge ihn darüber in Kenntnis gesetzt hatte, der Chefredakteur wolle ihn sprechen, hielt Theo für ein schlechtes Vorzeichen. Als er von seinem Schemel rutschte, die Armschoner abzog und auf die Sitzfläche legte, deutete Hesekiel ihm an, daß er die Daumen drücke. Theo kniff den Mund zusammen, dankte und marschierte durch den Mittelgang zur Tür mit dem Messingschild: *Dr. Beutner – Eintritt nur nach Aufforderung*.
Für das Gespräch gedachte er sich Zeit zu nehmen. Er hatte sich Kaffee bringen lassen, saß zurückgelehnt und locker in seinem Sessel hinter einem Schreibtisch, der ein Drittel der Stellfläche des Raums einnahm. In seinen Augen lag ein gequälter Zug. Darum herum breitete sich eine Leidensmiene aus, als sei er gegen seinen Willen zu der anstehenden Unterredung genötigt worden.
»Nehmen Sie Platz, Herr Fontane«, sagte die Leidensmiene und legte um eine weitere Nuance zu. Theo, dem Comme il faut des Hauses Rechnung tragend, war hinter der Tür stehengeblieben. Nach der Aufforderung steuerte er mit zwei schnellen Schritten einen Armstuhl an, der dem Sessel Dr. Beutners direkt gegenüberstand.
»Wie lange gehören Sie unserem Hause schon an, Herr Fontane?«
Die Eröffnungsfrage ließ Theo sogleich auf vorsichtige Distanz gehen.
»Zehn Jahre, Herr Doktor.«
Der Chefredakteur bog die Mundwinkel nach oben und nickte andeutend mit dem Kopf.
»Eine lange Zeit«, sagte er dann mit einem versonnenen Blick, »eine Zeit, die Menschen zusammenwachsen läßt.«

Theo zog es vor, auf einen Kommentar zu verzichten.
»Ich kann mich noch gut an Ihren Antrittsbesuch bei mir zu Hause erinnern«, sprühte Dr. Beutner plötzlich in einer Launigkeit, die eher erschreckte als entkrampfend auf die Situation wirkte, »gleich nach dem Mittagsschlaf sind Sie gekommen. Wie viele Kinder ... hatten Sie noch gesagt?«
»Drei waren's damals, Herr Doktor, inzwischen sind es vier«, beglich Theo die überfallartig eingebrachte Anfrage des Chefredakteurs. Er spürte, wie sich seine Nerven zum Zerreißen spannten.
Wieder nickte Dr. Beutner, schnell und oberflächlich.
»Hesekiel hatte Sie damals empfohlen«, meinte er darauf mit verletzender Beiläufigkeit, »aber das tut ja jetzt nichts zur Sache.«
Die Leidensmiene hatte sich inzwischen in Luft aufgelöst und einer undurchsichtigen Heiterkeit Platz gemacht, die vergessen ließ, warum sie hier standen. Um so überraschender traf Theo der Vorwurf, Teile der Leserschaft hätten sich über ihn beschwert.
»Sie ahnen«, sagte er mit falscher Anteilnahme, »daß es um den letzten Skandinavienaufsatz geht.«
Dabei griff er zur Seite in einen Ablagekorb, wo das heute morgen abgelieferte Manuskript deponiert war, und schwenkte es wie einen Fächer.
»Was soll ich nun damit machen?« brillierte er in einer genüßlichen Unentschlossenheit, die Theo das Blut in den Kopf steigen ließ.
»Ich darf daran erinnern, daß Sie mir diese Skandinavienaufsätze aufgedrängt haben«, verteidigte sich Theo, auch um seinen Ärger abzuschütteln. Denn es war immerhin möglich, daß Dr. Beutners Leserzuschriften nur eine neue Variante seiner schikanösen Kritik darstellten.
»Ich hatte Ihnen meine Bedenken gleich am Anfang zum Ausdruck gebracht, Herr Doktor.«
Ein mitleidiges Schmunzeln glitt über das Gesicht des Chefredakteurs.
»Aber lieber Herr Fontane«, meinte er dann im gütlichen Ton eines wohlwollenden Freundes, »Sie hätten den Auftrag rundweg ablehnen sollen.«
Die Infamie des Vorschlags konnte nur von denen nachempfunden werden, die Dr. Beutners rigoroses Regiment in der Redaktion kannten. Theo fühlte, wie ihm die Lippen zu flattern begannen.
»Ablehnen ...?«

Der Chefredakteur hatte seine Augen weit aufgerissen, als wolle er den Bonsens, über den er zu verfügen meinte, in die Welt hinausschleudern.
»Ein offenes Wort, Herr Fontane, ein Schuß mehr Vertrauen«, erklärte er schmerzlich angerührt, »und es wäre zu der peinlichen Angelegenheit nicht gekommen.«
Theo spürte, daß es an der Zeit war, mit der Wahrheit nicht mehr hinter dem Berg zu halten.
»Sie haben mir immer das Gefühl gegeben, Ihnen im Weg zu sein«, ermannte er sich zum Frontalangriff.
»Aber Herr Fontane ...!«
Wenn der Entrüstungsschrei unecht gewesen war, dann konnte er allemal für sich in Anspruch nehmen, Eindruck hinterlassen zu haben. Theo verschlug es die Sprache. Dafür übernahm Dr. Beutner mit um so mehr Nachdruck das Wort.
»Nun gut«, begann er, »nicht allen Menschen haftet derselbe Stallgeruch an. Da werden schon mal die Klingen gekreuzt. Aber das heißt doch nicht, daß man deshalb jemanden ablehnt.« Als hätten ihn tiefe Gedanken heimgesucht, schloß er die Augen. »Wir hier in der Redaktion sind im Grunde eine große Familie, Herr Fontane«, sagte er in einem Ton, der unwidersprochen bleiben wollte, »das verlangt Verläßlichkeit, Rücksichtnahme, Zusammenarbeit, aber auch Eingliederung und Unterordnung vom einzelnen.«
Theo merkte, wie ihm das Gespräch peinlich zu werden begann.
»Bitte, Herr Doktor ...«, erlaubte er sich entgegenzuhalten, ohne daß sein Einwand Wirkung zeigte. Mit unverminderter Verve entwickelte der Chefredakteur statt dessen seinen Standpunkt weiter, erfüllt von einem Eifer, der an persönliche Betroffenheit denken ließ.
»Und genau darauf, Herr Fontane«, griff er pointierend auf seine letzte Anmerkung zurück, »ist jener unselige Eindruck zurückzuführen, Sie seien anderen im Wege. Besser wäre es gewesen, wir hätten uns gemeinsam um eine Richtigstellung bemüht.«
Da er sich nichts mehr von einem weiteren Einwand erhoffte, überließ Theo dem Chefredakteur kampflos das Feld.
»Sie sollten daran denken, Herr Fontane, daß Schwierigkeiten die unheilvolle Neigung besitzen, weitere Schwierigkeiten anzuziehen«, führte er mit oberlehrerhafter Aphoristik aus, »wir wollen hoffen, daß sie sich auf die vorliegenden beschränken und nichts – er unterbrach seinen Redefluß, um dann im veränderten Tonfall fortzufahren

– nichts Unvorhergesehenes hinzukommt. Was ich meinerseits sehr bedauern würde.«
Er ließ seine Oberlider langsam über die Augäpfel rollen, als sei ihm jeglicher Blickkontakt unerträglich.
»Unvorhergesehenes, Herr Doktor ... was bedeutet das?«
Die Frage schien der Chefredakteur erwartet zu haben. Seine Reserviertheit verwandelte sich sekundenschnell in einen Vulkan sprudelnder Tatkraft.
»Können Sie sich nicht vorstellen, daß sich eine Redaktion von Mitarbeitern trennen muß, die das Betriebsklima gefährden«, schnauzte er, ungeachtet der Tatsache, daß er damit aus der Rolle fiel. Seine Augen drängten aus den Höhlen und blinkten grellweiß.
»Wie wollen Sie Ihrer Familie gegenübertreten als stellungsloser ...«
In seiner Erregtheit suchte er nach dem treffenden Wort, verhaspelte sich einige Male und landete dann bei der Bezeichnung: »Schreiberling.«
Eine spannungsgeladene Stille breitete sich augenblicklich im Raum aus. Dr. Beutner war rot angelaufen, als schäme er sich seiner Taktlosigkeit.
Grellweiß wie dessen Augäpfel eben gewesen waren, leuchtete jetzt Theos Gesichtshaut. Die Hände umklammerten die Armlehnen des Stuhls, als er mit nachgiebigen Knien aufsprang, grußlos zur Tür wankte und Mühe hatte, den klobigen Messinggriff der Klinke niederzudrücken. Erst als er draußen war, kehrten die Gedanken zurück.
»Unglaublich ...« murmelte er. Das Zucken um den Mund hatte ihn wieder überfallen, so unbeherrschbar stark, daß es niemandem in der Redaktion verborgen bleiben konnte. Hesekiel wagte deshalb nicht, ihn anzusprechen, selbst dann nicht, als sie nach Dienstschluß gemeinsam den Heimweg antraten.
Sie verabschiedeten sich, wie sie es immer taten, wünschten sich ein: »Alles Gute, bis Morgen« und gingen auseinander, obwohl beide wußten, daß es kein Morgen geben würde. Denn Theo hatte beschlossen, die Redaktion der Kreuzzeitung nie mehr zu betreten.

III. BUCH

Das Dunkel, das Rätsel,
die Frage bleibt

(Th. Fontane: Die Frage bleibt)

1. KAPITEL – BERLIN, 1876, POTSDAMER STRASSE 134c

Sechs Jahre her, dachte er, und jetzt wiederholt sich alles: Die Aufgabe einer Pfründe, die Auseinandersetzung mit der Familie und dem Gefühl, es an Verantwortung fehlen zu lassen.
So vergleichbar der äußere Anlaß war, so wenig Übereinstimmung herrschte in der Absicht, geschweige denn in den Bedingungen. Worum war es damals gegangen? Um Unerträglichkeiten! Und heute?
Er richtete sich in seinem Korbstuhl auf und ließ seine Augen über das Fensterkreuz vis à vis gleiten, wo der Morgen matt zu leuchten begann.
Eitelkeiten?
Geheimrat Hitzig hatte ihm Vorhaltungen gemacht wegen seines Erscheinungsbildes. Moderat, mußte er zugeben, bei weitem nicht so kalkuliert unverschämt wie seinerzeit dieser Dr. Tuiscon Beutner, aber er hatte die Preußische Akademie der Künste verlassen, als sei er ins Mark getroffen worden.
Er lauschte zur Tür hin, hinter der Emilie schlief. Ihre tiefen Atemzüge machten ihm deutlich, woran es ihm am nächsten Morgen gebrechen würde: An Gelassenheit.
Er war die ganze Nacht nicht zur Ruhe gekommen, hatte die Papierseiten seines Manuskripts »Vor dem Sturm« hin- und hergeschoben, Entwürfe seines Kündigungsschreibens formuliert, ohne sich festlegen zu können, und die Schläge der Standuhr gezählt, derselben Standuhr, die schon seinem Großvater und Vater die Stunden gewiesen hatte.
Es ging jetzt gegen sechs Uhr. In seinem unausgeruhten Kopf geisterten die Gedanken: Die Familie, die Freunde. Immer war es um das Eine gegangen: Ein festes Einkommen. Sicherheit zuerst. Das hatte nicht nur Emilie auf die Fahne ihrer Lebenserwartung geschrieben, sondern galt auch allgemein für die Leute um ihn herum.
Sicherheit, die hatte ihn bei all seinen Unternehmungen im Stich gelassen, dreimal bisher. Würde es jetzt das vierte Mal sein, wenn er aus dem Amt eines Sekretärs der Akademie der Künste ausschied?
Er fühlte seine Hände kalt werden, dachte er an den heraufdämmernden Morgen, an Emilies Gesicht der fleischgewordenen Anklage und all ihre Versuche und Arrangements, ihn umstimmen zu wollen. Er kannte ihre gewundenen Sophismen und Nervenzusammenbrüche

zu gut, um sie nicht fürchten zu müssen. Und er verfluchte das Schicksal, das sie ausgerechnet jetzt nicht auf Reisen geschickt hatte.
Damals vor sechs Jahren war alles einfacher gewesen. Er hatte Emilie, die mit Mete nach England gefahren war, brieflich auf die veränderten Lebensumstände vorbereiten können. Und dennoch war es schlimm genug gekommen. Heute hieß es, den Kreuzweg ganz zu absolvieren.
Für einen Augenblick wich alle Müdigkeit von ihm. Eine Woge des Zorns richtete ihn auf, als er sich Emilies Anmaßung vergegenwärtigte. Sowenig wie ihm die Rolle eines Revoluzzers einmal zu Gesicht gestanden hatte, sowenig die des Märtyrers jetzt. Die Lektion hatten sowohl die Herweghianer als auch Dr. Beutner lernen müssen, und nun war Geheimrat Hitzig dabei, sie zu lernen. Und es mußte mit dem Teufel zugehen, wenn es ihm nicht gelang, auch seine Frau davon zu überzeugen, daß es Grundsätze in ihm gab, die er gegen jeden und alles zu verteidigen bereit war. Mochte man es Eitelkeit nennen oder wie auch immer. Für ihn war es schlicht das Ergebnis von Erfahrungen.
Soviel Mut er auch in die eine Waagschale warf, die andere der Lebensangst konnte er nicht bezwingen.
Die Jahre nach 1870 huschten an ihm vorüber, Jahre, alleingestellt auf die Rezensententätigkeit bei der Vossischen Zeitung. Trotzdem hatte es Reisen gegeben: Nach Italien, in die Schweiz, zusammen mit Emilie. Dann die längste und gefährlichste im deutsch-französischen Krieg, an deren Ende eine Verhaftung gestanden hatte und Aburteilung als Spion. Nur der unermüdlichen Intervention von Freunden war es zu verdanken gewesen, daß die Fahrt nicht vor den Gewehrläufen eines französischen Exekutionskommandos ihren Abschluß gefunden hatte.
Und danach? Der Gründerschwindel, zwei lärmende Jahre lang. Ein Land im Rausch eines gewonnenen Krieges und erpreßter Kontributionen. Ein Land, dem das Börsenblatt zur Bibel wurde und die Aktie zur Heilsgewißheit, das im Strudel der Goldschwemme zu ertrinken drohte und Rettung erhoffte in jeder Chimäre, wenn sie nur Geld versprach.
Wie ein Spuk war der Gründungsrausch über alle gekommen, und wie ein Spuk hatte er sich verabschiedet. Im Schlepptau das Elend hunderttausend Geprellter.
Unendlich weit schien die Zeit zurückzuliegen, abgelegt wie ein

schäbig gewordener Hut, wie eine Peinlichkeit, mit der man sich nicht unter die Leute wagt. Und eine Peinlichkeit war sie gewesen, jene Zeit, als zum Gipfelsturm geblasen wurde für die, die sich dafür auszurüsten verstanden.
Aber wann war das je bei ihm der Fall gewesen?
Emilie hatte ihn deswegen verachtet. Als lägen nicht Jahre dazwischen, fühlte er das Brennen wieder und die Scham, weil er, kleinmütig geworden, mit seiner Feder in den Chor jener Claqueure eingefallen war, die das Hohe Lied des Preußentums und ihres Kaisers berechnend in Vers und Reim gebannt hatten. Umsonst, wie auch seine Kriegsbücher es gewesen waren über die große Auseinandersetzung zwischen Frankreich und der Allianz deutscher Fürsten, aus der das neue Reich geworden war. Er hatte auf Zuspruch gehofft: Des Hofes, der Militärs. Eine erbauliche Besprechung, ein zustimmendes Wort, um wieder Boden unter die Füße zu bekommen. Ablehnung statt dessen.
»Sicherheit is' nich!«
Der Satz war unbeabsichtigt über seine Lippen geflossen, aber er fügte sich sinnhaft ein in den Duktus seiner Gedanken.

2. KAPITEL – BERLIN, JUNI 1876

Seit Emilie darüber in Kenntnis gesetzt war, daß Theo aus der Preußischen Akademie ausscheiden würde, beherrschte ein neues Ritual den Frühstückstisch. Nicht zuletzt deshalb auch, weil Theo es nach Einreichung seiner Demission vorzog, die Nächte in seinem Arbeitszimmer, eingerollt auf einem Chaiselongue, zu verbringen. Wenn möglich, wartete er den Zeitpunkt ab, zu dem gewöhnlich die Tafel aufgehoben wurde und Anna, ihr neues Hausmädchen seit dem Umzug in die Potsdamer Straße, das Geschirr in die Küche trug. Emilies Angewohnheit bestand darin, sie zu begleiten, um den Einkaufszettel vorzubereiten und den Tagesplan für das Mädchen zu erstellen.
»Guten Morgen, Papa!«
Mete, inzwischen sechzehn Jahre alt, soeben aus der Schule entlassen und seit neuestem Lehramtkandidatin für mittlere und höhere Mädchenschulen, bestand darauf, dem Vater beim Frühstück Gesellschaft zu leisten.

»Morgen, mein Springhase«, bedankte er sich gewohnheitsgemäß bei ihr für die erwiesene Freundlichkeit, die ihn spürbar erleichterte, »wie geht es Mama?«
Mete nickte mit dem Kopf zur Küche hin und zog einen Flunsch. Die Geringschätzung, die in der Geste lag, ließ den Vater schmunzeln und ihr in Art geheimer Mitwisserschaft ein Auge zuknipsen. Die Tage der offenen Konfrontation waren Gott sei Dank vorüber. Es wurde weder lamentiert noch diskutiert. Die Weinanfälle, die Vorhaltungen waren verstummt. Das große Schweigen hatte sich aufgetan. Man sah aneinander vorbei. Die Vorwurfsmiene regierte, Unpäßlichkeiten ersetzten die große Szene, der stille Rückzug ins Schlafzimmer trat an die Stelle lärmender Waffengänge. Darüber war nichts besser geworden. Emilies Anschuldigungen wirkten spürbar nach.
»Gehst du gleich zu den Stockhausens?«
Metes Antwort fiel so überhastet aus, als sei die Frage Teil eines eingeübten Dialogs gewesen.
»Ja, Papa.«
Theo nickte stumm, während er eine Brotseite in kleine Würfel zerschnitt.
Die Stockhausens, ein befreundetes Ehepaar, hatten sich bereit erklärt, Mete als Haustochter für einige Tage der Woche zu akzeptieren. Eine Verfahrensweise, die es Töchtern aus besseren Familien erlaubte, weiterführende Kenntnisse zu erwerben für ihre spätere Rolle als Hausfrau, Mutter und Gesellschafterin. Der Haushalt der Stockhausens genügte selbst höchsten Ansprüchen, wie Emilie meinte.
Julius Stockhausen, ein graumelierter Herr, weltläufig und von der gewinnenden Art publikumsverwöhnter Künstler, so alt etwa wie Theo, war Leiter des renommierten »Sternschen Gesangvereins« in Berlin. Zweifellos kostete es Mete keine Überwindung, zu ihrer Aufgabe im Seminar bei den Stockhausens auszuhelfen. Ganz im Gegenteil. Es fiel auf, wie anpreisend sie über ihre Haustochterrolle redete und ein hintergründiges Funkeln, das zum Nachfragen wohl Anlaß geben konnte, in ihre Augen geriet, wenn die Rede auf Julius Stockhausen kam.
»Ein entzückender Herr, Papa«, ließ sie sich von ihrem Überschwang hinreißen.
»Na, na, bleib auf dem Teppich«, pflegte Theo abmildernd einzuwenden, »ein auskömmlicher Herr, das laß ich hingehen. Schließlich kenne ich ihn.«

Sich weiter damit zu beschäftigen, hätte seine Nervenkraft überfordert. Er brauchte sie für die Wochen, die er noch in der Akademie Dienst tun mußte, bis seiner Demission stattgegeben war.
Dabei hatten sich die Verhältnisse am Arbeitsplatz in unvorhergesehener Weise verbessert. Seit bekannt geworden war, daß der Sekretär Fontane Geheimrat Hitzig die Zähne gezeigt hatte, war an Achtungsbekundungen kein Mangel gewesen.
Wenn seine Position vorher eher mitleidige Kommentare herausgefordert hatte, so war sie jetzt in das Rampenlicht allgemeiner Wertschätzung gerückt. Das allerdings stand im völligen Kontrast zu den privaten Problemen.
Die Abende verfielen zusehends der gesellschaftlichen Ächtung. Keiner aus dem näheren Freundeskreis, weder Bernhard von Lepel noch die Zöllners, Professor von Heyden oder Henriette von Merckel, machten Anstalten, ihn zu besuchen oder einzuladen. George Hesekiel war leider vor zwei Jahren verstorben.
So blieb Theo nur noch die Post.
»Was für mich dabei, Anna?«
Meistens handelte es sich um Verlagsbriefe oder Zusendungen von Redaktionen, bei denen er sich um den Vorabdruck seines Romans bemüht hatte.
»Sonst nichts, Anna?«
Seiner Stimmte konnte sie entnehmen, daß er enttäuscht war. Offensichtlich wartete er auf ein offizielles Schreiben mit dem Stempel einer Kanzlei auf dem Kuvert und dem Wappen der Hohenzollern daneben. Immer noch.
Aber der Hof oder das Kriegsministerium meldeten sich sowenig, wie er Abend für Abend schweigend in seinem Arbeitszimmer verschwand.
»Was macht meine Frau?«
Eben daß er sich noch auf die Nachfrage verstand und die Geduld, von Anne zu erfahren, die Gnädige Frau fühle sich unwohl und läge den ganzen Tag schon im Bett, bevor er nur noch seinem Romanprojekt gehörte. Da er nicht essen wollte, stellte ihm Anna das Abendbrot ins Zimmer. Kurz darauf pflegte Mete zurückzukehren.
»Papa ...?«
Sie schob immer die Tür nur einen Spalt auf, so daß ihr Kopf hindurch paßte.
»Ich will nicht stören.«

»Du störst nie, mein Springhase.«
Augenblicklich stellte er seine Arbeit ein und wandte sich ihr zu.
»Wie war's?«
»Unwichtig, Papa, was macht der Roman?« schnitt sie ihm das Wort ab.
Er lächelte matt.
»Du siehst, die Blätter werden voll.«
»Ich hab heute den ganzen Tag darüber nachdenken müssen.«
»Du sollst deinen Kopf woanders haben«, tadelte er liebevoll.
»Nur dein Roman ist jetzt wichtig«, meinte sie selbstvergessen.
»Das sag mal Mama!«
Als sei es das Stichwort gewesen, lachten jetzt beide. Da Mete den Eindruck gewinnen mußte, willkommen zu sein, war sie ins Zimmer getreten und hatte die Tür zugezogen.
»Komm zu mir!« sagte er und brachte sie dazu, mit einem Schwung auf seinen Schoß zu fliegen. Ihr leuchtendes Gesicht tat ihm gut.
»Paß nur auf, daß wir beide nicht mit dem Sessel umfallen«, versuchte er zu warnen, vergeblich. Mete hatte schon ihre Arme um seinen Hals geschwungen und sich fest an den Vater gedrückt.
»Der Arzt war heute bei Mama, weißt du das?« flüstert sie eindringlich, »sie ist völlig mit den Nerven runter.«
Aber sie merkte, daß er gar nicht zugehört hatte. Ganz hingegeben der Wärme ihres Körpers, ließ er sie unangefochten erzählen über Emilies Querköpfigkeit und ihr launisches Gebaren im allgemeinen. Als Mete mit der Ermunterung abschloß:
»Kopf hoch, Papa, du hast ja mich«, wachte er auf und merkte, daß auch er seine Arme um sie geschlungen hatte.
Die Art ihres Beieinanders begann, ihm unangenehm zu werden.
»Ich will dich nicht verjagen«, meinte er, »aber ich muß noch arbeiten. Du weißt ja, was davon abhängt.«
Widerspruchslos rutschte sie von seinen Knien, küßte wie hingehaucht seine Stirn und verließ das Zimmer.
Aber die Einfälle wollten nicht wiederkommen. Das Blatt vor ihm blieb ungefüllt. Die Zeilen, die er sich trotzdem abgerungen hatte, fielen der Korrektur zum Opfer. Dämonenhaft war sie wieder in ihn eingebrochen, die alte Angst, er könne es nicht schaffen. In solchen Momenten fielen die Befürchtungen über ihn her wie Wölfe über waidwundes Wild.
Was wäre, wenn Emilie stürbe?

So abgründig die Gedankengänge waren, so real erwiesen sie sich in der Wirkung. Ihm trat der Schweiß auf die Stirn. Es gelang ihm nur dadurch, sich von ihnen zu befreien, daß er ihren Widersinn aufdeckte. Trotzdem beunruhigte ihn die Abhängigkeit, die er darin erkennen mußte. In den Nächten träumte er immer wieder von Swinemünde, von den bangen Tagen, wenn der Nordwester die See gegen das Land drückte.
Mehr als einmal erwachte er, weil er zu ertrinken glaubte. Wild um sich schlagend, fuhr er dann auf seinem Chaiselongue hoch, nach Luft schnappend, als seien die Wogen über ihn hinweggegangen, um einzutauchen in einen anderen, nicht weniger schrecklichen Traum.
Beim Frühstück war es Metes Gegenwart, die ihm half, sich zu sammeln.
»Gut geschlafen, Papa?«
»Es geht«, log er. Emilies schattenhafte Erscheinung vor sich, wenn sie mit unnahbarer Würde den Frühstückstisch passierte, um zu verstehen zu geben, daß sie auf seinen Umgang keinen Wert lege.
Die Dienststunden wurden zum Labsal angesichts solcher Verhältnisse. Den Weg nach Hause empfand er als Strafe. Wenn er die Potsdamer Straße erreicht hatte, machte sein Herz Sprünge, weniger aus Angst jetzt, als aus dem berechtigten Zorn heraus, durch Emilies Verhalten in seiner Arbeit gestört, wenn nicht gar von ihr abgehalten zu werden. Er mußte schleunigst eine Lösung finden.
Der Stimmungswandel half ihm. Die Träume bekamen ein anderes Gewicht. Wenn das Meer stürmte, dann sah er sich als Stelzenläufer über die Wogen dahinfliegen. Oder er übte sich im Versteckspiel, so meisterhaft, wie er es in Swinemünde beherrscht hatte. Kam es zu arg, versiegelte eine wohlmeinende Kraft die Untiefen des Meeres. Hiernach fühlte er sich ausgeruhter. An den Abenden brachte er wieder etwas zustande. Wenn Mete danach fragte, konnte er ihr Auskunft geben. Als er wissen wollte, warum sie so interressiert sei, meinte sie:
»Ich brauche es für mein Tagebuch, Papa.«
Ihr Erröten konnte mit seinem Stolz Schritt halten.

3. KAPITEL – BERLIN, JULI 1876

Emilies nervöse Attacken gaben mit Beginn des Juli zur Besorgnis Anlaß. Tagelang verließ sie das Schlafzimmer nicht mehr, ließ sich von Anna füttern und sorgte im Haushalt für unhaltbare Zustände. Die Art, wie es Emilie gelang, ihre Krankheit als Herrschaftsinstrument einzusetzen, erinnerte Theo nur zu exakt an die Letschiner Verhältnisse. Auch seine Mutter hatte es verstanden, ihrem Unmut auf diese Weise Ausdruck zu verleihen. Mit nachhaltigem Erfolg.
Während er Abend für Abend hinter seinem Schreibtisch saß, verunsichert wegen seiner Entscheidung, ein Leben gegen den Wunsch seiner Frau zu führen, war er des öfteren in Versuchung geraten, seine Demission zurückzuziehen. Doch es blieb dabei. Mit unerhohlener Erleichterung nahm er schließlich den Vorschlag des konsultierten Arztes zur Kenntnis, Emilie brauche dringend einen Tapetenwechsel, sie habe auch schon eingewilligt und Liegnitz benannt, den Wohnort ihres Schwagers, der dort als Oberstabsarzt ein großes Haus führte. Neben den Wittes und Sommerfeldts gehörte er mit zu denen, die bei jeder Gelegenheit, wo es galt, Erfolge und Mißerfolge aufzurechnen, ins Feld geführt wurden.
Ohne Rücksprache mit ihrem Mann zu nehmen, hatte Emilie die Reise angetreten, in einer bemerkenswerten Frische, die ihre hartnäckigen Beschwerden rückblickend als kalkuliertes Manöver entlarvten. Zu der Einschätzung gelangte auch Mete in ihrem seit neuestem geführten Tagebuch, wo sie unter dem 4. Juli 1876 notierte:

Mit der Tür, die sich schloß, war auch die dicke Luft heraus, die uns alle hier das Atmen so schwer machte. Am meisten hat wohl Papa darunter gelitten. Kein Wunder, denn Mamas Frontalangriffe waren eine gute Mischung gewesen aus Verächtlichmachung, Enttäuschungswut und Schuldzuweisungen. Keine Festung der Welt hält auf Dauer der Beschießung durch solche Kaliber stand. Mit Mama in Liegnitz wird Papa den Kopf wieder frei haben für seinen Roman. Auch wenn Mama dafür nicht das geringste Verständnis zeigt und seit Papas Bestallung in der Akademie nur noch in Geheimratskategorien denkt, finde ich Papas Entschluß fabelhaft. Wieviel aufregender ist doch ein Vater, der im Reich der Poesie auf Entdeckungsfahrt geht als einer, der mit seinen Schritten nur eine Amtsstube ausmißt. Stolz sollte Mama sein. Aber dafür hat sie weder Ohr noch Auge.

Armer Papa, wenn er mich nicht hätte. Dann blieben ihm nur seine Briefe, die er in alle Welt hinausschickt, an die Legionen von Bekannten, die er in seinem Leben aufgelesen hat, und seit neuestem an eine Frau von Rohr, ihres Zeichens Stiftsdame in einem Mecklenburgschen Kloster.
Mit den Freunden ist es in der Not eine Sache für sich, wohl auch mit den Ehefrauen. In seiner Weisheit hat der liebe Gott für solche Fälle Ersatz bereit gestellt: Töchter.
Papa kann sich glücklich schätzen. In meinem Seminaristendasein sind allein die Fakten erbaulich, seelentötend hingegen die Methoden. Papa hat recht. Sie verstehen, einem das Beste zu nehmen: Die Liebe.
Meine Haustochterrolle indes entschädigt mich auf ganzer Linie. Ich fühle mich bei den Stockhausens rundum wohl. Was nicht überrascht, bei einem so feinen und noblen Mann wie Herrn Stockhausen, der zudem noch so viel von Papa hat.

Seit Emilie in Liegnitz ihre seelischen Blessuren ausheilte, gestaltete sich das Klima in der Potsdamer Straße 134c harmonischer. Theo erklärte es damit, daß er sofort nach Emilies Abreise das Makart-Bouquet, dieses Ungetüm aus aufgetriebenen Trockenpflanzen, die dschungelhaft verschlungen eine Ecke der guten Stube verschandelten, an einen weniger exponierten Standort verbannte. Auch wenn ganz Berlin zwischen Makart-Bouquets zu leben beliebte. Die Römer in der Vitrine folgten.
»Mamas Ambitionen in Ehren«, begleitete er halb entschuldigend sein Tun, »wir sind aber weder Bleichröders noch Borsigs, nicht mal Sommerfeldts.«
Mete hielt sich zurück, obwohl sie die Reaktion ihres Vaters übertrieben fand.
Solche Exaltationen waren allerdings nichts gegen die explosiven Auftritte der Vergangenheit. Anna, das Hausmädchen, konnte zu Theos Marotten nur schmunzeln. Seit Emilies Weggang fehlte der Wohnung etwas: Der Funke, der den großen Knall hätte auslösen können. Es kam dem Roman zugute und den Gesprächen beim Abendessen, die Theo und Mete jetzt über die übliche Zeit hinaus ausdehnten. Manchmal saßen sie bis Mitternacht beieinander, und nur zu oft bedurfte es Annas anklägerischen Blicks, weil sie endlich ins Bett wollte, um der Kommunikationswut von Vater und Tochter ein Ende zu bereiten.
Am 31. Juli 1876 vermerkte Mete in ihrem Tagebuch:

Verdient oder unverdient: Welch bevorrechtigtes Leben führe ich, verglichen mit dem meiner Altersgenossinnen. Aber welche kann auch einen solchen Vater vorweisen!
Dumme Hühner und Kindsköpfe sind sie. Ein Genuß, mit Papa Abend für Abend in die reiche Welt seiner Gedanken und Pläne einzutauchen, zu sehen, wie seine Romanfiguren Fleisch ansetzen und zu leben beginnen, bis sie ganz wirklich sind, als habe man mit ihnen auf der Straße gesprochen oder sei mit ihnen groß geworden.
Papa behauptet, genau so müsse es sein in der Kunst. Alles habe so überzeugend echt zu wirken, daß es von der Wirklichkeit nicht zu unterscheiden sei. Nur das nennt er angemessen. Er geht sogar soweit in seiner Forderung, daß er dem gängigen Kunstverständnis alles Echte abspricht. Blech, Mumpitz, Larifari nennt er es und unterschiebt den Leuten, die mit diesem Zeugs ihre Zeit vertun, Verschrobenheiten, die nur das Ergebnis ihrer unentwegten Lügereien seien. Hier hinein Breschen zu schlagen, hält er für seine Aufgabe als Künstler. Ein Vorsatz, so ritterlich und männlich, daß er mich selbst als sein Tochter unbeschreiblich stolz auf ihn macht und auch ein bißchen hochnäsig.
Die Hauptgestalt seines Romans »Vor dem Sturm« Bernd von Vitzewitz ist von jenem besten Schrot und Korn. Wenn Papa ihn mit seinen Mannen im Frühjahr 1813 die französische Garnison in Frankfurt stürmen läßt, dann tut der Held es nicht aus schwindelerregendem Patriotismus oder idealistischer Hochstimmung, sondern zuerst, um den von einem französischen Besatzungssoldaten verschuldeten Tod seiner Frau zu rächen. Aber er tut es auch nicht allein aus diesem Grund. Und genau das ist entscheidend, um zu verstehen, was Papa die Wirklichkeit nennt.
Unserer Hochherzigkeit, will er sagen, haftet immer ein Schuß Egoismus an und umgekehrt. Ich muß gestehen, Papas These ist für mich sehr einleuchtend.
Schade, daß große Männer soviel Pech mit ihren Frauen haben. Papa mit Mama und Herr Stockhausen, den ich auch dazuzählen möchte, mit seinem Ehegespons. Dabei ist sie nicht einmal mäkelig, diese Clara Stockhausen, eher desinteressiert und stumpf gegenüber dem musischen Enthusiasmus ihres Mannes. Ihr fehlt die Fähigkeit zum seelischen Höhenflug. Und welcher Mann mit genialischen Gaben wäre bereit, eine Frau auf Dauer zu ertragen, die weniger etwas hat von einer einfühlenden Partnerin als von einem bleichen Schatten.

Am 2. August hatte der Kaiser die Demission angenommen und Theos Ausscheiden aus der Preußischen Akademie der Künste mit dem 31. Oktober bewilligt. Die Zeit des Abwartens hätte unter einem weit günstigeren Stern gestanden, wären die Bedingungen anders gewesen. Aber nachdem sich die engsten Freunde enttäuscht von ihm abgewandt hatten, machte die Einsamkeit Theo zu schaffen. Briefe ersetzten mehr und mehr das persönliche Gespräch. Inzwischen gehörte auch Emilie zu den Postadressen. In den Briefen an sie mobilisierte er seine ganze Beredsamkeit, um ihr eine Zukunft schmackhaft zu machen, die nicht an Amt und Würden geknüpft war. Das fiel ihm jetzt um so leichter, als er seit kurzem einen Vertrag über den Vorabdruck seines Romans ausgehandelt hatte und 1000 Taler dafür erwarten durfte. Avancen, die Emilies Versöhnungsbereitschaft beflügeln würden. Allerdings verschwieg er ihr, daß ein Pensionsgesuch an den Kaiser abgelehnt worden war. Eine Brüskierung, die ihn in seiner Ansicht bestärkte, richtig gehandelt zu haben, den Staatsdienst zu verlassen. Daß die Zurückweisung dennoch nicht spurlos an ihm vorübergegangen war, mußt Mete feststellen.
»Du hast doch was, Papa?«
Um sie nicht hineinzuziehen, wollte er die Frage verneinen, besann sich dann eines anderen und berichtete von seiner Enttäuschung.
»Und dabei habe ich ihnen die Preußenlieder geschrieben«, sagte er matt, »in den Schulen werden sie von den Kindern gelesen. Durch die Mark Brandenburg bin ich gewandert, ihres Landes und ihrer Geschichte wegen, ihre Kriege habe ich auf Tausenden von Seiten für die Nachwelt dokumentiert und ihre Siege gefeiert. Dennoch weisen sie mich ab bei den bescheidensten Ansprüchen wie einen Fremden.«
»Ärgere dich nicht, Papa«, versuchte Mete zu trösten, strich ihm über den Kopf und gab ihm einen Kuß. Aber sie merkte sofort, daß ihre Bemühungen erfolglos geblieben waren.

4. KAPITEL – BERLIN, OKTOBER 1876

Der Wiedereintritt in die Vossische Zeitung, der Hauspostille des nationalliberalen Bürgertums, war das äußerste an Konzession, das Theo seiner Frau gegenüber bereit war einzugehen. Und auch das nur in der Rolle eines unabhängigen und selbstverantwortlichen Rezensenten. 1870, im Jahr seines Austritts bei der Kreuzzeitung, hatte er die Kritik an der Vossischen Zeitung für die Aufführungen am Königlichen Schauspielhaus übernommen, dann aber zugunsten seiner Amtsübernahme in der Akademie kurzfristig abgegeben. Jetzt war er froh, daß Friedrich Stephany, Chefredakteur der Zeitung, den übermütigen Schritt von damals nicht übelnahm und seine Wiedereinstellung befürwortete.
Der Oktober geizte nicht mit Erfreulichem. Mitte des Monats erschien der letzte Halbband seines Werks »Der Krieg gegen Frankreich 1870/71« und ließ die Hoffnungen noch einmal aufleben, die er an dieses, aber auch an alle anderen Kriegsbücher geknüpft hatte. Es sollte dabei bleiben.
Der Monat ging dahin, ohne daß sich eine offizielle Stelle gerührt hatte. Einig schien man sich darin zu sein, das Werk zu ignorieren. Jedenfalls in der Öffentlichkeit. Aber das Blatt wendete sich, zufällig am selben Tag, als Emilies Brief eintraf mit der Ankündigung, sie würde zurückkehren.

... geruhen Seine Majestät dem oben Genannten für seine Verdienste um das Haus und Stammland der Hohenzollern mit dem Preußischen Kronorden IV. Klasse und dem Ritterkreuz des Wendischen Kronordens auszuzeichnen ...

Mete, die das offizielle Schreiben mitgelesen hatte, brach augenblicklich in einen Jubelschrei aus, riß den Vater an sich und wollte mit ihm einen Tanz um den Tisch aufführen, als sie schon abrupt unterbrochen wurde. Theo hatte die Stirn gekräuselt und das Schreiben langsam aus der Hand gleiten lassen.
»Schlawiner«, brummte er, »Krämerseelen, Kreuze und Orden verteilen sie, weil sie Pensionen sparen wollen.«
Als Mete wissen wollte, was er damit gemeint habe, winkte er ab: »Laß mal«, um mit zornig geschwollener Schläfenader in sein Zimmer zu gehen.

Am nächsten Morgen schon waren die Wogen geglättet, der Zorn einem humorigen Phlegma gewichen, das ihn dazu bewog, mit Mete darüber nachzusinnen, welchem seiner wohlmeinenden Freunde aus der Tunnelzeit, die heute alle in hohen und höchsten Positionen saßen, er den Ordenssegen verdankte.
»Kannst du dir deinen Vater mit einem Klempnerladen voller Auszeichnungen vorstellen?« fragte er grimassierend und ermunterte Mete dazu, in gleicher Weise mitzutun. So saßen sie sich für Minuten in gespielter Würde gegenüber, bis sie nicht mehr an sich halten konnten. Eine Lachsalve erlöste sie schließlich. Die Tage in der Akademie waren gezählt. Am 1. November sollte Karl Zöllner, Jurist, Freund und Rütlianer, in das Amt des Sekretärs eingeführt werden. Er gehörte mit zu der Fraktion von Bekannten, die ihm seine Arroganz, wie sie meinten, ein Amt so ohne weiteres aufzugeben, nachgetragen hatten, gleichzeitig aber zu erkennen gaben, daß sie zur Versöhnung bereit seien. Solche Signale, dazu Emilies Rückkehr, die nichts anderes bedeuten konnte, als daß auch sie einlenken wollte, hellten den eingetrübten Horizont der letzten Monate wieder auf. Mete indes mißtraute dem Friedensfest. Obwohl nach außen nichts von ihrer schwelenden Skepsis durchsickerte, bringt ihr Tagebuch vom 29. Oktober 1876 zum Ausdruck, was sie wirklich dachte:

Tücke und Hinterlist. Wer schützt Papa davor, wenn nicht ich. Jetzt, wo Land in Sicht ist, taucht Mama wieder auf. Als die Wellen uns zu verschlingen drohten, ist sie fahnenflüchtig von Bord gegangen. Pfui!
Mein armer Papa, wie vertrauensselig kannst du nur sein? Siehst du nicht, wie man dir mitspielt? Kaum!
Wer so geradlinig und groß ist in seinen Ansichten, so über dem Normalmaß in seinem Tun, mißt die anderen mit der Elle seiner Aufrichtigkeit. Kommt weibliche Verschlagenheit hinzu, geraten solche Männer zwangsläufig ins Hintertreffen.
Nun, da Papa konsequent bei seiner Entscheidung geblieben ist, den avisierten Geheimrat sausen zu lassen, findet Mama die Verhältnisse bei uns wieder erträglich und kehrt verzeihend an den heimischen Herd zurück. Inwieweit handfestere Spekulationen bei ihrem Entschluß eine Rolle gespielt haben, entzieht sich natürlich meiner Einsicht. Zutrauen würde ich es Mama schon. Wieviel sie zerstört hat mit ihrem blindwütigen Agieren aus verletztem Ehrgeiz, ist ihr sicherlich entgangen.

Insbesondere mein Bild von ihr hat sich nachhaltig gewandelt. Wenn sie nur wüßte, wie beschämend ich ihr Verhalten finde! Papa tut mir leid.

Karl Zöllners Einführung in das Amt eines Sekretärs der Preußischen Akademie der Künste brachte es zuwege, daß die seit längerem aufgegebene Praxis, in den Wohnungen der Rütli oder Ellora Mitglieder Reunions abzuhalten, wieder aufgenommen wurde. Da Theo aus verständlichen Gründen dem offiziellen Akt in der Akademie ferngeblieben war, konnte er dem Freund erst in dessen Wohnung gratulieren.
»Ich danke dir, Theo«, nahm der Gefeierte den Glückwunsch entgegen, »ich hoffe nur, daß ich mich dir als dein Nachfolger im Amte würdig erweise.«
Darin eine verborgene Spitze zu wittern, lag Theo schon deshalb fern, weil er Zöllners hölzernen und nicht selten ungeschickten Humor kannte. Professor von Heyden mit Frau, als Gäste geladen, waren Zeuge gewesen, ebenso Adolph von Menzel, Maler und Illustrator von Rang.
Über den gesetzten Anlaß hinaus gewann der Abend für alle insofern eine weitere Bedeutung, als er nämlich signalisierte, daß die Animositäten endgültig beigelegt waren.
»Also«, resümierte Karl Zöllner, hochrot schon im Gesicht vom genossenen Punsch, »mit der spitzen Feder kritikasternder Kunstbeflissenheit soll es nun bei dir weitergehen, dazu mit dem Gänsekiel des Poeten, wie ich hörte!«
»Muß es gehen«, rückte Theo die angesprochene Situation zurecht, »jetzt, da meine bessere Hälfte wieder an Bord ist, werden wir den Kahn, dessen bin ich sicher, schon von der Stelle bringen.«
Der ins Bild gesetzte Vergleich schien Emilie zu vulgär ausgefallen zu sein, denn sie schüttelte mißbilligend den Kopf.
»Theo fehlt es immer am rechten Maß«, sagte sie, »so stellt er sich schon auf eine Stufe mit Dahn, Scheffel und Ebers.«
Am Tisch horchte man auf.
»Mit anderen Worten«, griff Karl Zöllner die Bemerkung auf, »du schreibst an einem historischen Roman?«
Mete, die direkt neben ihrem Vater saß, begann zu glühen. Noch bevor Theo zur Antwort ausholen konnte, hatte sie sie schon gegeben.
»Über die Zeit der napoleonischen Besetzung«, instruierte sie eifernd die Zuhörer, »genau genommen, über eine Episode aus dem Befreiungskrieg.«

Ein Raunen pflanzte sich am Tisch fort.
»Ein dankbares Thema«, kommentierte Professor von Heyden, »ein Thema mit allen Voraussetzungen für den Erfolg. Ein deutsches Buch also.«
Emilie Zöllner, dabei, mit einem Schöpflöffel die Punschgläser nachzufüllen, geriet ins Schwärmen.
»Ich habe Dahns »Ein Kampf um Rom« gelesen«, berichtete sie mit funkelnden Augen, »ein wundervolles Werk, Herr Fontane. Schreiben Sie uns ein weiteres Buch der Art, und ganz Deutschland wird Ihnen zu Füßen liegen.«
Theo komplimentierte sie damit ganz gegen ihre Absicht in eine sichtliche Verlegenheit hinein, so daß Mete sich gedrängt fühlte, dem Vater helfend beizuspringen.
»Ob Dahns historische Vorlesungen, die sich Romane nennen, so empfehlenswert sind, Frau Zöllner«, trumpfte sie auf, »ist mehr als fraglich. Ihnen fehlt doch das Wichtigste.«
»Wichtigste?« nahm die Angesprochene das Wort auf.
»Ja«, setzte Mete sofort nach, »Natürlichkeit.«
Frau Zöllner lachte so kräftig auf, daß ihr der Punsch über den Löffel schwappte.
»Ich muß schon sagen, liebes Fräulein«, brachte sie im spaßigsten Ton hervor, der ihr zur Verfügung stand, »Sie nehmen für Ihr Alter den Mund recht voll.«
Professor von Heyden amüsierte sich köstlich und erlegte sich dabei keinen Zwang auf. Frau Zöllner gab indes zu erkennen, daß sie sich mit ihrer Zurechtweisung nicht abfinden wollte.
»Außerdem, Fräulein Fontane«, verfiel sie in den Belehrungston, »Natürlichkeit, wie Sie sagen, ist meines Wissens eher etwas für Botaniker und Zoologen als für Romanciers.«
Selbst der grüblerische Menzel begann hier, trocken zu lachen, so daß Karl Zöllner sich aufgerufen fühlte, seine Frau zur Ordnung zu rufen.
»Bitte, Emilie!«
Der Themenwechsel war damit vollzogen.

Am 2. November 1876 schreibt Mete in ihr Tagebuch:

Galligkeit auf ganzer Linie. Habe gestern wieder feststellen müssen, daß die sogenannte Erwachsenenwelt entweder nicht willens oder fähig ist zuzuhören. Vor allem verbiestert mich der Gedanke, ich könnte Papa geschadet ha-

ben mit meinem vorlauten Beitrag. Dabei wäre es wichtig gewesen, Papas literarisches Postulat zu diskutieren.
Wenn er Walter Scotts »sixty years ago« als den äußersten Handlungsspielraum für den historischen Roman festlegt, dann verweist er damit natürlich die Romane von Ebers, Dahn und Scheffel in das Reich des Phantastischen und tritt denjenigen schmerzhaft auf die Zehen, die darin die gültigste Verkörperung gelebter Vergangenheit sehen. Aber Papa, der nun einmal ein Echtheits- oder Natürlichkeitsfanatiker ist, glaubt eben daran, daß Geschichte nur dann glaubwürdig einzufangen ist, wenn sie noch in die Lebenszeit des Autors fällt. Daß sich die meisten nicht darum kümmern und buntem Firlefanz, historischen Kostümfesten und Spektakeln den Vorzug geben, ist ihre Sache. Eine andere ist es, Romane zu schreiben, die sich allein am Wirklichkeitsanspruch orientieren, auch wenn sie sich historisch nennen. Solches natürlich, vorgetragen von einem Fräulein Fontane, geht denen einsichtigerweise über die Hutschnur, die sich zu erwachsen wähnen, um noch zuhören zu wollen. Ich werde mich beim nächsten Mal zu mäßigen wissen.
Dasselbe Mama zu wünschen, stünde mir gut an, wäre ich nicht zufälligerweise ihre Tochter. Für mich bleibt es immer unbegreiflich, wie sie auf der einen Seite Papas rechte Hand sein kann und ihn andererseits in einer so abgefeimten Weise bloßzustellen wagt. Lehr mich einer die Menschen kennen!

Der Monat hatte eine zusätzliche Überraschung beschert. Nach der Erleichterung, ein drückendes Amt aufgeben zu können, und der Wiederversöhnung mit den Freunden war sie konsequenterweise unangenehmer Natur gewesen.
Wie jeden Morgen, wenn am Vorabend im Königlichen Schauspielhaus eine Aufführung stattgefunden hatte, saß Theo am Schreibtisch. Der Vorgang war so ritualisiert, daß Anna etwaige Besucher mit der Formel abzuspeisen pflegte:
»Leider nicht zu sprechen. Der Herr hat heute morgen Kritik.«
Gegen Mittag erst öffnete sich das Heiligtum. Post wurde in Empfang genommen, bevor das Mittagessen an die Reihe kam. Der offiziöse Anstrich des Kuverts, das Anna ihm aushändigte, hätte normalerweise seinen Verdacht erregt, wenn das Offiziöse noch von Bedeutung gewesen wäre. Der erste Satz des Schreibens belehrte ihn dann eines anderen.
... rufen wir die Ihnen ausgezahlten Gehälter für die Monate November und Dezember unverzüglich zurück. Sollte der Rückzahlungsforderung in der gesetzten Frist nicht entsprochen werden ...

Den Rest ersparte er sich. Die Methoden, Botmäßigkeit zu erzwingen, kannte er. Emilie gegenüber schwieg er sich zunächst aus. Erst am Abend, als Mete zurück war, erstattete er Bericht.
»Da lassen die Preußen nichts durchgehen«, meinte er und legte seiner Tochter das Schreiben vor, »daß sie allerdings damit beginnen, Krümel aufzulesen, schmeichelt ihnen weniger als mir. Wie wenig ich mich in ihnen getäuscht habe. Darum muß ich für den Wisch sogar dankbar sein, selbst wenn wir uns jetzt noch einmal zur Decke strecken können.«

5. KAPITEL – BERLIN, 1878

Mete hatte ihm die Tür geöffnet. Ein in jeder Beziehung ungewohnter Vorgang, der dadurch noch fremder wirkte, daß sie eine Schürze wie ein Hausmädchen trug.
»Du wirst schon sehnlichst erwartet, Papa«, sagte sie und schenkte ihrem Vater ein strahlendes Lachen, das er mit einem zärtlichen Backenstreich beantwortete. Seit Emilie ihm vorgeworfen hatte, er sei nicht einmal Manns genug, sich gegen die Frechheit einer Rückzahlungsforderung zur Wehr zu setzen, hatte das Verhältnis zu seiner Tochter eine beträchtliche Aufwertung erfahren. Sie dankte es ihm mit einer Unverblümtheit von Sympathiebekundungen, die ihn oft zu Verlegenheit Zuflucht nehmen ließen.
»Du bist ein bißchen früh dran, Papa«, versuchte sie jetzt, die Tatsache zu erklären, daß aus dem Musikzimmer der Stockhausenschen Wohnung Gesang zu hören war.
Julius Stockhausen, Professor der Musik, Liedersänger und Chordirigent, hatte Theo gebeten, anläßlich seines Ausscheidens aus dem Berliner Musikleben, von dem er sich mit einem Chorkonzert am kommenden Tag verabschieden wollte, die Pressebenachrichtigung zu übernehmen.
»Mir ist wohler, wenn ein Freund den Artikel schreibt als irgendein Zeilenpinner«, hatte Professor Stockhausen sein Ansinnen zu begründen gewußt und Theo dazu gebracht, noch einmal über seinen Schatten zu springen.
Die Wohnung der Stockhausens verströmte bürgerliches Wohlbeha-

gen, in jeder Beziehung. Das Kolossale präponderierte: In den Teppichen, Stofftapeten und Kübeln mit exotischen Gewächsen. Wo Bücher in Erscheinung traten, türmten sie sich in den Regalen mauerhoch. Am betörendsten aber war die Kühle, die in den halbdunklen Räumen nistete. Sie machte den Aufenthalt in der Wohnung, gemessen an den Temperaturen draußen, angenehm.
Clara Stockhausen war inzwischen Mete zu Hilfe gekommen und hatte Theo in den Salon geführt.
»Eine reizende Tochter haben Sie«, sparte sie nicht mit Komplimenten, »verläßlich, selbständig und klug. Beneidenswert der Mann, der sie an die Angel kriegt.«
Mete hatte einen Schimmer von Verlegenheit gezeigt, vor allem, weil der Vater ihr durchs Haar gefahren war. Und sie empfand es als Erleichterung, die Tür des Musikzimmers sich öffnen zu sehen, aus dem ein Gesangsschüler trat, um durch die Wohnungstür zu verschwinden.
Julius Stockhausen, klein und wendig, mit ebenso grauem Haupthaar wie Bart, stürmte energischen Schritts herbei, beide Hände vorgestreckt, um Theo zu begrüßen.
»Ich bitte tausendmal um Vergebung«, rief er etwas theatralisch, »aber ihr seid mich ohnehin bald los. Diese Unpünktlichkeit war bestimmt die letzte, die ich mir in Berlin geleistet habe.« Damit hatte er Theo schon zu einem kleinen Rundtisch mit Einlegearbeiten gedrängt, vor dem zwei Sessel standen. Während der Zeit war sein Mund nicht untätig gewesen. Im gleichen Atemzug, wie er vom morgigen Tag sprach und dem Liederzyklus, den er aufzuführen gedachte, um seinem Namen als Meister des deutschen Liedes gerecht zu werden, redete er über Frankfurt, wo er eine Gesangsschule eröffnen wollte.
Theo hörte zu. Zuweilen tauchte Clara auf, steckte den Kopf durch die Schabracken der Salontür, wie um nach dem Rechten zu sehen. Waren die Schalen mit Weißbier leergetrunken, füllte Mete sie auf. Professor Stockhausen berichtete dabei von seiner Zeit an der Pariser Oper, einer schweren Zeit, seinen Konzertreisen nach Rußland, der Arbeit als Chordirigent, Gesangslehrer und Wiederentdecker des Deutschen Liedes, dem er den Konzertsaal erobert hatte.
Währenddessen machte sich Theo Notizen.
Eine Stunde später – der 2. Juni ging schon in den frühen Abend über – lud Frau Professor zum Essen. Die Doppeltür zum Speisezimmer war geöffnet worden. Gedeck und Suppenterrine standen schon auf

dem Tisch. Mete war von Clara ausdrücklich gebeten worden, ihnen Gesellschaft zu leisten. Eine Haushaltshilfe füllte eben die Suppenteller auf, als Kirchenglocken zu läuten begannen. Von irgendeiner Stelle der Stadt war der erste Ton aufgestiegen, zaghaft, als sei er sich der Unbotmäßigkeit bewußt, bis er an Festigkeit gewann und die anderen Glockentürme herausforderte, mitzutun.
Julius Stockhausen blickte zur Standuhr.
»Ein Viertel nach 18 Uhr«, bemerkte er ratlos, während Berlin sich anschickte, in einem Meer wilden Geläuts zu ertrinken.
Tatkräftig, wie es seine Art war, hatte der Professor die Initiative ergriffen, war zum Fenster gegangen und hatte es geöffnet. Wegen seiner geringen Größe mußte er die Zehenspitzen zu Hilfe nehmen, um sich weiter herauslehnen zu können.
Auf der Straße war der Verkehr zum Erliegen gekommen. Passanten hatten sich zu schweigenden Gruppen zusammengefunden, während die rasende Vielfalt der Glockentöne wie ein Geprassel stürzender Dachziegel auf sie niederging.
»Wir haben Krieg, Julius«, hob Clara Stockhausen mit einem gepreßten Schrei die beklemmende Sprachlosigkeit am Tisch auf. In der Tat war die Vermutung nicht so abwegig, wie sie zunächst schien. Nach der Niederlage von 1871 sann Frankreich auf Revanche und hatte vor drei Jahren bereits für eine brisante Situation in Europa gesorgt. Jedes Kind wußte, daß Frankreich Gewehr bei Fuß stand und auf seine Gelegenheit wartete.
»Blödsinn«, sagte der Professor, ohne sich darum zu scheren, daß er damit niemanden überzeugen konnte. Schon gar nicht seine Frau, die, unsicher geworden, nach Metes Hand gegriffen hatte, um sie mit der ihren zu umspannen.
»Ausgerechnet jetzt wollen wir nach Frankfurt«, seufzte sie und zeigte Merkmale unverkennbarer Ängstlichkeit. Ihr Mann, weit davon entfernt, ihr darin zu folgen, war in die Küche gestürzt.
»Ich werd' Erna runterschicken«, hatte er sich erklärt, während nur noch die Schwalbenschwänze seines Fracks sichtbar waren, den er auch in den Unterrichtsstunden trug.
Auf eine weitere Spekulation wagte man sich nicht einzulassen. Geduldig wartete man, bis Erna zurückkam. Als sie das Speisezimmer betrat, glühte ihr volles Gesicht in der Pracht aller Rottöne.
»Na, schon heraus damit!« trat ihr der Professor entgegen, barscher, als sie es gewohnt war.

»Gnädiger Herr ...«
Einmal noch mußte sie Luft holen und spannte alle auf eine unerträgliche Folter.
»Gnädiger Herr, auf unseren allergnädigsten Kaiser und König – sie verdrückte sich eine Renommierträne – ist geschossen worden.«
»Was?« brüllte der Professor, sprang vom Stuhl auf, der hinter ihm zu Boden ging und lief einmal aufgeregt um den Tisch.
»Ist Seine Majestät tot?« fragte er dann, flüsternd fast. Erna, inzwischen der Sprachlosigkeit zum Opfer gefallen, schüttelte zunächst kleinmädchenhaft den Kopf, um erneut, sich Kontrolle auferlegend, anzufügen:
»Nein, Gnädiger Herr, aber fast tot.«
Es dauerte nicht lange, und sie hatten in Erfahrung gebracht, daß man Unter den Linden auf den Kaiser eine doppelte Schrotladung abgefeuert habe und er blutüberströmt auf dem Sitz seiner Kutsche zusammengebrochen sei. Die Urheberschaft werde in Kreisen der Arbeiterbewegung gesucht.
Noch bevor Erna entlassen war, hatte der Professor die flache Hand auf seinen Oberschenkel klatschen lassen und mit geschwollenem Kopf ausgerufen:
»Jetzt haben wir die Bande«, ohne sich darum zu kümmern, was die anderen darüber dachten. Seine Schwalbenschwänze flogen wieder, als er hin- und herrennend seine Entrüstung zum Ausdruck brachte.
»Das zweite Attentat in nicht einmal vier Wochen«, keuchte er, »aber wir wissen jetzt, woher der Wind weht.«
Durch das offenstehende Fenster drängte immer noch das Geläut der in Schwingung versetzten Glocken, die, wie sie jetzt wußten, himmelsstürmende Dankgebete waren.
Tags darauf schrieb Mete Fontane in ihr Tagebuch:

3. Juni 1878
Auf die Sekunde war es vorbei mit dem, worauf ich heißhungrig gewartet hatte – noch so gute Suppen können diesen Hunger bekanntlich nicht stillen: Gespräche über Kunst und Philosophie. Aber weder Professor Stockhausen noch Papa konnten sich nach dem ungeheuerlichen Vorfall darauf verstehen. Im Nu waren wir bei der Politik gelandet. So interessant sie auch sein mag, ihr haftet allemal eine zähe Gleichförmigkeit an, so, als spiele man immer wieder dasselbe Stück mit neuer Besetzung.
Es zeigte sich jedenfalls, daß Papa und der Professor in der Kunst ganz

d'accord sind, wenn es Exaltationen zu bekämpfen gibt, in ihrer politischen Meinung aber wie Feuer und Wasser zueinander stehen. Der Professor rief sofort nach Ausnahmegesetzen, wollte die Arbeiterbewegung ganz und gar verboten wissen und sah in dem Attentat die Folge einer zu großzügigen Handhabung der Freiheit.
»Es gibt nun einmal Exemplare unserer Art, die der landläufigen Vorstellung vom homo sapiens nicht ganz entsprechen«, meinte er und forderte für die so Genannten eine verschärfte Aufsichtspflicht, die natürlich der Staat übernehmen müsse.
Wir hatten den Professor toben lassen. Einmal natürlich, weil es zwecklos gewesen wäre, Einwände zu erheben, zum anderen aber auch wegen der darstellerisch reifen Leistung seines Auftritts. Wie immer wirkte er imponierend in seinem selbstlosen Zorn, der bisher nur Entweihungen der Kunst galt, jetzt auf diesem Parkett aber bewies, daß er umfassenderer Art sein konnte. Mir begann das Herz zu klopfen. Obwohl ich auf eine Replik gewartet hatte, empfand ich Papas Unterbrechung als störend. Er machte Professor Stockhausen nachdrücklich darauf aufmerksam, daß die Menschen, für die er den Mündelstatus beantragte, vor dreißig Jahren Barrikaden gebaut und Seite an Seite mit Bürgerlichen den Preußen Konzessionen abgetrotzt hätten.
Es folgte ein längerer Vortrag über die in Vergessenheit geratenen Ziele der Freiheitskriege. Er mußte Papa schon deshalb gelingen, weil er hier ganz in seinem Element war. Manchmal klang es, als rezitierte er Personen aus seinem Roman »Vor dem Sturm«.
Jedenfalls mußte es sich der Professor gefallen lassen, kurzsichtig genannt zu werden. Er saß da mit aschgrauem Gesicht, weil er Papa in dieser Rolle sicher noch nicht erlebt hatte. Frau Stockhausen neben mir murmelte zuweilen ein: »Gott, oh Gott«, während die Grazien des Schönen, Guten und Wahren an uns vorbeidefilierten und Papa aus dem idealistischen Horizont, den er soeben aufgerissen hatte, alle verratenen Tugenden der bürgerlichen Aufbruchszeit regnen ließ.
Immerhin gelang es ihm, uns ruhig zu stellen. Auch der Professor, der aus dem Aschgrau mehrmals ins Krebsrot gewechselt hatte, räumte Papa anstandslos das Feld. Als er metaphorisch wurde und die Arbeiterbewegung eine eifersüchtige Nebenbuhlerin nannte, die der bigotten Lebensgemeinschaft aus Bürgertum und Junkern Schaden zufügen wolle, ging ein Ruck durch uns Zuhörer. Nicht zuletzt deshalb auch, weil er es überzeugend verstand, die Bröckeligkeit des Gebildes darzustellen, das sich stolz Deutsches Reich nennt, auf immerhin drei gewonnene Kriege zurückblicken kann und sich im ganzen kolossaler gebärde, als es ihm zustehe.

»Alles ist nur auf dem schmalen Grat wechselseitiger Abhängigkeit aufgebaut. Nicht mehr«, erklärte Papa, ganz esprit fort in diesem Augenblick, »von tieferem Zusammenhalt keine Spur.« Und er sei doch das Eigentliche, um neidvolle Nebenbuhler abzuhängen.
In dem Moment bin ich ganz rot geworden und weiß immer noch nicht warum.

6. KAPITEL

Seit Mitte des Monats prangte die Reichshauptstadt in einem Flaggenschmuck, der selbst die von Feiertagen verwöhnten Berliner in Erstaunen versetzte. Nach dem gewonnenen deutsch- französischen Krieg hatten sich die Gedenktage zwar inflationär um jene Kalenderdaten vermehrt, die siegreiche Schlachten markierten, die Ereignisse des Juni aber stellten alles Vergleichbare in den Schatten.
Für vier Wochen ruhte die Friedenshoffnung der Welt auf der Reichshauptstadt. Wenn es gelang, für den nach dem russisch-türkischen Krieg des Vorjahrs in Unordnung geratenen Balkan eine akzeptierbare Lösung zu finden, dann war ein neues Gleichgewicht zwischen den Großmächten hergestellt.
»Ich sage dir, es geht diesem Schlaufuchs Bismarck bei allem nur um Preußen«, kommentierte Theo die Vorgänge, an denen niemand, auch wenn er es wollte, vorbeisehen konnte, »als Geschäftsführer eines Schwindelunternehmens ist es ihm allein darum zu tun, den Bankrott so weit wie möglich hinauszuschieben.« Er war dabei, seine Garderobe zu begutachten, lief im Entrée vor dem Spiegel auf und ab, während Anna seinen Anzug mit der Bürste bearbeitete. Eine gelinde Nervosität haftete ihm an, weil er heute abend wieder auf seinem Parkettplatz 23 im Königlichen Schauspielhaus sitzen würde, zu seinem eigenen Leidwesen und dem der Schauspieler.
Mete hatte ihm gerade klar zu machen versucht, daß sie seine politische Einschätzung für überspitzt halte.
»Ganz und gar nicht«, holte er sofort zu einer Richtigstellung aus, auch weil die Zeit drängte, »Bismarck hat den Sozialistenkram am Hals, muß damit rechnen, daß ihm die Katholiken, deren Einfluß er bekanntlich sofort nach dem Krieg vergeblich einzuschränken ver-

sucht hat, Ärger machen und weiß sich jetzt nurmehr schlecht als recht gegenüber den argwöhnisch gewordenen Großmächten zu behaupten. Nein, nein, mein Springhase, ich sehe da schon richtig. Der Kongreß ist eine Vorstellung für die Welt, um Eigenschaften zu reklamieren, die es in Preußen-Deutschland nicht mehr gibt: Selbstbescheidung, Rücksichtnahme, Gerechtigkeitsdenken, Wirklichkeitssinn.«

Der Pessimismus schwand, wenn er sich das Datum ins Gedächtnis rief, zu dem »Vor dem Sturm« erscheinen sollte: Oktober. Im Augenblick lief er im Vorabdruck, den die Zeitschrift »Daheim« besorgte. Andere Projekte nahmen bereits den vakant gewordenen Platz ein: Historische Novellen, ein Zeitbild bürgerlichen Lebens, »Allerlei Glück« betitelt. Nichts davon war über den Rahmen eines Entwurfs hinaus gediehen. Nebenher entwickelte sich die Auseinandersetzung mit einer mythologischen Gestalt: Der Melusine, einem weiblichen Wesen, halb Mensch, halb Fisch, das seit gut einem Jahr sein Interesse in eigentümlicher Weise anzog.
Gemessen an den Problemen, die die Entscheidung von 1876, eine Lebensstellung aufzugeben, herausgefordert hatte, konnte Theo mit den Umständen zufrieden sein. Für eine pessimistische Lebensschau bestand wahrlich kein Grund, zumal es Mete inzwischen dahin gebracht hatte, auch ihr Lehrerinnenexamen hinter sich zu bringen.
Tagebucheintragung Mete Fontanes vom 10. Juli 1878:

Nun ist es geschehen: Die Stockhausens haben den Sand von ihren Schuhen geschüttelt und sind abgedampft. Papa hat mich zwar zu trösten versucht, wir würden sie ja in Frankfurt besuchen. Aber was weißt schon du, Papa!
Seit Tagen quält mich eine heftige Migräne, die es mir auch nicht leichter macht, mich mit meinen Zukunftsplänen auseinanderzusetzen. Ich denke dabei an ein Hauslehrerinnen- oder Erzieherinnendasein. Nun, es wird sich zeigen.
Um mir die trüben Gedanken aus dem Kopf zu blasen, habe ich mich breit schlagen lassen, wieder eine jener Jugend-Reunions zu besuchen, die mir immer viel Spaß gemacht haben. Obwohl mich zum ersten Mal das Gefühl überkam: Da gehörst du nicht mehr hin.
Marie Schreiner, Herzensschwester seit den Schultagen, hat es dann dennoch geschafft, mich aus den Mauern zu locken. Der Migräne hat's zunächst gut getan, meinem Herzen weniger, glaube ich.

Gegen meinen Willen habe ich mich darauf eingelassen, mit ihrem Bruder Rudolph zu tanzen, einem etwas blassen und unauffälligen jungen Mann. Für den landläufigen Geschmack sicher gut aussehend. Aber auf mich verfehlte er jede Wirkung.
Dabei schoß mir durch den Kopf, was Papa über die Melusinen hatte verlauten lassen: Sie besitzen alles nur zur Hälfte: Leben ohne Lebendigkeit, Liebe ohne lieben zu können, Sehnsucht ohne Erfüllung.
Dort im Kreis zwischen Marie Schreiner und ihrem Bruder, zu denen noch einige Freunde stießen, mußte ich mir die Frage vorlegen, ob ich nicht vielleicht eine der Melusinen sei. Zu schrecklich, um der Vorstellung weiter nachgeben zu können. Aber gleichzeitig tröstete ich mich damit, daß Mama so weit davon auch nicht entfernt ist, und Papa, wenn ihn schon das schwere Los getroffen hat, mit zwei Nixen liiert sein zu müssen, mir mein Nixendasein immer gütigst nachgesehen hat.
Derart verrückte Überlegungen paßten sicher weniger zu dem gelungenen Abend als zu meiner besonderen Situation. Wie ich damit fertig werde, weiß ich nicht. Ich kann und darf auch mit niemandem darüber reden. Und schon gar nicht werde ich nach Frankfurt fahren. Ehrlich gesagt, wünschte ich, tot zu sein. Vielleicht hat Schopenhauer, den ja alle Welt liest und bei jeder Gelegenheit zitiert, doch recht, wenn er an den Frauen kein gutes Haar läßt, uns Falschheit, Treulosigkeit, ja Verrat vorwirft und es unserer Natur zuschreibt. Möglich, daß wir allesamt Melusinen sind und uns die Männer nur Gerechtigkeit widerfahren lassen, wenn sie nach Gutdünken mit uns umspringen.
Mein guter Schopenhauer, lehr du mich die Weiber kennen, auf daß es hell werde in meinem Inneren. Im Moment herrscht dort nämlich nichts als finstere Nacht, die auch die Hoffnung, demnächst nach Rostock zu den Wittes fahren zu können, kaum lichter macht. Wie gewunden die Pfade der Seele sind und wie steinig dazu, merke ich erst jetzt.

7. KAPITEL

Die Zeitungen machten daraus eine Gewißheit, obwohl niemand mehr nach den Neuwahlen des Reichstags daran gezweifelt hatte: Der Staat verbot die Arbeiterbewegung und ihre politischen Organisationen. Damit, wie viele meinten, habe er sich den letzten Dorn aus dem Fleisch gezogen.
Eher beiläufig nahm Theo in jenem Oktober das Ereignis zur Kenntnis. Sein Roman »Vor dem Sturm« war soeben im Verlag Wilhelm Hertz erschienen und verlagerte sein Interesse ganz auf die Resonanz von Käufer und Kritik. Seit Mete zu den Wittes nach Rostock abgereist war, waren seine Abende trostloser geworden, wenngleich Emilie sich alle Mühe gab. Ihre Krise – jedenfalls den für das Auge erkennbaren Teil – hatte sie überwunden und sich inzwischen in der gewohnten Weise bei der Reinschrift des Romans bewährt. Theo honorierte es ihr mit chevaleresker Zuvorkommenheit, obwohl er sich im klaren darüber war, daß Emilies Stimmungshoch auch mit den Avancen zusammenhing, die sie an das Buch knüpfte. Die Schönwetterlage ausnutzend, bezog er sie seit Metes Abwesenheit in seine literarischen Pläne ein.
Neben den haushaltlichen Obliegenheiten, die ihr Anna zum großen Teil aus der Hand nahm, kümmerte sie sich seit neuestem verstärkt um die Aufrechterhaltung und Pflege der gesellschaftlichen Kontakte, die nach der drohenden Isolation vor zwei Jahren eine wohltuende Aufwertung erfahren hatten.
Für sein neuestes Projekt war Theo zweimal nach Tangermünde gereist.
»Eine historische Erzählung soll es werden«, hatte er Emilie in Kenntnis gesetzt und ihren ungeteilten Zuspruch gefunden, da historische Stoffe jedweder Art, wie der Buchmarkt bewies, erfolgsverdächtig waren.
Es ist die Geschichte der Margarethe von Minden, die, um ihr Erbteil gebracht, Anfang des 17. Jahrhunderts ihre Vaterstadt Tangermünde anzündet und selber in den Flammen umkommt.
»Eine starke Geschichte«, bemerkte Emilie angerührt dazu, »sowas mögen die Leute. Am liebsten dreibändig.«
Derlei Äußerungen brachten es naturgemäß mit sich, daß ihre Unterhaltungen über Literatur knapp bemessen blieben. Die Abstriche hier

wurden aber aufgewogen durch Gemeinsamkeiten, die sich zu anderer Zeit und am anderen Ort einstellten.
Seit längerem lag eine Einladung nach Frankfurt vor. Professor Stockhausen hatte sie ausgesprochen. Nach dem Weggang aus Berlin lehrte er in Frankfurt an einer Gesangsschule und litt unter Heimweh. Eine Aufforderung Theos an seine Tochter, ihren Rostocker Aufenthalt zu unterbrechen und sich den Eltern auf der Fahrt anzuschließen, beschied Mete abschlägig. Sie fühle sich nicht recht am Platze, schrieb sie zurück, vergangen ist vergangen. Außerdem sei sie jetzt nicht mehr Haustochter, sondern Erzieherin in spe.
Wie unvergeßlich für sie die apostrophierte Vergangenheit in Wirklichkeit war, demonstriert ihre Tagebucheintragung vom 25. Oktober 1878 in sinnfälliger Weise:

Papas Brief, mit dem er mir einen Gefallen tun wollte, hat alles nur wieder aufgerührt. Dabei war meine Genesung so gut in Gang gekommen, hier in Rostock, bei Onkel Witte. Die Migräne hatte ich schon fast vergessen. Jetzt ist sie wieder da und vergällt mir die Tage.
Nach Frankfurt zu fahren aber wäre keine Lösung. Ich darf den Stockhausens nie wieder begegnen. Was würde es mich kosten, dem Professor unter die Augen zu treten? In jedem Falle die Fassung!
Die Wochen hier haben mir deutlich gemacht, daß ich in etwas hineingeschlittert bin, was nicht hätte sein dürfen. Ich habe den Kopf verloren, bin meinen Gefühlen einfach nur hinterhergelaufen, um am Ende auf die Nase zu fallen. Was hat auch ein dummes Ding von 16 Jahren dazu gebracht, sich in einen reifen, dazu noch verheirateten Mann zu verlieben! Ja, wenn es nur das gewesen wäre. Dann hätte es keinen Wirrkopf wie mich gegeben, der durch alle Wechselbäder der Empfindungen tauchen mußte. Aber warum mußte der Professor gerade das besitzen, was mir seit frühester Zeit den Puls in die Höhe jagt: Jene geläuterte Geistigkeit, die er mit jeder Geste, jeder Anweisung, jeder Taste, die er auf dem Flügel anschlug und jedem Ton aus seinem Munde so überdeutlich zum Ausdruck zu bringen verstand.
Hier jemanden anzuklagen, wäre töricht, am allerwenigsten das Schicksal, auch wenn es mich jetzt in der grausamsten Verzweiflung zurückläßt. Hat es mich andererseits doch die Bekanntschaft eines begnadeten und liebenswerten Menschen machen lassen, der mir jetzt für immer entzogen sein wird. Für immer! So schmerzlich auch die Vorstellung ist, aber es muß sein.

8. KAPITEL – BERLIN, 1879

Bereits kurz nach der Buchausgabe von »Vor dem Sturm« wurde offenbar, daß die daran geknüpften Erwartungen unerfüllt bleiben würden. Das an dramatischen Konzepten geschulte Publikum konnte sich mit der ziselierten Einlässigkeit des Romans nicht befreunden und fand ihn in weiten Passagen langweilig. Die zünftige Kritik schloß sich im Urteil an.
Auf Theo wirkte das Verdikt niederschmetternd, obwohl er seine Maßstäbe in weiser Voraussicht niedrig angesetzt hatte.
»Es bleibt, wie es war«, äußerte er Emilie gegenüber, »die Leute lieben den angemalten Firlefanz. Hieße ich Wolff, Dahn, Ebers oder Dove, rissen sie mir die Bücher gleich zu Tausenden aus der Hand. Ich aber heiße Fontane.«
Emilie, an solche Erklärungen gewöhnt, reagierte gegen alle Erwartung nicht mit einem Zornesausbruch, sondern resigniertem Rückzug. Er schmerzte Theo mehr, als es eine ihrer offenen Herabsetzungen vermocht hätte. Ihr Schweigen wirkte wie die Aberkennung seines Anspruchs, nur Schriftsteller sein zu wollen. Metes Versuche, den Roman aufzuwerten, taugten allenfalls dazu, die Wunden zu kühlen, die eine verständnislose Öffentlichkeit geschlagen hatte.
»Aber ›Grete Minde‹ scheint doch ein Erfolg zu werden«, führte sie ihr letztes Geschütz ins Feld, wenn ihre Tröstungen den Vater nicht aufzumuntern vermochten.
Seit Mai lag die Novelle im Vorabdruck vor und konnte eine gute Resonanz verbuchen. Von trefflichen Szenenfolgen war die Rede und einer kräftigen Handschrift, die der Dichter bewiesen habe beim Entwurf des anrührenden Bilderbogens.
Die schmeichlerisch klingenden Attribute machten indes Theo nicht froher. In den Pausen, die er zwischen seinen neuen Romanprojekten einlegte – gleich drei an der Zahl – keimte sie wieder auf, die alte Angst, in einer Welt blinder Vorurteile unterzugehen. Emilies mahnender Zeigefinger war nicht mehr nötig. Was durch die Blume sikkerte, reichte aus, um dumpfe Verzweiflungen und bange Zukunftserwartungen zu wecken, zumal Emilie es auf seine Schuldgefühle abgesehen hatte.
Durch nichts waren sie leichter in Bewegung zu setzen als durch den Hinweis auf seinen Sohn George. Inzwischen Lehrer an der Kadet-

tenanstalt Lichterfelde war er die fleischgewordene Erinnerung daran, daß sich Theo während seines Englandaufenthaltes zuwenig um seine Familie gekümmert hatte. Emilie wurde nicht müde, diesen Sachverhalt immer wieder herauszustellen. Daß sich für den Sohn das Schicksalsrad jetzt in eine Richtung zu drehen begann, die gesellschaftlichen Aufstieg verhieß, machte sie beinahe fassungslos.
»Die Tochter eines Justizrates, vermögend dazu«, erklärte sie ihrem Mann, eben daß er vom Mittagsschlaf, den er sich als schöpferische Pause seit kurzem bewilligte, aufgestanden war.
»Justizrat, nun ja, das klingt gut«, meinte er, seine Ironie zügelnd, »wie hast du noch gesagt?«
»Martha Robert, heißt sie«, beeilte sich Emilie, sein Unwissen zu beseitigen, »das einzige Kinde des Justizrats zudem.«
»Und Alleinerbin«, trieb es Theo auf die Spitze. Aber Emilie hatte zuviel in der Hinterhand, um sich dadurch derangieren zu lassen.
»Das auch, Theo«, sagte sie etwas überheblich, »die besten Voraussetzungen für George, wenn du nicht wärest.«
Er fühlte es in den Fingerspitzen zucken. Nahe daran, den Tisch zu verlassen, tat er nur Mete den Gefallen zu bleiben, die mit einem: »Bitte, Mama!« lautstark Protest eingelegt hatte. Emilie gab sich weiterhin unbefangen.
»Papa soll nur nicht denken, daß eitel Wonne herrscht, seitdem er sich einbildet, ein Romancier zu sein«, beharrte sie und legte ihre Stirn in Falten, »für mich und die meisten anderen ist er schlichtweg nur eines: Berufslos.«
Daß sie ihn daran erinnerte, einen Apotheker in spe geheiratet zu haben, nahm er ihr weniger übel als den rücklings geführten Dolchstoß gegen seine empfindlichste Stelle: Den noch nicht hinreichend gefestigten Glauben daran, auf eigenen Beinen stehen zu können.
Er mußte sich mächtig Zügel auferlegen, um bei seiner Antwort ruhig zu bleiben.
»Mama steht nur dort stramm«, sagte er nicht ohne Bitterkeit, »wo die Kasse klingelt oder der Orden am Bande baumelt. Im Grunde beginnt für sie auch dort der Mensch.«
»Übertreib nicht wieder«, unterbrach sie ihn auf der Stelle, »du weißt, wie ich das gemeint habe. Die Leute sind nun einmal so. Tür und Tor bleiben dir verschlossen, wenn du weder Geld noch Titel vorzuweisen hast. Und ich möchte nicht, daß George wegen eines egoistischen Vaters, der es sich in den Kopf gesetzt hat, der Welt tout

à prix die kalte Schulter zu zeigen, um die Chance seines Lebens gebracht wird.«

Metes ohnehin schneeige Gesichtshaut war noch weißer geworden, als ihr Vater entrüstet meinte:

»Und was schlägst du vor, soll ich tun? Mich als Bote verdingen beim Kammergericht! Verdammt noch mal«, begann er, gegen seinen Willen die Beherrschung zu verlieren, »wer ist nur auf den verrückten Gedanken gekommen, alles für so eminent wesentlich zu halten, was hier in einem Amt oder einer Geldgrube sein Auskommen findet. Die Verhältnisse haben sich doch dadurch nicht um einen Deut gebessert, daß die Menschen etikettiert durchs Leben laufen. Seit wir verassessort und verreserverleutnant sind und die Examensheiligen die Wahrheiten herunterbeten, ist es mit dem natürlichen Wunsch nach persönlicher Würde und Freiheit immer stärker bergab gegangen. Statt dessen blüht der widerlichste Byzantinismus und spreizt sich der gräßlichste Stolz verbeamteter Erfüllungsgehilfen. Figuren, zusammengeleimt aus kurzsichtiger Verblendung und unverschämter Ansprüchlichkeit, beherrschen unser Straßenbild. Ich sage dir, die Menschheit ist so runter, daß es schwer fällt zu glauben, sie könne sich noch einmal erheben. Was du mir als vorbildlich weiszumachen versuchst, liebe Emilie, ist doch nichts weiter als das Symptom einer vollendeten Decadence.«

Damit Emilies überheblichen Zug aus dem Gesicht zu verbannen, war ihm allerdings nicht gelungen.

»Nun wird sich Justizrat Robert nicht unbedingt von deiner Beweisführung überzeugen lassen«, begegnete sie ihrem Mann kühl, »wenn er nach den Besitzverhältnissen seines künftigen Schwiegersohns fragt.«

Theo hatte immer noch Mühe, seine innere Erregung unter Kontrolle zu halten.

»Ich hoffe, George ist als Person beeindruckend genug, um den Justizrat auf seine Seite zu bringen. Schließlich will seine Tochter ja nicht ihren Schwiegervater heiraten.«

Der Zug um Emilies Mund deutete an, daß sie ihrem Mann wieder einmal jeglichen Wirklichkeitssinn absprach.

Das Gezänk jenseits der Mauer war damit allerdings noch nicht zu Ende. Über eine gute Stunde hörte Mete die Eltern weiter miteinander ringen. Sie hatte sich auf ihr Bett gelegt und das Kissen um die Ohren gezogen. Zum Einschlafen war sie nicht müde genug. Woanders saß man noch beim Kaffee. Es war gerade vier Uhr. So gab sie sich den Gedanken an ihre Bewerbungsschreiben hin, die sie seit einiger Zeit in die Welt hinausschickte. Angesichts der häuslichen Verhältnisse konnte sie sich nur wünschen, baldigst von einer günstigen Offerte überrascht zu werden.

Mit Marie Schreiner vergnüglich durch die Friedrichstraße zu bummeln, um sich in den Schaufenstern die Auslagen anzusehen, stand seit kurzem nicht mehr auf Metes Tagesplan. Marie hatte ihr nämlich ganz überraschend mitgeteilt, sie werde sich verloben. Wenn es ihre Absicht gewesen sein sollte, Mete zu schonen, so hatte sie das genaue Gegenteil erreicht. Mete trug ihr die Heimlichtuerei nach, weil sie darin einen Bruch ihres freundschaftlichen Verhältnisses sah. Ja, mehr noch. Immerhin konnte sie darin auch durchtriebene Scheinheiligkeit wittern, um eine mögliche Rivalin auszuschalten. Maries Verhalten jedenfalls wirkte auf Mete niederschmetternd, nicht zuletzt auch deshalb, weil sie inzwischen 19 Jahre zählte. Die Freundinnen der Kinderzeit waren verheiratet. Selbst von Lise Witte in Rostock wußte sie, daß sie sich mit ernsteren Absichten trug. Allerdings hatte Mete ihrem Vater gegenüber einmal geäußert: »Ehe und Liebe, das geht schlecht zusammen.« Und wie sie sich sehe, sei sie eine schlechte Partie für Inspektoren und Kandidaten.
Um so erstaunlicher wirkte ihre Bereitschaft, sich von Rudolph Schreiner zu einer Soirée einladen zu lassen, die sein Vater, Stadtschulrat und Geheimer Regierungsrat Otto Schreiner, veranstalten wollte. Erstaunlich nicht zuletzt auch für Mete selber, die am 3. August 1879 in ihr Tagebuch eintrug:

Alle nennen mich klug und besonnen, loben meine Reife und Einsichtsfähigkeit. Aber wo es um Gefühle geht – das Wort Liebe mag ich gar nicht zu Papier bringen – benehme ich mich wie eine Närrin. Noch treibt mir die Stockhausen-Episode die Schamesröte ins Gesicht, vor allem, weil ich sie Papa und Mama ohne Wenn und Aber gebeichtet habe, ohne mich dabei im geringsten zu schonen. Jetzt bemühe ich mich, einer Dummheit eine zweite hintanzusetzen.
Was bewegt mich Tollkopf nur dazu, einem Rudolph Schreiner Avancen zu machen, wo ich doch weiß, daß er der Letzte wäre, der mich zu fesseln verstünde. Er ist so espritvoll wie eine Weihnachtsgans, verfügt über den Char-

me eines Holzknüppels und besitzt das Charisma eines Kleiderschranks. Eine Zukunft mit ihm wäre die reinste Tortur.
Trotzdem habe ich brav neben ihm gesessen, passend gelächelt und gefällig Konversation gemacht. Der Schulrat hat seinem Sohn ermunternd zugenickt, als bewundere er dessen Geschmack, mich eingeladen zu haben.
Mir ist der Schreck durch die Glieder gefahren, weil ich mich schon als Schwiegertochter sah. Nun wird das nie und nimmer der Fall sein, auch wenn die ganze Welt gegen mich aufstünde. Kleine, feige Martha!
Was läßt du dich auch darauf ein, nur weil dir die Leute im Genick sitzen. Aber neben dem Schicksal sind sie eine zweite Macht, die einem zuweilen vor Angst das Herz bis zum Hals pochen läßt.
Und doch: Ehrlich währt am längsten. Daß Ehestand Wehestand ist, pfeifen die Spatzen von den Dächern. Trotzdem sterben die Dummen unter meinen Geschlechtsgenossinnen nicht aus. Und wenn ich auch Schopenhauer verabscheue, so stimme ich ihm in seinem Zynismus uns Frauen gegenüber bei. Gibt er doch nur scharfsichtig die Verachtung der Männerwelt wieder, zurecht, meine ich, angesichts jener weiblichen Schafsmoral, aus der die Männer ihren Nutzen ziehen.
Ich für meinen Teil will damit nichts zu tun haben.

Zwei Tage später – am 5. August 1879 – führte sie weiter dazu aus:
Gestern mit Papa ein längeres Gespräch über Schopenhauer geführt. Er war reichlich erstaunt darüber, daß er von mir daraufhin angesprochen wurde. Aber wie ich Papa kenne, vermutet er die Zusammenhänge, spielt indes mit Geschick und Können den Ahnungslosen, um Studien für seine Werke zu treiben.
Seine Bereitschaft, mit mir über Schopenhauer zu reden, rechne ich ihm deshalb hoch an, weil der Philosoph mit der Magenverstimmung, wie er ihn unlängst nannte, für ihn ein rotes Tuch ist.
»Alles nur Programm«, hat er mal in einer Runde von Freunden behauptet, nachdem wieder Schopenhauer auf Tapet gekommen war, »weil er ein Miesepeter gewesen ist, mußte die Welt für ihn miesepetrig sein. Alles nur Elend, blinder Trieb und die Menschheit nicht mehr als eine trübsinnige Herde ohne Verstand. Das ist mir nicht nur zu einfach. Ehrlich gesagt, es ist mir zu kleinkariert und pharisäerhaft verbittert.«
Soweit Papa zu dem vielzitierten Herrn. Als ich nun mit ihm darüber sprechen wollte, was Schopenhauer über die Beziehung der Geschlechter geäußert hat, verfiel er in ein schallendes Lachen. So derb, daß Mama ihn strafend ansah und in die Küche ging. Gut für sie, denn Papa flüsterte mir ins

Ohr, nach Schopenhauer habe er Mama nur deshalb geheiratet, um seinen Gattungstyp zu ergänzen. Was nichts anderes hieße, als daß Mama ihn erst zu einem richtigen Menschen gemacht habe.
Ich versuchte, mir sogleich vorzustellen, was ich mir mit Rudolph Schreiner als Partner einhandeln würde, und wußte nicht, ob ich weinen oder lachen sollte.
Nach Herrn Schopenhauer würde mich also der ewig wirkende Weltwille einem Rudolph Schreiner in die Arme treiben. Nun weiß ich aber genau, daß es nicht so ist. Käme es, was Gott verhüten möge, unglücklicherweise zu einer Liäson, hätte die Regel ihre Ausnahme.
Arme Welt, wie oft willst du noch betrogen werden?
Was wunder, daß ich vor Zorn koche. Da läßt sich herbei, wer kann. Mama, ja selbst Papa machen mit, sanften aber nachhaltigen Druck auszuüben, endlich den Ehehafen anzusteuern, und am Ende feiern alle scheinheilig das im ehelichen Geschirr gehende Gespann. Pfui!
Die Verlogenheiten geben sich ein Stelldichein. Und von Verlogenheiten spricht ständig auch Papa. Natürlich meint er damit in erster Linie das tête à tête unserer aristokratischen Führungsschicht mit jenen Leuten, die bei uns das Geld besitzen. Hierauf Schopenhauers Gesetz der Partnerwahl anzuwenden, hieße, den Philosophen in flagranti zu widerlegen.
Daß Papa damit seiner Verägerung Luft machen will, kann ich gut verstehen. Auch Papa fühlt sich unter Druck gesetzt. Obwohl »Grete Minde«, sein Roman, ein Publikumserfolg wurde, stellt er doch für ihn nicht mehr dar als eine quälende Konzession an den Zeitgeschmack.
Schreiendes Unrecht, Feuer, Rache und Schuldbegleichung, solches kehrt zwar das Unterste zuoberst in der Gefühlswelt des Lesers, bei Papa muß diese Buntfärbung eine blutende Wunde hinterlassen. Finden statt erfinden: Seine Devise.
Bedauernswerter Papa!

9. KAPITEL

»Grete Minde«, im Vorabdruck mit Vorschußlorbeeren überhäuft und für das nächste Jahr als Buchausgabe geplant, hatte seiner Schaffenskraft nicht nur mächtig Auftrieb verliehen, sondern auch seiner Gesundheit. Nie war es ihm leichter gefallen, den Tag zu gestalten und Emilies Launen zu entgehen.
Die Romane, die er sich vorgenommen hatte zu schreiben, würden das Licht ihrer papierenen Welt erblicken, koste es, was es wolle: »Schach von Wuthenow«, jene Abrechnung mit dem ebenso renommistischen wie fassadären preußischen Ehrenkodex war bereits weit gediehen. »Ellernklipp« dagegen, der in die Zeit nach dem siebenjährigen Krieg verlegte Roman über die dämonische Kraft des Illegitimen, eben in Angriff genommen. Das dritte Werk »L'Adultera«, basierend auf einer Zeitungsnotiz, bestand aus nicht mehr als dem Anfangskapitel.
So angenehm die Schaffenskraft für Theo war, Mete konnte damit ganz und gar nicht zurechtkommen. Da auf ihre beharrlich in die Welt hinaus gesandten Bewerbungsschreiben keine Angebote eingetroffen waren, fühlte sie sich degradiert zu einer Chaiselongueexistenz, wie sie ihr bibliophiles Dasein zu benennen pflegte. Obwohl sie zugeben mußte, daß eine wohl zugrunde liegende Begabung, den Tag mit einem Buch vor der Nase zu verbringen, ihr Leiden in Grenzen hielt.
Um wenigstens den Abend für sich in Anspruch nehmen zu können, las sie jetzt regelmäßig die Zeitung, weil sie wußte, daß ihr Vater, dessen Informationshunger unter den obwaltenden Umständen von ihm selbst nicht mehr befriedigt werden konnte, sich dankbar auf jede Nachricht stürzte.
»Also doch«, brachte sie ihren Vater trotz dessen sichtlicher Ermüdung dazu, am Abendtisch seiner Entrüstung lautstark Ausdruck zu verleihen, »mit dem Koloß Rußland im Nacken bleibt den Preußen nichts anderes übrig, als sich mit den Habsburgern zusammenzutun.«
Den Scharfblick honorierte ihm Mete mit einem bewundernden Augenaufschlag.
»Papa, du bist der einzige Stern am eingetrübten Himmel meiner Tage«, schmeichelte sie ihm schamlos und hatte Mühe, keinen Kuß hinterherzuschicken.

»Nun, mach einen Punkt«, blockte er verlegen ab, »wenn es schon ein Stern sein muß, dann nehme ich doch stark an, hast du ihn woanders schon gefunden.«
Daß es sich ganz anders verhielt, mochte sie ihm nicht sagen. Sie versuchte, sich Rudolph Schreiner – auf ihn hatte ihr Vater zweifellos angespielt – als den zitierten Stern am Horizont ihres Lebens vorzustellen, und verkniff sich ein Lachen. Mochte er es sich auch einbilden und alle anderen auch – die Eltern eingeschlossen – aber nichts war abwegiger. Selbst für den Fall, daß Rudolph Schreiner alle Hebel in Bewegung setzte, würde es bei ihrem Nein bleiben, wenn es um Heirat ging. Und genau besehen, war längst eingetreten, was sie im stillen befürchtet hatte: Er bemühte sich um sie, mit der ganzen steifleinenen Zuvorkommenheit, die ihm zur Verfügung stand. Rudolph studierte Jura, mit mehr Pflichtschuldigkeit als Leidenschaft.
»Vater meint, als Jurist stünden mir im Leben alle Türen offen«, hatte er einmal Mete gegenüber darzulegen versucht, »und Vater muß es ja schließlich wissen.«
Unter der Woche blieb er unauffindbar, studierte, wie es seine Schwester Marie zu erklären wußte. Sonntags klopfte er bei den Fontanes an.
Mete wartete zu dem Zeitpunkt bereits auf ihn, nicht zuletzt deshalb auch, weil Rudolph mit Pünktlichkeit glänzte. Um dem Anstand zu genügen, unterließ er es nie, seine Schwester und deren Verlobten mitzubringen.
Bei schönem Wetter führte sie ihr Ausflug in den Tiergarten, regnete es, suchte man Schutz unter den Dächern der Zelte, einer angegliederten Budenstadt, die gastronomischen Zwecken diente. Daß ihr die Verfahrensweise Freude bereitet hätte, wäre von Mete mit Nachdruck zurückgewiesen worden. Aber das Opfer auf dem Altar der Konvention war ihr die Freiheit wert, die sie zwar am Sonntag verlor, um sie in der folgenden Woche genießen zu können. Auch mußte sie einräumen, daß Rudolphs Gerede – als solches stufte sie seine Konversation ein – nicht ganz reizlos war. Immerhin stellte es eine Abwechslung dar nach den Tischgesprächen mit ihrem Vater.
Rudolph liebte das Weißbier. Davon zeugte ein ansehnlicher Bauchansatz, den pfleglich zu erweitern, er sich vorgenommen hatte. Niemals erhob er sich vom Biertisch, ohne vier Maß Gerstensaft den Garaus gemacht zu haben. Metes vorwurfsvolles Schweigen ignorierte er. Seine Schwester und ihren Verlobten schien das Verhalten eher zu

erheitern. Im Tagebuch vom 10. September 1879 vermerkte Mete zu dem Sachverhalt:

Sein Durst ist so groß wie seine Fähigkeit klein, mehr über die Lippen zu bringen als ein unentwegtes Geschwätz über farbentragende und mensurenschlagende Esel, die sich darin trainieren, immer größere Fässer mit alkoholischen Substanzen leerzusaufen. Vom Pauken hält er nur soviel, wie es mit jenen säbelschwingenden Wüterichen zu tun hat, die sich wechselseitig massakrieren, um nach außen zu scheinen, was sie im inneren nicht mehr sind. Ehre ist jedes zweite Wort. Kunst taucht im Vokabular gar nicht auf. Geist allenfalls dort, wo es um die nötige Findigkeit geht, sich Testate zu besorgen über Seminare und Vorlesungen, die nie besucht wurden.
Von der Zukunft ist immer die Rede. Weiß Gott, worauf sie sich gründen soll. Aber Rudolph scheint das nicht im geringsten zu beunruhigen.
»Verbindungen«, pflegt er zu erklären mit einer Inbrunst in der Stimme, als habe er das Zauberwort unserer Zeit über die Lippen gebracht.

Über Verbindungen zu sprechen war sein Lieblingsthema. Eigentlich seine Philosophie. Die einzige, die er hatte. Daneben rangierte der Corpsgeist. Wenn er ihn beschwor, mußte sich Mete fragen, was er eigentlich von ihr wollte. Dabei sah sie jetzt besonders adrett aus. Sie hatte sich herausgemacht, wie selbst Marie neidlos anerkennen mußte.
Schlank wie eh und je, war von ihr seit kurzem mehr Wert auf die Frisur gelegt worden. Ihre großen, dunklen Augen, immerzu fragend und melancholisch, wenn sie nicht überraschend zu funkeln begannen, strahlten eine so fest gegründete Zuversicht aus, daß es nicht leicht fiel, an das Gegenteil zu denken. Und schon gar nicht an Migräneanfälle.
»Mit Verbindungen«, sagte Rudolph Schreiner, »hast du das Examen zur Hälfte und das Referendariat ganz in der Tasche. Man muß halt Leute kennen. Darauf kommt's an.«
Ihrem Vater in dieser Sache Rede und Antwort zu stehen, wäre ihr nicht eingefallen. Es hätte nur wieder bedeutet, sich einen weitläufigen Vortrag darüber anhören zu müssen, was Burschenschaftler einmal gewesen waren und wohin es mit ihnen gekommen war.
»Johlende Bierfässer auf zwei Beinen, die alten Herren hinterherlaufen, Salamander reiben und im Wichs Aufmärsche zu kolorieren wissen. Bildungspinkel«, nannte er sie, »Aufschneider und Schlauberger,

die nach einem Posten schielen, an dem Pension und Orden hängen. Bei Hofe verkehren zu dürfen, ist Labsal für ihre ausgehungerten Seelen. In Ungnade zu fallen, kommt dem Fegefeuer gleich. Nach dem Avancement gieren sie unentwegt. Mit solchen Jammerlappen bleib mir vom Leibe«, schloß er seine Generalverdammung. Trotzdem hielten sich seine Einwände bei Rudolph Schreiner in Grenzen. Manchmal machten sie sogar einer wohlwollenden Einstellung Platz. Um so erstaunter reagierte Mete, als er ihr verbot, an einem Cercle teilzunehmen, der im Schreinerschen Haus stattfinden sollte und wegen des voraussichtlich verspäteten Endes eine Übernachtung miteinbezog.

»Kommt nicht in Frage«, hatte er das Ansinnen kategorisch abgelehnt, »wo kämen wir hin? Mama und ich sind in dieser Sache ausnahmsweise einer Meinung.«

Dabei wäre das nächtliche Verbleiben im Schreinerschen Hause für jeden, der Rudolph kannte, das gefahrloseste Unternehmen der Welt gewesen. Abgesehen davon, daß für Anstandspersonen reichlich gesorgt war. Aber es hatte sich eben nur gezeigt, daß bei aller Redlichkeit, mit der sich ihr Vater ansonsten dem Leben zu nähern verstand, seine Grenzen hier eng gezogen waren.

Es machte ihr die eigenen Probleme nicht eben leichter.

Tagebucheintragung Mete Fontanes vom 28. September 1879:

Wie gut kennen wir unsere Nächsten?
Zuweilen kaum mehr als einen Fremden.

Papa hat mir eine Lektion erteilt, die mich schwindlig werden läßt. Tief gegründet ist die Seele fürwahr, und am tiefsten die, auf deren Oberfläche sich geistiges Kleinod sammelt. Auch dort Neid und Kleinheit. Schade!

Möge ein guter Gott helfen, den Geist zu dem zu machen, wofür er in der Welt ist: Dem Niederen zu wehren und den Menschen Wege zu zeigen, seine erste Natur zu überwinden: Machtlüsternheit und kriecherische Ergebung.

Wie tröstlich für mich in Papas erstem Zeitroman »L'Adultera« eine Melanie van der Straaten mutig die Konsequenzen ziehen zu sehen, als sie sich der Öde ihrer Ehe bewußt wird. Keine Spur von verzagtem Erdulden, Verzicht auf Glück und Liebe. Hier bekennt sich eine Frau zur Wahrheit ihres Herzens und brennt mit ihrem Liebhaber durch.

Daß Papa solche Einstellungen vertreten kann, müßte mich schier aus der Fassung bringen angesichts meiner Erfahrungen mit ihm. Aber ich weiß: Zwei Seelen wohnen ach in jeder Brust, auch in meiner. Eine, bereit, im

Hurra alle Gipfel zu erstürmen, und eine kleine, verzagende, die sich nicht aus dem Häuschen wagt, wenn nur ein Hund bellt.
So läßt auch Papa Melanie van der Straaten den Kniefall machen vor der allmächtigen Konvention. Aber so pessimistisch, wie sich Papas Roman geriert, kann er selber gar nicht sein, sonst wäre ich nicht seine Tochter. Immerhin will Papa seine Bücher verkaufen. Und eine Frau, die ihren Mann eines Liebhabers wegen verläßt, zudem noch ein Kind von ihm hat, muß nach offizieller Lesart in Bausch und Bogen verurteilt werden.
Ist meine Vermutung allzu kühn? Aber ich bilde mir ein, Papa will mich solcherart nur warnen, jenen Kontrakt einzugehen, der so hochtönend Ehe genannt wird.
Ich für meinen Teil werde jedenfalls alles tun, damit der Kelch dieses Übels an mir vorüber gehe und ich nicht zu einer jener Ergänzungen männlicher Selbstgefälligkeiten werde.
Clubs, Reserveübung, Sitzung, Ministerium und Herrenabend für ihn. Für die im lauschigen Heim sich selbst Überlassene: Kirche, Küche, Kinder und der erhebende Gedanke, eine Frau Minister, Doktor, Geheimrat zu sein, mit dem Recht auf geborgten Respekt. Mich schaudert's angesichts solcher Zukunftsaussichten.
Wie sehr es Papa um solch delikate Beziehungen zwischen Menschen geht, beweist sein neuestes Romanprojekt »Graf Petöfy«, die Geschichte einer Mesalliance zwischen einem alternden ungarischen Grafen und einer jungen Wiener Schauspielerin.
Mesalliance, das Firmenschild unserer Zeit. Wer wagt es, das in Abrede zu stellen?

10. KAPITEL

Zu den Unbequemlichkeiten des Lebens gehört das Teilen. Wenn Geburtstag und Jahreswende so unmittelbar aufeinander folgen, wird es unvermeidlich.
Den Verzicht zur Regel zu erheben, schien sich Emilie vorgenommen zu haben, als sie darauf bestand, Theos Geburtstag Silvester zu feiern. »In einem Abwasch«, wie sie despektierlich ihre Entscheidung begründete. Als Rechtfertigung führte sie ins Feld, daß der Tag allen ohnehin besser ins Konzept passe.

»Meinetwegen braucht keiner zu kommen«, hatte Theo zwar seine Gekränktheit mit moralischer Überlegenheit zu bemänteln versucht, damit seine Frau aber nur zu der Bemerkung veranlaßt, daß er sich nicht bemühen solle.
»Dieses: Weit-darüber-stehen und: Mich-berührt-nichts, Theo, nehme ich dir bekanntlich nicht ab«, sagte sie und erklärte ihm die Sitz- und Stellordnung, die in der kleinen Wohnung besondere Probleme aufwarf.

Zu Silvester war kein Schnee gefallen. Hingegen hatte sich die Kälte nicht zurückgehalten. Die fingerdicken Strünke des wilden Weins, der sommertags mit seinem Laub das Parterre des Hauses Potsdamer Straße 134c abdeckte, spannten sich reifig angehaucht wie weißhäutige Adern um die Fenstersimse. Der eiserne Gitterzaun vor dem Gärtchen mit den Blumenrondellen langweilte sich durch die frostigen Stunden.
Die eisige Luft war es denn auch gewesen, die Theo auf den Spaziergang hatte verzichten lassen. Wenn eben möglich – und da nahm er sich beim Wort – besuchte er den Tiergarten oder wich aus zum Landwehrkanal, der ganz in seiner Nähe wenigstens eine Stunde besinnlicher Einsamkeit versprach.
Angemessener heute morgen allerdings wäre es gewesen, trotz des unangenehmen Wetters die Wohnung zu verlassen. Emilie, Anna und Mete hatten nicht vor, Rücksicht zu üben, während sie das Mobiliar umstellten. Theo behalf sich damit, daß er die Glückwunschpost des Vortags wiederholt musterte und sich dem schwelgerischen Gefühl hingab, wider Erwarten reich bedacht worden zu sein.
Heyse hatte ihm geschrieben, aus München. Als Novellist inzwischen so hoch gelobt wie als literarische Berühmtheit Tagesgespräch. Storm, der Lyriker und Erzähler aus Husum. Natürlich war Fritz Witte den Glückwunsch nicht schuldig geblieben, und sogar Professor Stockhausen aus Frankfurt am Main hatte telegraphiert. Dazu seine Schwestern Jenny und Elise, eine seit kurzem verheiratete Weber. Adolph von Menzel, obwohl krank, war sich nicht zu schade gewesen, einen längeren Brief zu schreiben, in dem er Theo seiner Freundschaft versicherte. Und sogar Christian Scherenberg, ehemals Hätschelkind der preußischen Höfe und viel beneideter Tunnelpoet, hatte ihm eine Glückwunschformel auf eine Karte gekritzelt, trotz mehrerer Schlaganfälle, die ihn ans Bett fesselten. Als Theo das Kärtchen

zurück auf den Stapel mit den Geburtstagsgrüßen legte, erinnerte er sich daran, daß er Scherenberg außerhalb des »Tunnels« nur einige Male im Tiergarten getroffen hatte. Sie waren ein Stück Wegs miteinander gegangen – Scherenberg ein Mann an die achtzig, von steifer, fordernder Würde – und hatten über die Vergangenheit gesprochen, die Erfolge seiner epischen Dichtungen, die Veränderungen, die sie für sein Leben mit sich brachten. Um so dankbarer hingenommen, als er lange auf Anerkennung hatte warten müssen. Die Geschraubtheit seines Wesens und die weihevolle Selbstbespiegelung, mit der er an sich gut zu machen versuchte, was das Schicksal ihm schuldig geblieben war, stellten die Geduld seiner Umwelt stets auf eine harte Probe. Und so waren die Unterhaltungen mit ihm nie von langer Dauer gewesen.
Unbeabsichtigt hatte Theo noch einmal nach dem Kärtchen gegriffen, es vom Stapel abgehoben und durch seine Finger gleiten lassen. Unzufrieden mit sich, legte er es nach einigen Sekunden zurück auf seinen Platz. Dann zwang er sich, um sich wieder in die Hand zu bekommen, eine vor Tagen geschriebene Ballade Korrektur zu lesen, zu der ihn ein Artikel in der Vossischen Zeitung über ein Eisenbahnunglück in Dundee inspiriert hatte. Der Ballade wollte er den Titel »Die Brücke am Tay« geben.

Die Wohnung hatte ihr Aussehen so nachhaltig verändert, daß Theo im Zweifel war, ob er Emilie ihres Geschicks oder ihrer Unbekümmertheit wegen bewundern sollte. In der Tat war es nicht leicht, neun zusätzliche Personen in der Mansardenwohnung unterzubringen.
Für 18 Uhr hatten sich die Gäste angesagt. Eine Stunde vor dem Termin war bereits Henriette von Merckel eingetroffen, um mitzuhelfen bei den letzten Vorbereitungen. Niemand hatte Einwände dagegen erhoben, obwohl man sich auf Henriette – inzwischen an die siebzig und leidlich beieinander – nicht mehr wie früher verlassen konnte.
Theo hatte sich umgezogen. Die Samtschleife um den Kragen gelegt, den Cut übergeworfen und den Schnäuzer in Fasson gebracht. Als er in den Salon trat, den eine Reihe von aneinander gestellten Tischen über die ganze Länge halbierte, mußte er zur Kenntnis nehmen, daß niemand die feierliche Stimmung mit ihm teilte. Eine Stimmung die ihn angeflogen hatte wie der Geruch nach Bowle und Bratensoße. Anna war nach der Fron des Kochens und Einkaufens den Tränen nahe. Emilie überschlug sich in einer eifernden Betulichkeit, und Mete

fieberte nervös vor sich hin, als habe sie heute abend Examen. Dann stand die Türglocke nicht mehr still.
Zuerst kamen die Zöllners und von Heydens, auf die Minute genau. Jeder hatte etwas mitgebracht.
»Eine Kleinigkeit, nachträglich zu deinem Geburtstag, Theo«, zeigte man sich spendabel, um gleich danach zu bestätigen, daß man froh sei, angekommen zu sein.
»Ein Mordswetter draußen«, und ließ sich die Mäntel und Pelerinen abnehmen.
Wenig später erschien Bernhard von Lepel, ausgepumpt vom schnellen Lauf.
»Entschuldige, ich bin aufgehalten worden«, sagte er, den Schweiß von der hohen Stirn tupfend, auf der sich die Längsfalten knautschten.
»Wie geht es?«
Die Höflichkeit verbot es Theo weiterzufragen. Lepel lebte inzwischen in zweiter Ehe. Ebenso wie seiner ersten mißfiel auch seiner zweiten Frau der nicht standesgemäße Umgang. Daß Bernhard von Lepel ihn trotzdem weiterpflegte, versah ihre Freundschaft mit einem besonderen Stempel.
Dabei hatte das Schicksal ihm übel mitgespielt. Alles, was er angefangen hatte, war mäßig geblieben. So mäßig, wie sein Auftreten zeitlebens maßvoll und mäßigend gewesen war. Grauhaarig inzwischen, fehlte seinen Augen schon jener Glanz, der Zukunft für sich beansprucht. Sein Kopf war hager geworden. Aber die Freundlichkeit war noch vorhanden, die den Umgang mit ihm so angenehm machte.
»Noch kannst du wählen«, sagte Theo, während er mit dem Freund das Entree verließ, um sich den anderen Gästen anzuschließen, »wenn gleich die Fontane-Bande einläuft, sollten die besten Stellungen besetzt sein.«
Er hatte nicht zuviel versprochen. Friedel, der jüngste Sohn, traf Minuten später ein. Pausbackig und voller Bonhomie, seines Zeichens Buchhändlerlehrling, wanderte er schon seit Jahren als Logiegast durch die Haushalte der Verwandten, um die Eltern zu entlasten.
Gefolgt von Theodor, dem zweitältesten Sohn, Student der Jurisprudenz und so knöchern im Aussehen wie in seinen Anschauungen, jedenfalls was Metes Einschätzung anbetraf. Auch er brachte schon seit Jahren sein Leben bei Verwandten und Freunden zu. Sein Auftreten

war so korrekt, daß es schwer fiel zu glauben, es könne jemals anders gewesen sein.
Man hatte schon das Essen hinter sich, als George eintraf. Das Geschirr wurde gerade abgetragen. Hastig den Mantel aufknöpfend, war er martialisch trampelnd in den Salon gefegt und hatte seine Entschuldigung für das Zuspätkommen allen mit Kasernenhofstimme zu Gehör gebracht. Von Emilie war sein naßforsches Auftreten mit einem mütterlich stolzen Aufleuchten der Augen quittiert worden. Zum Mißfallen nicht nur der Anwesenden. Theo hatte seinem Sohn den von allen zu recht als Maßregelung verstandenen Rat gegeben, nicht soviel Umstände zu machen, und ihn damit in die Defensive gezwungen.
Minuten später mischte sich das Aroma der Bowle mit dem harzigen Duft der Tannenzweige, die vom Weihnachtsfest her noch in den Bodenvasen standen. Die Wärme im Salon – um so unangenehmer, als jeder in dem kleinen Raum dazu beitrug – hatte Professor von Heyden zu der Bitte veranlaßt, seine Jacke ausziehen zu dürfen. In seinem gesteiften Hemd und den Hosenträgern erinnerte er an einen Jahrmarktringer, der zum entscheidenden Schlag ausholt. Soeben hatte sich Theo in seinen Augen zu der Behauptung verstiegen, das anbrechende neue Jahrzehnt bringe entweder die Offenbarung oder den Untergang, obwohl Emilie, assistiert sowohl von den Zöllners als auch von Frau Professor Heyden, ein anderes und dem Abend angemesseneres Thema gefordert hatte.
»Theo ist manchmal so erschreckend humorlos«, glaubte sie sein Verhalten entschuldigen zu müssen, »dabei verliert er jedes Gefühl für das Schickliche.«
So pointiert die Zurechtweisung auch vorgetragen war, sie verfehlte ihre Wirkung. Professor von Heyden bat trotzdem um eine Erklärung und mußte erfahren, daß mit dem Untergang nichts anderes gemeint war als die natürliche Konsequenz eines Lebensstils, der sich dem Betrug verschrieben habe.
»Betrug an allem«, ließ Theo seiner Erregtheit freien Lauf, »an den politischen Grundsätzen, dem Geist, der Moral und der Kunst. Das Destillat dieses Sumpfes verratener Prinzipien jedenfalls wird etwas Böses sein.«
Sein Kopf war unter dem Zornesausbruch hochrot angelaufen. Die Schnurrbartspitze hatte allen eine erschreckte Reserviertheit aufgezwungen. Herzschläge lang hörte man nur das Knistern der sich in der Wärme spreizenden Tannennadeln.

Natürlich waren alle perplex – läßt sich zu der Situation aus Metes Tagebuch vom 1. Januar 1880 entnehmen – *Papa in dieser Weise reagieren zu sehen. Der Wüterich oder cholerische Dampfkessel gehören nicht zu den Heiligen, die er anbete. Aber dieses Mal drängte mit nicht zu bremsendem Umgestüm aus ihm heraus, was ansonsten still und schwelend in ihm verkochte.*
Papa ließ sich allen Einwänden zum Trotz nicht den Schneid abkaufen und präsentierte seine Meinung frei heraus.
Materialismus nannte er das, was ihn umgebe. Zwar blitzten allerorten die schweinsledenen Bände »Goethe, Gesammelte Werke« aus den Regalen der Bibliotheken, aber im Grunde sei Goethe doch nicht mehr als ein Maskottchen für Leute mit höherer Bildung geworden. Dabei erinnerte er an seine Kindheit, in der es anders gewesen sei. Die Kulte aber, die sich heute spektakulär wie in einer Monstranz darbieten, die Bärbeißigkeit à la Cesare Borgia oder die Renitenz à la Martin Luther seien nur die Attrappe einer Ermannung, die innen leer, sich um so selbstbewußter nach außen hin geriere. Und das gelte auch für die Kunst. Paul Heyse, angesiedelt auf dem Piedestal der Unanfechtbarkeit, bezeichnete Papa als einen literarischen Falschmünzer, der als geschmeidiger Erzähler um seine Leser herumscharwenzele, weil der Publikumserfolg nun einmal damit zu tun habe, die Wirklichkeit zu vernebeln. Einmal in Rage, ließ Papa auch kein gutes Haar an der Marlitt und dem Gartenlaubenbetrieb. Alles sei nur ein gewinnbringendes Spekulieren auf die ebenso wirklichkeitsfernen wie verzweifelten Träume zu kurz gekommener Zeitgenossen ...
Als Papa von seinen Zuhörern zu allem Überfluß auch noch eine Bestätigung seiner pessimistischen Einschätzung erzwingen wollte, intervenierte Mama, nicht zuletzt auch aus Sorge um Papas Gesundheit. Sein Atem ging keuchend. Und was ganz ungewöhnlich für ihn war: An seinen Schläfen klopften die Adern in einem wilden Takt. Immerhin ließ er sich beruhigen. Es war unschwer abzusehen, daß er mit seiner Argumentation die anderen weniger überzeugt als überrumpelt hatte.
Herr Zöllner, der Papas Stelle in der Akademie der Künste übernommen hat, fand Papas Kunstverständnis überkandidelt.
»Laß die Kunst doch bleiben, was sie immer war: Ein wundervolles Zauberland für jeden, dem die Welt zu leer oder zu grau geworden ist.«
Nun, er hat gut reden. Als Jurist stehen ihm alle Wege offen. Da wiegt die Kunst leicht. Professor von Heyden zeigte sich indes auch nicht geneigter, Papas Panier zu ergreifen.
»Auch Kunst ist Produktion und Leistung«, betonte er, »und will wie andere

Produktionen und Leistungen seine handfeste Anerkennung finden. Das Materialismus zu nennen, heiße ich eine Entwürdigung des Geistes«, donnerte er.
Für Papa war damit natürlich nur der Beweis erbracht, daß der Materialismus eben zum allesbeherrschenden Prinzip geworden war.
»Schwindler«, rief er und schlug mit der Hand auf den Tisch, daß die Bowle in der Karaffe zu schlingern begann, »wenn Geist Geld werden kann, kann es Ungeist auch. Das aber nenne ich Verrat.«

Inzwischen war alles für das Bleigießen präpariert worden. Anna hatte die Wasserschale, in der das gelöste Blei zu Figuren gerinnen sollte, auf den Tisch gestellt. Die Fontane-Söhne, natürlich unter Georges Kommando, besorgten die Verflüssigung des Bleis, indem sie die Petroleumflamme, wenn erforderlich, mal näher oder weiter an den Schmelztopf heranrückten.
Mete bemerkte darüber in ihrer Tagebucheintragung vom 2. Januar 1880:

Natürlich waren alle hocherfreut, das leidige Frondieren vergessen zu können. Heiterkeit war angesagt. Wenn es galt, aus den bizarren Formen, die der physikalische Zufall dem erstarrenden Blei aufzwang, Prophetien abzuleiten, konnte jeder, auch der alltäglichste Kopf, mit Ideen brillieren. Mir indes wurde unwohl zumute, weiß Gott warum. Aber es war mir alles andere als lieb, mit meiner, wenn auch noch so orakelhaft verbrämten Zukunft konfrontiert zu werden.
Wie bei diesem Spiel üblich, wurden zunächst allerlei Albernheiten zum besten gegeben. Tante Henriette stellte man hundert Lebensjahre in Aussicht, Herrn Zöllner eine Blitzkarriere in der Akademie und Papa die Übersetzung seines neuesten Romans in alle Weltsprachen.
Als die Reihe an mir war, spürte ich es ameisenhaft über meine Arme laufen. Professor von Heyden, in solchen Fällen ganz Spaßvogel, wollte in dem zakkigen Bleistück vor seinen Händen eine für mich in Kürze anfallende Verheiratung gesehen haben und posaunte es mit vollen Backen genüßlich heraus. Alle, die um Rudolph Schreiner wußten, musterten mich mit einem fragenden Blick. Und ich fühlte mich einer Ohnmacht nahe. Minuten später waren wir alle soweit.
George hatte gerade den Löffel mit dem schwimmenden Blei ins Wasser getaucht, das qualmige Verzischen abgewartet und das Kondensat herausgefischt, als er schon einen jungenhaft hilflosen Gesichtsausdruck bekam. Auch die anderen erstarrten momentan. Papa sagte nur:

»Unsinn, Unsinn, blöder Aberglaube, man sollte sich damit nicht verrückt machen.«
Aber keiner leistete ihm Schützenhilfe. Alle äugten wie gebannt auf das Stückchen Blei, das, zur Kreuzform geronnen, weit weggeschoben vor George lag. Niemand wagte es auszusprechen, aber jeder wußte, was hätte gesagt werden müssen: Kreuz hieß Tod.
Für die Zäsur des Silvesterabends hätte man sich ein erfreulicheres Ereignis gewünscht. Das Bleigießen wurde aufgegeben. Zu beklemmend wirkte der Schreck nach, den die Bleifigur ausgelöst hatte. Immerhin waren Theos Brüder – sowohl Rudolf als auch Max, beide Apotheker – in jungen Jahren verstorben und hinterließen die begründete Sorge, auf der männlichen Linie der Familie könne ein schicksalhafter Fluch lasten.
Alle waren dankbar, als schließlich Anna darauf aufmerksam machte, daß es angebracht sei, sich um die Uhrzeit zu kümmern. Mitternacht, nicht mehr fern, sorgte jetzt dafür, daß die Tür zum Arbeitszimmer geöffnet wurde, wo die Standuhr mit müdem Ticken ihre Zeiger auf den höchsten Punkt des Zifferblatts zutrieb.
Im Nu wanderte die Champagnerflasche auf unseren Tisch, Gläser umringt. George schloß seinen Waffenrock, den er in Anlehnung an Professor von Heyden am hochstehenden Kragen aufgeknöpft hatte. Als stünden wir am Beginn einer sakralen Handlung – versuchte Mete im Tagebuch vom 2. Januar 1880 die Situation vor Mitternacht zu schildern – *erstarben alle Geräusche. Unsere Welt schien still zu stehen. Um das zu erwartende Silvestertreiben auf der Straße mitverfolgen zu können, standen die Fenster in Papas Arbeitszimmer offen. Wegen der Stickluft im Salon eine nicht nur praktische, sondern auch kluge Maßnahme. Stehend verfolgten wir dann den Gang des Uhrzeigers über die letzte Markierung des Zifferblatts, die Champagnergläser in der Hand, erfüllt von einer fast sinnlich anmutenden Melancholie. Selbst Professor von Heyden und Herr Zöllner hatten sich davon einfangen lassen, sicherlich sehr zur Freude ihrer Frauen, denen diese Züge an ihren Männern fremd gewesen sein dürften.*
Papa präsentierte sich indes in der Haltung einer kontrollierten Reserviertheit. Soviel Sentiment mochte ihm Angst machen, wie ich ihn kenne. Um so willkommener muß ihm der Glockenschlag der alten Familienuhr gewesen sein. Wir prosteten uns zu, würdevoll. Die Ehemänner küßten ihre Frauen, manierlich und mit einem der Konvention gehorchenden Respekt. Dafür brüllten George und Theodor, als verwechselten sie uns mit einem Herrenclub: »Prosit Neujahr!«

Auf atmosphärische Schwankungen mit Unwohlsein zu reagieren, gehörte schon in Swinemünde zu den Eigenheiten seines Naturells. Es war ihm darin sein ganzes Leben lang treu geblieben.
»Abbatusein«, pflegte er den Zustand liebevoll-spöttisch zu nennen. Für gewöhnlich hielt er sieben Wochen an, um so plötzlich zu verschwinden, wie er gekommen war.
Solche Nervenpleiten waren zwar unangenehm, hatten bisher aber niemals das Ausmaß einer Bedrohung angenommen. Der Beginn des Jahres machte dieser Regel ein Ende.
Zum ersten Mal fühlte sich Theo verbraucht, aufgezehrt.
»Dreiundsechzig«, hatte er Emilie gegenüber achselzuckend zu erklären versucht, »in dem Alter ist alles vorbei« und war ins Bett gestiegen.
In der Tat hatte er sich in den letzten beiden Jahren wenig geschont. Seine Bände »Wanderungen durch die Mark Brandenburg« waren um einen zusätzlichen erweitert worden. »Elternklipp« und »Schach von Wuthenow« hatten ihre Veröffentlichung erfahren. Ein Romanentwurf war entstanden und wieder verworfen worden. Dafür hatte in kürzester Zeit eine Erzählung, »Stine«, das Licht der Welt erblickt.
»Überarbeitung und die Jahre«, hatte zwar Theo sein neuerliches Abbatusein zu erklären versucht, Emilie damit aber wenig überzeugt.
»Überreizung«, hatte sie entgegengehalten, »nichts als dein haltloser Zorn auf alle und jeden. Du liegst mit Gott und der Welt im Kriege, Theo. Daß du dabei den Boden unter den Füßen verlierst, wundert niemanden, ausgenommen dich.«
Widerspruchslos hatte er ihre Tees entgegengenommen, von denen er wußte, daß sie beruhigend auf seine Nerven wirkten. Nur gelegentlich war er aufgestanden, um an seinem Aufsatz zu arbeiten: »Christian Friedrich Scherenberg und das literarische Berlin von 1840 – 1860«. Er war ihm Herzenssache.
Als im März »L'Adultera« der Öffentlichkeit vorgestellt wurde, bedauerte er Metes Abwesenheit, die nach Aufgabe ihrer ersten Erzieherinnenstelle zu ihrer Freundin Lise Witte gereist war, um den Kopf in Rostock wieder freizubekommen, wie sie erklärt hatte.
Mete – das war für ihn längst Erfahrungssache – hätte ihm jetzt helfen

können, den Entrüstungssturm zu ertragen, den »L'Adultera« ausgelöst hatte.
»Anstößig und sittenlos«, war der Roman getadelt und dem Autor eine pietätvolle Behandlung ehelicher Probleme empfohlen worden. Aber es hatte wie immer auch so gehen müssen.
Als der Sommer nahte, war das Schlimmste überstanden. Außerdem durfte er sich auf einen Ferienaufenthalt im Harz freuen. Schon im vergangenen Jahr hatte er sich von der regenerierenden Kraft eines Urlaubs dort überzeugen können. Er bedurfte dieser Absprünge heute mehr denn je.

Nicht ohne Absicht hatte er den Gang angetreten. Er wußte, daß er ihm die Abreise leichter machen würde. Insofern war sein Handeln diktiert vom Eigennutz.
Der Kettenhund des Totengräbers bellte noch lange hinter ihm her, während er die schiefen Wege des Schöneberger Kirchhofs abging, um Scherenbergs Grab zu finden. Im September des Vorjahrs war er verstorben, 83jährig, kurz nach seiner Frau.
Zu dieser Stunde lag ein ungestörter Frieden auf dem Kirchhof. Es war Mittagszeit. Über den Wacholdersträuchern und den Zypressen tummelten sich in Bäuschen die Fliegen, ein gleichförmiges Sirren aussendend, das nur hin und wieder unterbrochen wurde vom bleiernen Surren einer träge dahinschwankenden Hummel. Eine alte Frau hatte ihm den Weg zu Scherenbergs Grab gewiesen.
»Da hinten, der Herr!«
Er hatte an der Beisetzung seinerzeit nicht teilgenommen. Jetzt wußte er warum.
Ein niedriges Eisengitter umfaßte die Gruft. Auf alles Beiwerk war verzichtet worden. So hatte es Scherenberg vor seinem Tode verfügt.
Theo war an das Gitter getreten, den Hut in der Hand. Er hatte ihn ein- zweimal gedreht, bevor der schale Geschmack im Mund verschwunden war, der ihm auf dem Heimweg zugesetzt hatte. Bewegungslos, als verharre er im Gebet, blieb er vor der Einfriedung eine ganze Zeit stehen, trotz der Mühe, die ihm nach seiner immer noch aufflackernden Krankheit die aufrechte Haltung abverlangte.
Minuten später setzte er sich ermattet auf eine Bank. Scherenberg hatte sie noch anbringen lassen.
Die Gedanken kamen und gingen wie anbrandende Wellen. Aber er konnte sie sowenig festhalten wie den Vorsatz zu Ende führen, hier

angesichts des Toten Abbitte zu leisten. Er saß nur dort, hängenden Kopfs, während die Augen suchend den Erdhügel abfuhren, unter dem der Vielgeschmähte für immer verschwunden war.
Tagebucheintragung Mete Fontanes vom 23. Juni 1882:

Nun, Papa ist wieder glücklich in Thale gelandet. Natürlich mit einem Haufen Manuskripten im Gepäck und dem unbändigen Willen, Wirklichkeit einzusaugen wie eine Biene den Honig. Auf den Begriff gebracht: Die Fontane-Bande hat sich auf ein Neues in alle Winde zerstreut. Papa im Harz, ich in Rostock-Warnemünde, und Mama hütet zu Hause das Allerheiligste. Was ihr nur gut tut.
Papas Abwesenheit muß auf sie wie ein Nerventonikum wirken. Sie hat sogar Zeit, ihren über alles verehrten Wilhelm Raabe hervorzuzerren, den sie zu Papas Ärger einen wirklichen Schriftsteller nennt. Sie kommt sogar zum Briefeschreiben. So bin ich natürlich auf dem laufenden, was die Dinge zu Hause angeht. Rudolph Schreiner ist durchs Examen gefallen. O Graus! Mitgepurzelt sein dürften alle seine Vorstellungen von der Solidität konspirativ gepflegter Protektionen. Mir kann Rudolph fast leid tun. Er muß einen Weltuntergang erlebt haben.
Ob ich mir selber gratulieren kann, ist indes die Frage. Auf jeden Fall ist es mit dem Heiraten zunächst mal aus. Rudolph würde es niemals wagen, im ramponierten Zustand einer Examensniederlage an Papa heranzutreten. Und das sicher nicht nur, weil er damit rechnen müßte, vor die Tür gejagt zu werden. Denn das verpatzte Examen würde Papa vermutlich weniger stören als der Knick in Rudolphs Lebenskurve.
Zur Renommisterei gehört eben der Heiligenschein des Examinierten. Folglich würde Papa Rudolph einen Pappstoffel nennen, einen amphibiolen Abwartemann oder einfach einen Hosenmatz, weil ihm nichts widerlicher ist als Tünche.
Im ganzen gesehen, hätte es jedoch nicht besser kommen können. Glück für micht. So geht der Kelch vorerst einmal an mir vorüber.
Leider war Mamas Brief nicht nur – so gefühllos es in dem Zusammenhang klingt – angenehmen Inhalts. Papas Schlechtwetterperiode machte ihr dieses Mal ernste Sorgen. Wie sie schreibt, kam sie ganz im Gegenteil zu sonst nicht angeflogen, sondern war hausgemacht. Sie vermutet, es könne mit Scherenbergs Tod im Zusammenhang stehen. Möglich! Wie lange ist Papa nicht Sturm gegen ihn gelaufen. Kein heiles Haar hat er an ihm gelassen. Dabei gab es soviel Ähnlichkeiten zwischen ihnen im Lebenslauf, aber auch in der mimosenhaften Empfindlichkeit ihrer Charaktere. Sympathie macht

ebenbürtig. Aber auch ihr wächst auch der Groll und der ungerechte Anwurf, zuweilen auch mehr. Am Ende immer die Schuld.
Möge Papa jetzt seinen Frieden haben.

12. KAPITEL

Die Gesundheit war zurückgekommen, wenngleich leidlich. Mit dazu beigetragen hatte sicherlich die entschiedene Parteinahme von Teilen der Literaturkritik, die seinem angefeindeten Roman »L'Adultera« zukunftsweisende Eigenschaften bescheinigte. Besonders engagiert war dabei ein Rezensent aufgetreten: Paul Schlenther, dem Theo aus Thale noch eine Dankadresse hatte zukommen lassen.
Die Plattform verbreitert zu sehen, auf der er, eigener Aussage nach, mit zittrigen Knien stand, war seinem Gesundungswillen zugute gekommen. Und hatte neue Kräfte freigesetzt.
Der Scherenberg-Aufsatz profitierte genauso davon wie ein neuer Romanentwurf, »Irrungen, Wirrungen« betitelt, der das Thema von »L'Adultera« und »Stine« in neuer Variation fortschrieb. Mete gegenüber, die ihren Besuch bei den Wittes abgeschlossen hatte, erklärte er, daß er beabsichtige, die zentrale Frauenfigur seines Romans herausfordernder zu gestalten.
»Sie wird frivoler sein als alle anderen, intelligenter und reifer.«
»Ich sehe schon die Philister auf die Barrikaden klettern«, hatte Mete, Beifall klatschend, zugestimmt.
Daß ihr Vater sich kurz darauf daran machte, Rudolph Schreiner mit Pauken und Trompeten in die Wüste zu jagen, war für sie deshalb nur konsequent. Planvoll war er dabei zu Werke gegangen, hatte alle Register seines Wissens gezogen und Rudolph Schreiner spüren lassen, daß er in seinen Augen nicht mehr war als ein durchs Examen gefallener Kandidat der Jurisprudenz. Das Kapitel Schreiner so unkompliziert abgeschlossen zu haben, ließ Mete mit mehr Zutrauen in die Zukunft blicken, zumal ihr die Ausbootung eine Beziehung zu ihrem Vater zu signalisieren schien, an die sie nicht mehr recht hatte glauben können. Was darüber hinaus aber viel wesentlicher war: Sie vermeinte darin eine Entscheidung zu erblicken, die sie von nun an vor ähnlichen Abenteuern schützte.

Das Jahr ging darüber hin. Der Vorabdruck des »Schach von Wuthenow« hatte einige Resonanz gefunden und sowohl Theos Eifer als auch Optimismus in kaum dagewesenem Maße angeheizt. Als ihn George besuchte und in Aussicht stellte, um seine Person beginne sich eine Gruppe von Bewunderern zu sammeln, nahm er es mit erstaunlicher Gelassenheit hin.
»Ja, Papa, du bist alles andere als allein.«
»Du meinst, an meinem Geschreibe ist soviel dran, daß sich Schlenther, Brahm, Mauthner für mich stark machen wollen.«
George, dieses Mal in Zivil, um jede unnötige Provokation zu vermeiden, brillierte in einer Genugtuung, die vermuten ließ, daß er dem Vater gefallen wollte.
»Nicht genug damit, Papa, Schiff und Waldheim machen mit, ganz abgesehen von Theodor und mir.«
»Nach Abzug von dir und Theodor wäre das ja die gesamte Mannschaft der sich fortschrittlich schimpfenden Berliner Kritik, obwohl du weißt, daß ich den Begriff ›fortschrittlich‹ nicht mag.«
»Es sieht so aus, Papa«, lachte George, »du wirst auf deine alten Tage noch ein heißer Tip.«

Mit dem zu Ende gehenden Jahr begann die Zeit der Zirkel. Zu den Wangenheims eingeladen zu werden, erfüllte Emilie stets deshalb mit besonderem Stolz, weil die Treffen im Freiherrlichen Hause es in Berlin zu einem gewissen Renommee gebracht hatten. In den siebziger Jahren waren die Schopenhauer-Abende sprichwörtlich geworden. Schon damals hatten die Fontanes an den Gesprächsrunden teilnehmen dürfen, eine Auszeichnung, die sich Theo weniger durch seine literarischen Arbeiten erworben hatte als durch die Freundschaft des Hausherrn. Sie datierte noch aus den frühen Fünfzigerjahren, als Theo zeitweise die Hauslehrerrolle bei den Wangenheims übernommen hatte, mit einem so beeindruckenden Erfolg, daß der Geheime Regierungsrat Karl Hermann Freiherr von Wangenheim Jahre später seine Beziehungen hatte spielen lassen, um Theo aus der bedrohlichen Lage eines französischen Kriegsgefangenen zu befreien.
Die Anhänglichkeit war geblieben und zeigte ihre Früchte darin, daß die Fontanes jetzt im Salon des Freiherrlichen Hauses an der mit allem Raffinement zubereiteten Tafel saßen. Über die Zusammensetzung der Gäste befand der Hausherr. Immer entschied die Qualität. Eine

Tatsache, die Theo Emilie gegenüber dann ins Feld führte, wenn sie sich wieder einmal über ihre gesellschaftliche Außenseiterrolle beklagte.
»Immerhin verkehren wir mit den Wangenheims« und brachte sie damit ohne Wenn und Aber zum Schweigen.

Protokoll vom 22. November 1882
Anwesende: Seine Hochwohlgeboren Geheimer Regierungsrat Freiherr von Wangenheim und Frau, Herr Hofprediger Windel, Professor von Heyden mit Frau, Herr Fontane mit Frau, Frau Dr. Rickert
Protokollant: Dr. Rickert
Uhrzeit: 20 – 24 Uhr

Im Mittelpunkt des Tischgesprächs standen die Autoren Turgenjew und Zola. Herr Fontane trug seine Impressionen vor, die er bei der Lektüre Turgenjews gewonnen hatte und beklagte dessen perennierenden Pessimismus, bei allem Bemühen ansonsten, im Künstlerischen wahrhaftig und ehrlich zu sein. Dasselbe merkte er bei dem französischen Autor Zola an, dessen akribische Arbeit am Detail und fanatische Wirklichkeitstreue leider sogleich wieder zunichte gemacht würden durch die Art, wie er das Leben bewerte. Die Tristesse stoße ihn ab, bemerkte Herr Fontane, so sei das Leben im ganzen nicht, wie diese Autoren es darstellten. Was seine Bemerkung anging, konnte er sich der Akklamation der Runde sicher sein.
Herr von Wangenheim verlangte darüber hinaus auch eine Verurteilung jenes Kunstverständnisses, das die so beschämenden wie unvermeidlichen Aspekte des menschlichen Lebens zum Gegenstand von Literatur erhebe. Bis auf Herrn Fontane gingen hierin alle mit ihm d'accord. Der Genannte indes verteidigte seine Anschauung, indem er behauptete, daß in der Bereitschaft, die Totalität des Lebens zu akzeptieren, der Prüfstein zu sehen sei, der heute Literatur von Kitsch unterscheide. Allerdings schränkte er ein, bestünde diese Totalität nicht nur aus purem Elend.
Herr Hofprediger Windel hielt Herrn Fontane Bigotterie vor. Er habe schließlich seinen Roman »L'Adultera« mit einiger Beklommenheit gelesen. Bei allem Wohlwollen Herrn Fontane gegenüber rangiere das Werk am Rande dessen, was der Autor eben noch verurteilt habe.
Herrn von Wangenheims folgende Intervention lief auf die Bitte hinaus, die Gesprächsrunde nicht mit persönlichen Angriffen zu belasten. Die Ästhetik-Debatte gipfelte schließlich darin, das Postulat des Schönen in den Vordergrund jeglicher Kunst zu stellen, weil nur das Schöne auch das Wahre bein-

halten könne. Herr Fontane trat dieser Auffassung energisch entgegen, indem er die Anwesenden am Portepée ihres Selbstverständnisses faßte. Er erinnerte daran, daß die postulierte Ausschließlichkeit den Schopenhauer-Adepten, und wer hier sei es nicht, zwangsläufig konsternieren müsse. Schließlich habe der Philosoph bei allem Eifer, das Leben in schwarze Tinte zu tauchen, dem Schönen trotzdem ein Türchen öffnen müssen. In jedem Falle mache es jene degagierte Haltung möglich, sich den Härten des Lebens zu nähern, ohne es als Ganzes an die Trostlosigkeit verraten zu müssen. Die englische Literatur, erfahrener mit gesellschaftlichen Entwicklungen, wie sie Deutschland heute zeige, habe vorgemacht, worum es gehe: Um Humor.
Daran aber fehle es im Lande. Bei uns herrsche entweder nur der Klageton vor oder das rauschbärtige Wehen einer mit Fabelwesen angereicherten Chimäre. Um Humor zu besitzen, müsse man auf inneren Reichtum zurückgreifen können. Was er aber sehe, sei eine Welt der Armut, mehr der inneren noch als der äußeren. Dieser Schwarzmalerei, der Hofprediger Windel noch durch den Hinweis auf die ebenso menschlich desolate wie politisch gefährliche Lage der Arbeiterschaft Auftrieb verschaffte, traten sowohl Professor von Heyden als auch Dr. Rickert entschieden entgegen. Der Tenor ihres Vetos bestand darin, die Situation zumindest philosophisch als nicht hoffnungslos zu betrachten, seitdem ein Friedrich Nietzsche, wenn auch nur im kleinen Kreise, an Boden gewinne. Sein Imperativ, zum Ufer eines neuen Menschentums aufzubrechen, und seine ebenso entschlossene wie mutige Absage an alles Überkommene: Kunst, Metaphysik, Moral reiße Horizonte auf.
Allerdings wollten sich weder Herr von Wangenheim noch Herr Hofprediger Windel dem Optimismus der beiden oben Genannten anschließen.
Herr von Wangenheim ging noch weiter und sprach von einem Freifahrtschein für alle niederen Instinkte, die sich unter dem Schutz eines neuen Menschenbildes austoben könnten. Was Herrn Nietzsches »Zarathustra« an neuer Freiheit verspreche, sei doch nichts weiter als der Aufguß des in der 48er Revolution abgewirtschafteten Freiheitswillens einer sich heute bieder attachierenden Schicht von gut verdienenden Industriellen und Krämern. Es gehe Herrn Nietzsche doch nur darum, deren Wut- und Haßtiraden philosophisch aufzupolieren, nachdem sie politisch abgewirtschaftet hätten. Vom neuen Menschentum könne keine Rede sein.
Herr Fontane enthielt sich einer Stellungnahme. Immerhin räumte er ein, daß Herr Nietzsche interessant sei, auch wenn er noch zu wenig von ihm wisse.

13. KAPITEL – BERLIN, 1883

Theos Gesundheit, unzuverlässig wie eh und je, hatte seit Anfang des Jahres nachgelassen. Im Februar hatte er zwar mit einer Kriminalerzählung begonnen, die Arbeit jedoch abgebrochen, weil ihm die altbekannte Abgespanntheit – das hervorstechendste Symptom seiner Nervenpleiten – unvorhergesehen einen Strich durch die Rechnung gemacht hatte. »Unterm Birnbaum«, so der geplante Titel, war vorerst in der Schublade verschwunden. Auch »Graf Petöfy«, der Roman, und der Scherenberg-Aufsatz teilten das Schicksal.

Die ersten Knospen auf den Lindenzweigen vor dem Haus Potsdamer Straße 134c blühten schon, als Theo noch im Bett lag, geplagt von einer erschöpfenden Mattigkeit, die kein Schlaf zu beseitigen vermochte. Inzwischen nahm niemand mehr Anstoß daran. Der Zustand gehörte so unablösbar fest zur Person des Kranken wie seine Spaziergänge im Tiergarten oder zum Landwehrkanal. Man versorgte ihn und wartete einfach ab. Verlief es gnädig, dauerte der Zustand nervöser Abgeschlagenheit Tage. Kam's schlimm, gar Wochen. Am Ende aber erhob sich ein Kranker vom Lager, dem die Strapazen der überstandenen Malaise nicht anzusehen waren.

Bis in den April hinein hatte die Depression dieses Mal gedauert. Sie war um so unangenehmer gewesen, als sie genau den Zeitpunkt gewählt hatte, zu dem auch Emilie über Erschöpfung klagte. Im Gegensatz zu ihren Unpäßlichkeiten, die allen immer ein Rätsel geblieben waren, konnte sich Theo immerhin mit Erklärungen trösten.

»Begreif endlich, daß du die Menschen nicht ändern kannst«, hatte ihm Emilie geraten, »sie sind, wie sie sind. Auch du mußt dich anpassen.«

Die Aussichtslosigkeit, ihn damit überzeugen zu können, hinderte sie nicht, den Vorwurf zu wiederholen.

»Deine Halsstarrigkeit hat dir und uns das Leben schwer genug gemacht«, beliebte sie anzufügen, wenn er sich mürrisch abwandte, ohne damit mehr bei ihr zu erreichen als weiteren Widerstand. In der Sache blieb er unbelehrbar.

Sie konnte sich deshalb glücklich schätzen, daß er wenigstens noch an den Geburtstag seiner Schwester Jenny dachte.

»Muß es sein?«

Es mußte sein. Dafür sorgte Emilie, indem sie an seinen Anstand appellierte.
»Schließlich ist sie deine Schwester.«
Auch wenn es ihr zuerst darum ging zu verhindern, daß er zum Einsiedler wurde, ein Zug, der sich bei ihm in letzter Zeit verstärkt zeigte. Immer offensichtlicher wich er solchen Kontakten mit Bedacht aus, die seine gereizte Natur belasteten. Dabei, so mutmaßte Emilie zu recht, würde er auch vor Freunden und Verwandten nicht Halt machen.
Tagebucheintragung Mete Fontanes vom 22. April 1883:

Alle befürchten wir einen Rückfall: Seit drei Tagen läuft Papa gegen sich Amok. Seine Laune hat den niedrigsten Pegelstand erreicht, solange ich denken kann. Mit hängendem Kopf, die Hände in der Hosentasche, schleicht er, vor sich hinstierend, durch die Wohnung, als müsse er seine Welt neu ordnen. Natürlich trügt der Schein. Auf Menschen und Leben hat Papa längst seinen Reim gemacht. Was allerdings nicht viel heißt bei ihm. Er ärgert sich trotzdem, weil er uns alle mit der Elle seines hehren Selbstanspruchs mißt. Solcherart landet er regelmäßig nach Phasen stillen Wütens in der Sackgasse einer Resignation. Da wir alle darum wissen, macht uns Papas Benehmen Sorge, besonders eingedenk seiner eben überstandenen Krankheit und auch seines Alters.
Mama ergeht sich in Selbstvorwürfen, weil sie Papa dazu genötigt hat, die Sommerfeldts zu besuchen. Vor allem nach dem gestrigen Abend.
Ich kann mich kaum an eine Begebenheit erinnern, bei der Papa mit solch einer Vehemenz Stellung bezogen hätte. Und schon gar nicht hat es Augenblicke gegeben, in denen er mit einer Radikalität aufgetreten wäre, wie es am vergangenen Abend geschehen ist.
Der kämpferische und demagogische Zug geht Papa gänzlich ab. Aber gestern war ich nahe dran, meine Meinung zu revidieren. Der äußere Anlaß war banal und muß Außenstehenden völlig absurd erscheinen. Was war mehr geschehen, als daß Hermann Sommerfeldt am Tag nach Tante Jennys Geburtstag eine Gesellschaft gab, von der Papa nur durch Zufall erfahren hat. Nun ist und war es Papa bisher ziemlich gleichgültig, wann und für wen die Sommerfeldts ihre Gesellschaften arrangieren. Nur ergab sich dieses Mal der Verdacht, daß der festlich begangene Abend Tante Jennys Geburtstagsfeier ersetzte und der cercle intime des Vortags, zu dem nur die Familie geladen wurde, bloß das Vorgeplänkel fürs große Treffen war.
Papa fühlte sich zutiefst verletzt. So läßt sich begreifen, daß er die Des-

avouierung – nichts anderes konnte er darin sehen – hochstilisierte zu einer Majestätsbeleidigung.

Die Sommerfeldts seien ein besonders anschauliches Exemplar dieser traurigen Species Mensch, die nur noch Unverschämtheiten kenne, behauptete er. Dabei sei alles bei ihnen nur Attrappe, Pappmaschee, Fassade. Jenny zwar wie er selber guter Leute Kind, aber eben nicht mehr.

»Das aber hat meine Schwester wohl vergessen«, schimpfte Papa, »die Vergangenheit möchte sie am liebsten abschütteln: Die Lodderwirtschaft in Swinemünde wie den Letschiner Schlamm.« Dasselbe gelte natürlich für seinen Schwager Hermann, dem kluge Einheirat den beruflichen Start erleichtert habe. Etwas, was er sicher jetzt gern ins Reich des Niedagewesenen verweisen möchte, wie auch Jenny ihre hausbackene Herkunft. Dabei sei natürlich alles so geblieben. Hausbacken. Trotz neuer Freunde aus Hochfinanz und Großindustrie. Daran ändere auch nichts, daß sich Hermann in Öl habe malen lassen und im Vorstand der Deutsch-Ägyptischen Gesellschaft sitze. Geschweige denn zu den Gründungsmitgliedern jenes Vereins zähle, der sich der Pflege und den Ausbau nationaler Denkmäler auf die Fahne geschrieben habe.

Was er auf der für den internen Familienkreis zurechtgerückten Feier erlebt habe, spreche Bände. Peinliche Betulichkeiten und ein beschämendes Kokettieren mit nicht vorhandenen Qualitäten. Dazu das leidige Insistieren auf einer Auserwähltheit, als seien die Sommerfeldts durch einen gemeinsam verlebten Abend mit irgendwelchen Arrivierten aus Staat und Industrie nobilitiert worden.

»In mir schwoll etwas an, schneller als der Wasserspiegel der Spree nach einem Regenguß«, beschrieb Papa seine Empfindungen dabei, »es hätte nicht viel gefehlt und mir wäre die Luft weggeblieben.«

Dasselbe habe sicherlich auch gegolten für die Donquichotterie des nächsten Tages, die er Gott sei Dank nur vom Hörensagen kenne: Leihdiener, exotische Früchte, Kaviar, nichts originell, alles abgeguckt bei Bleichröder, Donnersmarck, Pless und Balestrem, nur ein paar Nummern kleiner, mickriger, was gleichzeitig heiße, mit mehr Getöse und Drumherum.

Bei aller Verärgerung aber meinte Papa, sei er für die Erfahrung auch dankbar. Sie habe ihm gezeigt, woran man heutzutage sei und mit wem man es zu tun habe.

»Nietzsche hat recht«, erklärte Papa, »wenn er das Vergangene wie alten Krempel in den Abfallkorb werfen will.«

Das Ergebnis einer falschen Einschätzung der menschlichen Natur könne man an den täglichen Verhältnissen ablesen: Frechheit, Anmaßung, Ver-

schlagenheit. Es wäre zum Verzeifeln, gäbe es nicht die Weisheit des Humors.
»So ist es nun mal«, der Satz lindere zwar Schmerzen, bedeute aber nicht: »So soll es sein!«
Immerhin aber lerne man dieser Art, seinen Illusionen den Laufpaß zu geben. Letztendlich könne einem im Leben nichts Besseres geschehen.

14. KAPITEL – BERLIN, 1884

»Hankels Ablage« war ein Begriff für alle, die Abgeschiedenheit und Ruhe suchten. Der Sonntagsausflügler kannte das Lokal am Ufer der Oberspree so gut wie der flanierende Leutnant vom Garde du Corps. Zwischen Schmöckwitz und Königs-Wusterhausen an der Görlitzer Bahn gelegen, gehörte es zu jenen Idyllen, die den Vorzug besaßen, auch noch leicht erreichbar zu sein.
Emilie hatte keinen Einwand erhoben, als Theo seinen Entschluß mitteilte, für wenigstens zwei Wochen sein Arbeitszimmer mit der Uferterrasse des Waldgasthauses vertauschen zu wollen. Sein Arbeitsstil, mehrere Projekte gleichzeitig in Angriff zu nehmen, neben der Verpflichtung, Rezensionen zu schreiben, hatte seine Neurasthenie zu einem Dauergast werden lassen. Keine Wunder, wenn dazu noch die instabile Finanzlage kam, die sich trotz mehrerer Auflagen der Reisebücher nie zufriedenstellend hatte konsolidieren lassen. Ganz abgesehen natürlich von jener unterschwelligen Gereiztheit, die ihre Nahrung aus der fast schon morosen Skepsis Welt und Menschen gegenüber bezog.
Die Arbeitskraft war nahe daran zu erlahmen. Ein Prozeß, unausdenkbar in seinen Konsequenzen.
»Zwei Wochen also?«
»Ich werde mich zwischenzeitlich melden«, sagte er, »außerdem kannst du mich ja auch mal besuchen kommen.«
Angesichts der besonderen Voraussetzungen verzichtete sie auf einen Kommentar und versprach es.
»Ansonsten will ich niemanden sehen«, betonte er, »niemanden.«
Mete befand sich ohnehin auf einer Italienreise. Seit Januar des Jahres war sie wieder in Stellung, bei einer Mrs. Dooley, deren 14jährige

Tochter sie unterrichtete. Mrs. Dooley, so reiselustig wie weltgewandt, hatte Tochter und Erzieherin einfach in den Süden mitgenommen.
Im Augenblick weilte Mete in Rom. Zu Emilies Beunruhigung, so daß Theo ihr versprechen mußte, brieflich Kontakt zur Tochter zu halten.
»Auch von »Hankels Ablage« aus!«
»Ich nehm's auf meinen Eid«, sagte er.

Tagebucheintragung Mete Fontanes vom 14. Mai 1884:

Alles ist klein und muffig geworden, seitdem ich die Welt sehe. Dabei war es dieses Mal nur Italien. Aber ich habe einen Eindruck empfangen, der es mir schwer machen wird, unbefangen in den Alltag der Potsdamer Straße zurückzukehren.
Wirre Überlegungen drängen sich auf, warum ich das bin, was ich bin. Das Schicksal hätte gerad so gut mir anstatt anderen einen roten Teppich auslegen können. Reichtum und Überfluß sind weder verdammenswerte Eigenschaften noch machen sie Schande. Vielmehr stellen sie höchst angenehme Attribute des Lebens dar. Davon habe ich inzwischen einen Begriff bekommen.
Nun ist Papa ganz anderer Auffassung. Meine Anmerkungen zum erfahrenen dolce vita beantwortet er in seinen regelmäßig einlaufenden Briefen mit philosophischen Traktaten über das Wesen der Unfreiheit. Inzwischen hat er sich zu der Überzeugung durchgerungen, wie er schreibt, daß alles, wonach die Leute gieren, Plunder sei, der wie Sträflingsketten an einem hänge.
Lieber, alter Papa, wie gut hast du reden mit deinen 65 Jahren, zwischen Schilf und Binsenkraut am Ufer der Spree, während du der Welt das Loblied des Kleinen, Abseitigen und Besonderen singst. Alles Große ist dir bedeutungslos geworden, das Bombastische ringt dir ein Kopfschütteln ab, das Wichtige erklärst du für nebensächlich und die tönenden Worte, auf denen heute alles stehe, für Schall und Rauch.
Gehst du nicht ein bißchen zu weit? Ich ahne ja, was dich von Mama, deinem Schreibtisch und der Vossischen Zeitung weggetrieben hat in die Emeritage von »Hankels Ablage«: Überdruß an einer Welt, die so viele schlechte und langweilige Geschichten erzählt. Da wird der Rückzug zur Rettung, fürwahr.
Aber ich weiß auch, daß dieser Rückzug nicht dein letztes Wort gewesen sein kann, nur eine wichtige Pause eher, und daß du daraus zurückkehrst, nicht mit weißer Fahne, zur Kapitulation bereit, sondern in einen neuen Harnisch. Hinter dir die junge Mannschaft der Berliner Kritik.

Was willst du mehr?
Es wird »Irrungen, Wirrungen« zugute kommen, dem Roman, den ich so neugierig erwarte, wie er mich hoffnungsvoll stimmt. Nicht zuletzt hast du ja deiner Lene Nimptsch, dieser so feinnervigen wie lebensklugen Plätterin Züge beigegeben, die deine eigene Einstellung durchschimmern lassen: Nehmen, was schön ist, gut und wahr, und klaglos es aufgeben, wenn nötig. Denn alles auf dieser Erde hat seine Zeit und seinen Preis. Ein Rezept, das zwar anstößig ist in seiner Sachlichkeit, aber vielen helfen würde, besser mit ihrem Leben zurechtzukommen.

Tagebucheintragung Mete Fontanes vom 16. Mai 1884:

Bei der Durchsicht meiner Niederschrift von vorgestern muß ich zu dem Schluß kommen, daß auch ich die melodramatische Tonlage treffen kann. Und nicht nur das. Sie liegt mir im Blut. Die Probe aufs Exempel habe ich nun gemacht. Die Frage ist beantwortet, wie ernst es mir ist mit dem Hinaus in die große Welt, weg vom Muff und von der Enge einer Mansardenwohnung. Kaum der Rede wert! Mrs. Dooley hat mir angeboten, ihr nach Amerika zu folgen, ins Land der bekanntlich unbegrenzten Möglichkeiten. Leicht vorstellbar, daß sich dort einlösen ließe, worüber mein Tagebuch ins Schwärmen geriet: Reichtum und Wohlleben.
Was tue ich indes? Ich sage ab! Dabei hätte mir Papa sicherlich, obgleich schweren Herzens, freie Fahrt signalisiert. Schließlich gehört er zu denen, die beim Wort Freiheit trotz allem noch feuchte Augen bekommen.
Langer Worte kurzer Sinn: Meinem Glück lag nichts im Weg. Nur ich mir selber. Mama allerdings dürfte mein feiger Rückzug freuen. Papa sicherlich nicht ganz unglücklich machen. Schließlich bleibe ich ihm so erhalten.
Tröstlich allein für mich ist die Feststellung, daß ich in der Wankelmütigkeit ganz meines Vaters Tochter bin. Immerhin hat es Papa fertig gebracht, trotz bitterernster Worte über Tante Jenny und die Sippschaft der Sommerfeldts an ihrem diesjährigen Geburtstag wieder teilzunehmen. Da werfe jemand den ersten Stein.

Wenn er die Blendladen beiseite stieß, schwangen Tannenwipfel ins Zimmer. Nicht umsonst hatte er ihre Unterkunft: »Abruzzenspelunke«, genannt.
An einem Hang gelegen, von dem aus sich ein Tannenwald fortsetzte, führte vom Haus zur anderen Seite hin ein Weg nach Krummhübel.
»Die einzige Verbindung zur Zivilisation«, wie Theo einmal voller Genugtuung erklärt hatte.
Es war bereits der dritte Jahresurlaub in Krummhübel. Abgesehen von den anderen Reisen, die er manchmal mehrmals im Jahr unternahm, erwies er sich zunehmend als das einzig approbate Mittel, um seine strapazierten Nerven zu beruhigen. Selbst wenn das Wetter schlecht war wie in diesem Jahr. Natürlich nieselte es wieder, und aus den Tannenwipfeln stieg weiß wie Rauch der Dunst, als habe sich jeder Tropfen in tausend Partikel zerlegt.
»Wie ist das Wetter, Papa?«
Metes Anfrage nahm er so, wie sie gemeint war, rhetorisch, und winkte ab.
»Das soll uns nicht stören« erklärte er aufgeräumter Stimmung, »ich hab ja alles dabei.«
Mete nickte kaum merklich und machte sich mit etwas steifer Geschicklichkeit am Frühstückstisch zu schaffen.
Mitte Juni war sie mit ihrem Vater hierher gefahren, um seine Versorgung sicherzustellen. Im August wollte die Mutter nachkommen. Mit anderen Worten: Mete hatte sich in Emilies Abwesenheit nicht nur um die Haushaltsführung und das leibliche Wohl des Vaters zu kümmern, sondern auch noch um seine wie immer üppige Korrespondenz. Daneben bestritt sie noch die Kontaktpflege zu den Ferienbekanntschaften. Das alles, um dem Vater den Rücken freizuhalten für seine Arbeit an Skizzen und Manuskripten. Metes Abgehetztheit weigerte er sich zur Kenntnis zu nehmen. Nur einmal bemerkte er beiläufig, sie sehe reichlich spitznasig aus für eine Sommerfrischlerin und war dann unvermittelt zur Tagesordnung übergegangen.
Den eingespielten Fahrplan, vom Morgen bis gegen 15 Uhr zu arbeiten, behielt er auch in Krummhübel bei. Nachmittags aß er, legte sich dann für zwei Stunden ins Bett, um am frühen Abend für die Zer-

streuung zur Verfügung zu stehen. In der Potsdamer Straße gehörte dazu die Zeitung, hier war es ein Konzert, ein Gesprächszirkel oder auch ein Spaziergang am Waldsaum, verstrickt in eine Unterhaltung, die er mit keinem besser zu führen verstand als mit Dr. Georg Friedlaender, einem Amtsrichter aus dem benachbarten Schmiedeberg.
Er hatte ihn vor zwei Jahren kennen – und schätzen gelernt, mit ihm korrespondiert und jenes Vertrauensverhältnis hergestellt, das es ihm erlaubte, seine unpopulären Standpunkte ungeschminkt zu vertreten.
Nicht zuletzt Dr. Friedlaenders wegen war er noch einmal nach Krummhübel gefahren und natürlich auch wegen der Luftverhältnisse, deren stimulierende Wirkung ihn gleichzeitig anspannte und befreite. Was er schon in »Hankels Ablage« wahrgenommen hatte, wiederholte sich in einer intensiveren Form hier: Er fand sich aufgehoben, wie in einer großen Umarmung, wenn er die Waldwege abschritt, haltmachte an einer Bank, lesend oder Notizen anfertigend, während der Bach nebenan in seinen Kaskaden und Mäandern plätscherte wie eine leise, zutrauliche Stimme.
Tagebuchaufzeichnung Mete Fontanes vom 23. Juli 1886:

Papa hat nicht das geringste Gespür, wenn es um meine Person geht. Anderen Leuten gegenüber ist er die fleischgewordene Liebenswürdigkeit. Bei mir versagt seine Einfühlung vollkommen. Er läßt sich von mir versorgen, als besäße er weder zwei Hände noch stünde er mit seinen 67 Jahren auf eigenen Füßen. Dazu der lamentierende Ton, wenn etwas nicht zu seiner Zufriedenheit ausfällt. Er macht aus sich einen Popanz und hofft, daß andere darauf eingehen.
Fast kann man es ihm nachsehen. Jetzt nach Georges Heirat mit Martha Roberts, der Tochter eines finanzstarken Justizrats, zu der George über Jahre hinweg eine pikante Liäson unterhalten hat. Nun, er hat die ebenso betuchte wie schöne Braut heimgeführt und Papa damit geärgert, weil er sich zu einem Geldknecht habe machen lassen, wie Papa sagte, dem die Mitgift seiner Frau soviel Wert sei, über Jahre Düpierungen ihrerseits hinzunehmen.
Bescheidenheit als Tugend mag Papa nur als literarisches Programm.
Nachts schlafe ich schlecht. Höchstens drei Stunden. Morgens stehe ich auf wie gerädert und brauche meine Zeit, um zu mir zu kommen. Den Tag verbringe ich in Hetze, klaglos vor der Welt, als hätte ich mein Los herbeigewünscht. Dabei frage ich mich ständig, was ich eigentlich will.
Nichts genügt mir. Was anderen recht und billig ist, mir ist es zu platt, zu

abgeschmackt und langweilig. Meine Freundinnen: Ehefrauen sind sie und Mütter. Ich indes schlage Haken durchs Leben, schnuppere hier und da herum, winke allem überdrüssig ab, um ernüchtert zu den Eltern zurückzukehren.
»Was die Welt bereithält, ist doch nur schal oder unerreichbar«, sage ich und grabe mich ein in die fruchtlose Melancholie eines dahinplätschernden Lebens. Melusine läßt grüßen!
Die letzte aus Papas neuestem Roman »Cecile« könnte einem schier den Mut nehmen. Papa verzichtet leider auch dieses Mal nicht darauf, seine zentrale Frauenfigur Cecile von St. Arnaud sterben zu lassen, nicht einmal an Gram wie Stine, sondern durch Selbstmord. Fürwahr ein schrecklicher Ausweg, aber immerhin eine Lösung. Wenngleich ich an eine solche nicht denken mag, weil ich bei allen Entpflichtungen ja eine Aufgabe habe: Papa. So recht deutlich wird sie mir, wenn ich ihm seine Sachen zurechtlegen muß. Beim Einkleiden nämlich ist seine Hilflosigkeit geradezu rührend. Dabei legt er soviel wert auf ein korrektes Aussehen wie eine Diva vor dem Opernball. Darum überläßt er in dieser Frage auch jede Entscheidung mir, als bestünde er aus einer Anhäufung von lauter Unfähigkeiten.
Natürlich verfliegt diese Kindlichkeit – anders kann ich sein Verhalten nicht nennen – wenn er neben Baron von Rothenhan, Frau von Graevenitz oder General von Grolmann sitzt, denen er seine neuen Gedichte vorträgt. Ganz Façon ist er auch bei der Arbeit am Manuskript. Hier wäre jeder Tadel Hohn. Ich weiß, daß er mit der ersten Niederschrift eines weiteren Romans begonnen hat. Einer Wilddieb-Geschichte, die ihm Dr. Friedlaender zugetragen hat.

16. KAPITEL – BERLIN, 1887

Mit Beginn des Jahres wurden die Schlagzeilen der Zeitungen reißerischer. Am 14. Januar hatte Bismarck nämlich einem verdutzten Reichstag eröffnet, daß er sich als aufgelöst betrachten dürfe. Der Eklat war um so größer, als die Verfügung eine jener Maßnahmen darstellte, mit der sich Krone und Regierung schon in der Vergangenheit verfassungsmäßiger Verpflichtungen zu entziehen versucht hatten.
Der Dampfkessel, in den sich Berlin bald darauf verwandelte, lud

sich in dem Maße auf, wie die Presse die Ereignisse bissig kommentierte.
Am Abend nahm Theo gewohnheitsmäßig die Zeitung zur Hand. Las er sie im Salon, was eher selten der Fall war, verließ Emilie den Raum, um sich anderswo eine Beschäftigung zu suchen. Das hatte sie sich zur Angewohnheit werden lassen, um ihre Nerven zu schonen, wie sie sich Mete gegenüber äußerte, weil Papa auf ihnen wie mit Kürassierstiefeln herumtrample.
»Er wird unerträglich!«
Nur Mete schien noch mit ihm auszukommen.
»Sicher, Papa«, pflegte sie oft beschwichtigend einzuwenden, wenn seine Urteile wieder einmal zu grob ausgefallen waren.

Die Wahlen waren für den 21. Februar angesetzt. Alle, die zu den Urnen eilten, wußten an diesem Tag, worum es bei der neuen Zusammensetzung des Reichstags gehen sollte. Bismarck suchte nach einer Mehrheit, um sein Ziel zu erreichen, die Heeresstärke unabhängig zu machen von den Beschlüssen des Parlaments.
»Aha«, hatte Theo nur gemeint, »darum geht es also dem Herrn: Säbelgerassel als letzter Ausweg«, und entschloß sich, die Wahl zu boykottieren.
»Was?« stieß Emilie entrüstet hervor, als sie davon hörte. Aber sein Entschluß war unwandelbar.
»Der Bourgeois tut Bismarck ohnehin den Gefallen und wählt nationalliberal«, sagte er, »ich habe da nichts zu suchen. Außerdem weißt du, wie ich zu Majoritätsbeschlüssen stehe, wenn die Majorität so aussieht wie bei uns.«
»Alter Durchgänger«, hatte Emilie ihn deshalb genannt und seinen Ausflug in den zoologischen Garten am Wahlsonntag als puberales Verhalten bezeichnet.
Papa sei uneinschätzbar geworden, liebe nur noch die Alleingänge und sei entschlossen, sich peu à peu zu exekutieren, hatte sie sich bei Mete beklagt, die vermittelnd eingreifen wollte. Vielleicht trage dazu bei, daß seine Kriminalerzählung »Unterm Birnbaum« ein vollendeter Mißerfolg gewesen sei. Man wisse ja, welche Rolle das Schriftstellern in seinem Leben spiele.
Inzwischen war der Entwurf von »Stine« abgeschlossen. »Irrungen, Wirrungen« in die letzte Redaktion gegangen. Im Juli sollte der Roman für den Vorabdruck in der Vossischen Zeitung bereit stehen.

Wie von Theo vorausgesehen, brachte die Reichstagswahl den Nationalliberalen ein Übergewicht.
Die Zeitungen verbreiteten die nicht ganz unerwartete Nachricht genau an dem Tag, als Theo einer weiteren Einladung zu den Wangenheims nachkam. Ganz natürlich, daß die Wahlergebnisse zunächst das Thema im Freiherrlichen Hause bestimmten. Wie immer wurde Protokoll geführt. Dieses Mal von Professor von Heyden.

22. Februar 1887
Anwesende: Seine Hochwohlgeboren Geheimer Regierungsrat Freiherr von Wangenheim, Herr Fontane, Herr Dr. Frenzel, Herr Dr. Brahm, Professor von Heyden
Uhrzeit: 21 – 24 Uhr

Einig waren sich alle darin, den Ausgang der Wahl als eine nicht eben glückliche Entwicklung der politischen Zustände zu betrachten. Als besonders bedenklich wurde die zunehmende Herausstellung des Militärischen bezeichnet. Ein Prozeß, wie Dr. Brahm erläutert wissen wollte, der, vom Bürgertum gestützt, allein den alten Mächten Auftrieb gebe, gleichzeitig aber den Widerspruch herausfordere. Das ohnehin politisch aufgeheizte Klima würde sich dadurch nur weiter in Richtung Eskalation bewegen und dem Feuer allgemeiner Unzufriedenheit neue Nahrung geben. Daran könnten auch die Vorsorgemaßnahmen nichts ändern, mit denen Bismarck die Arbeiterschaft in ein Netz sozialer Sicherungen hineingezogen habe, um sie für den Preußen-Staat zu gewinnen. Genauso wenig tauge dazu die Friedenspolitik mit ihrem so ausgetüftelten wie paralysierenden Bündnissystem. Auch im Versuch, sich den Kolonialmächten mit dem Gewinn eigener überseeischer Besitzungen anzuschließen, sah die Runde keine Strategie, dem Unfrieden im Lande zu wehren. Es sei nun einmal so, wie dargestellt, faßte Dr. Brahm seinen Beitrag zusammen, das Votum für den Kanonenstaat sei nicht von ungefähr zustande gekommen. Es spiegele nur die Lage der Nation wider, vor allem jene bösartig drängende Kraft, die heute in Deutschland das Licht nicht mehr scheue. Daß unlängst Ibsens »Gespenster« bei ihrer deutschen Uraufführung als staatsgefährdend eingestuft worden seien, spreche nur eine zu deutliche Sprache.
In dieser Frage konnte sich der Kreis allerdings zu keinem Konsens durchringen. Dr. Frenzel wies die Ästhetik des Lasziven, wie er die Arbeitsweise des Norwegers nannte, entschieden von sich und machte sich stark für eine Auffassung, die trotz allem den höchsten Idealen des Menschen verpflichtet blei-

be. Im Niederen erblicke er einen Infektionsherd, der nur zu leicht auf die von Natur aus dafür empfängliche Menschheit übergreifen könne.
Herr von Wangenheim leistete ihm hier Schützenhilfe und verteidigte die von der sich fortschrittlich gerierenden Presse verurteilen Hoftheateraufführungen, über deren Dekorationsbombast und Inhaltsleere man sich lustig mache, obwohl die Inszenierungen nur politisches Verantwortungsbewußtsein zeigten.
Herr Fontanes Rezension vom 8. Januar in der Vossischen Zeitung erfuhr eine lobende Erwähnung wegen ihrer Ausgewogenheit, wie Herr von Wangenheim bemerkte. Er habe Ibsen zwar im Künstlerischen und Technischen als vorbildlich herausgestellt, sei ihm aber in der Sache nicht gefolgt.
In seiner Stellungnahme dazu führte Herr Fontane aus, er persönlich habe sich weder mit dem Pessimismus zu irgendeiner Zeit anfreunden können noch glaube er, das Leben sei auf die Schwarzmalerei eingeschworen. Im Gegenteil. Letztendlich führe alles zum Guten. Das sei seine feste Überzeugung. Auch Herrn Ibsen zum Trotz, der in seinen »Gespenstern« die Kinder für die Lebenslüge der Eltern büßen lasse. Rache sei aber kein Wesensmerkmal des Lebens.
Dr. Frenzel unterstützte diese Auffassung gegen Dr. Brahms Vorwurf, Herr Fontanes Realismusverständnis finde bedauerlicherweise seine Grenze da, wo die bestehende Wirklichkeit ihre giftigsten Blüten treibe. Das sei deshalb besonders traurig, weil er Herrn Fontanes schriftstellerische Tätigkeit mit gesteigertem Interesse und Engagement verfolge. Ihn dort zurückschrecken zu sehen, wo es hieße, die Wirklichkeit eben in ihren häßlichsten Auswüchsen ans Tageslicht zu zerren, stelle einen Verrat dar an den heiligsten Überzeugungen eines dem Realismus verpflichteten Autors.
Herr Fontane blieb bei der Meinung, das Leben sei darauf angelegt, Disharmonien aufzulösen und Schiefes zu glätten. Unerträgliches rücke es ins rechte Licht und mache es hinnehmbar. Aus Haß werde Liebe, aus Angst Gelassenheit. Das zu übersehen und den Untergang zu predigen, halte er gerade für das Anathema eines realistischen Literaturverständnisses. Genauso heftig setzte er sich allerdings auch gegen Dr. Frenzels Ansicht zur Wehr, Kunst habe dem Menschen das Mögliche vor Augen zu führen, das Jetzt und Hier zu vergessen zugunsten einer idealen Fiktion. In diesem Mißverständnis würden sich leider die Positionen Dr. Brahms und Dr. Frenzels berühren, resümierte Herr Fontane. Das Leben sei eben keine Angelegenheit der Extreme, sondern besitze einen untrüglichen Instinkt für die Mitte. Sie aber schlössen sowohl Dr. Brahm als auch Dr. Frenzel in ihrem Verständnis von Wirklichkeit aus.

17. KAPITEL

Zur Jahresmitte hin überschlugen sich die Ereignisse. Im April war die Buchausgabe von »Cecile« erschienen, für Juli der Vorabdruck von »Irrungen, Wirrungen« unter dem Titel »Eine Berliner Alltagsgeschichte« in der Vossischen Zeitung geplant.

Als habe Theo die Mißhelligkeiten geahnt, die mit der Veröffentlichung des Romans auf ihn zukommen würden, war er nach Rüdersdorf, einem Seebad östlich von Berlin, ausgewichen, auch um an seinem letzten Wanderungsband zu arbeiten. Die Nachricht, sein Sohn Theodor habe ihn mit einem Enkel Otto zum Großvater gemacht, trug wenig dazu bei, den angegrauten Himmel seiner Stimmung mit neuem Licht zu erfüllen.

Nicht anders war seine Gefühlslage vor einem Jahr gewesen, als Theodor ihm eröffnet hatte, er würde eine Martha Soldmann heiraten, die Tochter eines Oberpostrats aus Münster.

»Na ja«, hatte er nur geknurrt, »warum keine Oberpostratstochter, wenn's bei George schon ein Fräulein Justizrat sein mußte.«

Als es in den August ging, wurde absehbar, daß sich Theos Vorahnung bestätigte. In der Redaktion der Vossischen Zeitung meldeten sich Leser, die verärgert die Einstellung der »Gräßlichen Hurengeschichte« verlangten. Besorgte Mütter riefen nach der Zensur, um dem sittenwidrigen Machwerk das Handwerk zu legen. Aufgebrachte Väter drohten dem Autor.

Theo, der die Flucht nach Krummhübel angetreten hatte, mußte sich eingestehen, daß er den Druck des moralischen Geschirrs unterschätzt hatte, als er seine Schneidermamsell Lene Nimptsch ein freies Liebesverhältnis mit einem Baron eingehen ließ.

»Heuchelei«, schimpfte er, »Tugendprasserei von Leuten, die in sich eine Räuberhöhle spazieren führen und mit dem Finger auf andere zeigen müssen.«

Emilie, die nachgereist war, unwillig, wie sie sich neuerdings nicht scheute zum Ausdruck zu bringen, weil sie das traute Vater-Tochter Idyll nicht stören wolle, schwieg dazu, unter Vorbehalt natürlich.

Der Urlaub drohte zu scheitern. Und das nur, wie Theo erbost bemerkte, weil ein junges Mädchen mit einem Recht auf Liebe und Glück bei einem jungen Mann übernachtet habe, ohne zufälligerweise mit ihm verheiratet zu sein.

Daß Emilie ihm hierzu unterschob, er sei nicht nur ein alter Durchgänger, sondern auch ein angegreister Lüstling, kam für ihn nicht ganz unerwartet. Trotzdem, Krummhübels magische Wirkung versagte dieses Mal.
Nicht ahnend, daß weitaus Schlimmeres bevorstand, traten die Fontanes am 19. September enttäuscht die Heimreise an, um gegen Abend in Berlin einzutreffen. Die Potsdamer Straße schlummerte schon im milden Schein der Gaslaternen, als Theo die Haustür aufschob und jener schweren Süße Zutritt verschaffte, die von den Blättern der Lindenbäume abströmte.
Anna, ihr Hausmädchen, trat ihnen mit welkem Gesicht entgegen. Aber sie waren zu erschöpft, um es zu registrieren. Mete ging sofort in ihr Zimmer. Emilie machte sich wortlos für die Nacht zurecht. Theo kümmerte sich wie üblich um die Post.
»Das Telegramm!«
»Hat das nicht bis morgen Zeit, Anna?«
Sie schüttelte behutsam den Kopf.
»Ist was?« fragte er. Ein leichter Schreck überfiel ihn, dann riß er das Telegramm mit zitternder Hand auf. Kaum vermochte er zu lesen: Brauche Hilfe. George schwer erkrankt.

Der Ungewißheit einer nur im Halbschlaf verbrachten Nacht folgte am Morgen die Benachrichtigung, George leide an einer Blinddarmentzündung, es wäre angebracht, unverzüglich ans Krankenbett zu eilen. Die Nachricht hatte Georges Bursche in die Potsdamer Straße gebracht.
Mete machte sich sofort auf den Weg nach Lichterfelde, wo ihr Bruder in unmittelbarer Nähe der Kadettenanstalt ein Haus bewohnte. Auf Emilies Drängen hin war Dr. Pancretius zu Rate gezogen worden. Er war seit Jahren Hausarzt der Fontanes.
Tags darauf fuhr Theo nach Lichterfelde. Mete öffnete ihm die Haustür. Hohlwangig und verstört begleitete sie ihren Vater zum Bett des Kranken. Er hätte der Führung nicht bedurft. Georges schrille Schmerzensschreie waren überall zu hören.
Schon der erste Blick machte deutlich: Es stand schlecht um George, wenn es nicht gar hoffnungslos war. Die Lippen borkig, starrte er den Vater mit den glühenden Augen des vom Fieber Geschüttelten an. Eine Krankenschwester, die Mete zur Hand ging, tupfte ihm den Schweiß von der Stirn.

»Wie lange schon?« fragte Theo. Er merkte, wie ihm jedes Wort zuviel wurde und die Pulse in den Schläfen zu hämmern begannen.
»Den vierten Tag«, erklärte die Schwester und senkte ausweichend die Augen.
Theo schwieg. Aber er dachte mein Gott, preßte die Lippen aufeinander und verließ schweigend das Zimmer, gefolgt von Georges markerschütterndem Gebrüll, das durch die leeren Räume des Hauses hallte.
Martha, seine Frau, hatte vor drei Tagen das Haus verlassen. Es sei für sie unzumutbar gewesen, die Qualen des armen Kranken mitansehen zu müssen, aber auch die Pflege zu übernehmen, da ihr jedes Geschick abgehe, hatte sie ausrichten lassen und war zu ihrem Vater, dem Justizrat Robert, umgezogen.
Als Emilie davon hörte, verdüsterte sich ihr Gesicht. Tränen rannen über die Wangen. Theo sagte nichts dazu, bat statt dessen Dr. Pancretius, nach George zu sehen, und mußte sich mit der Auskunft bescheiden, daß nur noch ein Wunder helfen könne. Für 24 Stunden sah es danach aus, dann riß Metes Telegramm die Eltern aus dem Himmel ihrer letzten Hoffnungen: Georges Zustand besorgniserregend.
Theo nahm den Frühzug. Es war Sonnabend. Über der märkischen Heide zog der Morgen heran. Im Dunst blinkten die Firste. In den Straßenschluchten begann es, dumpf zu rumoren.
Gegen neun Uhr erreichte der Zug Lichterfelde. Eine Viertelstunde später betrat Theo die Villa seines Sohns, wortlos hineingebeten von der übernächtigten Krankenschwester. Er wagte nicht, sie zu fragen. Aber in Metes tränenfeuchtem Gesicht stand die Antwort geschrieben: George war tot.

Die Beerdigung war für den Dienstag angesetzt. Während der drei Tage hatte Theo alle Arbeit ruhen lassen, unansprechbar in seinem Zimmer gesessen und dem kaleidoskopartigen Fließen des Lichts in den Scheiben zugesehen. Eine Kälte war in ihn eingezogen, die Geist und Körper gefrieren ließ. In gewisser Weise war er dankbar dafür.

Die Beisetzung fand am Nachmittag statt. Der Spätsommer webte seine silbernen Fäden. Erstes Laub rieselte über die Wege, die der Kondukt zum geöffneten Grab nahm. Mete bemerkte dazu in ihrem Tagebuch vom 29. September 1887:

Eine riesige Menschenmenge hatte sich angesammelt. Fast ausschließlich Uniformträger, die dem Sarg folgten, getragen von Kadetten der Lichterfelder Anstalt. Dahinter Georges Frau Martha, eingeschleiert in tiefschwarzem Tüll, der sie in eine dunkle Säule verwandelte. Sie ging am Arm ihres Vaters, aufrecht, aber doch für alle sichtbar vom Schmerz gezeichnet. Dahinter folgten wir: Friedel, Papa, Mama, Bruder Theodor aus Münster und ich. Wir müssen alle schrecklich ausgesehen haben, weiß wie eine Kalkwand. Am schlimmsten Mama, die vom Weinen rotgeränderte Augen hatte, sich immer wieder schneuzte, als sei es der Tränen nicht genug.
Vor dem Sarg schritt eine Abteilung Gardeschützen des Regiments, dem George angehörte. Hinter uns bewegte sich ein Kordon von Exzellenzen und Generälen. Am Ende ratterten Karren, überladen mit Kränzen und Gestekken. Wäre nicht dieser traurige Anlaß gewesen, wir hätten stolz sein können auf die Wertschätzung, die George erfuhr. Es war ein regelrechtes pompes funebres, ein Aufzug, der jeden Vergleich aushielt. Inszeniert von wohlmeinenden Leuten, die Papa leider nicht kennen.
Groß und unnahbar stand er da, fast einen Kopf die Umstehenden überragend, und betrachtete die Vorgänge am Grab, ohne eine Miene zu verziehen, als sei nur sein Körper anwesend, aber seine Seele hinweggeeilt zu einem fernen Ort. Während die Kapelle spielte, untermalt vom Schluchzen der Frauen, zuckte es nur einmal leicht in Papas Gesicht. Als die Salven über Georges Grab donnerten, leuchteten seine Augen wässerigblau. Seine Hand blieb ruhig, während er George die drei Schaufeln Erde nachsandte, und er schwankte nicht im mindesten, als er in unsere Reihe zurücktrat. Martha, Georges Witwe, ignorierte er, wie er dem Ganzen eine unübersehbare Gleichgültigkeit entgegenzubringen schien. Das wird ihm nicht viel Sympathie eingetragen haben. Ich kann mir schon vorstellen, was die Leute nicht Papa alles vorwerfen werden: Gefühlskälte, Taktlosigkeit, Verhärtung, Egoismus. Sicher nicht das, was es wirklich war: Das Entsetzen eines Menschen, der sich daran gewöhnt hat, den Dingen ihren wahren Namen zu geben. Schwägerin Marthas Falschheit zum Beispiel oder dem Szenario einer Beisetzung, die der Form genügen will, selbst da, wo sie Gefühle fordert.
Nachdem sich die Trauergesellschaft aufgelöst hatte, die Kondolenzen abgeschlossen und die Exzellenzen und Generäle zwischen Bäumen und Hecken verschwunden waren, blieb Papa – für uns zunächst unbemerkt – am Grab zurück. Als wir dessen gewahr wurden, ihn suchten und schließlich fanden, stand er dort, die Hände verschränkt, mit gesenktem Kopf vor der Grube. Allein mit dem gebläuten Himmel über sich, hat er wohl mit George noch einmal Zwiesprache gehalten.

Wenn möglich, vermied er es, über George zu reden. Fiel sein Name, dann in den Briefen, die er an seine Söhne Theodor und Friedel sandte. In Emilies Gegenwart umging er das schreckliche Ereignis des Vorjahres. Was Georges Tod anbetraf, hatte Emilie nämlich eine abstruse Logik entwickelt.
Mit Jahresbeginn war »Irrungen, Wirrungen« in gebundener Ausgabe erschienen. Noch einmal wiederholte sich, was anläßlich des Vorabdrucks eingetreten war: Man protestierte gegen den Schmutzfinken von einem Autor, den selbst das Alter nicht davon abgehalten habe, sich in Pornographie zu versuchen. Die Flutwelle der Anwürfe machte nicht einmal halt vor der Mansardenwohnung Potsdamer Straße 134c.
Emilie drohte Theo mit Auszug und Trennung, wenn er es in Zukunft nicht unterlasse, sie in der Öffentlichkeit zu desavouieren. Sie habe bereits Angst, auf die Straße zu gehen, geschweige denn Einkäufe zu tätigen oder Nachbarn zu grüßen. Neuerdings gefielen sich alle in einem mitleidig-gehässigen Lächeln, wenn sie mit ihnen zusammenträfe, behauptete sie.
»Nach allem, was du uns angetan hast, ist das ein weiterer Gipfel«, preßte sie unter Tränen hervor und ließ keinen Zweifel daran, daß sie im Wiederholungsfalle ernst machen würde. Erschwerend wirke sich Theos Unzugänglichkeit aus, die er dadurch zu demonstrieren pflegte, daß er von: »Natürlichen Konsequenzen« sprach, die nun einmal jeder auf sich nehmen müsse, der den Freiheitsstandpunkt einnehme. Es könne einem ja eigentlich wenig passieren, wenn man diese Tatsache nur mutig genug in Rechnung stelle.
Damit hatte er Emilies Geduld endgültig erschöpft. Auch wenn die Kinder erwachsen seien, lamentierte sie, bleibe immer noch eine Verantwortung: Sie.
»Meinetwegen kannst du dich im Märtyrertum üben und ans Kreuz schlagen lassen«, fauchte sie, »aber ich bin nicht willens, dir nach Golgatha zu folgen.«
Seinen Einwand, daß von Golgatha ja keine Rede sein könne, weil er längst nicht mehr alleine dastehe, schmetterte sie ungerührt ab.
»Du redest von diesem Brahm und diesem Schlenther«, sagte sie, »die dir schmeichelhafte Kritiken schreiben. Nun ja, leider alles nur

Leute, die man an maßgeblicher Stelle nicht ernst nimmt. Diejenigen, mein lieber Theo, auf die es ankommt, lassen kein gutes Haar an dir.«
In solchen Augenblicken war er froh, daß Arbeit auf ihn wartete. An seinen Roman »Stine« legte er letzte Hand an. Zwei andere waren dabei, das Licht der Welt zu erblicken: »Unwiederbringlich«, die in Dänemark spielende Tragödie einer verlorenen Liebe, die mit dem Tod endet, weil nichts sie wiedererwecken kann, und »Frau Kommerzienrat oder wo sich Herz zu Herzen find«, der Roman einer Abrechnung mit der Scheinheiligkeit. Nicht ganz zufällig war er auf den Gedanken verfallen, den Titel in »Frau Jenny Treibel« abzuändern. Daß er den Namen seiner Schwester dem Buch voranstellen wollte, war für Emilie ein Grund, ihm Boshaftigkeit vorzuwerfen. Eines könne man ihm bei seiner sonstigen Indolenz zugestehen, meinte sie, er sei immerhin ehrgeizig genug, sich den Strick um den Hals zu legen. Daß der Vorwurf nicht ganz aus der Luft gegriffen war, zeigte sich an den Schwierigkeiten, für »Stine« einen Verlag zu finden. Bereits die ersten Fühlungsnahmen machten das Problem deutlich. »Irrungen, Wirrungen« hatte den Autor zu einem unkalkulierbaren Risiko für Verleger werden lassen. Von Gewagtheit war die Rede und moralischer Unausgereiftheit der Geschichte. Man möchte lieber Abstand nehmen und wünschte dem Autor alles Gute. Er habe eigentlich nichts anderes erwartet, kommentierte Theo die ausweichenden Bescheide, recht besehen, könne er sich sogar noch glücklich schätzen, daß man so glimpflich mit ihm umgehe. Emilie weigerte sich daraufhin, mit ihm auch nur ein Wort zu sprechen.
Wie oft in solchen Fällen drängte es ihn zu einem Tapetenwechsel. Lange schon lag eine Einladung Friedrich Wittes vor, jenes Jugendfreundes aus der Polnischen Apotheke, der es in Rostock zu Ansehen und Wohlstand gebracht hatte.
Sollte es in Deiner Absicht liegen, Dir wieder einmal Ostseewasser um die Füße spülen zu lassen, hatte er geschrieben, versäume es nicht, bei uns vorbeizuschauen.
Ende Februar brach er mit Mete auf. Um diese Jahreszeit pflegten sich die Wittes noch in Rostock aufzuhalten, wo sie für die Wintermonate eine Stadtwohnung unterhielten. Ab März zogen sie um aufs Land, in ihre Sommervilla bei Warnemünde, in deren Nähe sich früher auch ihr pharmazeutischer Betrieb befunden hatte. In einem ehemaligen Bauernhof. Aber das war vor der Reichsgründung gewesen. Jetzt beherbergte der Bauernhof ein Gestüt des ehemaligen Apothe-

kerlehrlings, der es so weit gebracht hatte, Fabrikant und Reichstagsabgeordneter in einem zu sein.
Gut erinnerte sich Theo daran, wie sie vor Jahren über den grasverfilzten Vorplatz des zum Labor umfunktionierten Bauernhofs gegangen waren und ihnen die Ätherdämpfe den Atem verschlagen hatten. Nun roch es hier anders: Nach Spreu und Pferdedung und der schneidenden Kühle der vorbeifließenden Warnow.
»Ein paar Jährchen noch, Theo«, meinte Witte, während sie in den Park hineingingen, an dessen hinterem Ende der Reitplatz lag, »und ich werde mich ganz aufs Züchten und Turnieren verlegen. Ich bin zwar ein Dezennium jünger als du. Aber das heißt wenig, wenn man des Giftmischens und Politisierens müde ist. Und der Magen nicht mehr so will. Da meldet sich nicht selten der Gedanke, daß es Zeit sein dürfte, endlich mit dem Leben zu beginnen.«
In der spätwinterlichen Sonne fingen die Zweige an, Knospen zu treiben. Erstes Grün sprenkelte das schmutzige Braun der Parklandschaft.
»Überlastung, sagt der Arzt. Ich bin zu rücksichtslos mit mir umgegangen.« Für eine Sekunde schwieg er, als sei er angesichts der unverstellt vor sein Auge tretenden Wirklichkeit erschüttert worden. »Ich habe übrigens meine Gedichte von damals einbinden lassen, in Leder«, meinte er dann ausweichend.
»Du hast sie noch?«
»Alle«, sagte Fritz Witte, »ich nehme sie jetzt immer öfter zur Hand, um in ihnen zu lesen. Sie sind tatsächlich schlecht.«
»Du kamst nie mit den Rhythmen zurecht, Fritz.«
»Das ist zeitlebens so geblieben, Theo.«
Sie begannen zu lachen. Es tat ihnen gut.
Von ihrem Platz aus konnten sie auf der flußwärts gelegenen Seite des Parks einen hochrädrigen Kinderwagen erkennen, hinter dem Lise Witte und Mete marschierten. Immer wieder blieben sie stehen, um sich unter das Verdeck des Wagens zu bücken, in dem Fritz Wittes erstes Enkelkind den Tag verschlief.
»Eine Perle, deine Tochter«, meinte er nach einer Weile intensiven Hinschauens, »wohlgelitten, wohin sie auch kommt.«
»So ist es«, bestätigte Theo eher beiläufig, um sich den Vorgängen jenseits der Hecke zuzuwenden, wo auf dem Reitplatz Pferde ihre Kreise zogen.
»Will sie nicht heiraten?«

»Mete?«
Theo hob etwas schwer die Schultern.
»Sie vertritt in der Sache ihren eigenen Standpunkt, Fritz. Ich muß ihn ihr zugestehen. Aber manchmal macht sie mir schon Sorgen.«
Die Augenbrauen wanderten in die Höhe, als Witte mit betonter Einlässigkeit zu Mete hinübersah, die nun die Führung des Kinderwagens übernommen hatte, weil Lise zurück ins Haus gegangen war.
»Eine sehr selbständige Einstellung zum Leben, die deine Tochter vertritt«, meinte er nachdenklich, »und sicher auch anerkennenswert. Jedoch ebenso ...«
»Na, sag schon!«
»... wirklichkeitsfremd wie erstaunlich angesichts ihrer sonstigen Reife.«
Wie zufällig hatte Theos Kopf einmal genickt.
»Wundert dich das?« gab er dann erregt zurück, »sie unterscheidet sich da in nichts von ihren Mitmenschen. Trotzdem gebe ich dir recht, Fritz«, meinte er darauf, »Mete auf Dauer unverheiratet zu wissen, kostet mich schlaflose Nächte.«
Sie hatten den Weg entlang der Hecke beendet und waren am Tor angelangt, das auf den Reitplatz führte.
»Ist das kein herrliches Bild?«
Sie waren durch die Hecke getreten, hinter der ihnen Wärmeschauer entgegenschlugen. Für Minuten ließen sie den Reitplatz auf sich einwirken: Das Stampfen der Hufe, das Schnalzen der Pferdejungen, den Tieren Befehle zurufend, Staubfahnen, gelb und gasig, stiegen auf in den frühlingshaft klaren Himmel.
»Ist was, Fritz?«
Als er antwortete, hielt er das Gesicht abgewandt, weil er nicht wollte, daß man in ihm lese.
»Ich denke oft ...« sagte er.
»Was?«
»... wie lange ich das alles noch haben werde.«
Mit einer langsamen Bewegung hob er den Kopf und schaute in den Himmel.
»Sieh dir das an, Theo, die Vögel kehren zurück«, sagte er dann, als hätten sie über etwas ganz anderes gesprochen, »es wird bald Sommer.«

19. KAPITEL – BERLIN, 1888

Der Lustgarten hatte sich in ein schwarz umflortes Feld verwandelt. Seit Stunden warteten die Menschen darauf, in den Dom eingelassen zu werden, wo vor dem Hauptaltar der Sarg Seiner Majestät Kaiser Wilhelm I. auf einem Katafalk zur Ansicht bereitstand.

91jährig war er sechs Tage zuvor ebenso plötzlich wie kampflos in seinem Palais verschieden. Die Bestürzung, die sein Tod ausgelöst hatte, bezog ihre Ursache weniger aus dem Umstand seines Ablebens als aus der Tatsache, daß mit ihm ein Symbol aufgehört hatte zu existieren.

Keiner hätte das deutlicher zum Ausdruck bringen können als die Tausende, die schweigend heranzogen, um sich auf dem Schloßplatz zu versammeln. Ihretwegen mußte die Polizei den Stadtkern großräumig abriegeln.

Geduldig verharrten die Menschen hinter den Sperren und sandten stille Gebete in den Himmel, während aus schwarzen Wolken ein Eisregen schüttete und den Aufenthalt im Freien zu einer Loyalitätsprobe werden ließ.

Der 14. März indes war ein heiterer Tag. Die im Lustgarten Versammelten hatten ihre Mäntel und Capes zu Hause gelassen, als vertrauten sie dem Wetterumschwung. Auch Henriette von Merckel, inzwischen im 77. Lebensjahr, hatte auf einen wärmenden Überhang verzichtet und Theos Angebot empört von sich gewiesen, sie solle doch ihrer Gesundheit zuliebe wenigstens Metes Schal umlegen. Aber sie bestand darauf, ihrem Kaiser in einer korrekten Kleidung gegenüberzutreten, auch um den Preis einer Erkältung. Ihrem Eigensinn zeigte sich kein Einwand gewachsen.

Endlich wurde die Tür des Doms geöffnet. Die Menschenschlange setzte sich in Bewegung, ruckweise, bis sie zum spreewärts gelegenen Portal gelangt war, um durch das Kirchenschiff zum Hauptausgang geleitet zu werden.

Es war der Wunsch Henriette von Merckels gewesen, trotz eigener Gebrechlichkeit den toten Kaiser noch einmal zu sehen. Da die Fontanes ihr inzwischen näher standen als die eigene Familie, hatte sie Theo gebeten, sie zu begleiten. Es war ihm nicht schwergefallen.

Grünes Licht verschattete das Kircheninnere, als sie über die Schwelle traten. Die Geräusche der Spree blieben zurück. Das Schaben der

Hunderte von Füßen verlor sich in der verhaltenen Tonfolge eines einfühlsamen Orgelspiels. Schmauch, von flackernden Kerzen abziehend, stieg in die Kuppel des Doms, in der sich die Schluchzer und Fürbitten fingen.
Noch einmal war aufgeboten worden, was das Reich an Ehrenbezeigungen zu bieten hatte: Fahnen und Feldzeichen, Offiziere, Minister und Kammerherrn. Der Glanz entfaltete sich ein letztes Mal, der den Toten zu Lebzeiten umgeben hatte und ihn nun für immer verlassen würde.
Langsam bewegte sich der Menschenstrom am Katafalk vorbei, auf dem der offene Sarg des Kaisers stand, ausgeleuchtet von einem Dutzend mannshoher Kerzen, die die Gesichtszüge des Toten überscharf herausmeißelten und erkennen ließen, wie wenig schwer ihm das Sterben geworden war.
Im Gegensatz zu den anderen kniete Henriette von Merckel nieder, als sie den Sarg erreichte. Sie tat es, ungeachtet des Erstaunens und der Bestürztheit, die sie wegen ihres Alters hervorrief. Theos Hilfe lehnte sie ab, während sie sich nicht ohne Mühe auf dem Boden niederließ, um ihr Gebet zu sprechen.

Es war ein erhebendes und gleichzeitig anrührendes Bild – schreibt Mete Fontane in ihrem Tagebuch vom 16. März 1888 – *die alte Frau und der uralte Kaiser, eine Epoche, in ihren Vertretern sinnfällig repräsentiert, für einen Augenblick. Ein Bild, eingestimmt auf: Es war einmal gewesen.*
Mir traten Tränen in die Augen. Denen, die bei uns standen, erging es ebenso. Niemand hätte es gewagt, zum Weitergehen aufzufordern. Gebannt starrten wir auf die kleine, zusammengesunkene Gestalt am Fuße des Sarges, die sich vorgenommen hatte, ihrem Kaiser zu danken für etwas, wovon wir keine Ahnung hatten. Heute Nachmittag fand der Trauerzug statt. Ganz Berlin war auf den Beinen, am Morgen schon, drängte es, ausgerüstet mit Proviantkörben und Sitzgelegenheiten, zur Straße Unter den Linden, um sich dort für das Spektakulum einzurichten. Wenngleich allen darum zu tun war, ihre Trauer sichtbar zum Ausdruck zu bringen, das Sensationelle präponderierte zweifellos und gab dem Geschehen einen Stich ins Groteske.
Die Gendarmen und Soldaten taten mir leid, die für Ordnung zu sorgen hatten und bald von der schiebenden und stoßenden Furie kapitulieren mußten. Mit den Zöllners zusammen hatten wir das Wagnis unternommen, uns in den massierten Block erwartungshungriger Menschen einschweißen zu las-

sen. Eine unheimliche Bewegtheit bemächtigte sich der Straße. Die Unruhe korrespondierte mit einer Stille, die gespenstisch wirkte.
Auch wir sprachen kein Wort.
Gegen einhalb Zweiuhr nachmittags schob sich die Spitze des Zuges in die Straßenflucht. Dumpfes Trommeln flog ihr voran, untermalt vom Klappern Hunderter von Pferdehufen. Die Menge erstarrte in pflichtschuldiger Anteilnahme, wenn der Leichenwagen mit dem vergoldeten Purpursarg sie passierte, umgeben von hohen Offizieren, die den Baldachin trugen, und gefolgt vom Leibroß des toten Königs, das gesattelt, wie zum Ausritt bereit, mit hängendem Kopf hinterdrein trottete.
Im Abstand schritt der neue Kronprinz, bei aller Jugendlichkeit würdig und verschlossen, in seinem Schmerz allein, vor den Abordnungen der Könige, Fürsten und Prinzen aus aller Herren Länder. Mehr noch als auf dem schwarzverhüllten Ritterhelm oberhalb des Sarges ruhten die Augen der Zuschauer auf Kronprinz Wilhelm, dessen Erscheinen eine beinahe unziemliche Unruhe erzeugte. Sich der Aufmerksamkeit bewußt, die er erregte, gab er seinem Gang etwas Aufrechtes und Strammes.
Wir sahen ihm lange nach, während er unter den Klängen von Chorälen und Totenmärschen im schwarzen Strom des Trauergeleits allmählich verschwand.
Nach dem Zug gingen wir zu den Zöllners. Der Kaffeedunst, der uns schon an der Tür empfing, entschädigte uns für den beißenden Weihrauchschleier, der unseren Kleidern anhaftete und die ganze Stadt zu überziehen schien. Es wurde eine besinnliche Kaffeerunde, in der das Klirren der Tassen und Klappern der Gabeln die Begegnung mit dem Tod allerdings nicht vergessen machen konnten. Das Memento Mori war in jeder Minute zugegen und bestimmte auch die Gesprächsthemen. Er habe Bismarcks Schatten neben dem Sarg des toten Kaisers gesehen, meinte Papa. Im Grunde sei es eine Doppelbeerdigung gewesen, genau genommen, sogar mehr: Neben dem Kaiser und Bismarck habe auch der Bismarckstaat Lebewohl gesagt. Auf unseren Widerspruch hin gestand er schließlich ein, daß er vor dem Politiker Bismarck höchste Achtung habe. Als Mensch allerdings sei er ihm zuwider.
Damit hatte er bewußt oder unbewußt Öl auf unsere Lampen gegossen. Herr Zöllner wollte auch den Politiker Bismarck in Grund und Boden verdammt wissen. Er habe zwar die deutsche Einheit und Freiheit – beides nannte er in einem Atemzug – formell ermöglicht, ihre Einlösung vor der Welt aber bis auf den Tag boykottiert.
Auf Papas Nachfrage hin, worin diese Einlösung denn bestehe, meinte er: »Größe, Stärke und Geltung.«

Ich sah sofort Papas Gesicht an, daß er damit nicht einverstanden war. Wenn ich ihn richtig interpretiere – vorausgesetzt, ich habe wirklich immer genau zugehört – dann ist Freiheit für ihn nur das Ergebnis einer lernbereiten Hingabe an das Weberschiffchen Leben, in dessen feinen und groben Maschen wir ja bekanntlich alle zappeln.

20. KAPITEL – BERLIN, OKTOBER 1888

Das Dreikaiserjahr – wie es hieß – ging zu Ende. Im Juni schon war Friedrich III. einem unheilbaren Leiden erlegen und hatte seinem Sohn den Weg zur Regentschaft frei gemacht. Der junge Kaiser, so selbstbewußt im Auftreten wie unverbraucht an Ideen, figurierte inzwischen als Garant eines Wunschdenkens, nach dem alles nur besser werden könne.
Im August hatte Theo Berlin wieder einmal gegen Krummhübel im Riesengebirge eingetauscht und war mit Dr. Friedlaender, Freund und Briefpartner seit vier Jahren, zusammengetroffen. Sie hatten, wie oft schon, Spaziergänge unternommen, auf luftigen Höhenwegen, des besonderen Ozongehalts wegen, wie Theo behauptete, und über den Mut von Theos jüngstem Sohn Friedel gesprochen, der mit vierundzwanzig Jahren einen eigenen Verlag gegründet hatte.
»Um so bemerkenswerter, Ihr Sohn«, schmeichelte Dr. Friedlaender Theo, »aber offensichtlich leben wir in einer Zeit der bemerkenswerten jungen Leute.«
Die Anspielung war deutlich gewesen.
»Jung schon«, sagte Theo, »aber das macht es ja nur schlimmer.« Komme dazu noch Ehrgeiz, meinte er, seien immer unangenehme Veränderungen zu erwarten.
»Und zu erhoffen«, griff Dr. Friedlaender sofort zu. Mit dem jungen Kaiser könne Bismarck Gott sei Dank nicht mehr so herumspringen wie mit dem alten Herrn.

Im September – inzwischen zurück in Berlin – nahm Theo jenen Roman wieder in Angriff, zu dem Dr. Friedlaender den Stoff geliefert hatte: »Quitt«.
»Unwiederbringlich«, ganz fertiggestellt, wartete darauf, einem Ver-

leger angeboten zu werden. Der letzte Wanderungsband war auf dem Markt erschienen und hatte Friedel zu der Bemerkung veranlaßt, der Vater wäre besser gefahren, solange zu warten mit der Herausgabe, bis der Verlag Friedrich Fontane und Co. seinen Betrieb aufgenommen hätte. Auf diese Weise könne das Geld in der Familie bleiben. Eine Selbsteinschätzung, deren Hochfahrenheit Emilie nur sauer den Mund verziehen ließ.

Es war Spätsommer, und das Jahr hatte seine Versprechen fast eingelöst. Das Neue, verbunden mit dem Namen des jungen Regenten, begann Spuren zu hinterlassen. Mit wachem Interesse hatte Theo die Nachrichten über die Maiunruhen an der Ruhr in der Zeitung verfolgt und mußte mit Erstaunen zur Kenntnis nehmen, daß er sich in der Einschätzung des Kaisers geirrt hatte.
»Kein Militär gegen die streikenden Bergleute?«
Das Ritterkreuz des Hohenzollerschen Hausordens, der ihm Dezember des vergangenen Jahres auf Betreiben des Kultusministers Goßler verliehen worden war, bekam vor dem Hintergrund ein anderes Gewicht. Zugleich aber stellte sich das angeborene Mißtrauen wieder ein.
Im Juni beendete Theo seine Kritikertätigkeit in der Vossischen Zeitung mit dem Hinweis auf sein fortgeschrittenes Alter, erbat sich aber gleichzeitig aus, weiterhin Artikel, wenn auch sporadisch, veröffentlichen zu dürfen.
Emilie hielt sich dieses Mal bedeckt und verzichtete auf die große Szene, selbst in Anbetracht der Tatsache, daß durch die Kündigung 800 Taler Einnahme jährlich verloren gingen.
»Es ist unübersehbar«, hatte sie Mete gestanden, »aber bei aller Gekkenhaftigkeit, die Papa noch an den Tag legen kann, hat er seine Jahre auf dem Buckel. Er muß Ballast abwerfen.«
Die Großzügigkeit war ihr deshalb so leicht gefallen, weil sich die Wanderungsbände zufriedenstellend verkauften, wie auch seine gesammelten Gedichte, die dieses Jahr in die dritte Auflage gehen sollten. Bei den Romanen stand für die Zukunft ähnliches zu erwarten.
»Im Grunde bist du zu beneiden«, meinte Karl Zöllner bei einer der immer rarer werdenden Sitzungen des Rütli-Clubs. »Mir wachsen zwar Geheimratsecken, bei dir aber die Umsätze.«
Emilie, die solche Komplimente nicht ungern hörte, auch wenn sie

weit an der Wirklichkeit vorbeizielten, schwieg dazu und überließ es Theo, wenn es schon sein mußte, für die Richtigstellung zu sorgen. Er mache sich gar nichts vor, milderte er die Schmeichelei ab, beneidenswert sei er nur in einer Sache: Die Jungen hätten beruflich gut eingeschlagen, etwas anderes wäre es mit Mete. Ansonsten aber bleibe es in seinem Falle wohl bei der Mauselochexistenz, die er in seiner Mansarde führe. Großes erwarte er nicht, vielmehr hielte er es auch gar nicht für wünschenswert. Er kenne Leute – Geheim- und Kommerzienräte, ausgestattet mir allen Ehrenzeichen, die Kaiser und Reich zu vergeben hätten – und die trotzdem nichts anderes täten, als weiterhin Jagd darauf zu machen.

»Ich möchte mir solche Erbärmlichkeiten ersparen«, verdeutlichte er noch einmal seine Absicht, »schlimm genug, daß der Staat anfängt, unsereins mit Medaillen auszustatten, wie Preisträger bei einer Hundeausstellung. Darum könne er ihm auch gestohlen bleiben.«

Das Verdikt, so unüberlegt wie kategorisch formuliert, veranlaßte Emilie zu einem maßregelnden Blick. Aber Theo bekannte sich freimütig zu seiner Einstellung, die ihn nicht zuletzt auch deshalb stolz machte, weil er sie mit Nietzsche teilte.

»Du liest Nietzsche?« fragte Karl Zöllner, nicht ohne Erstaunen. Den alten »Zarathustra« habe er sich vorgenommen, bekannte Theo, und gleich danach auch »Jenseits von Gut und Böse« und »Genealogie der Moral«. Wenn er auch in vielem den landläufigen Geschmack ablehne, in der Hinwendung zu Nietzsche aber gebe es einen Berührungspunkt. Doch darüber zu reden, habe er keine Lust. Ohnehin träfe man sich in Kürze im Freiherrlichen Haus der Wangenheims, wo solche Themen hingehörten.

Eine gute Woche später soupierten beide Fontanes in der Bibliothek der Wangenheims, wohin die zum Gesprächskreis geladenen Gäste dieses Mal plaziert worden waren. Zu ihnen gehörten die Zöllners, Professor von Heyden mit Frau Josephine und der Oberhofprediger Koegler vom Berliner Dom. Nach dem Souper wurde für gewöhnlich ein Wein gereicht, süß und vollmundig, weil er den Geist anrege, wie der Gastgeber behauptete. Dann einigte man sich auf den Protokollanten. Professor von Heyden übernahm wieder die Aufgabe.

Mittelpunkt der Konversation war sofort Seine Majestät – notierte er – *Herr Fontane äußerte seine Bedenken über den politischen Kurs des Kaisers, dem er eine betont aggressive Außenpolitik unterschob. Er begründete seine*

Ansicht mit der veränderten Einstellung zur Sozialdemokratie, die ihre Rolle als Prellbock für Animositäten jeglicher Art ausgespielt habe. Allerdings vermute er hinter diesem Akt überraschender Menschlichkeit weniger einen Ausbruch von Benevolenz, viel eher eine Vergewaltigung vormals granitener Grundsätze im Dienste der Selbsterhaltung. Das Raubtierrudel, das ein Bismarck noch unter Kontrolle habe halten können, sei nun dabei auszubrechen. Der soziale Frieden seit dem Einigungskrieg eben nur eine Mogelei gewesen, die auf Bismarcks Konto gehe. Jetzt zeige es sich, was es heißt, verschiedene Spezies in einen Käfig zu sperren. Alle hätten aus Angst nur gekuscht. Das aber sei jetzt vorbei. Um diese Situation zu meistern, habe der Kaiser auf ein Konzept zurückgegriffen, das leider den Teufel mit Beelzebub austreibe.
Selbst Oberhofprediger Koegler räumte ein, daß der Bergarbeiterstreik vom Mai zwischen dem Kaiser und Bismarck Gräben aufgeworfen habe, die ein endgültiges Zerwürfnis nicht ausschlössen. In der Tat sehe auch er eine Zunahme innerer Unruhe und Unbotmäßigkeit, die alle Lebensbereiche erfasse. Auch die Kunst und Philosophie. Weit mehr Sorgen als die Politik bereite ihm das Teufelswerk dieses Herrn Nietzsche, der alles, was existiere, mit einem Anti versehe, dabei bemerkenswerterweise so antidemokratisch und antisozialistisch wie antichristlich sei und eigentlich nur eines gelten lasse: Den rücksichtslosen Willen zur Macht. Daß er von vielen so begeistert gelesen werde, erfülle ihn mit Sorge. Seine Lehre vom Übermenschen könne einer gefährlichen Hybris den Boden bereiten und die Menschen dazu verleiten, Gott abzuschwören.
Diese Züge, meinte Herr Koegler bereits in der neuen Kunst zu sehen, die sich Naturalismus nenne und dabei sei, das Leben in seinen niedrigsten Ausdrucksformen zur Darstellung zu bringen. Der ganzen Richtung, der leider Herr Dr. Brahm kräftig Aufwind verleihe, sagte er, gehe es nur darum, das Bestehende in formlose Partikel zu zerlegen und selbst nicht vor dem Individuum halt zu machen, das zur Staffage eines Milieus degradiert werde. Daß Polizeipräsident von Richthofen gegen öffentliche Aufführungen naturalistischer Kunstwerke einzuschreiten gedenke, fanden alle Anwesenden bis auf Herrn Fontane angemessen. Seine Meinung begründete er mit der Lektüre eines naturalistischen Theaterstücks von einem gewissen Gerhart Hauptmann, betitelt »Vor Sonnenaufgang«.
Wie Herr Fontane ausführte, habe ihn die Arbeit davon überzeugt, daß der Naturalismus entphrast und entideologisiert, eine Weiterentwicklung des realistischen Literaturbegriffs werden könne. Allen Anfeindungen zum Trotz habe er vor, soweit es in seinen Kräften stehe, diese junge Richtung zu unterstützen.

21. KAPITEL – BERLIN, 1890

Am 20. Oktober hatte er Gelegenheit, sein Versprechen einzulösen. Im September schon war vom Verein »Freie Bühne für modernes Leben« mit Ibsens »Gespenster« die erste Veranstaltung durchgeführt worden. Um sich gegen den polizeilichen Zugriff zu schützen, fand sie unter Ausschluß der Öffentlichkeit statt. Drei Wochen später figurierte Gerhart Hauptmanns »Vor Sonnenaufgang« auf derselben Bühne und brachte Theo dazu, die längste Theaterkritik seines Lebens zu schreiben. Seine Laudatio für die ebenso neue wie anrüchige Richtung fiel so vehement aus, daß Emilie sich wiederum veranlaßt sah, Besorgnis anzumelden. Sie möchte keine Scherereien haben, vor allem nicht mit staatlichen Stellen, wußte sie deutlich zu machen, außerdem sei es ihr unerklärlich, daß ein Siebzigjähriger plötzlich sein Herz an Jugendtorheiten verliere. Theo mußte es akzeptieren, Hitzkopf und sogar mit anklägerisch-ironischem Unterton Jüngling genannt zu werden. Im vergangenen Dezember, anläßlich seines Geburtstags, hatte es sich gezeigt, daß ihm die literarische Schützenhilfe nicht vergessen worden war. Maximilian Harden, Publizist und Freund der naturalistischen Bewegung, veröffentlichte einen Essay, in dem er den Naturalismus als Weiterentwicklung der Werke eines Theodor Fontane würdigte.

Emilies Verstand, nahe daran auszusetzen, als sie von der angeblich literarischen Blutsverwandtschaft Kenntnis nahm, machte aus ihrem Herzen keine Mördergrube. Von der Lust, sich selber zu massakrieren, war abermals die Rede. Jedoch erwies sich das Argument als ebenso schwächlich, um Änderungen herbeizuführen, wie alles, was Emilie in ihrer besorgten Hilflosigkeit jemals vorgebracht hatte. Zumal Theo auch Würdigungen anderer Art ins Feld führen konnte.

»Du siehst, ich gehöre nicht ausschließlich der schwarzen Realistenbande an«, versuchte er sich im Zynischen, »ich habe auch noch meine Vorposten unter den anständigen Leuten.«

Mete gegenüber allerdings gestand er, wie wenig ihm der Rummel, der nun um seine Person angefacht würde, interessiere.

»Bloßes Theater«, meinte er, »da wurde einer siebzig, der ein paar Bücher geschrieben hat. Und sie machen sofort eine Meldung daraus. Was soll der Unsinn!«

Immerhin aber hatte er dem Chefredakteur der Vossischen Zeitung,

Stephany, keine Absage erteilt, als von ihm der Vorschlag gemacht wurde, den siebzigsten Geburtstag ihres bewährten Mitarbeiters in einer Feierstunde nachzuholen. Zwar waren Bedenken geäußert worden, Einwände aufgetaucht, sogar die zögerliche Bitte, darauf verzichten zu wollen, am Ende aber hatte die Kapitulation gestanden und die Zusage, wenn es sein müsse, zur Verfügung zu stehen.
Dabei war dieses Mal die Reserviertheit nicht von Theo zu verantworten gewesen. Sowohl Emilie als auch Mete hatten abweisend reagiert.
»Feierstunde im Englischen Haus?«
»Das ist feinstes Parkett, Mama.«
»Um so schlimmer.«
Beim Durchrechnen, was allein an Garderobe ausgegeben werden müßte, kam das Projekt ins Schwanken.
»Unmöglich. Solche Eskapaden werden uns ruinieren.«
»Und womöglich genieren, Mama, bei all den Leuten, die bestimmt zur Gratulationscour antreten.«
»Du hast recht, Mete. Es gibt mehr Unbekannte in dieser Rechnung, als es auf den ersten Blick erscheint. Vor allem Papa.«
Mete hatte kaum Zeit, ihr Gesicht in Kummerfalten zu legen, als Emilie schon weitersprach.
»Er wird uns weiß Gott blamieren.«
»Papa?«
»Der Gedanke schon treibt mir die Schamesröte ins Gesicht, er könne irgendeine seiner unpassenden Bemerkungen machen.«
»Da kennst du Papa schlecht.«
»Ich kenne ihn nur zu gut, Mete. Außerdem, was hat Papa auf dem großen Parkett zu suchen?«
»Ich dachte immer, Mama, das wäre dein Wunsch gewesen.«
Für eine Sekunde war ihr so etwas wie Betroffenheit anzumerken gewesen. Doch dann parierte sie gelassen:
»Natürlich, als es noch Sinn hatte. Aber heute ...«
»Heute, Mama?«
»Heute, Mete«, führte sie den Gedanken in schonungsloser Offenheit zu Ende, »haben wir den Anschluß verpaßt.«

Drei Tage nach dem zwischen Mutter und Tochter geführten Gespräch gaben sich der »Preßklub«, die »Literarische Gesellschaft«, der »Rütli« und die Vossische Zeitung im feudalen Englischen Haus des

Kaiserlichen Hoftraiteurs Huster die Ehre. An die 300 Gäste waren geladen und in der Mohrenstraße erschienen, unter ihnen auch die Fontanes. Metes Tagebuch vom 5. Januar 1890 hält darüber fest:

Der gestrige Abend steckte uns allen noch in den Gliedern. Wir haben fast den ganzen Tag über geschlafen. Am wenigsten wohl Mama, nachdem das Ereignis, dem sie mit gemischten Gefühlen entgegengesehen hatte, in seinen Erwartungen weit zurückgeblieben war. Alles hat nämlich seine Ordnung gehabt und funktionierte wie ein gut geöltes Räderwerk. Reden wurden geschwungen, Toaste ausgesprochen, Gedichte vorgetragen und Hände geschüttelt. Zwischen Freude und Rührseligkeit pendelnd, bewegte sich der Abend durch eine Programmgestaltung, die an Abwechslung nichts zu wünschen übrig ließ. Sogar Kultusminister Goßler war aufgeboten worden und hielt eine sehr eindrucksvolle, von Papa mit höchstem Lob bedachte Rede. Es war der Augenblick, als ich ihn zum ersten Mal die Augenlider etwas lüpfen sah. Kultusminister Goßler hatte nämlich in seiner Rede geäußert, der Staat müsse auch den Literaturformen eine Lebensberechtigung einräumen, mit denen er nicht unbedingt einverstanden sei.

Ansonsten hielt sich Papa bedeckt, machte artig seine Honneurs, schwieg mehr, als er sich unterhielt, und ließ die Ehrungen in tadelloser Haltung an sich vorüberziehen. Selbst da, als man seine berühmte Ballade »Archibald Douglas« vortrug und die Geladenen in Unkenntnis des Werks an der falschen Stelle zu applaudieren begannen. Mit demselben stoischen Gleichmut nahm er auch die Feststellung hin, daß unter den Gästen jene nicht aufzufinden waren, denen er in seinen Heldenballaden, Kriegsbüchern und Reisebildern ein Denkmal gesetzt hatte: Der märkische Adel. Statt dessen in großer Zahl Leute, deren Gesichter, geschweige denn deren Namen wir nicht einmal kannten.

Papa ließ sie vorüberziehen wie Figurengruppen in einem Schaukasten. In riesengroßen Buchstaben stand das: »Mumpitz«, in seinem Gesicht geschrieben. Und wer lesen konnte, der hatte an dem Abend schon seine Antwort.

Mitunter bewegte er sich wie ein Fremdling zwischen den Gästen, dann wiederum hellte sich seine Miene für Sekunden auf, eine Lebendigkeit überfiel ihn, die alles vorher vergessen ließ, um wieder einzutauchen in die bunte Choreographie des Festsaals, in dem jeder seinen Part zu Ende spielte, ohne vom anderen Notiz zu nehmen.

Mit äußerster Selbstkontrolle überstand Papa auch das, und es wäre am Ende um sein Durchhaltevermögen schlecht bestellt gewesen, wenn es nicht kleine Bonbons gegeben hätte, wie das eigens auf Papa abgestimmte Gedicht eines

Herrn Wolzogen, der darin Papas Aufgeschlossenheit für die neue Kunst rühmte.
Papa dankte es ihm, indem er den jungen Mann im Angesicht aller Versammelten umarmte. Ich glaube, daß er es aus einem tiefen Bedürfnis heraus tat, seine Zugehörigkeit vor allen zu bekunden. Damit erntete er natürlich wenig Beifall.
Als wir den Festsaal verließen – es mochte gegen 3 Uhr morgens gewesen sein und so knochenbrechend kalt, daß wir möglichst schnell nach Hause kommen wollten – bekannte Papa, eine ähnliche Prozedur nicht noch einmal durchstehen zu können. Solange er nicht wisse, wer eigentlich gefeiert worden sei – Theodor Fontane oder ein alter, braver Mann, dem man einen Gefallen tun wollte – lege er auf solche Outriertheiten keinen Wert.
Bei dem harten Wort blieb es, bis wir in unseren Betten verschwanden.

Ende Januar endlich erschien »Stine« im Vorabdruck. Der Roman, den die Verlage bisher wie ein heißes Eisen ängstlich zurückgewiesen hatten. Für April war die Buchausgabe bei Friedrich Fontane & Co. geplant. Die Veröffentlichung des als unsittlich eingestuften Werks schien zu beweisen, daß sich der Zeitgeist tatsächlich gewandelt hatte und auch härtere Töne vertragen konnte.
Schon Henriette von Merckels Tod im vergangenen Jahr hatte Theo zu der Äußerung veranlaßt, man könne nun getrost vom Gewesenen Abschied nehmen. Mit Henriette sei die Nachhut des alten Reichs dahingegangen und nun Bismarck an der Reihe. Ähnliches hatte er schon beim Tode Bernhard von Lepels vor fünf Jahren behauptet. Ende Januar stellte sich eine Situation ein, die die Prognose in die Nähe eines Tatbestandes rückte. Bismarck, der dem Reichstag eine Vorlage zur anstehenden Verlängerung des Sozialistengesetzes unterbreitet hatte, mußte mit einer Ablehnung den Rückzug antreten, nicht ohne grollend auf den bewährten Grundsatz zurückzugreifen, im Angriff liege die beste Verteidigung. Aber seiner Forderung wurde vom Kaiser sowenig Sympathie entgegengebracht, wie die Februarwahlen eine Zusammensetzung im Reichstag ergaben, die Bismarck genehm sein konnte.
»Dem ollen Haudegen geht's nun endgültig an den Kragen«, meinte Theo, nachdem er das Ergebnis der Stimmenauszählung gelesen hatte, »daß ausgerechnet die Sozis nun stärkste Partei im Reichstag sind, ist nicht nur ein Ulk, den sich die Geschichte erlaubt, sondern Bis-

marck sicher auch ein Magengeschwür wert. Ich denke mir, deutlicher hätte man es dem Alten nicht sagen können, daß sein Sozialistenspuk ausgedient hat und nun andere Geister gerufen werden, die Lücke auszufüllen.«
Einige Tage später vertraute er Karl Zöllner anläßlich einer Feierstunde zum 25jährigen Bestehen des Berliner Geschichtsvereins an, er könne sich gut vorstellen, England oder Frankreich an die Stelle treten zu sehen, vielleicht auch Rußland, um den Lukas zu machen.
»Wenn nötig«, fügte er mit sarkastischem Unterton hinzu, »auch alle drei zusammen. Auf jeden Fall scheint der Kaiser willens zu sein, den Augiasstall Bismarckscher Provenienz leerzufegen, um ihn mit seinen eigenen Fäkalien zu bekleckern.«
Daß die gewählte Tonart ihrer Umgebung wenig angepaßt war, wußte Karl Zöllner sogleich mit einer warnenden Geste deutlich zu machen.
»Bitte ...« meinte er dann apodiktisch, um nicht sagen zu müssen, was er von der Äußerung hielt: Daß sie nämlich an Majestätsbeleidigung grenzte.

22. KAPITEL

Dr. Brahm war bis zum Abend geblieben. Er hatte bei den Fontanes zu Mittag gegessen, gegen vier Uhr Kaffee und Kuchen genommen und sogar das Abendbrot nicht ausgeschlagen. Zwischendurch war man etwas spazieren gegangen, die Potsdamer Straße herunter zum Botanischen Garten, um sich die Füße zu vertreten, die vom langen Sitzen taub zu werden begannen. Und lange gesessen hatte man an diesem 1. Juni auch: Morgens in der Freien Bühne, jenem Avant-Garde-Theater, das Gerhart Hauptmanns »Friedensfest« in einer Uraufführung inszeniert hatte. Danach im Salon der Fontanes, weil Dr. Brahm nicht aufgeben wollte, Theo umzustimmen. Vor Beginn der Vorstellung am Morgen hatte er nämlich feierlich allen, die es hören wollten, erklärt, mit dem heutigen Tag ende seine Rolle als Kritiker für die Freie Bühne. Er sei zu alt, müsse mit seiner Kraft haushalten. Und außerdem viel zu klapprig, um noch als Schlachtroß zu taugen. Er ziehe sich nun endgültig in seine Eremitage zurück.

Allein Dr. Brahm wollte sich damit nicht zufrieden geben. Dem Achselzucken der anderen setzte er ein energisches: »Wir wollen doch mal sehen« entgegen, um sich Theo sofort nach Ende der Vorstellung an die Fersen zu heften.
Gemeinsam waren sie durch das sonntägliche Berlin gewandert, hallenden Schritts zur Mittagszeit, hatten aufeinander eingeredet, um immer wieder feststellen zu müssen, daß ihre Positionen zu weit auseinandergerückt waren, um eine Annäherung möglich zu machen.
»Es bleibt dabei?« fragte Dr. Brahm schließlich, sichtlich erschöpft. Theo, der ein Taschentuch hervorgezogen hatte, um sich den Schweiß von der Stirn zu tupfen, gab sich weiterhin bedeckt. »Es bleibt so, wie angekündigt«, erklärte er etwas atemlos, »Sie sehen ja, die Jahre lassen sich nicht ungeschehen machen.« Für Ringkämpfe, auch verbale, sei er der denkbar schlechteste Mann. Er könne sich keine Feindschaften mehr erlauben. Diejenigen, die ihm seine Kritikertätigkeit im Königlichen Schauspielhaus eingetragen hätten, seien belastend genug gewesen, um sie jetzt im Alter noch einmal wiederholen zu müssen. Außerdem wisse er gar nicht, wielange er noch lebe. Sein Vater sei im 72. Lebensjahr verstorben. Wer könne ihm garantieren, älter zu werden. Außerdem habe er vor, noch einige Werke zu schreiben. Das alles zusammengenommen, lasse gar keinen anderen Schluß zu, als von der Kritik, jedenfalls der regulären, Abschied zu nehmen. Der Einladung, sich für die Absage mit einem Essen entschädigen zu lassen, war Dr. Brahm nicht nur aus Höflichkeit gefolgt, obwohl den Nachmittag über im Salon der Fontanes kein Wort mehr darüber geredet wurde.
Gegen neun Uhr verabschiedete sich Dr. Brahm, bedankte sich für die großzügige Bewirtung und zeigte sich nicht im mindesten erstaunt, als Theo ihm anbot, noch ein Stück Wegs mitzugehen. »Es ist eh die Zeit, wo ich meine Runde drehe«, meinte er. Aus Dr. Brahms Nicken ließ sich entnehmen, daß er darum wußte. »Ihre Hartnäckigkeit ist bewundernswert, Doktor, und sicherlich das beste Kompliment, das Sie sich und Ihrer Sache aussprechen können«, erklärte Theo, nachdem sie das ebenso karge wie wehrturmartige Treppenhaus verlassen hatten, auch um deutlich zu machen, daß er den Schachzug seines Gastes durchschaut hatte. Die Luft war schon gräulich. Vom Himmel strahlte jenes pastellene Licht, das die Schwebe hält zwischen Tag und Nacht. An den Lindenbäumen entlang des Trottoirs zogen die Knospen ihre Köpfe ein. Und während Theo und

Dr. Brahm an der Gitterfront des Hauses einschwenkten in die Straßenflucht, um zum Potsdamer Platz weiterzugehen, schlossen sich die Vorhänge hinter den Fenstern, die nun wie große tote Augen an den hohen Fronten der Häuser klebten. In der Nähe des Potsdamer Platzes brannten schon die Gaslaternen.
Die ganze Zeit über, während sie kräftig ausschritten, hatten sich Dr. Brahm und Theo unterhalten, ergebnislos, obwohl Theo seinem Begleiter klarzumachen versucht hatte, daß die Freie Bühne seiner Hilfe gar nicht bedürfe.
»Die neue Kunst hat doch alles auf ihrer Seite, was zukunftsweisend ist«, sagte er, »formales Können, künstlerische Redlichkeit und inhaltliche Wahrhaftigkeit, wenn sie sich nur vor Übertreibungen hütet, was ich auch diesem Gerhart Hauptmann wünschen möchte.« Aber auf Dauer werde niemand dieser Kunst den Rang streitig machen können, fügte er an. Schon gar nicht das Hoftheater mit seinem Mummenschanz und auch nicht ein Wagner. Nachtschwärmer begegneten ihnen, die Gesichter rotglühend in Erwartung aufregender Stunden. Dr. Brahm senkte seine Stimme, wenn sie auf Hörweite kamen, als gebe er etwas preis, was für diese Ohren am wenigsten bestimmt war.
»Sie mögen recht haben«, sagte er dann, nicht ohne Skepsis, »aber niemand kann sagen, wann es soweit ist. Wagner schlägt in Bayreuth alle Rekorde. Er ist das aufsteigende Gestirn am Bühnenhimmel. Wir aber sind nur ein polizeilich eben geduldeter Freizeitverein.«
Während der folgenden zehn Schritt schwiegen sie. Dann eröffnete Theo ihr Gespräch erneut mit dem Hinweis, daß er »Parsifal« im letzten Jahr gesehen habe.
»Quasi nur angesehen«, präzisierte er, »um schon bald die Flucht zu ergreifen. Trotzdem, Doktor, dieser Wagner ist ein ernstzunehmender Gegner. Alles zwar nur Spekulation auf das Bedürfnis nach Größe und Geltung. Immer Entweder – Oder und letzte Dinge. Tubageblase und Herumgestampfe. Alles kolossale Ergriffenheit und mythisches Wehen. Aber es paßt genau in die Landschaft derer, die heute in der Politik den Ton angeben.«
Dr. Brahm nickte.

23. KAPITEL – ELSENAU, 1891

Aus dem Tagebuch Mete Fontanes:

Gut Elsenau, 22. April 1891
Wir haben Zuzug erhalten. Gestern abend noch – Lise, Richard, ihr Mann, und ich saßen plaudernd auf der Veranda beisammen – trafen Onkel Witte und Tante Anna ein. Die lange Fahrt hatte Spuren an ihnen hinterlassen, besonders an Onkel Fritz, der unter Atemnot litt und eine Gesichtsfarbe vorwies, die eine Kalkwand rosé erscheinen läßt. Er legte sich sofort ins Bett, nachdem ich ihm – wer könnte es auch anders machen – den harntreibenden Tee verabreicht hatte.
»Komme ich eines Tages ganz von den Beinen«, kommentierte er in seiner freundlichen Art und nicht ohne Galgenhumor meine Bemühungen, »dann werde ich dich als Krankenschwester engagieren.«
Er mag nicht ganz unrecht haben mit seiner Einschätzung. Lasse ich die Jahre Revue passieren, dann war mein Tun nie weit davon entfernt. Vor allem, wenn es darum ging, Papa zu umsorgen. Was an ihm größer ist – sein schriftstellerisches Talent oder seine Fähigkeit, Alltagslasten anderen aufzubürden – bleibt wohl als Frage für mich unbeantwortbar bis zum Ende meiner Tage. Nun, so die Jahre über in die Pflicht genommen worden zu sein, hat mir sicherlich nicht nur geschadet, sondern auch Vorteile gebracht. Immerhin bin ich ein gern gesehener Gast, wohin ich auch komme, selbst hier auf Gut Elsenau, das Lise mit ihrem Mann Richard Mengel und ihren Kindern bewirtschaftet.
So recht deutlich geworden ist es mir am Bett Onkel Wittes, daß es für mein Leben – will man es beschreiben – nur ein gültiges Zeichen gibt: Den Kreis. Das Symbol des Beharrens und Verbleibens. Für wen nur?
Beim Frühstück heute morgen überkam mich ein Frösteln, als Onkel Witte von seinem Testament sprach, so offen und unbekümmert, als sei damit nicht gleichzeitig vom Tod die Rede.
Er hoffe seiner Krankenschwester, wie er sagte, den pflichtschuldigen Dank eines Tages auf diese Weise abstatten zu können, und sprach damit unter heftigem Erröten meinerseits einen Punkt an, der mich in Vibration versetzte. Mit dem Ergebnis, daß ich keine Ruhe mehr fand. Ich mußte immer an Papa denken. Und die Vorstellung, er könne sterben, lähmte meinen Verstand. Sooft ich mich von der Obsession zu befreien versuchte, holte sie mich ein, schneller noch als zuvor, und bürdete mir eine Hilflosigkeit auf, die zu be-

schämend war, um sie jemandem mitzuteilen. Darum war meine Entschuldigung heute abend, ich könne einer Migräne wegen am Essen nicht teilnehmen, weniger eine konvenable Notlüge als der bittere Extrakt einer Wahrheit, der ich mich ganz allein zu stellen habe. Möge mir der liebe Gott helfen!

Gut Elsenau, 21. Juni 1891
Der Sommer klopft an und erinnert mich daran, daß es neben Krankheit und Tod anderes gibt: Fülle und Reichtum des Lebens. Mit Gertrud, Lises ältester Tochter, gleichzeitig mein Patenkind, gehe ich jetzt öfter spazieren, weil weniger Arbeit anfällt. Alles rundum sollte mich trösten mit seiner Schönheit, tut es aber nicht. Der Gedanke an Verlust und Abschied liegt wie ein Alb auf meinem Gemüt und verdüstert mir die Stimmung. So hartnäckig, daß er dem Fluß meines Denkens seinen Willen aufzwingt. Papa ist nun einmal 72, ein Mann im Sterbealter. Bewußt geworden ist es mir in schrecklicher Weise während Onkel Wittes Anwesenheit, aber auch danach. Es gibt eben Zeichen am Wege.
Ist es Zufall, daß Papas Werke als Gesamtausgabe just zu einem Zeitpunkt erscheinen, wo es mit seiner Gesundheit schlechter bestellt ist denn je? Wenn Papa – wie im Frühjahr – seine Manuskripte liegenläßt, um ins Bett zu kriechen, dann ist höchster Alarm geboten. Mamas neuerliche Beschwichtigungsversuche, es seien nur wieder Papas Empfindlichkeiten gewesen, die ihm den Blutandrang im Kopf vorgegaukelt hätten, klingen bei diesem Hintergrund ganz und gar nicht überzeugend. Es ist etwas Beängstigendes im Anzug, das spüre ich mit der bewährten Feinnervigkeit, die mich die Tochter meines Vaters sein läßt. Was treibt ihn um Himmels willen plötzlich dazu, ein so ausgeprägtes Interesse an seiner Kindheit zu entwickeln, wenn nicht die Vorahnung seines Endes?
Unter dem Strich, sagt man, bleibe das Leben nichts schuldig. Am Schluß sei die Bilanz ausgeglichen.
Ist nicht der Schillerpreis, der Papa vor zwei Monaten verliehen wurde, ein solcher Wiedergutmachungsversuch des Schicksals?
Auch wenn er großspurig, wie er in diesen Fällen verfährt, das Ereignis zum Anlaß nahm, seinen Hohn erneut auszuschütten über die staatlich verordneten Dichterehrungen, die ihm widerlicher seien als jede ernstgemeinte Feindschaft.
Daran allerdings fehlt es ihm nicht, seit er Dr. Brahm und den Naturalisten eine so rüde Absage erteilt hat, auch wenn andererseits Papas Roman »Unwiederbringlich« gerade in einer Zeitschrift seinen Vorabdruck feiert, die ihn

zum ersten Mal weit über die Grenzen des Deutschen Reiches bekannt macht.
Etwas zerbricht, das fühle ich, und wirft mich aus der Bahn. Einen Kreis habe ich sie genannt. Keine bessere Figur hätte ich wählen können. Denn ein Kreis schließt etwas ein: Papa.

Gut Elsenau, 13. August 1891
Es gilt, an die Rückreise zu denken. Wochen unbeschwerter Fröhlichkeit, angestrengter Beschäftigung, aber auch schmerzhafter Besinnlichkeit gehen zu Ende. Lise hat wieder Berge von Würsten und Schinken zusammengetragen, wohl in der Meinung, Berlin sei eine belagerte Stadt und alle, die darin wohnen, Hungerleider. Um unsere gemeinsame Zeit würdig abzuschließen, waren Gäste eingeladen, ein Gutsherrenehepaar aus der Nachbarschaft mit Sohn, dazu ein Ingenieur, Landvermesser seines Zeichens, der im Augenblick in der Gegend zu tun hat und von Richard, Lises Mann, gleich mit zu Tisch gebeten wurde. Des herrlichen Wetters wegen – der Abend war so lau, daß die Luft wie Seidenpapier knisterte – hatte das Beisammensein draußen stattgefunden, unter der Kastanie im Hof. Gegessen wurde kaum etwas, der Wärme wegen, dafür um so mehr getrunken: Most, Limonade und Wasser. Vom Alkohol wollte keiner etwas wissen. So blieben alle nüchtern und mühten sich nach Kräften, mir den Abschluß meines Aufenthalts in Elsenau so angenehm wie möglich zu machen. Umsonst!
Melusine hatte wieder das Sagen und verleidete mir den Abend. Nichts konnte mir recht sein. Die Gespräche waren zu schal oder niveaulos, die Leute zu uninteressant oder unverschämt. Dabei hätte mir dieser Ingenieur beinahe gefallen, wenn er nicht gerade in jenen Ton des Komplimentemachens ausgewichen wäre, den ich schon in meiner Zeit als Erzieherin auf Gut Kleindammer oder bei Mrs. Dooly hassen gelernt habe.
Was bringt die Männer nur dazu, jede unverheiratete Frau, die eben passabel genug aussieht, um wahrgenommen zu werden, auf die Liste des jagdbaren Wildes zu setzen?
Die widerliche Verblasenheit des Typs Mann, der sich im Lande epidemisch auszubreiten beginnt? Jene dümmliche Manier, in der Frau immer das Zukurzgekommene wittern zu müssen? Oder ist es der Patriarchenstolz, der sich stets beweisen muß?
Was es auch sei. Auf mich macht es nicht nur keinen Eindruck, es stößt mich ab und vergällt mir die Anwesenheit solcher Leute, wenn es nicht sogar dahin kommt, wie gestern geschehen, daß mich schiere Verzweiflung erfaßt.
Wie würde mein Leben verlaufen, wenn Papa nicht mehr da wäre? Der Ge-

danke an jene dann in Gang kommenden Zwangsläufigkeiten drückt mir das Herz ab. Nichts von dem, was ist, bliebe! Wie eingeschränkt meine Welt funktioniert, wie zugeschnitten auf Papa, Mama, den Freundeskreis wird mir so recht bewußt. Himmelhoch thronend über dem Geschnatter und Gerenne des Alltags, genügt ein leichter Stoß, um mich herunterpurzeln zu lassen in die tiefsten Tiefen.
Keiner würde das vermuten! Oder doch?
Ansehen lasse ich es mir jedenfalls nicht, wie ich mich fürchte.

24. KAPITEL – BERLIN, 1892

Der 72. Geburtstag war schweigend vorübergegangen. Glückwunschtelegramme hatten sich zwar zuhauf eingestellt, von einer festlichen Begehung des Tages aber war auf Theos ausdrücklichen Wunsch hin keine Rede gewesen.
Wer würde sich seinetwegen schon auf den Weg machen, hatte er seine Abneigung gegen eine Feier zu erklären versucht, die alten Freunde seien fast alle tot, der Rest so kränklich, daß er kaum noch hinten hoch käme. Und außerdem: Was könne ein alter Zausel wie er schon bieten, um andere Menschen dazu zu bringen, ihre Behausung zu verlassen?
Emilies Schelte, solche Selbsterniedrigungen seien sicher nicht geeignet, das Klima des Zusammenlebens zu verbessern, zeigte er knurrend die kalte Schulter und war selbst da nicht bereit, seinem Misanthropismus abzuschwören, als Emilie ihm anhand der Zuschriften aufrechnete, daß sich ganz entgegen seinem Pessimismus alle Welt um ihn zu bemühen schien.
»Konventionalismus«, schwächte er unbelehrbar ab, »ich hab ein paar Orden abgekriegt. Man hat mich gedruckt. Dann darf man schon ein gewisses Maß an Aufmerksamkeit erwarten.«
Emilie vermochte er sich damit erfolgreich vom Leib zu halten. Allerdings selten genug auf diese Art, weil er die Tage eigenbrödlerisch hinter seinem Schreibtisch verhockte, beseelt von einer zersetzenden Zwanghaftigkeit, die immer weniger an Eifer, statt dessen immer mehr an Verzweiflung denken ließ.
Den Mahlzeiten brachte er kaum noch Interesse entgegen.

»Wie mager Papa geworden ist«, bemerkte Mete Ende Januar zur Mutter, deren ausweichendes Schweigen Mete nur weiter verunsicherte. Nachts ließ sie ihren Gefühlen freien Lauf und weinte oft bis in den Morgen hinein. Anna, die Wirtschafterin, bemühte sich regelmäßig, ihre anzügliche Miene zu verbergen, wenn sie den leeren Teller vom Tisch zurücknahm, vor dem der Gnädige Herr eine halbe Stunde wortlos starrend gesessen hatte.
Gegenüber Karl Zöllner bekannte Emilie, daß ihr Theos absonderliches Verhalten Sorge bereite, und bekam den Rat, schleunigst mit ihm einen Arzt aufzusuchen.
»Theo ist immerhin im 73. Lebensjahr«, meinte der Freund im Dringlichkeitston, »da sollte man nicht zu lange zaudern.« Eine Einstellung, die auch Mete bei dem zweiten mit der Familie befreundeten Ehepaar, den von Heydens, vorfand, als sie ihr Leid klagte.
»Diese brüskierende Art paßt wirklich nicht zu deinem Papa«, bestätigte Frau von Heyden, »er ist ein ganz anderer Mensch geworden.« Daß sie zu Mete ein besonderes Vertrauensverhältnis aufgebaut hatte und nicht umsonst Tante Josephine von ihr genannt wurde, zeigte sich in den folgenden Minuten auf eindrucksvolle Weise. Schluchzend war sie ihr an die Schulter gesunken, um dann, als sei alle Schwäche von ihr gewichen, mit fester Stimme zu sagen:
»Ja, ein ganz anderer Mensch, Tante Josephine, so wie einer, der auf den Tod wartet.«
Immerhin gab es genügend Beweise, die eine solche Behauptung in die Schranken wiesen. Denn die zersetzende Zwanghaftigkeit, mit der Theo Stunde um Stunde am Schreibtisch ausharrte, trug ungeachtet aller dunkelmalenden Prognosen Früchte. Der Roman »Die Poggenpuhls« konnte beendet werden. »Effi Briest«, seit längerem in Arbeit, machte zwar Mühe, gewann aber weiter an Kontur. »Mathilde Möhring«, ein anderer Roman, Ende des vergangenen Jahres in Angriff genommen und den Lebensweg einer ebenso tüchtigen wie klug berechnenden Frau beschreibend, deren Pfiffigkeit selbst Männer nicht gewachsen waren, mußte beiseite gelegt werden, so, als sei das Thema Theo plötzlich über den Kopf gewachsen.
Daneben gab es sogar Erfreuliches zu melden. Schon im vergangenen Jahr war »Quitt« der Öffentlichkeit vorgelegt worden und hatte, gemessen am Gegenstand dieser Wilddiebgeschichte, mehr Resonanz als erwartet gefunden. Im Augenblick füllte »Frau Jenny Treibel« jene für Vorabdrucke reservierten Spalten in der Deutschen Rundschau

aus, mithin in der Zeitschrift, die dem Roman »Unwiederbringlich« bereits internationale Aufmerksamkeit verschafft hatte. Doch nichts schien jenen Sog aufhalten zu können, der mit stupendem Ingrimm nach der Mansardenwohnung Potsdamer Straße 134c griff, in deren straßenwärts gekehrtem Zimmer ein müder, alter Mann mit Feder und Tinte sich seinem Schicksal in den Weg zu stellen versuchte.

Auf Metes Frage, wie es mit der Arbeit vorangehe, kam jetzt immer häufiger die Antwort: »Ich hab ein Brett vor dem Kopf.« Die Abendzeitung, ansonsten sakrosankt, weil reserviert für den Familienvorstand, blieb unberührt auf der Ablage. Vergessen waren auch die Gespräche über Literatur und Philosophie, die Mete so liebte und die konkurrenzlos alle anderen Kommunikationsangebote dominierten. Mit pergamentener Gesichtshaut, die so grau war wie der buschige Schnäuzer, der nun ungepflegt die Lippe überwucherte, sah sie den Vater durch die Wohnung geistern, als habe er beschlossen, vor seinem Tode noch einen Blick auf alles zu werfen. Ohne ein Wort an jemanden zu richten, verriegelte er sich dann in seinem Arbeitszimmer, um dort sitzend die ganze Nacht zu verbringen, während die Lampe auf seinem Schreibtisch brannte wie das ewige Licht auf der Deckplatte einer Gruft.

Selten genug waren jene Gelegenheiten, in denen er ein Auge zutat. Wenn es geschah, dann nicht für lange, weil ihn ein Bild aufschreckte, eine Vision, zu fürchterlich, um sie nicht in einem Schrei von sich schleudern zu müssen.

In solchen Augenblicken liefen Emilie, Mete und selbst Anna besorgt im Salon zusammen, um ihre Entschlossenheit zu bekräftigen, daß endlich etwas geschehen müsse.

»Papa braucht Dr. Delhaes, schnellstens!«

Theo hatte nichts dagegen. Für die anstehende Untersuchung war er sogar ins eheliche Schlafzimmer umgezogen und hatte sich dort ins Bett gelegt.

»Erschöpfung«, lautete die Diagnose des am Nachmittag eintreffenden Arztes, »ja, Gnädige Frau«, meinte er darauf zu Emilie, nachdem er sich die Hände gewaschen hatte, »irgendwann ist es soweit. Ihr Mann hat sein Alter und sollte kürzer treten. Das mit der exzessiven Schreiberei ist wohl ein- für allemal vorbei, wenn er keinen geistigen Zusammenbruch riskieren will. Zunächst aber muß etwas Belebendes her.«

Die Applikation von Wein wurde empfohlen. Mete besorgte ihn

gleich nebenan in der Huthschen Weinhandlung, kümmerte sich um die regelmäßige Verabreichung und fand sich bald in jener Rolle wieder, die ihr auf den Leib geschneidert zu sein schien: Als Krankenschwester. Selten mit soviel Befriedigung allerdings wie dieses Mal. Vor allem, weil sich schon in kurzer Zeit ein nicht zu übersehender Erfolg einstellte. Der Vater wurde wieder zugänglicher, sein Aussehen änderte sich. Die Haut verlor ihre gräuliche Tönung. Wie früher überprüfte er Kleidung und Frisur, bevor er die Wohnung verließ. Auch das kam jetzt öfter vor, wenn er die Abendzeitung studiert hatte – ein weiteres untrügliches Zeichen dafür, daß es mit seiner Gesundung aufwärts ging – und sich auf den Weg machte zum Potsdamer Platz oder Tiergarten.
»Gott sei Dank«, sagte Emilie trotz aller Skepsis, die Mete anmeldete.
»Ich weiß nicht, Mama«, sagte sie, »aber Papa zeigt so gar kein Interesse mehr an seinen Manuskripten.«
Das war in der Tat besorgniserregend. Aber ansonsten deutete nichts auf eine Verschlechterung hin. Die Genesung schien sich im Gegenteil fortzusetzen und sogar berechtigte Hoffnung auf eine völlige Heilung aufkommen zu lassen.
Anlaß dazu gab vor allem ein Telegramm aus dem Freiherrlichen Hause der Wangenheims, das wieder einmal zu einer philosophischen Soiree einlud. Emilie, davon überzeugt, daß Theo es in seinem Zustand ablehnen würde, sich einer Gesellschaft auszusetzen, sah sich in ihrem Erstaunen widerlegt.
»Papa will tatsächlich hingehen?« fragte Mete noch einmal überrascht nach.
»Er besteht sogar darauf«, gab Emilie ihrer Verwunderung Ausdruck, nicht ohne hintergründig durchschimmern zu lassen, daß sie der an ein Wunder grenzenden Leutseligkeit ihres Mannes mißtraute.

Protokoll der Sitzung vom 18. Februar 1892
Teilnehmer: Seine Hochwohlgeboren Geheimer Regierungsrat Freiherr von Wangenheim und Frau, Herr Dr. Rickert, Herr Fontane, Herr Prof. Dr. Fritsch und Frau, Herr Zöllner und Frau
Protokollant: Herr Zöllner
Uhrzeit: 21 – 24 Uhr

Herr von Wangenheim eröffnete die Gesprächsrunde mit der Entschuldigung, er beabsichtige entgegen der üblichen Verfahrensweise, den Abend thematisch einzugrenzen, und schlug vor, in Anbetracht der höchst undelikaten politischen Entwicklung in Europa, wie er sich ausdrückte, das Verhältnis des Deutschen Reichs zu seinen Nachbarn als einzigen Punkt auf die Tagesordnung zu setzen. Da kein Widerspruch erhoben wurde, forderte Herr von Wangenheim die Anwesenden zur Einschätzung der sich dramatisch zuspitzenden deutsch-französischen Beziehung auf. Alle bezeichneten sie ausnahmslos als bedenklich, wenn nicht gar langfristig gefährlich für den europäischen Frieden.
Professor Fritsch erinnerte noch einmal an die rasante wirtschaftliche Entwicklung der letzten Jahre, die das Reich an die Spitze der Industrienationen geführt habe. Daneben sei auch die innere Konsolidierung durch die wegweisende Sozialgesetzgebung bewältigt worden und habe dazu beigetragen, daß das Reich heute gefestigter und unangreifbarer dastehe als je zuvor. Was im Moment an Anwürfen und Protesten in der Welt auftauche, sei nur die zu verständliche Mißgunst Erfolgen gegenüber, die dem Reich internationale Geltung verschafft hätten.
Das in diesem Zusammenhang angesprochene Flottenprogramm der Regierung, dem vor allem der Kaiser seine besondere Unterstützung zukommen lasse, bewertete Herr von Wangenheim als eine sympathische Geste wiedergewonnener Männlichkeit.
Herr Fontane widersetzte sich der Auffassung mit dem Hinweis auf einen blindwütigen Wotanismus, der vor allem weite Kreise des Bürgertums erfaßt habe und auch übergreife auf die Arbeiterschaft. Dieser falsch verstandene Nationalismus, der dabei sei, sich nun überall im Lande Weihestätten zu bauen, werde dem Bestand des Reiches gefährlicher, als alle Gegner zusammen es seien könnten. Denn, so meinte Herr Fontane, er täusche nur über etwas hinweg, was trotz aller Bemühungen über fast ein Jahrhundert nicht zustande gekommen sei: Die Ideen der Freiheitskriege einzulösen.
Den Versuch, nun über eine kraftmeiernde Attitude äußerlich wett zu machen, was innerlich fehle, halte er für einen Irrweg.

Emilies Einschätzung, die Theos plötzlicher Genesung keine Bedeutung beigemessen hatte, sollte sich als richtig erweisen. Anfang März kam es zu einem ebenso unvorhergesehenen wie heftigen Rückfall, mit allen Symptomen des Januars, nur in einer gesteigerten Form. Er machte eine erneute Konsultation Dr. Delhaeses nötig, der dieses Mal Morphium verschrieb, das mit derselben Umsicht und Konsequenz verabreicht wurde wie vorher der Wein.
»Schläft er?« fragte Emilie, mit einer Ungläubigkeit in der Stimme, als sei dieser Zustand für sie längst unvorstellbar geworden.
»Fest wie ein Kind, Mama«, versicherte Mete und band sich wie zur Beweisführung die Schürze ab. Zu früh, wie es sich zeigte, denn zwei Tage später spreizte sich der Patient in einer Unerträglichkeit, die selbst Mete an den Rand ihrer Geduld brachte. Es war nicht zum Aushalten. Der Widerspruchsgeist ritt den Vater. Nichts war ihm recht. Sein Nörgeln ließ keine Situation, keine Möglichkeit aus. Als habe er beschlossen, alle unglücklich zu machen, sich nicht ausgeschlossen, teilte er seine Hiebe wahllos aus. Dazu begann er, über nicht lokalisierbare Schmerzen zu klagen, ranzte Mete in einem Ton an, der ihr die Tränen in die Augen schießen ließ und konnte sich augenblicklich in unterwürfigster Weise erniedrigen, was alles nur schlimmer machte. Zum ersten Mal rannte Mete weinend aus dem Zimmer. Anna gestand sie, um die Mutter zu schonen:
»Ich kann nicht mehr!«

Trotzdem machte sie weiter, ließ sich nichts anmerken, versorgte den Vater, entlastete die Mutter, lieh dem Kranken geduldig ihr Ohr, auch da noch, als er ihr anvertraute, er könne deshalb keine Spaziergänge mehr unternehmen, weil man nach seinem Leben trachte.
So verwirrt sich der Kranke auf der einen Seite zeigte, so vernünftig konnte er auf der anderen sein.
»Ich bin unausstehlich, nicht wahr?« meinte er einmal zu Mete, während sie allein im Zimmer waren, »aber das Morphium hat mich konfus gemacht.«
Eine Bromtherapie wurde eingeleitet, die den Patienten immerhin in einen Zustand wohltuender Schläfrigkeit versetzte. Wohltuend vor allem für diejenigen, die unter seinen Launen zu leiden hatten.

»Ich bete zu Gott, daß es wirkt«, bewertete Emilie die neu eingetretene Situation, »schon unseretwegen.«
Die Enttäuschung ließ nicht lange auf sich warten. Im Mai ging es mit der Gesundheit wieder bergab. Die Applikation von Medikamenten wurde daraufhin eingestellt.
»Ich rate zu einem Tapetenwechsel, Gnädige Frau«, zog sich Dr. Delhaes, sichtlich verlegen nun, aus der für ihn peinlich werdenden Affäre, »solche Veränderungen können Wunder wirken.«
So wurde beschlossen, ins Riesengebirge zu fahren, der Vertrautheit wegen, aber auch aus der Überzeugung, dort den vielleicht geeigneten Ort für die Genesung zu finden. Daß er nicht zu weit abliegen durfte von den Friedlaenders, darauf hatte Theo bestanden. Eine Querköpfigkeit, wie alle meinten, die zumindest zu Hoffnungen Anlaß gab.
Aus Mete Fontanes Tagebuch:

Zillerthal, 24. Mai 1892
Vor drei Tagen sind wir hier eingetroffen. Vorausgegangen war eine nicht ganz leichte Abklärung zwischen Papa, Mama und mir darüber, wohin es gehen sollte. Den Ausschlag für Zillerthal gaben zwei Momente: Die Nähe zu Schmiedeberg, dem Domizil der Friedlaenders, und das angenehme Ambiente des Ortes, wozu auch die Abwechslung gehört. Eine Forderung, die Mama stellte. Das bewährte Krummhübel war ihr ohnehin immer, wie sie behauptete, zu windig und zu primitiv.
Papa stand natürlich über solchen Marginalien. Für ihn war das Wichtigste: Ruhe. So erübrigte sich für mich die Qual der Wahl. Unsere Unterkunft hier ist nicht zu vergleichen mit dem Schwalbennest in Krummhübel. Noblesse herrscht vor. Überall Teppiche auf den Treppen. Alle Mitbewohner befleißigen sich einer gedämpften Sprechweise, wenn sie sich unterhalten. Das gilt auch für die Mittagstafel.
Villa Gottschalk ist halt eine Herberge für den gehobenen Geschmack und tut alles, es die Welt wissen zu lassen.
Mama und Papa bewohnen ein großes Zimmer mit Balkon zum Garten hin. Ich bin in einer ehemaligen, zu einem kleinen Raum umgebauten Nische untergekommen, die ich nur zum Schlafen aufsuche. Daß dahinter natürlich eine finanzielle Erwägung stand, versteht sich von selbst.
Tagsüber halten wir uns im Garten oder im Zimmer der Eltern auf. Den im Kolonialstil eingerichteten Club, dem an den Wänden eine ganze Reihe zähnefletschender Raubtiere präsidiert, meiden wir, weil Papa Gespräche aus

dem Weg gehen möchte. Er fühlt sich zu schwach. Außerdem, wie er meinte, möchte er nicht ausgerechnet in seinem jetzigen Zustand jenen eindruckschindenden Stieseln von Großtuern in die Finger fallen, denen eine Unterhaltung eben dazu taugt, Treffer zu landen. Was bei den meisten Leuten Gespräch heiße, so Papas Interpretation, sei doch nur ein Gladiatorenkampf in einer verbalen Arena. Damit mag er im großen und ganzen recht haben, wenngleich seine Überreiztheit zu Abstrichen zwingt.
Nach dem Mittagessen, das alle Gäste des Hauses gemeinsam einnehmen, verschwindet Papa für Stunden in einer der kletterrosenüberwucherten Lauben des Gartens, der im wesentlichen nichts anderes ist als eine riesige Bleiche, an deren Rand unter schattenspendenden Bäumen Bänke stehen. Das Publikum nimmt sie kaum in Anspruch. Denn es setzt sich durchweg zusammen aus Leuten fortgeschrittenen Alters: Pensionierten Offizieren, würdigen Männern, im Rang vom Obristen aufwärts, Staatsbeamten mit malerischen Titeln und ältlichen Fräuleins, Stiftsdamen, die immer zu zweit auftreten.
Mama scheint sich zwischen diesen Leuten sichtlich wohl zu fühlen, wofür auch ihre Angewohnheit spricht, nach dem Essen übergangslos in den Mittagsschlaf zu fallen. Es ist ihr zu gönnen, in Anbetracht der anstrengenden Wochen mit Papa.
Die Landschaft verwöhnt uns überdies. Ganz umgeben von Wäldern, liegt unser Haus sozusagen auf einer Lichtung, zu der von außen nichts weiter vordringt als das Rauschen der Blätter, die der Abendwind fächert. Wenn Papa Ruhe sucht, hier wird er sie mit Sicherheit finden.

Zillerthal, 26. Mai 1892
Fast könnte ich neidisch werden oder einer Verzweiflung anheimfallen, je nachdem, wenn ich die vielen alten Leute sehe, die in würdiger Gesetztheit, frei von Sorgen ihren Lebensabend genießen und mir Papas Elend vor Augen halte.
Heute morgen hatte ich das Gefühl, jemand greife mir an die Kehle, als ich ihn alleine, mit der Mappe unter dem Arm, über die Rasenfläche gehen sah, um in einer der Lauben zu verschwinden, während sich die übrige Belegschaft des Hauses für einen Ausflug fertig machte. Das Frühstück war eben beendet. Vom Himmel lachte eine so fröhliche Sonne, daß mir das Widersinnige unserer Situation nie krasser vorgekommen ist. Mama zog sich auch konsequenterweise schmollend aufs Zimmer zurück. Ich wagte es nicht, ihr zu folgen. So verbrachte ich den Tag lesend auf der Veranda, bis die Ausflugsgesellschaft zurück war.
Die Hauptmahlzeit hatte man auf den Abend verlegt. Mama saß schon auf

ihrem Platz an der Speisetafel, als ich mich aufmachte, Papa zu suchen. Ich fand ihn dort, wohin er am Morgen gegangen war. Manuskriptbögen vor sich ausgebreitet, ein Fäßchen ausgetrockneter Tinte daneben, den Blick starr auf die Tischplatte geheftet.
»Ich kann es nicht mehr«, sagte er, als ich ihn anrief, ins Haus zu kommen, »mit dem Romanschreiben ist es vorbei.«
Seine Augen hatten dabei einen Ausdruck, dem wiederzubegegnen ich nicht ertragen würde.

Zillerthal, 14. Juni 1892
Jetzt sind wir schon fast einen Monat in Zillerthal. Die Friedlaenders waren gestern das dritte Mal hier, sind mit uns spazieren gegangen, so unbefangen und heiter, als hätten sie keinen Krankenbesuch absolviert ... Aber bei etwas Feinfühligkeit spürte man zu jeder Sekunde, wie entsetzt sie waren über Papas Zustand ...
Dr. Friedlaender gab mir den Rat, unbedingt noch eine medizinische Kapazität hinzuzuziehen, in Breslau gäbe es einen Professor Hirt, einen bekannten Neurologen, der sicher helfen könne.

Zillerthal, 25. Juni 1892
Papas Zustand verschlimmert sich. Wie er behauptet, tut er des Nachts kein Auge zu. Nebenher machen ihm und uns seine starken Stimmungsschwankungen zu schaffen. Um sich abzulenken, schreibt er Briefe. Die einzige Form literarischen Vermögens, die ihm geblieben sei, wie er sagt. Inzwischen kommen auch finanzielle Probleme auf uns zu. Der Aufenthalt hier verschlingt mehr Geld, als Papa über seine Bücher hereinholen kann und jemals wieder hereinholen wird, wie er Mama vorrechnete. Damit würde auch unserem Leben in Berlin auf Dauer die Basis entzogen. Papa trägt sich mit der Absicht, unsere Wohnung in der Potsdamer Straße ganz aufzugeben, um sich in Schmiedeberg niederzulassen. So ließe sich Geld einsparen. Aber Mama hat sich nur die Haare gerauft und mit uns den ganzen Tag kein Wort gesprochen.

Zillerthal, 1. Juli 1892
Welchem Leidensdruck Papa ausgesetzt sein muß, ist mir heute so recht klar geworden. Anders als an den Vortagen hatte er sich zu einem Spaziergang überreden lassen. Seine Bedingung war nur, daß wir uns niemandem anschlössen. Ich versprach es ihm hoch und heilig.
Gleich vor unserem Haus beginnt eine schmale Allee, mehr Fußweg als

Straße. Daran entlang ziehen sich in Abständen bombastische Gebäude, größer und respektabler noch als unsere Villa Gottschalk, mit parkähnlichen Gärten, die durch Gitter und Taxushecken abgeschirmt werden. Diese Parks sind ansonsten still wie Friedhöfe, unbelebte Abstellflächen für alle Arten von Bäumen, Buschgruppen und Statuetten, die ihre ausgebleichte Langeweile schamlos vor der Welt bekunden.

Am heutigen Morgen schlug uns zum ersten Mal Lärm aus einem dieser Areale entgegen, so rücksichtslos ausgelassen, daß wir stehen blieben und unsere Köpfe durch das Gittertor vor der Einfahrt einer Villa steckten. Unterhalb der doppelseitigen Hochtreppe bewegten zwei Kinder – ein Junge und ein Mädchen, sicher noch nicht zehn Jahre alt – einen metallenen Reif vor sich her, der unter ihren Hantierungen, begleitet von Überraschungsschreien, immer wieder umfiel.

Außer uns beobachtete das Treiben eine Frau mittleren Alters, offenbar die Gouvernante, vom Plateau der Freitreppe aus, argwöhnische Blicke zu uns herübersendend und sichtlich beunruhigt, als die Kinder sich für uns zu interessieren begannen. Als seien sie dankbar für die Abwechslung, die wir ihnen boten, lösten sie sich von ihrem Spielzeug und rannten uns entgegen, leuchtenden Auges und mit erwartungsfrohen Mienen.

Nach langer Zeit wieder einmal sah ich Papa lächeln. Die tief eingegrabene Verdrießlichkeit, die seiner ganzen Person etwas Hölzernes gegeben hatte, war wie weggefegt für diese eine Minute der Begegnung mit den vertrauensvoll glitzernden Kinderaugen.

Wir waren uns vielleicht bis auf einen Meter nahe gekommen, das schmiedeeiserne Tor noch zwischen uns, als die Gouvernante mit einem kreischenden Warnruf die Kinder auf der Stelle von uns wegtrieb, um sie in ihre grappschigen Arme zu reißen und mit einer übertriebenen Heftigkeit an sich zu drücken. Dabei sandte sie uns einen Blick nach, der Anklage und Vorwurf in einem war.

»Ich kann mich nicht erinnern, jemals ein Kinderschreck gewesen zu sein«, begann Papa, kaum daß wir uns vom Ort des Mißverständnisses entfernt hatten, wie bei einer Rechtfertigung zu stammeln, nicht ohne erkennen zu lassen, daß ihn die Zurückweisung getroffen hatte. In welchem Maße allerdings, merkte ich erst, als ich zur Beschwichtigung ansetzte und am Ende feststellen mußte, daß Papa gar nicht zugehört hatte.

Er war die ganze Zeit, in sich versunken, neben mir hergegangen, die Augen von Tränen verschleiert, als habe man ihm das größte Unrecht der Welt zugefügt.

Zillerthal, 4. Juli 1892
Nach Regen kommt Sonnenschein, sagt man. Heute hat sich Papa mir gegenüber zum ersten Mal geöffnet. Das läßt hoffen. Mama indes habe ich nichts davon erzählt, vielleicht auch deswegen, weil sie der trügerischen Lichtspritzer, wie sie einmal formulierte, überdrüssig ist. Sie habe genug davon in ihrem Leben mit Papa gesehen und sei immer nur enttäuscht worden. Nun, heute morgen habe ich mir ein Herz gefaßt und Papa quasi zur Rede gestellt. Entgegen meiner Erwartung reagierte er nicht mürrisch und abweisend, sondern forderte mich sogar auf, ihm Gesellschaft zu leisten. Sein Schattenplätzchen vertrüge auch zwei. Damit meinte er seine Laube.
Wie immer hatte er ein Manuskript mitgenommen, auch wenn er – Gott sei's geklagt – nichts zu Papier brächte. Trotzdem, ein Wunder wage er wohl noch zu erhoffen. Darauf angesprochen, warum er denn glaube, nichts mehr schreiben zu können, meinte Papa in seiner despektierlichen Art: »Etwas Abscheuliches hat mich beim Wickel.«
Als ich Erstaunen gewahr werden ließ, überfiel ihn wohl der Zweifel, sich hinreichend verständlich gemacht zu haben, und meinte, ich solle das nicht zu wörtlich nehmen. Natürlich sei das nur bildlich gemeint, wieder einmal alles nur Nervensache, aber immerhin gebe ihm zu denken, daß er der Gouvernante samt Kindern mit seiner Person Furcht eingeflößt habe. Nachdem ich ihn erneut getröstet hatte, beugte er sich zu mir herüber und sagte fast flüsternd: »Mete, ich spüre den Tod neben mir ... Ich lebe immer in dem Bewußtsein: er oder ich«, erklärte er mir. Gnade sei bei dem Kampf nicht zu erwarten, auch kein Verständnis, schon gar kein Mitgefühl. Er habe es mit einer Macht zu tun, bei der alles nur eiskalter Wille sei, eherne Verpflichtung und unaufkündbare Prinzipientreue, einer Macht, die allenfalls vergleichbar sei mit einer Gestalt aus seinem Roman »Effi Briest«: Baron von Innstetten, dem Manne Effis ...
»Er fordert den ehemaligen Geliebten seiner Frau zu einem Duell auf Leben und Tod«, brachte mir Papa mit soviel Vehemenz zur Kenntnis, daß ich – ganz Spannung – sogleich wissen wollte, was daraus geworden sei. Die folgende Erklärung fiel so unerwartet aus, wie sie mir bedeutsam erscheint. Papa bekannte nämlich, hier nicht weitergeschrieben zu haben.
»Ich bitte dich, mir zu glauben«, sagte er keuchend, »aber ich konnte es nicht. So verrückt es klingt.«
Trotz der fürchterlichen Auskunft hatte ich den Eindruck, daß es ihm danach besser ging.

Zillerthal, 16. Juli 1892
Papas Anwürfe entbehren wirklich jeder Grundlage. Insbesondere, was seine Freunde anbetrifft. Nicht nur, daß die Friedlaenders alles daransetzen, uns den Aufenthalt so abwechslungsreich wie möglich zu gestalten, auch die anderen Bekannten scheuen keine Mühe, um herzukommen.
Unlängst haben uns die Zöllners aufgesucht, Professor von Heyden mit Frau war natürlich auch schon hier, dazu einer von Papas Verlegern, Herr Hertz. Die Besucher geben sich fast die Klinke in die Hand und machen mit ihrem Eifer fast zunichte, was die Kur erreichen sollte: Ruhe für Papa.
Daß Onkel Witte bisher nicht in Erscheinung getreten ist, liegt nur an seiner eigenen Krankheit, die ihn immer länger ans Bett fesselt, wie mir Lise geschrieben hat.
Wie interessant Papa wohl für einige Leute sein muß, zeigt sich daran, daß wir gestern von einem Professor Fritsch besucht wurden. Ein Mann, der allenfalls zu Papas weitläufigem Bekanntenkreis gehört, was ihn aber offensichtlich nicht davon abgehalten hat, sich herzubemühen.
Auch er brachte seine Frau gleich mit, ein angekränkelt aussehendes Wesen, nicht älter als ich, während der Professor Mitte fünfzig sein dürfte. Wir unterhielten uns ungestört den Nachmittag über im Club der Villa Gottschalk ...
Professor Fritsch, ein mittelgroßer, etwas stämmiger Mann mit einem ausufernden Kinnbart, Architekt, wie ich erfuhr, hinterließ bei mir einen ausgezeichneten Eindruck. Er versteht es, gut zuzuhören, aber auch einnehmend Konversation zu machen. Ehrlicherweise begründete er sein Hiersein damit, daß er in Breslau einem Kongreß beigewohnt und die Gelegenheit benutzt habe, vorbeizuschauen. Daß er sich dafür in keinster Weise entschuldigte, sogar stolz war auf seine Offenheit, brachte ihm bei mit Pluspunkte ein.
Weil Papa sich sprechfaul gab, bestritt ich über ganze Strecken den Fontane-Part. Es schien dem Professor im Gegenteil nicht zu stören, sondern eher zu amüsieren, vielleicht auch, weil ich mich einließ auf seine beruflichen Fachsimpeleien, von denen ich natürlich gar nichts verstand.
Um Papa nicht zu erschöpfen, blieb er nicht lange. Kaum zwei Stunden. Versprach aber in den nächsten Tagen wieder vorbeizuschauen. Ich muß zugeben, daß ich es nicht ungern hörte.

Zillerthal, 17. Juli 1892
Den ganzen vergangenen Abend darüber nachgedacht, wie herrlich der Architektenberuf sein muß. Man schenkt den Menschen ein Heim, umgibt sie mit Mauern und Dach und bringt in ihr Leben Ordnung und Geborgenheit.

Das alles ist schon beeindruckend. Was mich darauf gebracht hat, solchen Überlegungen nachzugehen, ich weiß es nicht. Vermute aber, daß es mein Ehrgeiz war, bei der anstehenden Konversation einen noch kompetenteren Eindruck zu hinterlassen. Außerdem muß es mit der Arbeit des Professors zusammenhängen, die ja durchaus vergleichbar ist mit der eines Künstlers. Von dorther erklärt sich leicht der Bonus, den ich dem Mann zuerteilt habe, instinktsicher und mit der Spürnase der Kunstenthusiastin. Oder war es etwas anderes?

Zillerthal, 7. August 1892
Breslau haben wir hinter uns. Sowohl die Hin- als auch die Rückfahrt mit Papa war eine Prozedur, die ich nicht noch einmal erleben möchte, es aber wohl muß, wenn Ende des Monats die Therapie in Angriff genommen werden soll. Die Diagnose von Professor Hirt war alles andere als erbaulich: Gehirn-Anämie. Was immer das heißen mag, ich halte mich an dem Gedanken fest, daß alle Medizinmänner – die auch nur verdienen wollen – dem Leitspruch huldigen: Klappern gehört zum Handwerk. Nur konsequent, daß er gleichzeitig zur Hiobsbotschaft einen Hoffnungsschimmer bereithielt.
Der einzige, der darüber nicht froh wurde, war natürlich Papa, dessen Mißtrauen gegenüber der großen Phrase, wie er solche Posaunenstöße nennt, auch vor sich selbst nicht Halt macht. Inwieweit er recht hat, darüber zu spekulieren, wäre vertane Zeit. Wir werden ja sehen.

Zillerthal, 10. August 1892
Professor Fritsch hat sich endgültig verabschiedet. Er war wohl an die sechs Mal bei uns zu Besuch. Natürlich hat er nichts ausgelassen, um seine Anhänglichkeit mit fadenscheinigen Begründungen zu bemänteln. Indes bin ich mir ganz sicher, daß er die Reisen nicht angetreten hätte, wäre es ihm bei uns langweilig gewesen.
In Gesellschaft der Fritsches haben wir es sogar zu einer Kremserfahrt gebracht, die dem einschläfernden Einerlei unseres Alltags einen espritvollen, aber sicher nicht schädigenden Impetus aufgesetzt hat. Papa machte danach immer einen zufriedenen Eindruck, obwohl eigentlich nur der Professor und ich die Unterhaltung bestritten. Immerhin waren meine Reflexionen über Architektur und Kunst so weit gediehen, daß ich eine ernsthafte Gesprächspartnerin dargestellt habe.
Der Professor ließ es mich deutlich genug fühlen und hätte sicherlich anderenfalls auf die Einladung verzichtet, ihn und seine Frau daheim in Berlin zu besuchen. Auf jeden Fall werde ich von dem Angebot Gebrauch machen.

Zillerthal, 25. August 1892
Nun hat Papa auch die Kur bei Professor Hirt hinter sich gebracht. So bombastisch die Avancen waren, die uns der Professor gemacht hatte, so bescheiden ist das Ergebnis. Wenigstens verhält sich Papa so, als sei er niemals therapiert worden. Im Gegenteil, er fühlt sich matter denn je, will niemanden um sich haben und behauptet, in seinem jetzigen Zustand sei er sogar zu müde, sein Testament zu schreiben. Den Schreck, den er mir damit einjagte, schien er kalkuliert zu haben, womit er nur den Beweis antrat, daß auch seine altbekannte Bissigkeit dem therapeutischen Zugriff standgehalten hatte.
Mama ist ganz niedergeschlagen, weil sie nicht weiß, wie es mit Papa jetzt nach dem Fehlschlag weitergehen soll.
Was meine Person anbetrifft, darf keiner in mich hineinblicken: Am allerwenigsten ich selber.
Gott sei Dank haben sich für morgen die Friedlaenders angemeldet. Das verschafft uns allen eine Erholungspause.

Zillerthal, 27. August 1892
Leider ist das Erhoffte nicht eingetreten. Zwar haben die Friedlaenders Wort gehalten, ein Wandel zum Guten hat indes nicht stattgefunden. Papa gibt sich ganz von seiner unversöhnlichsten Seite. Seine griesgrämige Zurückgezogenheit hat einer ungerechten Angriffslust den Platz abgetreten, die eigentlich nicht zu Papas Wesen gehört und um so deutlicher zeigt, wie es um ihn steht. Irgend etwas muß ihn neuerlich durcheinander gebracht haben. Fast vermute ich, es war Bruder Theodors Brief, dem ein Efeuzweig vom Grabe unseres verstorbenen George beilag. Peinliche Stille machte sich nämlich breit, nachdem der Brief geöffnet und wir über den Zweig in Kenntnis gesetzt worden waren. Mama schossen die Tränen in die Augen, Papa aber schluckte nur, steif aufgereckt, als fühle er sich aufs höchste bedroht, die Augen unnatürlich weit und von galertartiger Verschwommenheit. Gleich danach veränderte sich sein Verhalten grundlegend.
Wir hatten einen Spaziergang machen wollen, einmal die Allee hinauf und herunter – zu solchen Exkursionen läßt sich Papa nach den Besuchserfahrungen jetzt öfter überreden – aber dieses Mal wollte er nichts davon wissen. Vielleicht war es auch gut so, denn bald darauf – wir befanden uns noch in Hörweite der anderen Hausgäste – begann Papa, Bruder Friedel mäkelnd aufs Korn zu nehmen, als sei er der Urheber seiner Verstimmung. Langer Worte kurzer Sinn: Er warf ihm unverschämte Ausbeutung seines schriftstellerischen Talents vor. Friedel und sein Kompagnon Cohn glaubten wohl, sie könnten ihren Verlag auf den Produkten seiner Feder begründen, um gleich

doppelt zu verdienen. Er werde ihnen einen Strich durch die Rechnung machen. Drei Romane und die Verwertungsrechte an einem Teil der Gesamtausgabe seines Werks seien das Äußerste gewesen, was er ihm habe zugestehen können. Von nun an würden andere Bedingungen gelten …
Besonders heftig ereiferte sich Papa, als er über die Zukunft seines neusten Romans »Effi Briest« sprach. Er nannte ihn ein Seelenkind, das deshalb einer besonderen Behandlung bedürfe, sowohl was das Verlegen als auch die Leserschaft anbetreffe.
Es war eine unglaublich erniedrigende Situation, der Papa uns ausgesetzt hat. Darum bin ich heilfroh – genauso wie Mama – daß wir in Kürze abreisen.

26. KAPITEL – BERLIN, 1892

Am 12. September war es soweit. Da sich partout keine Besserung einstellen wollte und die finanziellen Ressourcen sich zu erschöpfen begannen, wurde die Abreise beschlossen.
Theos Befinden hatte inzwischen mitleiderregende Grade erreicht. Schreckträume raubten ihm die Nächte. Tagsüber bestand er darauf, nicht allein gelassen zu werden. Die Bahnfahrt zurück nach Berlin wurde für alle zu einem Martyrium.
Dr. Delhaes, ihrem Hausarzt, gestand Emilie schließlich ein, daß es so nicht mehr weitergehen könne.
»Eine Entscheidung muß her, Herr Sanitätsrat. Ich habe mit meinem Mann gesprochen. Er wäre sogar mit einer Nervenklinik einverstanden.«
Tatsächlich hatte sich Theo schon in Zillerthal zu einer stationären Behandlung bereit erklärt, falls sich bis zur Heimreise keine Änderung einstellen sollte. Jetzt nahm er alles zurück.
Er wolle sich nicht abschieben lassen, sträubte er sich mit Händen und Füßen gegen diese Zumutung in seinen Augen, außerdem habe eine Klinik, soviel er wisse, in Fällen wie bei ihm noch nie etwas bewirkt.
So trostlos das Symptombild auch weiterhin blieb, es stellte sich Gott sei Dank keine Verschlechterung ein, zur Beruhigung aller.
Der Oktober kam. »Frau Jenny Treibel«, der dritte von Friedel verlegte Roman, erblickte in gebundener Ausgabe das Licht der Welt

und wurde sowohl vom Publikum als auch von der Kritik gut aufgenommen. Zu Metes großer Freude, die allerdings bei dem Versuch, ihrem Vater den Erfolg mitzuteilen, feststellen mußte, daß ihn die Krankheit verschlungen hatte. Nur ein teilnahmsloses: »So ... so«, war über seine Lippen gekommen, begleitet von einem tückischen Augenaufschlag, mit dem er glaubte, angemessen auf das reagiert zu haben, was ihm an Lügen zugemutet wurde. Auf Emilies Bitte hin erschien Dr. Delhaes nun täglich, zog sich mit dem Kranken zurück in dessen Arbeitszimmer, sprach mit ihm nach der Untersuchung, lang und mit bewundernswerter Geduld. Nach einer Woche – er hatte wieder einmal die Visite in der nun üblich gewordenen Weise beendet – nahm er Emilie zur Seite und teilte ihr mit, er käme mit den ihm zur Verfügung stehenden Mitteln nicht weiter. Er müsse es jetzt auf einen Versuch ankommen lassen.

»Wenn die mir vorschwebende Therapie gelingt«, erklärte er nicht ohne Pathos, »ist das ein kleines Wunder. Aber wir müssen es versuchen.«

Wie es sich herausstellte, hatte er vor, Theo wieder zum Schreiben anzuregen.

»Wir müssen ihn von dem Wahn befreien zu sterben«, sagte er, »so vertrackt es ist. Denn weil er Angst hat, kann er nicht weiterarbeiten. Und weil er dazu unfähig geworden ist, hat er Angst. Ein Teufelskreis. Inzwischen weiß ich, daß sich Ihr Mann seit längerem mit dem Gedanken trägt, seine Erinnerungen zu Papier zu bringen. Sicher ein löblicher Vorsatz und in unserem Fall sogar eine günstige Voraussetzung, um das innere Räderwerk wieder in Gang zu bringen.«

Schon die nächsten Tage zeigten eine Veränderung. Theo wurde lebendiger. Der Blick gewann seine alte Nachdenklichkeit zurück. Der Mund krümmte sich wieder abschätzig. Aus dem Arbeitszimmer war wieder das Schaben und Scheppern von Schreibmaterial zu hören und die Schritte des Kranken, wenn er auf der Suche nach Ideen im Raum auf und abging. Zuweilen steckte er auch den Kopf heraus und bat Anna, ihm etwas zu trinken zu bringen.

Mete schrieb triumphierend am 20. Oktober 1892 in ihr Tagebuch:

Papa ist über den Berg. Daran zu zweifeln, wäre frevelhaft. Er arbeitet den ganzen Tag wie ein Jüngling. Scheint überhaupt wieder ganz Kraft zu sein und sonnt sich in seiner unaufhaltsam fortschreitenden Genesung, wie jemand es darf, der dem Tod von der Schippe gesprungen ist.

Die abendlichen Spaziergänge wurden wieder aufgenommen. Zuerst nicht so ausgedehnt wie gewohnt. Aber schon bald hatten sie wieder die Ausmaße von früher erreicht, ohne daß sie als Überforderung empfunden wurden.

Am Mittagstisch behauptete Theo, erst jetzt beim Schreiben seiner Kindheitserinnerungen sei ihm bewußt geworden, was Literatur ihm bedeute. Sie sei eigentlich sein Leben gewesen, nicht ohne Betroffenheit wachzurufen, bei Emilie wie bei Mete.

»Ja, ich übertreibe nicht«, fuhr er mit haltlosem Bekennermut fort, »aber ich bin nur in der Literatur zu Hause gewesen. Und weil es so ist, gehöre ich von Amts wegen durch die Brust geschossen. Daß ich noch da bin, ist also alles nur Gnade, Geschenk, Zufall.«

Der Ton, in dem er es vorgebracht hatte, nahm indes viel von der Aussage zurück. Nicht nur das. Er erweckte auch den Eindruck, daß Theo dabei war, sich wiederzufinden.

»Papa macht Späße«, bemerkte Mete, als sie allein waren zur Mutter, »er ist wieder der alte.«

»Wenn du seine Sarkasmen so nennen willst, Martha.«

Immerhin mußte Emilie zugeben, daß es sich um ein gutes Zeichen handelte.

Tage darauf bekundete Theo die Absicht, seinen Nachlaß zu ordnen. »Traurig genug, daß es bisher noch nicht dazu kam«, erklärte er seinen plötzlichen Entschluß, »jetzt, da ich gesehen habe, wie schnell man ins Wackeln gerät, ist es allerhöchste Zeit.« Die Beglaubigung des Testaments erfolgte beim Amtsgericht. Während die Eltern den Termin wahrnahmen, schrieb Mete in ihr Tagebuch:

8. November 1892

Jetzt ist es heraus. Gewiß ein Anlaß für Mama, sich zu schämen. Was hat sie Papa nicht alles in der Vergangenheit vorgeworfen. Ich will es nicht wiederholen. Denn nichts von dem stimmt oder wenigstens nicht das meiste.

Das Testament hat es nun ans Licht gebracht. Papa ist weder ein rücksichtsloser Egoist noch ein weltverlorener Traumtänzer gewesen. Bei aller Eigenwilligkeit und scharfzüngigen Mäkelei hat er uns doch mehr gemocht, als jeder ahnen konnte.

Kaum glaublich! Aber ohne Mamas Wissen hat er Wertpapiere erworben und Geld angespart. Ganz abgesehen von den ihm zustehenden Verlagsrechten. Die Ironie will es, daß ausgerechnet Mama die Nutznießerin des ganzen sein soll. Hierauf ich. Theodor und Friedel erhalten Pflichtanteile. So hat es mir

Papa erzählt, mit einer Sachlichkeit in der Stimme, als sei das Ereignis seines Ablebens, dessen Eintreten er vor kurzem noch täglich mit Schrecken erwartete, weit von ihm weggerückt.

Emilie sprach von einer Schreibwut, die ihren Mann überfallen habe. Es ist so, als hole er alles Versäumte nach, meinte sie. Anfang Dezember stellte Theo den Abschluß seiner Arbeit an den Memoiren in Aussicht.

»Wenn es in dem Tempo weitergeht, bin ich noch vor Weihnachten fertig«, sagte er und räumte selbst bei Dr. Delhaes die letzten Zweifel aus, die der erfahrene Arzt Wunderheilungen gegenüber hegte.

»Ich muß eingestehen, Gnädige Frau«, meinte er nach der Visite zu Emilie, nicht ohne über das ganze Gesicht zu strahlen, »daß meine Erwartungen weit übertroffen wurden. Mit an Sicherheit grenzender Wahrscheinlichkeit darf ich behaupten, Ihr Mann wird gesund.«

Seine Diagnose bestätigte sich. Dem Tagebuch vom 10. Dezember 1892 läßt sich entnehmen, wie erleichtert Mete darüber gewesen sein muß:

Papa lädt wieder zu Gesprächen – schreibt sie. *Keine Anklagen, Befürchtungen und Schwanengesänge mehr. Das hypochondrische Kreisen um die Krankheit hat ein Ende. Der Elendston des Selbstmitleids ist verklungen. Im Mittelpunkt seines Denkens und Bemühens steht wieder die Sache ...*

Zwei Tage später, am 12. Dezember heißt es:

»Meine Kinderjahre«, das Erinnerungsbuch über Swinemünde, wirkt wie ein Jungbrunnen auf Papa. Sein Mund steht nicht still, wenn er darüber reden kann. Was er sonst empört von sich wies, hat er sich jetzt zur Angewohnheit gemacht: Er liest mir aus seinem Manuskript vor ...

Am 15. Dezember 1892 bemerkt das Tagebuch:

Goldene Kinderzeit. Aber auch hier zeigt sich der Satz bestätigt: Nicht alles Gold, was glänzt. Mein Eindruck: Nur gut, daß Papa sich eines solch verständnisvollen Vaters rühmen konnte, wie er vorgibt, ihn besessen zu haben. Was macht hingegen Frauen – Mütter sind es nun einmal auch – so uneinfühlsam und garstig? Man braucht mehr Platz, als es ein Tagebuch bietet, um sich darüber auszulassen ...

Unter dem 19. Dezember 1892 läßt sich die Eintragung finden:
Papa behauptet, in der Kindheit liege der ganze Mensch. Eine für ihn wenig schmeichelhafte Aussage, nach dem, was er über sich zu berichten weiß. Seine Quintessenz, alles in Swinemünde sei Poesie gewesen, relativiert sich vor dem Hintergrund erheblich. Warum Papa verklärenden Nebel über seine Erinnerungen blasen muß, ist das Geheimnis wiedergewonnener Schöpferkraft ...

Tags darauf, am 20. Dezember 1892, spürt Mete dem Gesichtspunkt noch einmal nach:
Beim Auszählen der Personen, an die Papa sich mit Vorliebe erinnert, behauptet sein Vater, Henri Louis Fontane, konkurrenzlos das Feld. Die Art, wie er mit ihm umgeht, läßt vergessen, daß er über einen Menschen spricht, der seit gut einem Vierteljahrhundert unter der Erde liegt. Alles ist reine Anschauung, frisches Erleben, als sei er in ihm wiedergeboren worden.

Die Abstände wurden größer, in denen Dr. Delhaes seinen Patienten untersuchte. Die Diagnose blieb indes unverändert günstig. Zwar klagte Theo über Gefühle der Unsicherheit und zweifelte das an, was er im Augenblick seine Arbeit nannte, aber er mußte zugeben, daß Dr. Delhaes recht hatte, wenn er von einer zügig voranschreitenden Gesundung sprach. Das in Abrede zu stellen, verbot schon die Feststellung, daß »Meine Kinderjahre« zum vorausgesehenen Termin fertig geworden war.
Am Weihnachtsmorgen vertraute Theo seiner Tochter an, er habe sich sogar das Manuskript von »Effi Briest« wieder vorgenommen. Das Brett vor dem Kopf sei verschwunden. Er wisse jetzt, welches Schicksal er Effi und ihrem ehemaligen Liebhaber, diesem Major Crampas, zuweisen müsse, um glaubwürdig zu erscheinen. Für beide habe er den Tod vorgesehen. Crampas lasse er in einem Duell vom Baron Innstetten erschießen. Effi sterbe schließlich, verstoßen und reuemütig, am gebrochenen Herzen.
Die Radikalität der Auflösung ließ Mete zunächst erschrecken, aber der Vater gab sich so gegen seine Art unkompliziert und leutselig, daß ihr die Mutmaßung, er könne einen Rückfall erlitten haben, absurd erschien.
Der seit den Besuchen im Zillerthal bestehende Kontakt zum Ehepaar Fritsch hatte für den zweiten Weihnachtstag eine Einladung beschert,

der Theo in gelöster Stimmung entgegensah. Schon tags zuvor, in Gesellschaft seiner Söhne Friedel und Theodor, der mit Familie aus Münster zum Weihnachtsfest angereist war, hatte er durch gute Laune und unterhaltsame Eloquenz geglänzt.
Mete vermerkte darüber in ihrem Tagebuch vom 27. Dezember 1892:

Der Stern von Bethlehem hat auch uns den Weg geleuchtet. Weihnachten war so schön wie schon lange nicht mehr. Wir haben gelacht und geplaudert. Heiteres und Ernstes mischte sich, ohne daß daraus Komplikationen entstanden wären. Der Schatten von Papas Krankheit – über viele Monate unser lästiger Begleiter – ist endgültig verschwunden. Zum großen Erstaunen der Fritsches, die uns anfänglich behandelten wie ein rohes Ei, bald aber einsahen, daß es unnötig war. So wurde der Tag für uns zu einem Erlebnis.

Theos 73. Geburtstag stand ins Haus. Vor Wochen noch das Schreckgespenst am Horizont der Erwartungen, sollte das Ereignis nun besonders feierlich begangen werden. Metes Tagebuch vom 28. Dezember 1892 nennt das Kind beim Namen:

Ist es zu hoch gegriffen, von einer Wiedergeburt zu sprechen – beginnt es –, *wenn ein am Boden zerstörter alter Mann plötzlich anfängt, Pläne zu machen, Interesse zeigt an Welt und Leuten, wie vorher nicht in den besten Jahren, und eine Heiterkeit demonstriert, die den Alltagsgriesgram als natürliche Begleiterscheinung des Abbaus in das Reich der Märchen verbannt. Nein, das ist es nicht, nur die angemessene Bezeichnung für ein Wunder. Oder?*

An Aufwand für das Fest wurde nicht gespart. Emilie zeigte sich von einer Generosität, die ihr keiner zugetraut hätte. Allem stand sie wohlwollend gegenüber. Einwände waren ihr fremd geworden. Der Schrecken der letzten Monate hatte Maßstäbe gesetzt, die ihre Einschätzungen im neuen Licht erscheinen ließen. »Papa soll sich nur freuen«, sagte sie und hatte auch nichts dagegen, daß beim Durchzählen der Geladenen die Mansardenwohnung am Festtag aus den Nähten platzen würde.
Theo hatte darauf gedrungen, herzubitten, was von der alten Garde noch übrig sei. Nicht genug damit. Am 31. Dezember 1892 kann Mete ihrem Tagebuch anvertrauen:

Die Überraschung war perfekt, vor allem, als deutlich wurde, daß Dr. Brahm Papa den Rückzieher aus der Front seiner streitbaren Literaten vergeben hatte. Überraschung auch im Fall Tante Elises, Papas jüngerer Schwester, die aus Striegau extra zu seinem Geburtstag angereist war. Des weiteren hatten sich eingestellt die Zöllners, Heydens und Fritsches. Der Rest Familie: Friedel, Theodor mit Sack und Pack, dazu wir. Ansonsten Glückwünsche in Hülle und Fülle. Auch von Onkel Fritz Witte aus Rostock, der fürwahr andere Sorgen haben dürfte.
Wie erfahren, liegt er auf den Tod krank. Ein Wort, das zu goutieren mir immer schwerer fällt. Zu lange hat es mich beschäftigt, schaudern lassen und krank gemacht.

Einen Tag später, am 1. Januar 1893, nachdem sie über mehrere Seiten ihres Quartheftes den Ablauf der Geburtstagsfeier und den still im engsten Familienkreis verbrachten Silvesterabend beschrieben hat, kommt sie auf den letzten Eintrag ihres Tagebuchs vom 31. Dezember zurück:

Es ist aussichtslos – heißt es da. *Die List mag taugen, manchmal. Aber am Ende?*
Der Tod führt seine Bücher gewissenhaft. Für Onkel Witte wird niemand auferstehen und keiner stellvertretend sterben. Ich habe angefangen, für ihn zu beten.

27. KAPITEL – KARLSBAD, 1894

Das Ende war langsam gekommen. Ein Tod, der Jahre währte. Die Diagnose: »Krebs«, hatte nur den Abschluß eines grausamen Prozesses gebildet, an dessen Anfang eine falsche Entscheidung gestanden habe, wie Theo erklärte. Des traurigen Endes guter Anfang aber sei es gewesen, daß Emilie sich gegen das aufwendige Karlsbad nicht mehr zu sträuben gewagt habe.
Die Bemerkung war Teil eines jener Gespräche gewesen, die Theo zwischen fünf und sechs Uhr morgens in der Brunnenhalle des Bades mit Dr. Friedlaender zu führen pflegte. Zu einer Zeit, in der die Kurgäste ihre Anwendungen nahmen, in Moor- oder Mineralwasser ge-

füllte Wannen stiegen und ihre ziselierten und bemalten Gläser unter die Fontänen schoben, die vielfarbig und von atemverschlagenem Gestank aus gemauerten Behältnissen schossen.
Es war Theos zweiter Aufenthalt in Karlsbad. Kurz nach Friedrich Wittes Tod im Vorjahr war der Entschluß gefallen, die Sommer nicht mehr im Riesengebirge zu verbringen, sondern sie zu einem Kuraufenthalt zu nutzen. Das Ableben des eben 63jährigen Freundes hatte seinen Teil dazu beigetragen. Aber auch Emilies Gallenleiden. Es war gerade zu dem Zeitpunkt aufgetreten, als Theos Symptome zu schwinden begannen. Ebenso sonderbar war, daß kurz nach Fritz Wittes Tod Mete von einem Fieber befallen wurde. Dr. Delhaes zeigte sich außerstande, eine Diagnose zu stellen.
»Nervös«, sagte er und blickte betreten zu Boden.
Das Krankheitsbild verschlimmerte sich. Bald wurde von einer gefährlichen Krise gesprochen. Todesängste überfielen Mete. Sie schlief nicht mehr, verweigerte die Nahrung und magerte zu einem Skelett ab. Keine Therapie sprach an. So wurde beschlossen, Mete sobald wie irgend möglich zu Anna Witte nach Rostock zu schicken, gegebenenfalls auch zu ihrer Tochter Lise auf Gut Elsenau. Oder bei einer Freundin unterzubringen. Während Metes Abwesenheit wollten die Eltern in Karlsbad kuren. Die finanzielle Seite war unerheblich geworden.
»Wo nichts ist, kann man nichts verlieren«, hatte Theo mit unbekümmerter Direktheit das Problem gelöst und war mit Emilie abgereist. Ihre Bedenken, für ein Bad dieses Niveaus kleidungsmäßig nicht hinreichend gerüstet zu sein, überging er mit sprachlosem Staunen.

In einem der reichlich angebotenen Privatquartiere war man untergekommen, nicht gerade erste Adresse, wie bei den Pensionen und Hotels am Markt und Auf der Wiese. Aber die Erfahrung des Vorjahrs hatte eine Wiederholung empfohlen. Außerdem erfreute man sich der unmittelbaren Nachbarschaft der Friedlaenders, die nur zwei Nummern weiter Quartier bezogen hatten. Ganz wie im vergangenen Jahr.
Auch Emilies Gallenbeschwerden waren dieselben geblieben und brachten mit ihrer zähen Beharrlichkeit den Tagesablauf unter ihre Kontrolle.
Nach dem Moorbad am frühen Morgen, das ihren ziehenden Leibschmerzen kaum Linderung verschafft hatte, ging sie erschöpft auf

ihr Zimmer zurück, versehen mit Morphium und Kokain-Applikationen, von denen sie seit längerem abhängig geworden war, und überließ es ihrem Mann, den Tag für sich zu gestalten. Dr. Friedlaender, seiner scharfen Beobachtungsgabe wegen geschätzt, bewährte sich wieder einmal als der ideale Begleiter.
Usus war es, sich nach der Trinkkur am Morgen Bewegung zu verschaffen, sei es zu Pferd, im Wagen oder zu Fuß. Es hieß, das Wasser könne so am besten seine Wirkung tun.
Wer Karlsbad und seine Gäste kennenlernen wollte, mußte sich unter das Treiben mischen. Zu einer Zeit, in der noch der Nebel aus den bewaldeten Hängen quoll. Die Luft wurde feucht. Aus den Mündern der Spaziergänger qualmte der Atem wie der Dampf aus den warmen Quellen.
Um sich nicht zu erkälten, trugen die meisten Mäntel.
Am Kragenbesatz erkenne man den Pappenheimer, meinte Theo, anspielend auf die Vielfalt der Mantelkreationen, die ihnen auf der rauchigen Allee entgegenkam.
»Ein Kommerzienrat dort hinten ... oder vielleicht ein oberschlesischer Industriemagnat?«
»Ich tippe auf polnischer Graf«, alberte Dr. Friedlaender und sah mit auffallendem Interesse seinem Begleiter zu, der an seinem ellenlangen karierten Schal zu zupfen begann, der mehrfach geschlungen seinen Hals abdeckte.
»Und das, lieber Doktor, weist worauf hin?« Der Herausgeforderte verkniff sich die Antwort, mußte aber schmunzeln, als er hörte: »Einen deutschen Dichter. Mit anderen Worten: Dem bei weitem bedauernswertesten Geschöpf unter der Sonne. Glaubte ich bisher jedenfalls.«
Nach der Mittagszeit, in der die Straßen der Stadt regelmäßig verödeten, fand sich das Publikum ausnahmslos wieder auf den Promenaden ein, wo es das von den Badeärzten verordnete Bewegungspensum absolvierte, pilgerte aber auch hinaus zu den Anlagen, die in ihrer klassizistischen Schönheit einen gewinnbringenden Aufenthalt versprachen.
Emilie war inzwischen erwacht, fühlte sich schmerzfrei und sogar zu Taten aufgelegt, hatte sich jedoch auf Anraten von Frau Friedlaender ihr und nicht den Männern angeschlossen, die einen Kaffeehausbesuch planten. Mit Emilie wollte sie statt dessen ins Theater gehen.
Die Cafés auf dem Markt brauchten sich über Andrang nicht zu be-

klagen. Ein wolkenloser Augusthimmel, der das Tal überwölbte, hatte dafür gesorgt. Markisen waren ausgefahren worden und beschatteten die Veranden. Das Schweißtuch regierte die Stunde. Zur Marscherleichterung hatte Theo den Hemdkragen geöffnet. Selbst unter der Markise, die ihm und Dr. Friedlaender seit einer halben Stunde die Sonne vom Leib hielt, war es unerträglich warm. Der Amtsgerichtsrat aus Schmiedeberg hatte bereits sein Bedauern ausgesprochen, bei diesem Wetter auf keine bessere Idee gekommen zu sein. Theo aber rechtfertigte ihre Tortur damit, daß sie vorzügliche Studien liefere.

»Sehen Sie sich da drüben unseren polnischen Grafen an, Doktor«, sagte er, »heute morgen Allee. Jetzt Mocca, Baiser und Zigarre.«

»Wollen Sie ihm das verbieten?« entrüstete sich Dr. Friedlaender im Spaß, »es ist doch seine Sache.«

»Sicher, Doktor, genauso wie die des Paares da drüben. Er: Fleischermeister schätze ich. Eckgeschäft. Günstige Lage. Bisher: Sächsische Schweiz, Harz. Jetzt: Karlsbad.«

Dr. Friedlaender schüttelte amüsiert den Kopf, als ihn schon ein Stoß aus seiner gutmütigen Reserve riß.

»Der darf Ihnen nicht entgehen«, hörte er Theo zischeln, »was denken Sie? Minister, General?«

»Um Himmels willen«, meinte Dr. Friedlaender auf dem Rückweg, »was bringt Sie nur dazu, diese kleinkarierten Maßstäbe anzulegen. Ein Mann wie Sie, Theo?«

Abrupt war der Angesprochene stehengeblieben. Die Stirn in Falten gelegt und die Augenbrauen gelüpft, antwortete er mit todernster Stimme:

»Ein abgrundtiefes Verlangen nach Wahrheit, Doktor.«

Der Kaffee war eine Spur zu stark gewesen.

»Wollen wir uns setzen?« fragte Dr. Friedlaender und wies auf eine Bank am Rand ihres Weges. Aber Theo winke ab.

»Nichts da, Doktor«, knurrte er, »meine über zwanzig Jahre mehr auf dem Buckel werden Sie nicht davor schützen, mir weiter zuhören zu müssen.«

Er atmete mehrere Male kräftig durch, um dann seinen Begleiter aufzufordern, ihm zu folgen.

»Ja«, sagte er, an das anschließend, was ihn vorher bewegt hatte, »ich habe etwas dagegen, wenn ein polnischer Graf zu kuren beginnt, nur

weil man ihn von allen Spieltischen Europas wegen Insolvenz verbannt hat. Und ich akzeptiere es nicht, daß ein Fleischermeisterehepaar Karlsbader Pflaster schändet, nur um dazuzugehören. Von den anderen nicht zu reden. Mein ganzes Leben lang habe ich Zurücksetzung und Belächeltwerden gerade von diesen Leuten erfahren. Es hat mich immer geärgert und mir über weite Strecken das Auskommen mit den Menschen schwer gemacht. Gerettet hat mich am Ende nur eins: Zu akzeptieren, daß es so ist, wie es ist.«
»Und es ist schlecht, meinen Sie?«
Der Einwand hatte Theo mißtrauisch gemacht.
»Ziehen Sie das allen Ernstes in Zweifel, Doktor?« fragte er mit ärgerlichem Tonfall.
»Nun, es gibt viel zu verbessern.«
»Verbessern?«
Das Greisenhaupt mit dem voll ergrauten Haar und dem buschigen Schnäuzer bewegte sich erregt einige Male hin und her.
»Verbessern ist zuwenig«, kam es dann überhastet von dort, »eigentlich gar nichts.«
Es war gegen sechs Uhr. Die Theater schlossen um diese Zeit. Emilie und Frau Friedlaender mußten schon auf dem Heimweg sein. Aber nicht deswegen waren die beiden Männer schneller gegangen. »Diesem Jahrhundert hat es immer an einem gefehlt«, stieß Theo hervor, weil ihm das Tempo den Atem nahm, »am Sinn für Tatsächlichkeiten. Betrug im großen, Betrug im kleinen. Wer konnte, machte mit. Ich konnte nicht.«

Zwei Tage lang hatte es geregnet. So heftig, daß die Erinnerung an das schöne Wetter zu schwinden begann. Dann aber, als habe der Himmel ein Einsehen, klarte es auf.
Aus den Baumwipfeln und Wiesen tauchten dichte Schwaden wie weiße schwingende Tücher, und über dem Pflaster der Straßen lagen dampfend Wolken. Trotzdem dauerte es einen Morgen, bis die Wege halbwegs begehbar waren und der Kurbetrieb in Gang kam.
Auf den Schlag wurde es wärmer. Am Nachmittag drängte an die frische Luft, was sich auf den Beinen halten konnte. Um der Enge der vier Wände zu entfliehen, der man schließlich zwei Tage ausgeliefert gewesen war, wurde keine Anstrengung gescheut. Selbst Emilie, deren Gallenbeschwerden sich zwar zu einem unangenehmen Druck abgeschwächt hatten, aber beeinträchtigend genug blieben, um an

Schonung zu denken, erklärte sich bereit, teilzunehmen an einem Spaziergang zum Dorotheentempel. Frau Friedlaender war natürlich mit von der Partie.
Wie üblich, ließen sie die Männer vorangehen, nicht zuletzt auch, um sie ungestört ihren Gesprächen zu überlassen, bei denen es immer etwas zu medisieren gab, wie Frau Friedlaender einmal kritisch bemerkte. Daß ihr Mann dabei kräftig mittat, wenn er über Allüren und Outriertheiten der Schmiedeberger Honoratioren berichtete, ließ sie keinen Millimeter von ihrer schlechten Meinung abrücken.
Der Dorotheentempel, ein klassizistischer Rundbau auf dorischen Säulen, bildete die Spitze eines Felsbuckels, der sich in die Schleife eines Flüßchens drückte. Als beliebtes Ausflugsziel erfreute er sich auch an diesem Tag eines regen Zuspruchs. »Genau das meine ich mit Betrug im kleinen«, griff Theo gerade eine Bemerkung Dr. Friedlaenders über das bornierte Verhalten junger Gerichtsreferendare auf, als ein Kremser sie überholte, auf dessen Ladefläche eine Reisegesellschaft lärmte.
Da der Boden noch feucht vom Regen war, blieb der Staub aus. Trotzdem hielt man im Schritt inne, ließ den Wagen vorbeirollen und amüsierte sich über die große, befranste Fahne zu Häupten der Insassen, auf der in Goldlettern zu lesen stand: Deutscher Kolonialverein.
Am Fuß des Felsbuckels legten sie eine Rast ein, obwohl niemand behauptete, müde zu sein. Selbst Emilie nicht.
»Um so besser«, machte man sich wechselseitig das Kompliment und wagte den Aufstieg. Er dauerte weniger lang, als vermutet. Oben angekommen, gönnte man sich trotzdem eine Atempause. Die Frauen schwärmten bereits von der Aussicht.
Eine Gruppe Musiker, die Instrumente in Futteralen, hatte gerade das Plateau erklommen und machte sich daran, vor den Stufen des Tempels Aufstellung zu nehmen, als Theo meinte, am ärgsten aber stünde es mit dem großen Betrug. Und der habe zu tun mit dem Wort Freiheit. Über ein ganzes Menschenalter sei er Zeuge geworden, wie man es verstanden habe, sich um die Einlösung jenes Anspruchs zu drükken. Was schließlich herausgekommen sei, spotte jeder Beschreibung.
»Aber nicht das empfinde ich als das eigentliche Schlamassel«, erklärte Theo, während sie die Stufen zum Tempelinneren hinaufstiegen, »sondern, daß man so tut, als gebe es gar keins.«
Die Luft unter der Kuppel des Rundbaus war noch feucht und kühl

von den Regentagen her. Auf dem Marmorboden klebte die Nässe, und in der radgroßen Opferschale, die das Zentrum des Tempels bildete, schwamm eine Wasserlache, übersät von Blüten und Blättern, so, wie sie vom Wind plaziert worden waren.

Dr. Friedlaender hatte Theo recht geben müssen. »In großen Teilen«, wie er sagte. Eine Tragikomödie sei inszeniert worden, inwieweit aus bösem Willen oder Unfähigkeit, wolle er dahingestellt sein lassen.

»Aber ist es nicht besser«, schlug er vor, »Frieden zu machen mit dem, was nun einmal geschehen ist?« Man sei einer Illusion nachgejagt, jawohl, und habe sich belehren lassen müssen. »Der Mensch bleibt nun einmal so, wie er ist«, präzisierte er seine Ansicht, »unzugänglich und starr wie die Natur oder die Quadersteine dieses Tempels. Auch Sie, Theo, werden das begreifen müssen.«

Die Musiker am Fuß der Treppen hatten ihre Instrumente ausgepackt, Celli und Geigen, waren zusammengerückt und hatten zu spielen begonnen. Eine schräg einfallende Sonne leuchtete den Tempel aus.

»Haydn«, bemerkte Dr. Friedlaender sachkundig, »welche Verschwendung hier.«

Sie waren um die Opferschale herumgegangen, weil sie die Aussicht auf der anderen Seite in Augenschein nehmen wollten. Nach den ersten Takten jedoch hatten sie ihren Marsch unterbrochen und andächtig der Musik gelauscht.

»Wunderschön«, raunte Dr. Friedlaender.

»Mehr noch«, flüsterte Theo, zupfte den Amtsgerichtsrat aus Schmiedeberg am Ärmel und wies auf die Opferschale, »sehen Sie doch!«

Die Blüten und Blätter hatten auf der sich kräuselnden Wasseroberfläche zu tanzen begonnen.

Die spaßige Bemerkung machte die Runde, Theo sei übergelaufen. Im Freundeskreis hieß es sogar, nachdem er sich seit zwei Jahren Doktor honoris causa schimpfe, glaube er wohl, mithalten zu müssen, und reise deshalb auch dieses Jahr mit seiner Frau nach Karlsbad. Theo hatte auf die Herausforderungen mit Gelassenheit, ja mit einer gewissen Genugtuung reagiert, eingedenk der Tatsache, daß ihm das Ehrendokorat auf die Intervention zweier herausragender Wissenschaftler der Berliner Universität, Professor Schmidt und Professor Mommsen, verliehen worden war. Eine Ehrung, wie Mete in ihrem Tagebuch am 9. November 1894 vermerkte: … *die in der Reihe aller bisher erfahrenen Ehrungen deshalb einen besonderen Rang einnimmt, weil Papa sie als gerechtfertigt empfindet. Keine Armenspeisung oder Pflichtübung des Staates gegenüber schreibenden Untertanen sei es gewesen, habe er jedenfalls den Eindruck gehabt, sondern eine Anerkennung, die sich auf sein Lebenswerk beziehe. Dafür spreche schon der Name Erich Schmidt, der immerhin den angesehensten Lehrstuhl der Germanistik in Deutschland inne habe.*

Im Dezember war eine Ehrenpension des Preußischen Kultusministeriums gefolgt. Auch sie verkraftete Theo mit einer Nonchalance, die er um so mehr genoß, als er sich an seine vergeblichen Bemühungen in der Anfangszeit als Schriftsteller erinnerte. *Papa trägt der Vergangenheit hier nichts nach* – schreibt Mete am Geburtstag des Vaters, den 30. Dezember 1894, in ihrem Tagebuch – *damals habe er eine Unterstützung bitter nötig gehabt und sei abgewiesen worden, meinte er. Heute habe sich das Blatt zwar nicht grundsätzlich gewendet – Geld gehöre für ihn immer noch zu den Raritäten – aber dieses Mal seien die Preußen an ihn herangetreten. Und das amüsiere ihn köstlich. Papa lebt in einer Aufbruchstimmung, die schon deshalb erstaunlich ist, weil sie eigentlich gar nicht zu seinem Alter paßt. Schließlich geht er ins 76. Lebensjahr. Mich kann es nur freuen.*

Für seinen wiedergewonnen Auftrieb zeugte ein Romanentwurf, den er im folgenden Jahr konzipierte, die »Likedeeler«, ein historisches Werk um Klaus Störtebeker, nachdem er im November und Dezember des Vorjahres an der Fortsetzung seiner buchhändlerisch so erfolgreichen Kindheitserinnerungen geschrieben hatte, betitelt »Von

Zwanzig bis Dreißig«. Ein Buch, das noch einmal die Zeit vor der Märzrevolution in Augenschein nahm.
Klagen über das Alter indes blieben nicht aus. Als er für die Garde getaugt habe, seien seine Unternehmungen alle schief gelaufen, schimpfte er, jetzt, wo er klapprig werde und den Tag über immer öfter ans Bett denke, schneie das Glück – wenn auch nur tröpfchenweise – ins Haus. So verrückt es sei, er freue sich trotzdem darüber.
Mete glaubt in ihrem Tagebuch vom 1. Juli 1895 die Gründe zu kennen:

... weil Papa sich endlich einmal so geben konnte, wie er ist: Ungeschminkt, nicht verborgen hinter der Rolle einer Romanfigur oder einer zurechtgebogenen Handlung, kam der Erfolg. Das, glaube ich, ermutigt ihn über die Maßen und ist das Geheimnis seines an ein Wunder grenzenden Tatendrangs.

Nicht unerheblich dazu bei trug die gute Aufnahme, die der Roman »Effi Briest« schon im Vorabdruck erfuhr und einiges für die Buchausgabe erhoffen ließ. Friedel wollte sie in die Hand nehmen. Auch ihm gegenüber hatte sich die reservierte Haltung des Vaters geändert, seitdem er annehmen mußte, daß der Verlag des Sohns nicht nur gut ohne seine Unterstützung auskommen konnte, sondern dabei war, im Bereich der Belletristik eine führende Stellung in Deutschland einzunehmen. Wie weit die Rigorosität gediehen war, die Welt der Tatsachen über alles zu stellen, zeigte sich in dem Augenblick, als Theo im Mai 1896 die Einladung erhielt, an den Goethetagen in Weimar teilzunehmen.
»Das ist ja phantastisch, Papa«, geriet Mete ins Schwärmen, als sie das Telegramm in den Händen hielt, »der Doktor, die Ehrenpension und jetzt noch diese Offerte.«
»Phantastisch, ja«, knurrte Theo, das Gesicht zu einer säuerlichen Miene verzogen, »aber nichts für mich.«
»Papa ...!«
»Ja, Mete, der Doktor ist in Ordnung und die Ehrenpension auch«, erklärte er, im Ton eindringlich und beschwörend, »die Goethetage sind es nicht. Dein Papa hat nie mit einem Lateinaufsatz maturiert. Er ist aus anderem Holz geschnitzt. Ich würde mir nur peinliche Stunden bereiten, sollte mich der Ehrgeiz reiten, ein Pferd zu satteln, auf dem ich mich doch nicht halten kann.« Die Absage begründete er indes tags darauf mit dem Hinweis, seine Teilnahme sei aufgrund eines

lange schon geplanten Urlaubs leider nicht möglich. Gemeint damit war Karlsbad. Wie schon im vergangenen Jahr wollte er dort mit Emilie Ferien machen, weniger der Beschwerden wegen, die sich inzwischen deutlich gebessert hatten. Dem Vorwurf, mit der Wahl von Karlsbad renommistischen Motiven nachzugeben, trat Theo entgegen mit der Erklärung, Karlsbad stehe ihm zu.
Gemessen an den Jammerlappen, die sich nicht scheuten, den Ort mit ihrer Mediokrität zu beehren, habe er nicht die geringsten Hemmungen, aus den geheiligsten Brunnen zu trinken. Damit war der Widerspruch aus der Welt, er sei übergelaufen zu denen, für die er in der Vergangenheit nur Spott und Hohn übrig gehabt habe.
Ende Juni sollte die Reise stattfinden. Zu diesem Vergnügen stand im selben Monat noch eine Annehmlichkeit anderer Art ins Haus: Theos Portrait sollte in der Zeitschrift »Pan« veröffentlicht werden. Anfang des Jahres war das Angebot an ihn herangetragen worden, sich malen zu lassen. Angesichts der Erfahrung, die Mete mit der Weigerung ihres Vaters gemacht hatte, nach Weimar zu fahren, wagte sie kaum, ihre Mutmaßung zum Ausdruck zu bringen.
»Papa, du wirst doch nicht ...?«
»Keine Angst, Mete, dieses Mal werde ich nicht ...«
»Absagen?«
»Ganz recht. Liebermann ist ein Künstler. Einer, der sein Fach versteht. Mit einem Korb würde ich weder ihm noch mir einen Gefallen tun.«

Daß die Reise nach Karlsbad unter einem anderen Stern stand, deutete die Mitnahme seines neuesten Romanmanuskripts an. Seit Dezember des vergangenen Jahres arbeitete er an einem Werk, das vom Umfang und Thema her einen besonderen Stellenwert einzunehmen versprach. Mete meint in ihrem Tagebuch, darin ein Vermächtnis zu sehen:
Papa sitzt jede Minute, die er bei Kräften ist, in seinem Zimmer – schreibt sie. *Als sei er zu einem Rennen gegen die Zeit angetreten, unterläßt er alles, was ihn dabei stören könnte. So arbeitet er bis gegen drei Uhr, ißt in aller Schnelle, um sich dann hinzulegen. Umgang hat er kaum noch, überläßt die Kontaktpflege ganz Mama und mir. Die Heydens und Zöllners sind ihm fast fremd geworden. »Stechlin« heißt sein neuester Roman. Eine Geschichte über Menschen und einen See, der, so still und abgelegen er ist, sich zu regen beginnt, wenn draußen in der Welt etwas geschieht.*

Vorsorglich hielt Emilie daran fest, morgens ihre Anwendungen zu nehmen. Bis zum Mittagessen stand sie deshalb nicht zur Verfügung, weil auf das Moorbad eine verordnete Ruhepause von einigen Stunden folgte. Theo und die Friedlaenders – sowenig wegzudenken hier wie die Brunnenhalle oder der Dorotheentempel – durchstreiften währenddessen die Innenstadt, betrachteten die Auslagen der Geschäfte, besuchten die Buchhandlungen und durften mit Zufriedenheit zur Kenntnis nehmen, daß der Roman »Effi Briest«, seit Herbst letzten Jahres im Verlag Friedrich Fontane & Co. als Buch erschienen, flächendeckend vertreten war.
»Es geht in die fünfte Auflage, hab ich gehört«, versuchte sich Frau Friedlaender bei Theo sachkundig zu machen, ohne zu ahnen, daß eine solche Anfrage, noch zudem in Hörweite eines literaturkundigen Publikums vorgebracht, ihn in die Flucht schlagen mußte.
Am Nachmittag änderte sich die Zusammmensetzung. Emilie gesellte sich hinzu. Ausflüge wurden geplant, in die Umgebung von Karlsbad. Die wenigsten allerdings durchgeführt. Theo entschuldigte sich mit seiner Müdigkeit.
»Das Gehäuse wird alt, auch wenn der Kern es nicht wahrhaben will«, erklärte er seine Abneigung gegen Strapazen der anstehenden Art, »fahrt nur, ich komme schon zurecht.«
Obwohl niemand ihm recht glauben mochte, eher an eine Finte dachte, die es ihm erlauben würde, an seinem Manuskript weiterzuarbeiten, akzeptierten sie den Einwand. Die Exkursionen zu dritt blieben jedoch eine Ausnahme.
Wenn Emilie gegen Abend zurück kam, lag Theo im Bett.
»Übertreibst du nicht?« fragte sie dann mürrisch und wies nach draußen, wo es noch hell genug war, um zu promenieren, und so warm, daß man es auf einer Bank aushalten konnte.
»Bei mir ist um neun alles vorbei«, wehrte er kategorisch ab, »die fünf Jahre Unterschied zwischen dir und mir schlagen jetzt zu Buche«, um nicht preiszugeben, daß es ihm darauf ankam, sich Kraft anzuschlafen für den nächsten Tag, der dem »Stechlin« gehören sollte. Mit der Kraft war es leider: »So ... so ... geworden», wie er in redlicher Selbsteinschätzung seinen Zustand beschrieb, »und wird es wohl bleiben. Auch wenn der Wille die Peitsche schwingt.»
Daß er damit keineswegs übertrieben hatte, bewies seine neuerlich aufflackernde Sorge um Mete.
»Du bereitest mir Kopfzerbrechen, Theo.«

»Die Wirklichkeit muß auf den Tisch«, wischte er ihren Einwand beiseite, »was wird aus Mete, wenn ich nicht mehr bin?«
»Du wirst nicht sterben, Theo.«
»Das sagst du, Emilie.«
»Du bist schließlich gesund, oder?«
»Ich bin alt. Das genügt«, sagte er mit einem verächtlichen Schnaufer, »außerdem siehst du, daß ich nicht aus dem Bett komme, im Gegensatz zu dir.«
Das war gegen sechs Uhr in der Früh gewesen. Auf der Allee gegen vier Uhr am Nachmittag sprachen sie in Gesellschaft der Friedlaenders über Mete. Sie sei auch deshalb allein in Berlin zurückgeblieben, erklärte Theo, um wieder einmal ihren Mitleidregungen als Krankenschwester nachzugeben. Neuerdings bemühe sie sich um Frau Professor Fritsch, die ein schlimmes Schicksal ereilt habe: Krebs.. In Zillerthal sei man dem Ehepaar – sie, seine zweite Frau – näher gekommen. Mete habe des öfteren das Haus besucht und stehe sowohl mit dem Professor als auch mit seiner Gattin auf gutem Fuße.
Ob es geschmacklos wäre, hier weiter zu denken, fragte Dr. Friedlaender, als sie vor einer Bank eine Pause eingelegt hatten.
»Ganz und gar nicht«, sagte Theo, während Emilie sich verschämt abwandte, »an eine Einheirat habe ich auch schon gedacht. Es wäre das Beste, was Mete passieren könnte.«
Bis zum Abend hin zeigte sich Emilie von einer eigentümlichen Bedrücktheit, die dem Tagesablauf in jeder Beziehung widersprach. Nach dem Spaziergang hatte man ein Konzert besucht, sich anschließend in einem Gartenrestaurant unter mächtigen Ulmen angeregt unterhalten, um sich darauf im besten Einvernehmen zu trennen. Bis in die späten Stunden hinein war das Wetter schön geblieben. Trotzdem hatte Emilie ihre Mißgelauntheit mit zurückgenommen in ihre Pension.
»Ist etwas?« fragte Theo, während sie sich schweigend auskleidete, ihr Kissen auf dem Bett zurechtrückte und sich grußlos zum Einschlafen hinlegte.
»Es ist nichts, mein Alter«, beglich sie nach einiger Zeit seine Anfrage mit einer Zärtlichkeit in der Stimme, die in den langen Jahren ihrer Ehe so selten geworden war.
Den Brief hatte er in aller Frühe beendet, im ersten Licht, längst bevor Emilie sich für den Badebetrieb einrichtete. Die Nacht hatte ihm zu denken gegeben. Vielleicht darum war der Brief schlecht gewor-

den: Zu direkt, zu aufdringlich. Überall sprang etwas ins Auge: Die Besorgtheit, das Besserwissen. Ratschläge für wen?
Er hatte den Brief zerrissen.
Meine liebe Mete, begann er wieder. Vor Jahren hatte er alles getan, um sie festzuhalten. Und jetzt?
Emilie war aus dem Bett gekrochen, mit vorsichtigen Bewegungen, zog sich an, unbekümmert, als sei niemand im Zimmer, verließ es genauso, unbeteiligt, um sich ihren Anwendungen zu unterziehen. Er sah sie vor seinem Fenster den Platz überqueren, mit schleppendem Schritt.

Von übersprudelnder Vitalität ist indes in Metes Tagebuch vom 1. Juni 1896 die Rede, wenn es dem Vater eine Spitzbübigkeit bescheinigt und eine Art, die an kindliche Altklugheit erinnere:

Papa scheint gar nichts davon zu halten, daß ich im 37. Lebensjahr stehe – macht es sich über den Vater lustig. Überall schaut der Zeigefinger hervor, auch wenn er sich nach Kräften bemüht, es nicht merken zu lassen. So schreibt einer, der was unter Dach und Fach bringen möchte. Mit einem Wort: Er will mich los sein. Die Fritsches preist er in den höchsten Tönen, nennt ihn einen lauteren, durchgeistigten Charakter, dessen Künstlertum in glücklichster Weise mit einem gesunden Sinn für die Erfordernisse des Lebens verschmelze.
Besser könnte keine Heiratsannonce abgefaßt sein. Sie bezeichnet er als eine feenhafte Erscheinung, herabgestiegen aus einer anderen Welt, um nur für kurze Zeit unter uns zu weilen. Wenn es um ihn geht, ist der Märchenprinz nicht fern, der Dornröschen befreit aus dem Geschlinge schicksalhafter Fesselungen.
Anklänge schwingen immer mit, es könne sich dabei um mich handeln. Wie wenig Papa doch weiß von dem, was Anna und ich durchstehen müssen, natürlich auch der Professor. Und die Worte versagen dort, wo es um die Beschreibung der Qualen geht, die Frau Fritsch auszustehen hat. Der Doktor hält jede Hoffnung für illusorisch. Bei jungen Leuten gehe es besonders schnell, meint er, spricht von Monaten, will sich aber nicht festlegen und redet dann wieder von Jahren. Anna und ich tun unser Bestes. Auch dem Professor zuliebe, der ganz schmal und durchsichtig geworden ist, als schäme er sich vor der armen Kranken seiner Gesundheit.

Die Arbeit am »Stechlin« nahm immer mehr Raum ein, je länger der Aufenthalt in Karlsbad währte. Emilie mußte an den Nachmittagen ihren Mann vertreten, wenn ein Spaziergang oder Konzertbesuch mit den Friedlaenders angesetzt war. Seine Abwesenheit hatte inzwischen eine Regelmäßigkeit erreicht, die jede Nachfrage überflüssig machte. Der Roman und die Korrespondenz mit seiner Tochter füllten die Stunden aus, über die niemand genauer in Kenntnis gesetzt war als Mete.

Am 5. Juni 1896 vermerkte sie im Tagebuch, daß ihr das Verhalten des Vaters zum Nachdenken Anlaß gebe und sie ihre frühere Einschätzung wohl zurücknehmen müsse:

Alles, was ich bisher über Papas neues Werk geäußert habe, reicht nicht heran an das, was wirklich dahintersteckt: Vermächtnis, neuerwachter Schaffensdrang, Willensakt ... nein, solche Erklärungen greifen zu kurz, dessen bin ich jetzt sicher. Wie Papa schreibt keiner, der nur Angst hat, nicht mehr fertig zu werden. Die Dinge liegen anders. Gestalten und Ereignisse weben ihre Netze für den, der ihre Wahrheit versteht.

Nur für das Neue lebe er eigentlich noch, behauptete Theo anläßlich eines der für ihn selten gewordenen Treffen mit den Friedlaenders. »Eine einigermaßen eigentümliche Vorliebe in meinem Alter. Ein Paradox.« Aber schließlich sei sein ganzes Leben nichts anderes gewesen als einen Aneinanderreihung von Paradoxien. »Sie gipfeln jetzt darin«, sagte er, »daß ich anfange, wo andere aufhören.«

Die letzten Tage ihres Aufenthalts waren angebrochen. Tage, die zu gestalten Schwierigkeiten machte. Noch einmal wollte man den Dorotheentempel besuchen.

Auf dem Kalender war der Sommer nähergerückt.

»Eine herrliche Jahreszeit für einen chronisch unterkühlten Zeitgenossen«, witzelte Theo und bezog es auf sein Alter, während sie in einem Kremser ihrem Ausflugsziel entgegenrollten. Daß Emilie es in auffälliger Weise unterließ, seine Aussagen neuerdings mit Kommentaren zu versehen, wie es früher ihre Art gewesen war, machte ihn stutzig. Er vermutete zu recht eine Rücksichtnahme dahinter, die ungerechtfertigtem Mitleid entstammte. Er bedauere es, in diesem Jahrhundert gelebt zu haben, meinte er düster, während sie nach dem Aufstieg zur Tempelanlage eine Verschnaufpause eingelegt hatten. Es sei ein Jahrhundert der Grapscher gewesen: Nach Geld, Titeln und irgendeiner Zugehörigkeit. Ein Jahrhundert, dessen Sinn – wenn ihm überhaupt einer zuzubilligen sei – einzig darin gelegen habe, auf das Neue zu warten.

29. KAPITEL – BERLIN

Die schlagendste Waffe, die er ins Treffen führen konnte, war seit langem sein Alter. Sie hatte inzwischen eine solche Wirkung erreicht, daß er damit jeden Angriff zum Erliegen brachte. Auch wenn er gut gemeint war, wie anläßlich seines 75jährigen Geburtstags vor zwei Jahren. Es war ihm damals leicht gefallen, das Angebot, ihn gebührend zu feiern, zurückzuweisen, weil er an die Ehrungen zu seinem 70. dachte.

Noch einmal waren die Mächte der Vergangenheit an ihn herangetreten – die Vereine und Institutionen – denen er angehört hatte, um ihre Gunstbeweise auszuschütten. Theo aber war hartnäckig geblieben.

»Das Alter ... leider!«

Mete gegenüber war er anders aufgetreten.

»Die haben's nötig«, hatte er gesagt und damit seine Entschlossenheit bewiesen, der Welt, die er hinter sich gelassen hatte, keinen Fuß breit Boden mehr zu opfern.

Dazu zählte er nunmehr auch die Offerten aus dem Freiherrlichen Haus der Wangenheims. Ihm sei dieser olympische Ton, der dort herrsche, zuwider, erklärte er seine Ablehnung. Das Reden sub specie aeternitatis gehöre zu den Manieren derer, die es vorsorglich bei Vorsätzen belassen wollten. Aber auch er könne sich hier an die eigene Brust schlagen.

Mete fand diese Einstellung bewundernswert, wie sie sich im Tagebuch vom 10. Dezember 1896 äußert:

Seitdem Papas Bockigkeit, die sicher immer schwer zu ertragen war, Sinn und Ziel erkennen läßt, steht er im neuen Licht da. Er lebt mit der Lauterkeit eines Heiligen, benutzt bei allen Entscheidungen die Goldwaage seines Glaubensbekenntnisses und schert sich nicht um Land und Leute, wenn er sich zu etwas durchringt. Jedem, der es hören will – und das sind sicher die wenigsten – unterbreitet er seine Philosophie vom neuen Leben, die er Mal

für Mal mit ausgeklügelten Beweisen unterfüttert. Dabei scheut er vor nichts zurück. Führt das schreckliche Unglück seines Verlegers Hertz ins Feld, dessen Sohn Selbstmord begangen hat, und macht auch nicht vor den von Heydens Halt, die auch Pech mit ihrem Sohn hatten (Irrenanstalt).
Solche Vorfälle sind für Papa nur Indizien dafür, wie weit runter wir seien. Auf demselben Blatt stehe aber auch die Hilflosigkeit des Staates gegenüber dem unaufhaltsamen Heraufdämmern der neuen Zeit. Von der zunehmenden Unverträglichkeit der Menschen ganz zu schweigen, meint Papa, und spielt dabei an auf das sich verdüsternde Verhältnis zwischen Bruder Theodor und seiner Frau, deren Trennung nur deshalb nicht vollzogen wird, weil sie Theodors Karriere schaden könnte. Papa, der Theodor für einen Prinzipienreiter und Biedermann hält, dem das Grapschen erste Natur sei, spricht ihm jede Fähigkeit zu einer Veränderung ab. Gleichzeitig aber läßt er in seinem Urteil erkennen, was er unter dem Neuen versteht, von dem er unentwegt redet.
Nun, er billigt Theodor immerhin die Entscheidung zu, auszuharren auf trostlosem Eheposten, weil es eben seine Entscheidung sei, die, wie er erklärt, damit rechtens ist.
Mamas Einverständnis zu erwirken, fällt ihm in dieser Angelegenheit nicht schwer, da Theodor das Paradepferd der Familie ist und es auch bleiben soll. Schwierigkeiten allerdings macht sie Papa dort, wo er seine Beglückungsphilosophie, wie sie sagt, auf Friedel anwenden will. So großzügig sich Papa auch zeigen kann, Friedels Braut Frieda gegenüber tritt er geradezu borniert auf.
Liebreizend, adrett, mit allen Vorzügen des Äußerlichen ausgestattet, wirft er ihr den bourgeoisen Hintergrund vor, dem sie entstamme: Herkömmliche Sechsdreierwirtschaft mit Astor und Mackay, eine Mischung aus Größenwahn und Sauerkraut, die er auf Dauer für ungenießbar halte. Allerdings hat er gut tanzen auf dem geduldigen Parkett einer Sie-paßt-nicht-zu-uns- Philosophie, wenn die Zukunft noch in den Sternen steht. Hier werden Züge an Papa sichtbar, die seiner ermutigenden Lebenseinstellung auch etwas Enges und Selbstgefälliges verleihen. Ansonsten verhält sich Mama ihm nachsichtig bis wohlwollend gegenüber, mißt seinen Einschätzungen wenig Bedeutung bei und breitet über seinen Kapricen den Mantel freundlicher Großmut.

»Die Poggenpuhls«, zunächst als unzumutbar oder politisch zu brisant abqualifiziert, begannen sich unter dem Patronat des Verlages Friedrich Fontane & Co. zu einem Verkaufserfolg zu entwickeln. Nicht zum geringen Erstaunen von Emilie und Mete, die von der

Gleichgültigkeit des Vaters düpiert wurde, als er behauptete, eine solche Wende kommen gesehen zu haben.
»Nun, ich gebe zu, daß der Roman nichts hat von einem Reißer«, sagte er, »eigentlich sogar langweilig ist für den, dem es um Haupt- und Staatsaktionen geht. Aber er ist unerbittlich darin, aufzuzeigen, wie es um unsere Führungsschicht – den Adel – steht.« Daß man sich allerdings für solche, ehemals als blasphemisch eingestuften Beflekkungen zu interessieren beginne, beweise nur die Richtigkeit seiner Theorie.
Inzwischen war der »Stechlin« in seiner ersten Fassung fertig geworden, nicht ohne Einbuße an Nervenkraft und Bewegungsfreiheit. Um beides wieder herzustellen, hatte Theo nach Karlsbad eine zweite Urlaubsreise unternommen, die seiner Müdigkeit indes nicht abzuhelfen wußte. Phasen völliger Passivität, die immer häufiger die Korrekturarbeiten am »Stechlin« unterbrachen, trieben Theo dazu, den Tagesablauf in das enge Korsett einer militärischen Disziplin zu zwängen, wenn er weiterkommen wollte. Am Morgen: Redaktion bis drei Uhr, Essen, dann sollte der Tiergarten Abwechslung verschaffen. Eine Ruhepause auf dem Chaiselongue folgte, um für die Abendzeitung gewappnet zu sein.

Jetzt nach dem Neuschnee war der Tiergarten weiß überzuckert. Auf den Wegen glitzerten Fußspuren und Schlittenkufen. Sie wiesen dem Wanderer die Richtung unter den fingerdicken Eiskristallen auf Ästen und Zweigen, an denen der Wind riß. Zuweilen stäubte es dann hernieder, wie Spritzwasser am Rande von Kaskaden. In der Luft kreiste das metallische Sirren von Schlittschuhen. Auf allen Seen hatten sich Läufer zusammengefunden, jung und alt, beäugt von schnabelwetzenden Möwen, die verdrossen auf den steinernen Postamenten der Denkmäler hockten.
Wie üblich hatte Theo den ganzen Morgen am »Stechlin« gefeilt, bis ihm gegen Mittag die Augen zugefallen und die Finger steif geworden waren.
Seinen Spaziergang hatte er deshalb etwas früher angetreten. Zu der Stunde belebte sich der Tiergarten. Den üblichen Besuchern – Pensionären, Reitern oder Ammen mit hochrädrigen Kinderwagen – gesellte sich das Personal aus Botschaften und Geschäftshäusern zu.
Zuweilen verharrte Theo, grüßte formal mit einer angedeuteten Verbeugung und ging weiter. Trotzdem kam es vor, daß sich jemand

nach seinem werten Befinden und dem seiner Familie erkundigte. Darum hatte er sich angewöhnt, mit einem: »Gott, es muß gehen«, zu antworten, um sich danach aus der Schußlinie der obligaten Besorgtheit zu stehlen.
»Haben Sie schon gehört?«
»Nein ...!«
»Der Zöllner ...«
»Ich weiß ... aber daß es so schlimm steht?«
»Hoffnungslos!«
In solchen Augenblicken spürte er seine Entrücktheit und tappte über die zugepuderten Wege, das Gesicht bis zum Mund im Schal verborgen, dies und das mit funkelnden Augen erfassend, als sähe sie alles zum ersten Mal: Die würdigen Herren in Pelzen, hinter qualmender Zigarre, Legationsräte vermutlich, oder die elegant vermummte Dame dort, die ihre Hände in einem Muff warm rieb, in Begleitung zweier Personen, zweifellos die gelangweilte Ehefrau eines Fabrikanten.
Das Bild bannte ihn. Er starrte hinüber, ein alter, verbrauchter Mann, für den niemand sich interessierte.
Manchmal suchte er den Teil des Tiergartens auf, der die Restaurationsbetriebe beherbergte. Gegen drei Uhr wurden dort in den Zelten die elektrischen Lichter angezündet, weite Höfe hinauswerfend in den Schnee, auf dem die Kristalle flirrten. Hier versank er in tiefes Nachdenken. Ganz nahe aber rückte Swinemünde erst, wenn er ans Ufer des Neuen Sees trat, eine dunkle, schweigende Gestalt, die den Schlittschuhläufern zuschaute, deren Kufen unermüdlich Striche ins Eis ritzten. Er dachte daran, wie er sich als Kind geweigert hatte, das zugefrorene Meer zu betreten, aus Furcht, einbrechen zu können.
Sie gehörte der Vergangenheit an. Wenn Ärger aufstieg, so galt er dem Körper, jenem Instrument, das sich ihm mehr und mehr verweigerte. Immer öfter kam es jetzt vor, daß er eine Rast einlegen mußte, weil ihn plötzliche Schwäche überfiel. Vor den Augen taten sich Schleier auf. Die Beine versagten. Das Herz in der Brust verlangsamte seine Arbeit, bis er nur noch dreißig Pulsschläge zählen konnte. Dann hörte sogar der Ärger auf, und eine dröhnende Leere füllte ihn aus.
Vergessen machen konnte den Zustand nur ein Spaziergang durch das Herz von Berlin: Unter den Linden, zum Schloß, am Dom vorbei, zum Königlichen Schauspielhaus, umflort von Erinnerungen,

die taub geworden waren und hölzern, als gehörten sie einem anderen. Zuweilen unterbrach er seinen Marsch, lauschte dem Tosen des Verkehrs, ließ die Passanten an sich vorüberziehen, sie heimlich beobachtend, während sie eiligen Schritts ihren Zielen zustrebten.
Oft war ihm, als säße er wieder auf der Galerie des Olthoffschen Saals und starre hinunter in das Treiben der Swinemünder Gesellschaft. Als läge nichts dazwischen, empfing er die Eindrücke. Von überall her trafen sie ihn, als hätten sie nur darauf gewartet, aufgelesen zu werden.
Nicht selten kostete es ihn Mühe, das Johanniterhaus in der Potsdamer Straße zu erreichen, in einem Zustand, der Mete zu der Anmerkung veranlaßte, der Vater sehe aus wie ein glücklos heimgekehrter Krieger.
Es ist manchmal herzzerreißend, wie er durchgefroren um den Ofen herumläuft – heißt es im Tagebuch vom 13. Dezember 1896 – *oder auf die Ungerechtigkeit des Lebens schimpft, weil es ausgerechnet in dem Augenblick den Frühling schicke, wo das Holz beginne, morsch zu werden.*
Verglichen mit dem Schicksal von Frau Fritsch hat er natürlich keinen Grund zu lamentieren. Papa sollte sich statt dessen seine eigenen Romangestalten zum Vorbild nehmen, zum Beispiel diesen Dubslav von Stechlin. Ganz Philosoph, voll guter Laune und ausgestattet mit der höheren Heiterkeit des Alters. Wer als Leser darin Papa sehen möchte, geht weit an der Wirklichkeit vorbei. Allenfalls ist es ein Idealbild, das einzuholen Papa einige Mühe kosten dürfte.

Aus dem Tagebuch Mete Fontanes:

Rostock, 17. Januar 1897
Im Traum sehe ich mich immer wieder neben Frau Fritsches Bett sitzen, in einem von Schabracken abgedunkelten Raum. Eine Uhr tickt, die Sekunden zählend, als wisse sie darum, wie unabweisbar hier die Zeit verrinnt. Wieder einmal rechnen wir mit dem Ableben der Schwerkranken. Sie ist bleich und atmet mühsam. Nichts erinnert mehr an ihr jugendliches Alter. Im Gesicht regiert der Verfall. Sie spricht wenig. Mittags kommt der Professor vorbei, erhält von mir die Auskunft und bedankt sich mit einem Händedruck, der tiefe Verbundenheit ausdrückt.
Nach einem solchen Tag schwinden mir die Sinne. Einen weiteren wirst du nicht durchstehen, sage ich mir, und bin dann jedesmal froh, wenn ich erwa-

che und mich bei Tante Witte in Warnemünde vorfinde. Ihre Freundlichkeit schlägt alle Vergleiche aus dem Feld. Zum wiederholten Male hilft sie mir auf die Beine. Die Nachtwachen und das Wirtschaften bei den Fritsches, aber auch zu Hause, haben meinen Magen sauer reagieren lassen. Ich war so geschwächt davon, daß Papa sich zu einem Machtwort herausgefordert fühlte. Seine Geheimmedizin: Tapetenwechsel schlägt wieder einmal an, wenngleich es mir dieses Mal alles andere als recht ist, ausgerechnet ihm meine Gesundung verdanken zu müssen. Schließlich darf ich den begründeten Verdacht hegen, daß er nicht ganz unschuldig war an meiner Malaise. Immerhin hat er mich Professor Fritsch empfohlen, wohlwissend, daß ich nicht nein sagen würde. Welche Winkelzüge dahinterstecken, kann ich nur vermuten nach den Referenzen, die Papa dem Professor ausgestellt hat.
Insofern ist auch der Erholungsurlaub bei Tante Witte Teil eines Manövers, das Papa abhält, um seine Pläne mit mir in die Tat umsetzen zu können. Darüber aber kein Wort mehr an dieser Stelle.
Lise aus Elsenau ist mit ihrer Tochter Gertrud zu uns gekommen, um in der winterlichen Einöde die Tage bei der Mutter zu verbringen. Wir machen gemeinsam lange Spaziergänge, die mir gut tun und das Wunder meiner Erholung erklären. Gestern haben wir Onkel Wittes Grab besucht, Tannenzweige niedergelegt und gebetet. Dabei mußte ich an die Zöllners denken und die Heydens natürlich, die beide in einer ähnlich traurigen Lage sind wie die Fritsches, nur umgekehrt. Ob Herr Zöllner und der Professor das Jahr überleben werden, ist fraglich.

Rostock, 27. Januar 1897
Gestern kam ein Brief von Papa, der bezeichnenderweise das lawinenartig in Bewegung setzte, was sich gefühlsmäßig zusammengeballt hat: Eine Mischung aus großäugigem Staunen und Verärgerung ihm gegenüber.
Bemerkenswert, mit welcher Schärfe und Klarheit Papa Situationen sezieren kann, um im gleichen Atemzug eine Kleinkariertheit an den Tag zu legen, die einem Haustyrannen Ehre machen würde. Er hat es tatsächlich fertig gebracht, Friedel dahin zu bringen, auf Frieda, seine Braut, zu verzichten, weil sie nach Papas Verdikt nicht zu uns passe. Solche Volten lassen mich verständlicherweise irre werden an seinen geheiligten Grundsätzen. Weitere Beispiele wären anzuführen. Papas neue Welt wartet noch auf ihre Bürger.

Rostock, 30. Januar 1897
Es ist beschlossene Sache. Gertrud wird mit mir zurückfahren, um den Rest des Winters bei uns in der Stadt zu verbringen. Das Landleben in Elsenau

eintauschen zu können gegen Berlin, ist für sie sicherlich genauso erholsam, wie für mich ein Klimawechsel in umgekehrter Reihenfolge.
Daß auch ein Schuß Egoismus der Einladung zugrunde liegt, ergibt sich aus Gertruds Einsatzmöglichkeit als Haushaltshilfe. Auch Mama hat an ihren Jahren zu tragen, selbst wenn sie es vor sich und uns zu verbergen trachtet. Gertrud ist also hoch willkommen und wird mir den Rücken freihalten für meinen Einsatz bei den Fritsches.

Rostock, 31. Januar 1897
Meine Hochgestimmtheit hat einen Dämpfer erhalten. Papa ist daran schuld. Weniger, weil ich wieder auf zwei Hochzeiten tanzen müßte, sollte Gertrud vor ihm Reißaus nehmen, sondern aus einem Gefühl der Beschämung Tante Witte gegenüber mache ich mir ernsthafte Sorgen über das Gelingen der Einladung. Als Künstler sicherlich so integer wie als Prophet interessant, ist Papa leider ein schwieriger alter Mann geworden, dessen Schrullen nur goutieren kann, wer ihn besonders lieb hat. Ich weiß nicht, ob Gertrud dazu die Größe und den Willen mitbringt, in seinen Extravaganzen das zu sehen, was sie seien mögen: Das Maß an Unverständnis nämlich, das alle Außenstehenden ihm zwangsläufig entgegenbringen müssen. Unehrlicherweise drehen sie den Spieß um und nennen Papa kalt, reserviert, wenn's hoch kommt, pimpelig, gar unmenschlich, wozu er leider selber beiträgt durch Bemerkungen, die in den Ohren von Zeitgenossen den gewohnten moralischen Wohlklang vermissen lassen. Aber es ist nicht an mir, hier schulmeisterhaft den Zeigefinger zu erheben. Ich tue mich selber schwer genug mit ihm.

Neu-Brandenburg, 8. Juni 1897
Mit Papa unterwegs in Mecklenburg. Wochen enervierenden Einsatzes liegen hinter mir. Daß Frau Professor Fritsch noch lebt, ist kaum begreiflich. Die Reise ist nur möglich geworden, weil es ihr im Moment besser geht. Sie kann das Bett verlassen, macht sogar kleine Spaziergänge. Sterbenden sagt man solche Wendemarken nach, bevor ihr Leben endgültig verlischt.
Was muß es für den Professor bedeuten, die zweite Frau zu verlieren, beide zudem im jugendlichen Alter.
Inzwischen weiß ich, daß die Ehe nicht glücklich war. Um so schlimmer wird den Professor der Verlust treffen. Nichts quält nachhaltiger als unerlöste Leidenschaft. Auch über den Tod hinaus. Alle Melusinen wissen das.
Wie schon im Januar, verdanke ich Papa die Reise. Inwieweit er sich aufopfert, ist für mich nicht bestimmbar. Indes will ich nicht annehmen, daß er aus mir partout eine neue Frau Professor Fritsch machen möchte. Nicht bei einem

Mann, der Charaktere gestalten kann wie die eines Dubslav von Stechlin, eines Grafen Barby oder Pastor Lorenzen. Das hieße die Gemeinheit noch über die Dummheit zu stellen. Leider bin ich nicht ganz frei davon.

Neu-Brandenburg, 10. Juni 1897
Papa gibt mir leider Grund, meine Zweifel zu nähren. Gestern ist ein Brief eingetroffen. Professor Fritsch bedankt sich darin für meine selbstlose Hilfe, wie er schreibt, schildert den Zustand seiner Frau, der es wieder schlechter geht, und läßt anklingen, daß er mich vermißt. Papa zeigte reges Interesse an dem Brief und ließ sich, angestrengt zuhörend, von mir darüber berichten. Dann hob er, wie schon einmal, an, den Professor über den grünen Klee zu loben. Von Klugheit war die Rede – sicher eine Auszeichnung, wenn Papa es sagt – sicherem Gespür für das, was nottut, und natürlich machte er auch darauf aufmerksam, daß der Professor gut bei Kasse sei, was nur den voraufgegangenen Punkt bestätige.
Der Lobhudelei folgte die Entschuldigung auf dem Fuße, niemand solle annehmen, er mache etwaigen Nachfolgerinnen Frau Fritsches Avancen, schließlich sei sie noch nicht tot. Aber ich bin sicher, Papa war sich zu jeder Sekunde im klaren darüber, daß ich ihn so verstanden hatte, wie es von ihm gemeint war. Nun, auch Melusinen machen Fortschritte, wenn auch peu à peu.

Neu-Brandenburg, 14. Juni 1897
Die Erholung zeigt Wirkung. Ich fühle mich gekräftigt und aufgelegt zu großen Taten, obwohl ich mich immer noch etwas darüber ärgere, daß Papa mich für eine dumme Pute hält, die ihm in die Netze geschwommen ist. Daß er es nicht wagt, sich offen besorgt zu zeigen, wenn es um meine Zukunft geht, hängt natürlich mit seinen Schuldgefühlen zusammen. Insofern ist er wieder ganz Egoist. Nichts fällt mir deshalb leichter als die Rückkehr nach Berlin.

Karlsbad, 21. August 1897
Papas Fürsorge wäre rührend, entspränge sie nicht einem abgefeimten Kalkül. Mit dem wiederholten Hinweis, ich müsse mich schonen, um meiner Aufgabe bei den Fritsches weiterhin gewachsen zu sein, hat er mich hierher gelotst.
Offiziell unterziehen wir uns alle einer Kur, was im engeren Sinne nur auf Mama zutrifft. In Wahrheit geht es wohl Papa darum – neben dem eben erwähnten Grund – seinem »Stechlin« die letzten Korrekturstriche in einer Atmosphäre angedeihen zu lassen, die der Bedeutung des Werks zukommt. Seit Mai nämlich weiß er, welchen Eindruck der Roman hinterlassen hat. Viel

Schmeichelhaftes ist ihm inzwischen gesagt worden von der Redaktion Über Land und Meer, die den Vorabdruck besorgen will. Bei allen Beteuerungen von stiller Größe und heiterer Resignation, die Papa nicht müde wird für sich in Anspruch zu nehmen, reicht seine Selbsteinschätzung aus, um sich zwischen dem internationalen Publikum in Karlsbad wohlzufühlen.

Karlsbad, 25. August 1897
Heute den ganzen Tag über biestig gewesen. Während Papa und Mama einen Spaziergang unternahmen, bin ich im Hotel geblieben, um Professor Fritsch einen Brief zu schreiben, wie ich vorgab. Ich wußte, daß Papa diese Absicht auf jeden Fall unterstützen würde. In Wahrheit wollte ich nur allein sein, um mit meiner Querköpfigkeit zurechtzukommen.
Irgend etwas in mir trägt Papa die Schofeligkeit nach, mit der er mich dem Professor in die Arme treiben möchte.
Natürlich will Papa nur mein Bestes. Welches Mädchen wünscht sich nicht, Frau Professor zu werden. Und welcher Grund wäre zutreffender für eine Heirat als Zuneigung.
Ich mag den Professor, keine Frage, sein Wesen, seinen Geist, das Ambiente, das er zu schaffen weiß. Aber wie Bleigewichte würde auf ewig die Lüge an mir hängen, daß er nie ganz gemeint sein kann.

Karlsbad, 30. August 1897
In diesem Zustand ist es mir unmöglich, auch nur eine Zeile zu Papier zu bringen. Dabei sprühte Professor Fritsches Brief, der gestern ankam, vor Liebenswürdigkeit. Man sah es ihm an, daß er für sich einnehmen und eine Rückantwort erzwingen wollte. Vielleicht war ich deshalb den Tag über so unausstehlich zu Papa und habe ihn schonungslos attackiert, wenn sich eine Möglichkeit bot. Zu seiner Ehre muß gesagt werden, daß er sich brillant verteidigte, mehr noch, mit Aperçus glänzte, die von seinen besten Zeiten nicht übertroffen wurden. Es war großartig, als er mich einen wirren Kindskopf nannte, der Schafsgedanken nachhänge, nur weil er zornig sei. Ich hatte gerade seinen »Stechlin« langweilig und ermüdend genannt, um von ihm hören zu müssen, daß man ihm nichts Lieberes sagen könne. Die Zeit der Sturmläufe und Berennungen sei vorbei, auch in der Literatur, meinte er. Aktionen brächten nichts mehr ein, es sei denn Katastrophen und Weltuntergänge. Die Menschen müßten lernen, das Wie an die Stelle des Was zu setzen. An der Tete stünde jetzt nicht mehr das Herumfuchteln und Krakeelertum der Vergangenheit, weil es sinnlos geworden sei, sondern das Beobachten und Auffinden. Überall gebe es etwas zu entdecken. Das Alte sei sowenig alt wie das

Neue neu. Am Ende müsse das Richtige und Gute stehen, wie immer es heißen möge im einzelnen: Mensch, Herz, Anstand. Was man statt dessen in die Welt gesetzt habe: Politik, Moral, Religion sei nicht der Rede wert. Früher habe er hier Ausnahmen gelten lassen. Jetzt kaum noch. Der Mensch sei nun einmal anders, als es sich Professorenhirne und Philosophenköpfe weismachen wollten, sonst wäre es nicht so, wie es ist: Bescheiden. Mit dieser Glanznummer hatte er meiner Bereitschaft, Professor Fritsch doch noch einen Brief zu schreiben, natürlich endgültig die Flügel gestutzt.

Karlsbad, 9. September 1897
Wie zum Abschluß unseres Aufenthalts hier hat sich Papa heute zugänglich gezeigt wie selten. Gemeinsam hatten wir auf Mama gewartet, die am Morgen ihre Anwendungen nahm, und waren Arm in Arm über die Allee spaziert, die ihren Blätterschirm lohfarben über uns ausspannte.
Ganz langsam hatten wir uns fortbewegt und die Leute an uns vorüberziehen lassen. So mancher abschätzende Blick traf uns dabei, dem Papa allerdings mit einem hintergründigen Schmunzeln begegnete.
»Sie halten mich für einen alten Stöber«, amüsierte er sich, »der sich ein junges Ding aufgetan hat«, und genoß sichtlich die Mutmaßungen der Passanten. Längst waren wir in seine Lieblingsbeschäftigung vertieft: Leute einzuschätzen.
Nachdem wir bereits eine ganze Reihe von Zuordnungen getroffen hatten, meinte Papa kurzatmig, früher sei es bedeutend einfacher gewesen. Es habe nur zwei Sorten von Menschen gegeben: Napoleons und Hamlets. Jetzt, da man dabei sei, es mit dem Übermenschen zu versuchen, strecke angesichts solcher Dimensionen seine Menschenkenntnis die Waffen.
Das Letzte hatte er wie in einem Nachsatz vorgebracht und in einem Ton, dem eine gewisse Bitterkeit nicht fehlte. Um unser gutes Einvernehmen fürchtend, bat ich Papa, unserer heiteren Stimmung wegen besser auf alle Tiefsinnigkeit zu verzichten und ein bißchen so zu sein wie dieser Dubslav im »Stechlin«, dessen Lebensart mir so ausnehmend gut gefalle.
Papa hatte sich bei der Aufforderung nichts anmerken lassen. Aber ich spürte am Arm seine Spannung. Ein leichter Rotton überhauchte sein Gesicht, als fiele es ihm schwer, etwas zurückzuhalten, was in seinem Inneren in Bewegung geraten war. Dann sagte er mit abgerungener Entschiedenheit: »Ich hab nichts von diesem Dubslav, Mete.«
»Doch«, beharrte ich, »du wagst es nur nicht zu zeigen.«
Äußerlich war Papa immer noch so ruhig wie eben, aber ich fühlte, wie er um eine überzeugende Antwort rang.

»Es käme ohnehin zu spät«, entwand er sich dann meinem Zugriff, »und außerdem«, fragte er, »wäre es überhaupt so wichtig?«
»Für alle Melusinen«, sagte ich schnell, um ihn am Abschweifen zu hindern, »wäre es wichtig, daß Menschen existieren wie dieser Dubslav von Stechlin. Menschen, die nichts Besseres kennen, als leben und leben lassen, freundlich sind und stark zugleich, den Frieden lieben und den Kampf nicht fürchten, und denen der Dünkel so fremd ist wie die Kriecherei, weil sie selber sich achten.«
Ich merkte, wie Papa meinen Arm nahm und ihn drückte.

30. KAPITEL – BERLIN, 1898

Im Oktober 1897 hatte die Zeitschrift Über Land und Meer mit dem Vorabdruck des »Stechlin« begonnen. Einen Monat später starb Frau Fritsch. Nach der kurzen Erholungspause, die ihr das Schicksal gegönnt hatte, war es mit ihr rapide bergab gegangen. Als sie die Augen schloß, erinnerte nur noch wenig daran, daß sie einmal eine schöne Frau gewesen war.
Überschattet von diesem Ereignis ging das Jahr zu Ende. Ein Jahr der Nackenschläge, Offenbarungen und Verluste, wie es Mete in ihrem Tagebuch nennt. Nicht zuletzt auch wegen des Todes von Karl Zöllner und Professor Heyden.

Ihr Ableben hat mich mächtig mitgenommen und mir manchmal das Letzte abgefordert. Daß ich nicht gänzlich umgefallen bin, halte ich mir selber zugute. Sich Bonbons zu verabreichen, ist oftmals nötig und ganz unverzichtbar, wenn es gilt, Menschen zu helfen, die sich selber nicht helfen können. Papa hat nichts dagegen, daß ich jetzt mehrmals die Woche beim Professor vorbeischaue. Mama schweigt mißbilligend dazu. Aber es ist nur eine Frage der Zeit, bis sie, moralisch beunruhigt, grimmig über mich herfällt. Um ihr den Wind aus den Segeln zu nehmen, haben Karl, so nenne ich den Professor seit kurzem, und ich beschlossen, uns zu verloben.

Ende Januar war es soweit. Die Nachricht wirkte wie ein Volltreffer. Der Detonation folgte lähmendes Schweigen. Eine halbe Stunde verging, bis Emilie zu sich gefunden hatte. Theo arbeitete in seinem

Zimmer an dem Neuentwurf eines zurückgestellten Romans, als sie leise eintrat, sich räusperte und ihn zwang, aufzuschauen. »Der Mann ist bitteschön mehr als zwanzig Jahr älter«, eröffnete sie erregt die Auseinandersetzung, die spürbar in der Luft gehangen hatte, »ein Greis im Vergleich zu Martha.«
»Du verwechselst sie mit einer Lyzeumsschülerin, Emilie«, mußte sie sich ihre Aufrechnung korrigieren lassen. Dann wandte sich Theo wieder seinen Papieren zu.
»Ganz recht«, hörte er sie den weinerlichen Anklageton strapazieren, »tue nur, als ginge es dich nichts an. So hast du dich ihr gegenüber ja zeitlebens verhalten.«
Daß sie ihn damit gereizt hatte, deutete sich über die langsame Bewegung an, mit der er die Feder zurücklegte.
»So ...?« sagte er nur.
»Ja, spiel nur den Entrüsteten«, beharrte sie auf ihrem Standpunkt, »du willst sie loswerden, deiner Gewissensbisse wegen.« Sie sah, wie ihm das Blut in den Kopf stieg und einen feuerroten Kranz legte um seine buschig grauen Koteletten.
»Verzeihung!« entfuhr es ihr leise, als sie merkte, wie er verlegen wurde. Dann hatte er sich schon wieder in der Hand.
»Du magst recht behalten«, erwiderte er in kühler Selbsteinschätzung, »mir ist diese Verbindung nicht unlieb. Besser eine Frau Professor Fritsch unter den gegebenen Umständen als ein Fräulein Martha Fontane auf Lebenszeit. Nenne eine solche Denkweise, wie du willst.«
»Ich nenne sie zynisch«, beglich sie augenblicklich seine Aufforderung, »ich will nicht, daß Martha so unglücklich wird wie ich.«
»Unglücklich?«
Man sah ihr an, daß sie willens war ihm keinen Spielraum zu gewähren.
»Was weißt du«, rief sie mit kaum niedergehaltener Erregung, »wie oft ich drauf und dran war zu gehen. Nur der Kinder wegen bin ich geblieben und habe deine Extravaganzen ertragen und dafür gezahlt.« Sie schluchzte einmal kurz auf, bevor sie weitersprach.
»Du hast unser ganzes Leben lang nur dich im Auge gehabt«, hob sie dann ihre Stimme an, »der verrückten Vorstellung wegen, du könntest auf alles verzichten, was anderen heilig ist.«
»Dafür hast du ein außergewöhnliches Leben gehabt und ein reiches dazu«, sagte er, jedes Wort betonend. Seine buschigen Augenbrauen

hoben sich und ließen die Augen so groß werden, wie sie in seinen jungen Jahren gewesen waren.
»Ich danke«, ironisierte sie, »ich weiß: Von guten Eltern geboren, ein Auskommen haben und gesund sein. Der Bescheidenheitsstandpunkt genügt dir zum Glück. Aber ich hatte weder das eine, noch das andere, noch das dritte.«
»Aber die Freundschaft vieler Menschen«, unterbrach er sie erneut, »denen nicht alles Phrase war und die wußten, daß es neben Reserveoffizier, Kaisers Geburtstag und Pensionsanspruch Dinge gibt, die weit mehr bedeuten.«
Unschwer sah man ihr an, wie wenig überzeugend es für sie geklungen haben mußte.
»Du ziehst dich wie immer aus der Affäre«, beschied sie abschätzig seine Richtigstellung, »aber damit hat sich an der Sache nichts geändert, daß Martha die Gattin eines ältlichen Mannes werden soll, der bereits zwei Frauen auf seinem Verschleißkonto vorweisen kann.«
»Du bist impertinent in deiner Eifersucht«, versetzte er rücksichtslos und ließ sie erblassen.
»Eifersucht«, stammelte sie, »Eifersucht ...?« fassungslos, als sei ihr nie ein ungerechterer Vorwurf gemacht worden. Dann ging ein Ruck durch sie, und mit einem Aufschrei verließ sie kopfschüttelnd das Zimmer.

Allen Gegensätzen zum Trotz waren sie darin übereingekommen, die Liäson Metes mit dem Professor so lange wie möglich vor der Öffentlichkeit geheim zu halten. Die plötzliche Verbindung, so kurz nach Frau Fritsches Tod, hätte nur unverschämten Spekulationen den Weg geebnet, die auch Theo auf jeden Fall vermeiden wollte. Schon Metes wegen.
Während Professor Fritsch eine Italienreise unternahm, sollte Mete nach Rostock reisen, zu Tante Witte, die wieder einmal zum Retter in der Not avancierte. Die offizielle Verlobung war für Mitte September angesetzt worden.
Kurz bevor die Blätter fallen – wie Mete hintergründig in ihr Tagebuch schrieb. *Aber Papa wird es dann hoffentlich wieder besser gehen.*

Seit Anfang des Jahres war ein Asthma hinzugekommen. Den Hustenanfällen hatte Dr. Delhaes eine nervöse Ursache attestiert. Bei

dem unangenehmen Wetter sei es besser, die Wohnung deshalb nicht zu verlassen, hatte er empfohlen, zunächst jedenfalls nicht.
Emilie gegenüber glaubte er sich allerdings verpflichtet, mit seinen Bedenken nicht hinter dem Berg zu halten.
»Die Herzschwäche macht mir große Sorgen, Gnädige Frau«, sagte er.
Trotzdem ging es weit besser, als gemutmaßt. Der historische Roman »Likedeeler«, jene Seeräuberballade um Störtebeker, der einstmals zurückgestellt worden war zugunsten dringenderer Vorhaben, wurde wieder aufgenommen. Nebenher beschäftigte Theo zusehends eine Korrespondenz, die er im Vorjahr mit einem Bekannten seiner Englandjahre begonnen hatte: Dem Londoner Arzt Dr. Morris. Mit ihm diskutierte er die politische Großwetterlage, die sie – in der Bewertung waren sie sich einig – auf eine Katastrophe zusteuern sahen. Briefe an Mete schlossen den Kreis der Beschäftigungen, mit denen er seine Einsiedelei erträglicher gestalten wollte.

Kurz vor Frühlingsanfang kehrte Mete aus Rostock zurück. Die Linden hatten erstes Grün aufgesteckt. Die Luft vibrierte und hatte Anna dazu veranlaßt, alle Fenster aufzureißen. Theo fröstelte.
»Klapprig und gut nur für die Remise«, witzelte er in seiner sarkastischen Art. Weil aber der bellende Husten geblieben war, lachte niemand.
Auch das militärische Leben hatte sich von der Jahreszeit aus der Reserve locken lassen. Auf dem Tempelhofer Feld stand die Frühjahrsparade der Garderegimenter an, eine Traditionsveranstaltung, die Zulauf zu verzeichnen hatte aus allen Schichten der Bevölkerung. Nicht nur um die Gegenwart des Kaisers, seiner Generalität und des Hofes mitzuerleben, stürmten die Berliner an jenem Sonntag unmittelbar vor dem offiziellen Frühlingsanfang den Paradeplatz im Süden der Stadt, sondern auch, um den einen oder anderen aus der eigenen Familie in der Phalanx der heranmarschierenden Kolonnen bestaunen zu können.
Es war ein herausfordernd schönes Bild, die Doppelreihen sorgsam geweißter Hosen Welle um Welle vorüberziehen zu sehen, rhythmisch, mit donnerndem Schritt. Über den Boden rollte es wie ein Erdbeben heran. Vorne die Fahnen, mit knatterndem Tuch. Über den hellen Büschen und Pickeln die hochzugespitzten friderizianischen Mützen. Ein Musikkorps, das Aufstellung genommen hatte

gegenüber dem Kaiser und seiner Suite, spielte preußische Traditionsmärsche, zu denen die Pferde der kaiserlichen Gefolgschaft angeregt zu tänzeln begannen.
Anna hatte ihn zuerst ausgemacht. Aus reinem Zufall. Sie hatte nur einmal das Interesse vom Gepränge des militärischen Schauspiels abgezogen und den Blick hinübergleiten lassen auf die andere Seite des Grasplatzes, wo sich die Zuschauerreihen ineinanderschoben wie eng geschichtetes Klafterholz, Fähnchen und Wimpel schwenkend im Takt der Märsche.
»Gnädiges Fräulein, unser Herr Doktor, drüben!«
»Das kann nicht sein, Anna.«
»Doch!«
Die Gemaßregelte fuchtelte mit den Armen in der Luft herum, bis die Richtung stimmte.
Tatsächlich, da stand der Vater, trotz des heiteren Wetters eingepackt in seinen langen karierten Schal, aus dem der ergraute Kopf hervorlugte wie ein Knäuel aufgewickelter Wolle. Ganz zugewandt dem militärischen Pomp, der sich Zug um Zug vor seinen Augen entfaltete.
Ja, es ging auf einen großen Kampf zu!
Eben zog die Kavallerie vorüber: Ulanen, Dragoner, Husaren mit wippenden Tschapkas, vorangetragen von breitbrüstigen Pferden, unter deren Fell die Muskeln kraftvoll spielten.
Annas Augen leuchteten. Die Fähnchen rechts und links des Feldes schwangen schneller.
»An der Tete wünscht ich mir unseren Doktor«, visionierte Anna, nervös mit den Augenlidern klimpernd.
»Ach, Anna, was redest du da? Und außerdem: Papa ist nicht Doktor.«
»Das sagen Sie nicht, gnädiges Fräulein«, stellte Anna im beleidigten Ton richtig, »wenn er auch kein echter ist, aber schlechter als die vielen Geheimrats und Kommerzienrats, die nur dem Kaiser Geld dafür gezahlt haben, ist er auch nicht. Und außerdem steht unser Doktor mit seinem Namen im Brockhaus und Meyer.«
»Das ist schon wahr, Anna«, gab sich Mete geschlagen, als der Kaiser, von seinem Schimmel heruntergrüßend, stolz zu lächeln begann. Die Kürassiere waren eben mit nickendem Helmbusch an ihm vorbeidefiliert, im goldenen Brand ihrer Brustpanzer, vor denen die gezogenen Säbel schepperten.
Auch Anna schien zu lächeln. Nicht zuletzt wegen Metes Antwort.

»Sehen Sie, gnädiges Fräulein, was stimmt, das stimmt und muß gesagt werden«, unterstrich sie ihre Zufriedenheit und gestand freimütig ein, daß sie sich bedeutend wohler fühle, seit sie die Wirtschaft führe im Haushalt eines Herrn Doktor. Vor allem, was ihre Verwandtschaft angehe, könne sie nun ganz anders auftreten.
Das Rumpeln der auffahrenden Kanonen verbot es Mete, sofort darauf zu antworten. Wortlos ließ sie Batterie um Batterie passieren, mit rasselndem Geschirr und knirschenden Achsen, über denen die Artilleristen hockten, steif wie Zinnsoldaten. Als sich der Geräuschpegel senkte, meinte Mete, Anna solle diese Einstellung bloß Papa nicht wissen lassen, worauf Anna gewitzt entgegnete, so dumm sei sie nun nicht, sie habe schon mitgekriegt, daß der Herr Doktor nicht als Herr Doktor angesprochen werden wolle und das Bescheidentun vorziehe. Obwohl sie das für völlig falsch halte. Sie habe ihre Erfahrungen damit. »Alles reckt sich und streckt sich«, sagte sie verärgert, »und da will der Herr Doktor nicht mittun.«
Ob das nicht besser sei, fragte Mete. Annas Gesicht nahm einen gequälten Ausdruck an.
»Das sagt man so, gnädiges Fräulein«, kam es dann stockend, »und hört sich auch gut an. Aber letzten Endes, wenn man genau hinguckt, ist's doch ein frommer Wunsch, vielleicht sogar mehr: Etwas Schlechtes.« Und während sie mit einem Auge dem Geschehen auf dem Feld verhaftet blieb, erzählte sie von ihrem Verflossenen, der Vizefeldwebel bei den Gardehusaren gewesen sei und immer gesagt habe: »Der Mensch braucht was fürs Hochblicken, sonst kriegt er'n Buckel.«
Die Kavallerieabteilungen hatten am Ende des Feldes einen Schwenk vollzogen, um den Fouragewagen des Garde-Train- Bataillons den Aufmarschplatz zu überlassen.
Noch einmal vibrierte der Boden, dieses Mal unter den eisenbeschlagenen Rädern der Wagen, die in geometrischer Ordnung am Kaiser vorüberrollten.
Mete hatte hinübergeblickt auf die andere Seite des Feldes, wo der Vater bewegungslos auf seinem Platz verharrte, immer noch gut einen Kopf größer als seine Umgebung, obwohl der Höcker oberhalb seiner Schulterblätter mit jedem Jahr runder geworden war. Inmitten der fähnchenschwenkenden Hingerissenheit nahm er sich aus wie ein Spielverderber. Auch auf die Entfernung hin erschien sein Gesicht ernst und nachdenklich.

»Wie lange sind Sie eigentlich bei uns, Anna?«
»Was meint das Gnädige Fräulein?« fragte Anna zurück, weil sie sich zu intensiv beschäftigt hatte mit dem voluminös aufgeschwollenen Bild des Paradeplatzes, der in einen Wagenpark verwandelt worden war.
»Seit der Herr Doktor in die Potsdamer Straße gezogen ist, Gnädiges Fräulein«, kam sie dann der Aufforderung nach.
»Also seit 72, wenn ich richtig sehe.«
»So ist es, gnädiges Fräulein.«
Das Musikkorps hatte angefangen, lauter zu spielen, weil das Poltern der Räder alle Geräusche unter sich zu zermalmen drohte.
»Nun, dann ist es höchste Zeit, Anna«, sagte Mete und verwandelte die Augen ihrer Begleiterin in ein Paar wäßriger Fragezeichen.
»Höchste Zeit, Gnädiges Fräulein ...?«
»Daß Sie endlich aufhören, gnädiges Fräulein zu mir zu sagen. Ich heiße Martha«, drohte sie in gespielter Verärgerung.
Anna hatte nur den Mund geöffnet wie ein Fisch auf dem Trockenen.
»Aber das ... das geht doch nicht«, stammelte sie, erfolglos die Verlegenheit niederkämpfend, die sich ihrer bemächtigt hatte.
»Versuchen Sie's!«
»Bitte ... nein!«
»Aber warum denn nicht?« hörte Mete nicht auf, sie zu bedrängen.
»Ich genier mich so, gnädiges Fräulein.«

Daß der Ausflug seiner angeschlagenen Gesundheit nicht weiter geschadet hatte, grenzte an ein Wunder. Entgegen der Erwartung eines Totalzusammenbruchs entwickelte sich in den nächsten Tagen ein besinnlicher Optimismus, in den alles eingegangen zu sein schien, was er draußen gesehen hatte. Mehr als um seine Person machte er sich Gedanken über die Veröffentlichung des zweiten Teils seiner Autobiographie »Von Zwanzig bis Dreißig«, vor allem, was jene Passagen anging, die Emilies Herkunft, die gemeinsame Verlobung und ihre Hochzeit schilderte. Er war sich im Zweifel, ob er den richtigen Ton getroffen hatte. Selbst Mete gegenüber wagte er, keine Andeutungen zu machen, und hörte sich Friedels Inaussichtstellung, das Werk würde im Juli erscheinen, ohne jedes Zeichen einer Beunruhigung an.
Dringlicher als das war immer noch das Problem, die Tochter vor etwaiger Kompromittierung zu schützen. Nach ihrer Rückkehr aus Rostock war vereinbart worden, daß sie und der Professor jeglichem

Kontakt aus dem Wege gehen sollten. Nicht nur in der Öffentlichkeit.
Um das Vorhaben zu erleichtern, hatte man Anfang Mai familienintern beschlossen, gemeinsam für einen Monat nach Dresden zu fahren, um sich dort – wie Mete im Tagebuch vermerkt – *zu verstecken. Meine Reise ohne Ende geht also weiter. Von Mamas Freundin, Frau Treutler, unter deren Rock ich im Augenblick geschlüpft bin, in den Weißen Hirsch. Eine Farce, die nur noch überboten wird von unserer Feigheit und der Heuchelei einer Umwelt, die ihre Formen anbietet, weil sie ihre Inhalte preisgegeben hat.*

Theo genoß den Aufenthalt. Mete spricht davon, daß Papa aufblüht angesichts der sächsischen Mentalität, die er schon als ganz junger Mann habe bewundern dürfen.
Überall, behauptet er, spüre man noch – schreibt sie im Tagebuch vom 28. Mai 1898 – daß hier nicht der Knotenstock und die Bibel im Vordergrund gestanden hätten, sondern die ars amandi und der esprit fort. Darum auch hängt Papa die Nase in den Wind, als sei er voller Lavendelduft.
Zwei Tage später bescheinigt sie dem Vater in ihrem Tagebuch, er sei ein Phönix aus der Asche.

Zuweilen hüstelt Papa noch herum. Aber kein Vergleich mit Berlin. Gemessen an Mamas Zustand, gleicht Papa einem Adonis. Alles Kraft und Willen, im Verhältnis natürlich. Aber er trägt sich wieder mit großen Plänen und will an Arbeiten seiner besten Mannesjahre anknüpfen. So hat er vor, seine Wanderungsbände aufzustocken durch weitere Reisebilder. Per pedes apostulorum. Und das mit 79.

Zu Beginn der heißen Tage kehrten die Fontanes nach Hause zurück, nicht unbeabsichtigt. Wer es sich leisten konnte, mied die Metropole im Hochsommer und flüchtete aufs Land oder an die See. Das ließ den Kreis derer, denen man aus dem Wege gehen wollte, auf ganz natürliche Weise zusammenschrumpfen.
Neuerdings unternahm Theo wieder Spaziergänge, nachdem das sächsische Klima seine Symptome zum Verschwinden gebracht hatte, bis auf die Müdigkeit.
Manchmal, gestand er Mete ein, fühle er sich wie ein Schlafwandler. Ein anderes Mal wie ein Träumer.

Aber es gab auch Momente, da war er hellwach: Wenn er vor der Abschlußkorrektur seines »Stechlin« saß, oder als Friedel aufgeräumt ins Zimmer stürzte, um dem Vater eigenhändig eines der ersten noch druckfrischen Exemplare seiner Autobiographie »Von Zwanzig bis Dreißig« zu überreichen.

»Jetzt bin ich nur auf Mama gespannt«, sagte er augenzwinkernd, »sie schreibt ja alles treu und brav ab, was ich ihr an Manuskripten vorlege. Aber wo es jetzt an die Öffentlichkeit geht, entdeckt sie vielleicht doch ihre Pingeligkeiten.«

Die nächsten Tage vergingen ruhig. Am 31. Juli verkündeten alle Gazetten des Reichs Bismarcks Ableben.

»Nun sind sie ihn los«, knurrte Theo, als er mit etwas zittriger Hand die Zeitungsseite sinken ließ, »ich hab ihn zwar nie leiden gemocht, den Alten in Friedrichsruh. Aber irgendwie war er immer das schlechte Gewissen geblieben für solche Leute, die in der Politik über die Stränge schlagen wollten. Und das hat ihn mir wieder lieb gemacht. Nun«, meinte er und räusperte sich für den Nachsatz, »damit ist es ja vorbei. Der Kladderadatsch kann beginnen.«

Für Mete sah er damit zu schwarz.

Papas Instinkt in Ehren – trug sie in ihr Tagebuch am 3. August 1898 ein – *aber seine Prophezeiung, jetzt gehe alles zu Bruch, schmeckt zu sehr nach Eigensinn, um für andere nachvollziehbar zu sein. Papa hat sich so eingesponnen in seine Theorie vom ausstehenden großen Kampf, daß er unbedingt recht behalten will. Vielleicht hat er sich deshalb doch noch nach anfänglicher Weigerung dazu überreden lassen, auf den toten Fürsten ein Gedicht zu verfassen, das ich für sehr gelungen halte. Nicht nur, weil es angemessen ist, daß auch Papa dem großen Staatsmann ein Denkmal setzt, nachdem sich Hinz und Kunz daran versucht haben, sondern weil sich anhand dieses Gedichts etwas von Papa zeigt, was er so gern bestritten hat: Seine heimliche Bewunderung nämlich.*

Karlsbad war für Mitte August geplant worden. Unter den gegebenen Bedingungen sollte Mete mit von der Partie sein, ungeachtet der dadurch anfallenden Mehrausgaben.

Theo versprach sich gesundheitlich nichts von dem Kuraufenthalt.

»Ich bin ein alter Kutschengaul. Wenn einmal der Saft raus ist, ist er raus. Da kommen alle Anwendungen der Welt zu spät.«

Daß er die Dinge bei seiner Frau ähnlich sah, verkniff er sich. Immerhin würde er in Karlsbad wieder mit Dr. Friedlaender zusammentreffen. Und wer konnte am Ende mit Sicherheit sagen, ob sich nicht doch eine Verbesserung seines Zustandes einstellte, wenn es schon Dresden vermocht hatte, ihn vom Husten zu heilen. Außerdem gab es darüber hinaus die Sache mit Mete, die allen Entweder – Oders das Wasser abgrub.

Der 10. September – als Tag der Heimreise – war reichlich knapp berechnet, angesichts der für den 16. vorgesehenen offiziellen Verlobung Metes mit Professor Fritsch. Sie hatte schon dem Aufenthalt in Karlsbad ihren Stempel aufgedrückt. Noch einmal war Theo von Emilies Einwänden, versehen mit neuen Stacheln, attackiert worden. Ihr Lamento endete schließlich darin, daß sie ankündigte, an dieser sogenannten Verlobungstafel nicht teilzunehmen und statt dessen zu einer Freundin nach Dresden zu fahren. »Wer meine Meinung so mit Füßen tritt«, hatte sie mit etwas brüchiger Stimme gezetert, »darf auf mein Mittun nicht rechnen.« Trotz mißlicher Stimmungslage war es Theo gelungen, die Korrekturen seines »Stechlin« abzuschließen, auch dank Dr. Friedlaenders Hilfe, der sich besonders dieses Mal als eine wertvolle Stütze erwies.

Es waren traurige Tage – vermerkt Mete darüber in ihrem Tagebuch vom 12. September 1898 – *Tage, auf die zu verzichten, besser gewesen wäre. Nur besitzen wir nicht die Fähigkeit, in die Zukunft zu blicken. Traurig wie der Urlaub war auch die Heimfahrt. Schrecklich, Mama in Dresden aussteigen zu sehen, nur um nicht an meiner Feier anwesend sein zu müssen. Was ist um Himmels willen aus uns geworden?*

Damit lag die Verantwortung ganz bei Anna. Der Rahmen der Feier sollte so klein wie möglich gehalten werden, hatte ihr Theo versprochen.

»Ein paar Leute, die uns nahe stehen, Anna, Familie, Freunde«, beruhigte er die händeringende Wirtschafterin, die angedroht hatte, daß sie der Schlag treffe, wenn die Aufregung weitergehe. Was zur Unterstützung getan werden konnte, wurde auch getan. Professor Fritsch bot sogar seine Haushälterin an. Mete sprang ein, wo sich eine Möglichkeit zeigte.

Am Freitag, dem 16. September, saß dann der Kreis beisammen, dessentwegen alle Hebel in Bewegung gesetzt worden waren: Neun Personen, neben den Verlobten Metes Bruder Theodor mit Frau, Exschwägerin Martha, jetzt Frau Oberstleutnant, der Literaturwissen-

schaftler Professor Schmidt, dem Theo den Doktor honoris causa verdankte, und Paul Schlenther mit Frau, Nachfolger Theos auf dem Platz eines Kritikers der Vossischen Zeitung, Mitstreiter Dr. Brahms und Teilnehmer an der Wangenheim Runde.
Am 17. September widmete Mete in ihrem Tagebuch der Feierstunde einen ausführlichen Eintrag:

Um wieder gutzumachen, was im Vorfeld dieses Abends schief gelaufen war – schreibt sie – *schienen alle darauf bedacht, möglichst vollendet den Ton einer Verlobungsfeier zu treffen. Karl und ich wurden behandelt wie zwei junge Leute, die gemeinsam den Schritt ins Leben wagen wollen. Keine Anspielungen oder Medisancen. Die hymnische Tonlage präsidierte und machte aus der Zusammenkunft eine Weihestunde.*
Papa zog die Fäden der Unterhaltung, obwohl ihm manchmal die Augen zufielen, was aber wohl niemand bemerkt haben dürfte. Er brillierte mit Aphorismen, zum Erstaunen aller. Ich glaube, er fühlte sich ganz als das, was er in Wirklichkeit auch war: Stifter dieses Festes.
Es gab ein liebevoll hergerichtetes Essen, Wein dazu. Auf dem Tisch brannten Kerzen, während der Salon sonst in tiefes Dunkel getaucht war. Alles funktionierte vorzüglich, obwohl Anna vor »Oh Gotts« und »Herrjehs« die Fassung zu verlieren schien. Daß Papa auf eine Tischrede verzichtete, rechne ich ihm deshalb nicht an, weil sie peinlicher noch für ihn als für uns geworden wäre. Er begnügte sich mit dem Vortrag seines Gedichts: Kommen Sie, Cohn. Dafür brachte Herr Schlenther einen Toast auf Karl und mich aus.
Nach dem Essen lockerte sich der Kreis auf. Kein Wunder, daß Papa mit Professor Schmidt und Paul Schlenther in seinem Arbeitszimmer verschwand, um mit ihnen über den »Stechlin« zu reden. Im Grunde ist dieser Abend nur für ihn inszeniert worden.

Trotz des schweren Kopfes – er behauptete, ein Glas zuviel getrunken zu haben – fand Mete ihren Vater am nächsten Morgen hinter seinem Schreibtisch vor. Anna hatte während der Nacht alles abgetragen, was für die Feier herausgestellt worden war. Zurückgeblieben war nur jenes Flair des Außergewöhnlichen, das im Schlepptau von Festen noch Tage nachwirkt.
Eine eigentümliche Betriebsamkeit hatte Theo befallen. Er gab vor, einen Brief an Emilie schreiben zu müssen, damit sie ihren Teil von der Feier mitbekäme.

Mehr aber noch quälte ihn die Beschaffung von Spezialliteratur für sein neues Thema: Das Ländchen Friesack und die Bredows, mit dem er seine »Wanderungen durch die Mark Brandenburg« abschließen wollte.
»Kannst du sie mir besorgen?« fragte er seine Tochter, das Gesicht übernächtigt, gezeichnet von einer eigentümlichen Erschöpfung.
»Aber sicher, Papa!«
Die Antwort schien ihn zutiefst zu befriedigen.
»Ich würde ja gerne selbst ...«
Er sprach es nicht aus. Aber das kurze Funkeln seiner Augen hatte den Satz unmißverständlicher, als Worte es vermocht hätten, zu Ende geführt.
»Für Reisen dieser Art bin ich in der Tat zu wackelig geworden«, sagte er wie entschuldigend, »weißt du übrigens, daß unser Hausmeister während unserer Abwesenheit gestorben ist?«
»Nein, Papa.«
»Anna hat es mir gesagt. Siehst du!«
»Was, Papa?«
»So ist es am Ende nun mal. Der einzelne fällt – fast unbemerkt, aber das Ganze bleibt.«
»Das klingt grausam Papa.«

Nicht erst um neun – wie seit kurzem zur Gewohnheit geworden – ging er an diesem Tag zu Bett. Obwohl es noch hell war im Zimmer, hatte ihn der Schlaf auf der Stelle übermannt. In der Nacht war er aufgestanden, um etwas zu trinken. Er fühlte sich schwach. Graue Schleier wehten vor seinen Augen. Der Puls klopfte träge im Körper: Vierunddreißig Schläge die Minute.
Auch der folgende Tag gehörte der Korrespondenz. Wieder ging ein Brief ab an Emilie. Er war allein in der Wohnung. Mete, die alles anders als glücklich ausgesehen hatte nach der Verlobung und Anzeichen eines Unwohlseins kaum zu unterdrücken vermochte, war mit Professor Fritsch zu einer Tagestour nach Potsdam aufgebrochen. Gertrud, Lise Mengels Tochter, die sich zur Zeit bei Freunden in Berlin aufhielt, begleitete sie als dame d'honneur. Anna hatte die Gelegenheit zu einem Besuch ihrer Nichte benutzt.
Theo, der bis gegen Mittag mit dem Brief beschäftigt gewesen war, hatte sich aufs Chaiselongue gelegt, weniger der Erschöpfung wegen. Heute suchte er den Schlaf, um den trüben Gedanken zu entge-

hen, die ihn seit Metes Verlobung verfolgten. Sie hatte seine Tochter nicht glücklicher gemacht – das spürte er – obwohl sie alles tat, um es zu verbergen. Genauso, wie er sich mühte, den Schein des Glücks vor sich und Emilie aufrecht zu erhalten. Seine Briefe legten Zeugnis davon ab.

Als er aufwachte, fröstelte ihn. Anna war noch nicht zurück. So verließ er die Wohnung zu einem jener kurzen Spaziergänge, die ihm nur deutlich machten, wie seine Kräfte schwanden.

Hätte sich der Chefredakteur dieser russischen Zeitung – der Name war ihm schon wieder entfallen – nicht angemeldet, er wäre gleich im Bett geblieben. Anna gegenüber sprach er von einem stillen Plätzchen, nach dem er sich sehne.

»Wenig Menschen, Anna, und am Abend ein Spaziergang über kühle Wiesen.«

Dem gegen Mittag eintreffenden Chefredakteur gewährte er ein kurzes Gespräch, für das er noch einmal alle Reserven seines Körpers mobilisierte.

»Ach, Anna«, frohlockte er nach Verabschiedung des Gastes, »was red' ich vom stillen Plätzchen. Im Tiergarten das erste Grün und in Werder die Kirschen. Das ist meine Passion.«

Was ihn nicht davon abhielt, auch an diesem Tag früher zu Bett zu gehen als sonst. Mete, die sich um Gertrud gekümmert hatte, kam gegen acht nach Hause. Der Vater schlief schon. Vorsichtig ging sie ins Arbeitszimmer und fand auf dem sonst leeren Schreibtisch einen achtlos beiseite geschobenen Zettel.

»Anna, wann hat Papa das geschrieben?«

»Ich weiß nicht, gnädiges Fräulein. Er schreibt ja soviel«, erklärte die herbeigeeilte Wirtschafterin, das Stück Papier vor der Nase:

Mein Leben, ein Leben ist es kaum – entzifferte sie. *Ich gehe dahin, als wie im Traum. Wie Schatten huschen die Menschen hin. Ein Schatten dazwischen ich selber bin. Und im Herzen tiefste Müdigkeit. Alles sagt mir: Es ist Zeit.*

Als Mete den Zettel zurücknahm, schwammen Tränen in ihren Augen.

Für übermorgen wurde Emilie zurückerwartet. Theo war zum Erstaunen aller zur Unzeit aus den Federn gekrochen und saß bereits am Schreibtisch, als Mete ihn zum Frühstück rief.

»Aber Papa, das kannst du doch später erledigen«, versuchte sie, ihn zu einer Unterbrechung zu überreden. Aber er bestand darauf, den Brief zu Ende zu schreiben.
Eine Stunde später leistete ihm Anna Gesellschaft. Nach dem Essen beklagte er sich darüber, daß es kalt sei in der Wohnung und er wieder zu Bett gehen müsse. Auch da noch, als ihm Anna nachwies, daß die Temperaturen draußen gestiegen waren und sogar sommerliches Wetter herrsche, obwohl fast Herbst sei.

In der Tat hatte sich völlig unvorhergesehen eine Hochdruckzone über Berlin aufgebaut. Der Himmel schimmerte wie glasiert. Noch einmal schöpfte die Natur aus dem Füllhorn des Sommers, bevor sich ihre Wärme dem Anspruch der Rauhnächte beugen mußte. Vor ihnen fürchte er sich, meinte Theo, als er am Abend mit Mete zusammensaß.
Kurz zuvor war sie von Besorgungen zurückgekehrt, die sie mit Gertrud, deren Heimreise anstand, unternommen hatte. Er friere jetzt schon hundserbärmlich, jammerte er. Aber wie es aussehe, kämen die kalten Tage ja peu à peu und ließen ihm Zeit, sich darauf einzustellen. Das sei ein wahrer Segen. Und am Ende folge auf jeden Winter ein Frühling, wenn nicht gar ein herrlicher Sommer.
Dann sprachen sie über den »Stechlin«, der im Oktober als Buch seinen Weg in die Welt antreten sollte. Zukunftspläne wurden entworfen: Der Roman über Klaus Störtebeker müsse noch geschrieben werden. Letzte Hand sei anzulegen an den vor langer Zeit beiseite geschobenen Roman »Mathilde Möhring«, und auch das Wanderungsbuch über das Ländchen Friesack und die Bredows harre noch der Inangriffnahme.
Da Anna Emilies Abwesenheit dazu benutzte, mehr als sonst außer Haus zu sein, übernahm Mete die Aufgabe, ein kleines Abendessen herzurichten. Obwohl seine Tochter ihm zusprach, aß Theo wenig. Er wolle sich für die Nacht nicht unnötig belasten, rechtfertigte er seine Appetitlosigkeit. Als sie sich in seinem Arbeitszimmer wenig später unterhielten, bat er um einen Likör, weil sein Kreislauf jetzt eine Anregung vertrüge.

Es war kurz vor neun Uhr, ein Dienstagabend. Das milde Wetter hatte Berlins Straßen noch einmal in lebhafte Farben getaucht. Über den Potsdamer Platz jagte der Verkehr, und im Tiergarten tändelten die Liebespaare.

Als Mete den Raum verließ, um ein Glas zu holen, ging Theo ins benachbarte Schlafzimmer, auf leisen, schwankenden Sohlen, als wolle er allein sein bei dem, was jetzt zu tun war.
Aus Mete Fontanes Tagebuch. Eintragung vom 24. September 1898, abends:

Einer jener Tage ist zu Ende gegangen, die wie Denkmäler im Gedächtnis haften. Wir haben Papa zu Grabe getragen. Vor vier Tagen ist er gestorben, nicht ganz plötzlich, aber still, ohne Aufhebens, wie ein Grandseigneur, der niemandem zur Last fallen will. Ich habe ihn, auf dem Bett des Schlafzimmers liegend, gefunden, die Augen geschlossen, das Gesicht versiegelt im Erstaunen der letzten Sekunde. Ein Schläfer in aeternam.
Anna rief den Arzt. Aber Dr. Delhaes konnte nur bestätigen, was ohnehin feststand. Papa ist für immer gegangen.
Inwieweit er um sein Ende wußte, bleibt sein Geheimnis – wie vieles. Eigen war sein Weg, bis in die letzte Rolle hinein. So haben wir ihn denn hinausgetragen auf den Friedhof der Französischen reformierten Gemeinde, inmitten einer Trauergesellschaft, die sich zusammensetzte aus den Besten der Stadt. Alle hatten ihre Abordnungen entsandt: Staat, Wissenschaft, Kunst. Und ich glaube, selbst Papa wäre es angesichts der bekundeten Anteilnahme schwer gefallen, hier von Mumpitz zu reden. Die ganze Familie war angereist, sogar Mamas Schwester aus Liegnitz, Tante Elise aus Striegau und pietätvollerweise auch die Sommerfeldts. Ansonsten enge Freunde: Die Mengels, Tante Witte, Frau Heyden, Frau Zöllner, mitleiderregend in der Gebrechlichkeit ihrer Jahre, daneben Papas Naturalistengarde: Dr. Brahm, Herr von Harden, Dr. Schlenther, der eigens aus Wien hergekommen war. Unbekannte in großer Zahl hatten sich dem Zug angeschlossen. Bewunderer von Papas Werken, die ihm den letzten Dank auf diese Weise abstatten wollten.
Auch der Himmel zeigte Mitgefühl. Wolkenloses Herbstwetter. Die Luft mild. Leicht gekleidet umstanden wir das Grab, an dem der Pastor der französischen Gemeinde, Eugène Devaranne, die Einsegnung vornahm. Seine psalmodierende Stimme beherrschte das schweigende Rund. Mama stand neben mir, blaß und wesenlos. Karl hielt mich fest am Arm. Seine Teilnahme hatte ich Mamas moralischen Rücksichten abringen müssen. Aber es wäre auch ohne ihn gegangen.
Herr Frenzel, Kritiker und Papas Werken nicht gerade enthusiastisch zugetan, sprach dessen ungeachtet im Namen der Kunstkritik die Würdigung. Kein größeres Kompliment hätte man Papa machen können.

Als Pastor Devaranne zu seinem Gedenkwort ansetzte, erstarben die letzten Regungen. Er hatte für seine Ansprache den Nekrolog gewählt, den Papa Pastor Lorenzen bei der Beerdigung des Dubslav von Stechlin in den Mund gelegt hat. Es war ein erhebender und gleichzeitig herzzerreißender Augenblick, die Worte dessen zu vernehmen, der vor unser aller Augen der Erde übergeben wurde. Mehr aber noch war es ein Augenblick des Stolzes, den Pastor Papas Glaubensbekenntnis vortragen zu hören.
Alle lauschten andächtig: Freiheit, Güte, Friedfertigkeit, Barmherzigkeit, Lauterkeit.
Wie feiertäglich und schön klangen die Worte. Die Augen senkten sich, als die Eigenschaften jenes Mannes, den Papa Dubslav genannt hat, uns in den Schatten der dunkelsten Unzulänglichkeiten stellten.
»Er ist nun eingegangen in seines Vaters Wohnungen und wird da die Himmelsruhe haben, die der Segen aller Segen ist.«
Das wünsche ich auch Dir, Papa.
Wenn wir es nur richtig lieben, das Gute, wird es gut, nicht wahr? Denn es heißt ja: Liebe macht ebenbürtig – irgendwann.

Theodor Fontane mit Tochter Mete

ZEITTAFEL

Maßgebend für die folgenden Werkdaten ist das Impressum der Buchausgabe, für zu Lebzeiten Fontanes nicht in Buchform erschienene Werke der Erstdruck.

1819 30. Dezember: Henri Théodore (Theodor) Fontane in Neuruppin geboren
1827 Juni: Die Familie zieht nach Swinemünde
1832 Ostern: Eintritt in die Quarta des Gymnasiums in Neuruppin
1833 1. Oktober: Eintritt in die Gewerbeschule K. F. Klödens in Berlin
1836 Beginn der Apothekerlehrzeit. Konfirmation in der französisch reformierten Kirche
1839 *Geschwisterliebe*
1840 Apothekergehilfe. Gedichte im »Berliner Figaro«. Roman *Du hast recht getan* und Epos *Heinrichs IV. erste Liebe* (beide nicht überliefert)
1842/43 Gedichte und Korrespondenzen in dem Unterhaltungsblatt »Die Eisenbahn«. Ab 1843 Gedichte im »Morgenblatt« (Cotta)
1844 1. April: Beginn des Militärjahres. Mai–Juni: Erste Reise nach England. 29. September: Aufnahme in den »Tunnel«
1845 8. Dezember: Verlobung mit Emilie Rouanet-Kummer
1847 Approbation als Apotheker erster Klasse. Trennung der Eltern ohne Scheidung
1848 Teilnahme an den Barrikadenkämpfen am 18. März. Die »Berliner Zeitungs-Halle« bringt vier Aufsätze Fontanes. *Karl Stuart* (Fragment). Im Krankenhaus Bethanien
1849 Oktober: »Freier Schriftsteller«. Korrespondent der »Dresdner Zeitung« (bis April 1850)
1850 *Männer und Helden*; *Von der schönen Rosamunde*. Eintritt ins »Literarische Kabinett«. 16. Oktober: Heirat
1851 *Gedichte*. 14. August: Sohn George Emile geboren
1852 *Deutsches Dichter-Album. Hrsg. von Theodor Fontane*. 23. April–25. September: Aufenthalt in London
1853 *Unsere lyrische und epische Poesie seit 1848*
1854 *Ein Sommer in London; Argo. Belletristisches Jahrbuch. Hrsg. von Th. Fontane und Fr. Kugler*
1855 10. September: Beginn eines mehrjährigen Aufenthalts in London
1856 Halbamtlicher »Presse-Agent«. 3. November: Sohn Theodor geboren
1857 Emilie übersiedelt mit den Kindern nach London
1858 August: Reise mit Lepel nach Schottland
1859 15. Januar: Rückkehr nach Berlin. Beginn der *Wanderungen*

1860 *Aus England; Jenseit des Tweed.* Eintritt in die Redaktion der »Kreuzzeitung«. 21. März: Tochter Martha (Mete) geboren
1861 *Balladen*
1862 *Wanderungen durch die Mark Brandenburg* (bis 1882 vier Bände)
1864 5. Februar: Sohn Friedrich geboren. Reisen nach Schleswig-Holstein und Dänemark
1866 *Der Schleswig-Holsteinische Krieg im Jahre 1864.* Reisen auf die böhmischen und süddeutschen Kriegsschauplätze
1867 5. Oktober: Tod des Vaters
1869 13. Dezember: Tod der Mutter
1870 Bruch mit der »Kreuzzeitung«. Theaterrezensent der »Vossischen Zeitung«. 5. Oktober: Festnahme in Domremy. Internierung auf der Ile d'Oléron. Anfang Dezember: Rückkehr nach Berlin. *Der deutsche Krieg von 1866* (Bd. 2: 1871)
1871 »Osterreise« nach Frankreich. *Kriegsgefangen; Aus den Tagen der Occupation*
1873 *Der Krieg gegen Frankreich 1870–1871* (Bd. 2 in zwei Halbbänden 1875/76)
1874 Italienreise mit Emilie
1875 *Gedichte. 2., vermehrte Auflage.* Reise in die Schweiz und nach Oberitalien. Heimkehr über Wien.
1876 6. März: Ständiger Sekretär der Akademie der Künste. Ende Mai Rücktrittsgesuch. *Vor dem Sturm* wiederaufgenommen
1878 *Vor dem Sturm*
1880 *Grete Minde*
1881 *Ellernklipp*
1882 *L'Adultera; Spreeland,* der letzte Band der *Wanderungen*
1883 *Schach von Wuthenow*
1884 *Graf Petöfy*
1885 *Christian Friedrich Scherenberg und das litterarische Berlin von 1840 bis 1860; Unterm Birnbaum*
1887 *Cécile.* 24. September: Tod des Sohnes George
1888 *Irrungen Wirrungen.* Friedrich Fontane gründet Verlag
1889 *Fünf Schlösser; Gedichte, 3., vermehrte Auflage*
1890 *Stine*
1892 *Gedichte. 4., vermehrte Auflage; Unwiederbringlich*
1893 *Frau Jenny Treibel oder »Wo sich Herz zum Herzen find't«*
1894 *Meine Kinderjahre; Von vor und nach der Reise.* Ehrendoktor der Universität Berlin
1895 *Effi Briest*
1896 *Die Poggenpuhls*
1897 *Der Stechlin* (Beginn des Vorabdrucks. Buchausgabe nach Fontanes Tod 1898 mit Impressum 1899)
1898 *Gedichte. 5., vermehrte Auflage; Von Zwanzig bis Dreißig.* 20. September: Tod Fontanes in Berlin

INHALT